武蔵野美術大学出版局

新しい教育通義

増補改訂版

高橋陽一／著

はじめに

二〇一七（平成二九）年は小学校学習指導要領と中学校学習指導要領などが告示され、二〇一九（平成三一）年度からの大学での教員養成の新課程も打ち出され、教育の新しい方向性が明らかになった。アクティブ・ラーニングやチームとしての学校などの新機軸が打ち出されるなかで、改めて教育を問い直すことが、本書の目的である。

教育学を学んで教員になろうとする人や、教育に強い関心がある人に、教育の概念や論理を基礎の部分から提示することを意識した。二〇一三（平成二五）年に刊行した『教育通義』を新動向から全面的に見直して、本書『新しい教育通義』を送り出すことになる。

全体は三〇章で構成して、前半の第一部が教育の理念や思想などを扱う。第16章からの後半の第二部は社会における教育の役割、特に学校の制度や経営などを扱う。

本書は教員になろうとする人が最初の段階で読むことを想定している。教員になるまでに膨大な実践に関する知識や技術を学ぶのだが、そうした前提がない状態でも理解できるように基本から説き起こすようにしている。実践編、応用編ではなく、基礎基本編あるいは概念編、理論編である。専門分化した知識や技術を学ぶときには基礎や基本に立ち返る余裕がなくなるので、実践的に活躍する段階で必要なものまでを可能な限り盛り込むことにつとめた。

わかりやすく言うと、教員採用選考で問われる教育哲学や教育史や教育法令や学校経営などの教職教養を意識して、教員として必要な概念や論理が把握できることに留意した。私は、一九九五（平成七）年に最初は非常勤講師として武蔵野美術大学の「教育原理」を担当して、二三年のあいだ教育原理や教育学関係科目を担当してきた。初年次の教育原理と教員を目指す三、四年生の教育学特別演習や、通信教育課程における社会人学生や現職教員の授業、免許状更新講習での数十年のキャリアのある現職教員への講義や添削指導など、多様な年齢と多彩なキャリアの学生と教員に教育学を伝えてきた。そこで改めて思ったことが、長い実践を続けていくためには、教育の基礎的な概念と論理の把握が初歩から必要だということであった。

こうしたことから、重要な概念は、その言葉をまとめて語る箇所でゴシック体で示した。ゴシック体にした箇所については、巻末の重要語句索引で検索できるようになっている。また、人名索引も巻末に加えた。本書全体を通じて参照できるように、煩雑にならない限り本文中で参照するべき他の章を明示するようにした。初歩の学習は繰り返しが大切なので、重要な概念と法令は何度も言及するようにつとめた。

学校教育の場で生かせる論理を磨くために、法令の引用や解釈を意識的に多くした。特に教育基本法や学校教育法は重点的に説明をした。第14章と第16章から第19章は、新旧教育基本法の全文の解釈になっている。詳しい学習をするときのために、長い法令名は正式名を「　」で記して、公布年月日や法令番号を入れた。

本書の記述としては、講義スタイルとした。話し言葉で書いたのではなく、講義をするときのように、体験的な例話や自分自身の見解を合間に入れて、話としての流れを整えた。本書を読書のための書籍や講義のための教科書として接する人のほかに、通信教育課程のテキストとして読む人に講義と同様の臨場感を持ってほしいという考え方からである。内容も実際に二〇一七（平成二九）年度の教育原理Ⅰと教育原理Ⅱの講義ノートから作成し、さらに同年夏に現職教員対象の免許状更新講習における教育の最新事情についての講義ノートと、同年秋の演習で行った教員志望者への教育法令に関する講義ノートの内容を加えた。このため、初学者の入門用の内容としながら、基本を再確認する教員採用選考の受験者や現職教員の復習にも活用できるようにした。

教育の法令については、毎年のように改正が行われる。本書執筆時の最新情報で引用しているが、改正の多い学校教育関係の法令も意識的に引用したので、読者が手にしたときに改正されている箇所があるはずである。できる限り条文ごと引用したのは、初学者にも復習として読む人にも便利だからである。法令は改正されて古くなるので、その時のチェックもできる。数十年は変化しない教育の哲学と歴史によって教育原理を講じるのが、私が学生の頃の一般的なスタイルだった。しかし、それでは教育実践への次の一歩が踏めないというのが私の結論であるから、宿命的に改正がありうる法令を引いて論じなくてはならないこととなった。

なお、法令の引用は、現行法も旧法も原文を尊重した。和漢の古典は文法上の疑いのある箇所も原文どおりとしつつ、句読点、異体字、常用漢字相当の旧字は適宜改めた。

本書は書名を『教育通義』という。後漢の歴史家の班固《はんこ》（三二〜九二）に敬意を表し、その『白虎通義《びゃっこつうぎ》』に倣《なら》った。かの白虎観の会議により儒学の諸概念をまとめたこの書にあやかろうとは考えていない。万古不易の経書《けいしょ》に加えて当時流行の緯書《いしょ》までを引いたために、後世の人が怪しんだことになずらえているのである。改正のある法令や最近の動向を述べた本書もまた同じ問題があることを承知している。

現在の教育学の基本的な概念と、現行の教育法令に重きを置いたが、それを把握することで教育を問い直すことが、次の段階で可能になると考える。読者の教育観と実践への基礎を固めることに役立てば幸いである。

二〇一八（平成三〇）年一月三日　　高橋　陽一

増補改訂（二〇二三年四月）にあたって

教育関係の法令と実態の変化は、この数年で大きなものがある。二〇一八（平成三〇）年発行の初版のあと、予期していたことではあるが、民法改正による十八歳成人、教員の働き方改革、ＩＣＴ活用など、教育の基本となる法令や政策に劇的な変化があった。このため、引用した法令や文書を更新して、重要な概念と説明を追加した。

目次

第二部

第1章　教育と教育学

これから全三〇章にわたって教育の基礎を考えていくことになる。教育を対象として様々なアプローチをする諸学問を教育学と言う。ここで語られる対象は何かを述べることで、教育を問い直していくための導入としたい。

本書の読者は、この『新しい教育通義』というタイトルの本を手にしたすべての人であるが、そのなかには、選択の余地なく本書を読むことになる人びとがいる。二〇二三（令和五）年度からの武蔵野美術大学造形学部の通学課程と通信教育課程で教職課程を履修するために、本書を「教育原理Ⅰ」と「教育原理Ⅱ」の教科書として指定された学生である。一般に大学の授業を履修すれば、通学課程の講義で指定教科書を購入するにせよ、通信教育課程でテキストを配付されるにせよ、当たり前の大学教育のプロセスと言える。そして本書はそういう当たり前の教育をすべて問い直して、改めて教育に関する知識や論理の基礎を理解していくことが目的なのである。

第一節　対象としての教育

二〇二二（令和四）年の四月も、武蔵野美術大学造形学部の通学課程の教職課程受講者が最初に受けることになる「教育原理Ⅰ」の講義の初日に、二クラスの学生を対象に、講義内容の説明に先立ってアンケートを行った。二〇二〇（令和二）年からの新型コロナウイルス感染症の対策として、本学では実技授業を対面で行いつつ、この授業はオンラインで実施した。

「関係する」と答えた人数	2012年度　合計207名			2022年度　合計102名		
		順位	比率％		順位	比率％
教科書	196	1	95	96	2	94
クレヨン・クレパス	171	6	83	71	6	70
幼稚園	174	5	84	93	3	91
カエル	109	8	53	41	8	40
教育基本法	175	4	85	98	1	96
ノート・鉛筆	189	2	91	83	5	81
保育所	118	7	57	66	7	65
学習指導要領	183	3	88	91	4	89

表1　「教育に関係する」もののイメージ

2012年4月13日と2022年4月15日の「教育原理IA・B」の第1回授業冒頭で実施。2012年度はIA履修者53名中46名とIB履修者172名中161名の合計207名が回答（出席率92％）。2022年度は、IA履修者17名中15名とIB履修者93名中87名の合計102名が回答（出席率93％）。

「この授業の計画や内容を説明する前に質問します。次の言葉について、今現在のあなたの考える教育に関係するものは「1」、関係しないものは「0」（ゼロ）を入れてください。わからない場合は「0」（ゼロ）にしてください。」として、「教科書」など八つの言葉が並んだシートである。つまり意識的に「関係する」と思った場合だけ「1」を記すことになる。設問と集計結果は、表1のとおりである。なお、二〇二〇（令和二）年度は同様の書式でオンラインで実施した。

一年次または二年次で履修する入門科目が教育原理だが、編入学後や、卒業の間際、大学院進学後などから履修を始める人もいるので、高学年の学生もいる。実際の講義では翌週にこの集計結果をプリント配付して、各自の回答を踏まえて討議を行った。

言うまでもなく「教育に関係する」という言い方は曖昧である。仏教の縁起説を引くまでもなく、関係性というものは哲学上、宗教上の論題となりうるわけだが、このデータの面白い点は、「順位」と「比率」に着目すると、ほとんどの人が教育と関係があると思う事項と、意見が分かれる事項がなだらかに、かつ倍ほどの差をつけて、分かれることである。

表1には、二〇二二年と、一〇年前の二〇一二年を示した。意外なほど毎年の傾向は似ている。毎年度、教科書、幼稚園、教育基本法、ノート・鉛筆、学習指導要領あたりが上位になる。教科書が上位に入るのは大学入学までの一二年間の学校体験から当然だろう。ノートと鉛筆は、学校の専有物ではないが、このイメージの強さは、教育史家の佐藤秀夫による名著『ノートや鉛筆が学校を変えた』という明治期の学校教育をめぐる提起を想起させる(1)。明治期の学校を現代のイメージで再確認できるのがノートと鉛筆ならば、大正自由教育とりわけ美術教育の画期たる自由画教育をイメージさせるのがクレヨン・クレパスであるが、残念ながら両年度とも六位だった。教育原理は美術教育法などを学ぶ前に履修することが大半だから仕方がない。一方、第四位までに学習指導要領と教育基本法が入っているのは、教職を履修する前にいろいろな知識を得た結果だろう。

第三〜五位の幼稚園と第七位の保育所の間には、両年度とも二五ポイント以上の差が出た。学校教育機関としての幼稚園と社会福祉施設としての保育所という区分論をめぐっては戦前から永年の論争があり、今現在も議論されている。教室の討議では、この「幼保一元化」論を幼稚園に勤める肉親から聞いて知っているという学生や、幼稚園は学校であるはずがないと論じる学生もいて、白熱した。近年は保育所も教育機関だと答える学生が増える傾向もある。

さて、この気まぐれに思えるアンケートを紹介したのは、何が教育であり、何が教育と関係があるのかという点は、人生経験や知識によって様々になるということが言いたいからである。そして、改めて感じるのは、「教育に関係する」という言葉を、私たちが「学校に関係する」という言葉に置き換えて理解してしまっていることである。学校と教育はイコールではない。本書はこのことを概念についても、歴史についても、再検討していくことになる。ここで最下位項目は第八位のカエルだが、私たちはよくカエルに教えられる。都市部にある私の家だが、湿度が高まるとアマガエルの声が聞こえて雨を伝え、外を歩くとヒキガエルが身をもって交通安全を教えてくれる。第6章で教育の定義として広義と狭義、教化などを論じるのは、この点でもある。

ところで、学校教育の専門的な職業人である学校教員にとって必要な教育学は、あくまで学校教育の教育学ではないかという考え方もあろう。学校教員に求められる知識を特定の年齢段階の特定の教科に限ったときは、一見正しい考え方に思えるが、どうだろうか。たとえば中学校の美術科の教員であっても、中学生に美術を教えることだけがその人のプロフェッションではない。その中学生がすでに経験した小学校図画工作科も、その後に経験するであろう高等学校芸術科の美術科や工芸科も、また同時に特別支援教育も知っておく必要があり、こうした知見を持つことが教員として活躍するために必須と考えてよい。さらに中学校美術科教員が美術だけの先生でないことも明確で、道徳教育、特別活動、生活指導、教育相談などなどトータルな分野を実践することが求められる。学校のなかだけではない。生まれてから死ぬまでの人生を通じての生涯学習の観点は言うまでもなく、地域から世界まであらゆる人たちと連携して教育を進めていくことが求められるのであり、学校教育が教室のなかだけで成立することは、ないと言ってよい。つまり特定の年齢段階や特定の教科の専門家としての教師に徹すれば徹するほど、社会との一層広がりのある知見と連携が求められるのである。

結論として、私たちの持っている関心が限定されたものであったとしても、ここで学ぶべき教育学は、教育に関係するすべてを対象としうる広がりを持つものでなければならないということである。

第二節　教育職員免許法

現在の日本の教員養成制度の基本にある法律が**教育職員免許法**である。第8章で見る古代日本の大学寮では律令制国家の学令《がくりょう》に教員任用資格が規定されていたし、第11章で見るように明治の学制以後は師範学校による教員養成が整備されて近代学校の教員制度が確立していった。そうした資格や養成システムの歴史のなか、戦後教育改革の結果、新しい法律として制定されたものが、現在も用いられている教育職員免許法である。この法律の冒頭を見よう。

教育職員免許法（昭和二十四年五月三十一日法律第百四十七号）

（この法律の目的）

第一条　この法律は、教育職員の免許に関する基準を定め、教育職員の資質の保持と向上を図ることを目的とする。

法令の読み方は、各章ですこしずつ説明するが、ここでは、この数行にある簡単なことを確認しておいてほしい。まず、「教育職員免許法」が法律の名称であること、「昭和二十四年五月三十一日」が**公布日**、つまり政府の日刊紙である『官報』に掲載された日付であること、「法律第百四十七号」が**法律番号**（勅令・政令なども含めて法令番号）であることを、とりあえず知っておいてほしい。「法律第百四十七号」とはその年に公布された法律の通し番号であるから、翌年にはまた第一号から始まる。だから他の法律でこの法律を明示するときは、月日を省いても年だけは省略せずに「教育職員免許法（昭和二十四年法律第百四十七号）」と記すことになる。この公布年と番号は、その後法律が何度か改正されても、ずっと名前のように使われる。教育職員免許法も改正を重ねて現在に至っているが、今でも「昭和二十四年法律第百四十七号」として、つまり一九四九年の法律として語られるのである。本書では、各章の法令の初出で公布年月日と法令番号を記すが、その後は適宜省略する。

最初にある「（この法律の目的）」は見出しである。見出しはあくまでも見やすくするためのものだから、見出しは法律としての力、**法的拘束力**は持たない。それに対して、第一条の「この法律は、」以下の文言《もんごん》は、法律の内容そのものだから、書かれているその文言が力を持つ。つまり日本国における「教育職員の免許に関する基準」はこの法律に定められることになるし、またそれは「教育職員の資質の保持と向上を図ること」が目的なのである。

この教育職員免許法は、全二十三条の短めの法律である。現在では八つもの別表と改正のたびの附則が重なっており、かなりの長文になった。さらに、法律はその法律だけでは実際に運用できないことが多い。そのため、実施するための法律を国会で制定したり、さらに内閣や管轄する省が政令や省令と呼ばれる命令を発したりする。教育職員免許法については、法律としては旧制度との移行処置を定めた教育職員免許法施行法（昭和二十四年五月三十一日法律第百四十八号）や介護等体験を定めた「小学校及び中学校の教諭の普通免許状授与に係る教育職員免許法の特例等に関する法律」（平成九年六月十八日法律第九十号）があり、政令としては教育職員免許法施行令（昭和二十四年九月十九日政令第三百三十八号）、省令としては教育職員免許法施行規則（昭和二十九年十月二十七日文部省令第二十六号）などがある。なお本書では、長い法令名には「」を本文と区別するために付けることにする。

二〇一九（平成三一）年度からは全国の大学で新しい教員養成が始まり、この年の一年生からが新課程の対象となった。そこで二〇一七（平成二九）年度から各大学は新課程の準備を始めて、文部科学省に再課程認定の申請を行うプロセスを経た。こうした変化も法令の改正によって行われる。法律が新につくられることを**制定**と言い、なくすことを**廃止**と言うが、修正することを**改正**と言う。この改正のうち、部分的な改正を**一部改正**、全体的な改正を**全部改正**と言う。具体的には、まず衆議院と参議院を経て、教育職員免許法が一部改正されて二〇一六（平成二八）年一一月に公布された。法律は法律によってのみ改正できるので、この一部改正は「教育公務員特例法等の一部を改正する法律」（平成二十八年十一月二十八日法律第八十七号）という法律によって行われた。この改正された内容が二〇一九（平成三一）年四月一日をもって施行された。法令を政府の機関紙である『官報』に掲載して公示することを**公布**と言い、その内容を実際に有効にして行うことを**施行**という。改正の公布と実際に行われる施行との間に三年以上の期間があって、この期間に実施を準備する法律の改正を受けて文部科学省は省令としての教育職員免許法施行規則を改正した。この施行規則の一部改正も省令によって行われ、「教育職員免許法施行規則等の一部を改正する省令」（平成二十九年十一月十七日文部科学省第四十一号）として公布された。この改正した内容も、法律の改正とあわせて二〇一九年四月一日に施行された。

教育職員免許法は大学で単位修得をする「教科に関する科目」と「教職に関する科目」と「教科又は教職に関する科目」を定めていたが、この改正で「教科及び教職に関する科目」に統合された。教育原理は、従来は「教職に関する科目」に当たるが、二〇一九（平成三一）年度からは「教科及び教職に関する科目」である。さらに教育職員免許法施行規則は、各種の教員免許に必要な科目や単位数などを定めており、第六条に定める「第三欄」の「教育の基礎理論に関する科目」として、教育心理学等に相当する科目とともに、教育原理に当たる科目に「含めることが必要な事項」が定められている。この文言も二〇一九年度からは、「第三欄」の「教育の基礎的理解に関する科目」と若干名称が変わって、「右項の各科目に含めることが必要な事項」として区分されて、次のとおり定められている。

教育の理念並びに教育に関する歴史及び思想

教育に関する社会的、制度的又は経営的事項（学校と地域との連携及び学校安全への対応を含む。）

武蔵野美術大学では通学課程も通信教育課程も、前者を「教育原理Ⅰ」二単位、後者を「教育原理Ⅱ」二単位という授業科目名で実施している。「教育原理」というのは、教育職員免許法施行規則ができた頃からの、昔の科目名である。その後に規則の文言が変化したのだが、「教育原理」と名付ける大学が今も一般的である。もちろん、「教育学」などの他の名称を用いたり、教員養成学部では「教育思想」「教育史」などと複数の授業科目に分けたりする例も多い。

このように大学の教職課程で学ぶ教育学の内容は、法令で定められていることになる。ただし、内容項目が列記されている初等中等教育の学習指導要領とは異なって、それぞれ一行ほどの内容で規定され、さらなる具体的な内容は、それぞれの学術研究にゆだねられている。

まず「教育の理念並びに教育に関する歴史及び思想」という文言を、兼ねることを意味するandと、括《くく》りを示す（　）の記号を使って示すと、次のようになる。

教育の理念　and　教育に関する（歴史　and　思想）

つまり、「教育の理念」と「教育に関する歴史」と「教育に関する思想」の三つの内容が兼ねて含まれていることを意味する。なぜ、文章の構造をこう表せるかというと、法令用語にはルールがあって、「並びに」と「及び」は両方ともandを意味するが、大きい括りを「並びに」、小さい括りを「及び」と書き分けるルールだからである。学問分野で言えば、「教育に関する歴史」は教育史学に、「教育に関する思想」は教育哲学や教育思想研究に相当するものである。そうすると冒頭の「教育の理念」が「教育に関する思想」と重複しているようだが、実際には第14章や第16章で見るように、教育基本法前文などに明記された「理念」や第一条に規定された「教育の目的」などが相当する。つまり、この文言のなかには、古今東西の教育を対象とした教育哲学と教育史学だけでなく、現在の学校教員に必須とされる教育基本法の理念が含まれることになる。

次に「教育に関する社会的、制度的又は経営的事項」という文言を、選択することを意味するorと（　）を使って示すと、次のようになる。

教育に関する（社会的 or 制度的 or 経営的）事項
{（学校 and 地域）の連携 and 学校安全への対応}を含む。

「又は」がorを意味することは言うまでもないが、同等のものが並ぶときには最後のみを「又は」として、その前は「、」にするのが法令用語のルールである。従って、「教育に関する社会的事項」又は「教育に関する制度的事項」又は「教育に関する経営的事項」と三つから一つを選択するということになる。学問分野で言えば、教育社会学、教育制度論（教育行政学や教育法学）、学校経営論ということになる。文言どおりに読めばこれらから一つを選択することになるが、教育原理は初歩の科目だから、これらの事項の基本をすべて含んだ内容にするのが通例であり、本書でもそう考えている。「経営」という言葉は、企業経営のような収支や貸借のことと狭くイメージされることがあるが、ここでは広義のマネジメント、金だけでなく人や物も対象とした経営を意味する。明治期の師範学校では「学校管理法」という言い方が一般的で、校舎などの施設設備から授業時間数まで学校に関するあらゆる内容が含まれていた。現在では学校に限らず教育一般のマネジメントと考えてよいだろう。

次の本来の（ ）の中は、前の「教育に関する社会的、制度的又は経営的事項」を修飾する形で、そこに必ず含まれるべき内容を規定している。**学校と地域との連携**は、第19章で見るように現在の教育基本法第十三条に規定された重要な内容であり、具体的には第28章で説明する。また、**学校安全**への対応も、災害対策から日常の健康まで広範に含んでおり、第29章で説明する。この（ ）の規定は、従来は含まれておらず、教育職員免許法施行規則の改正にともなって二〇一七（平成二九）年度から含まれる内容である。本書はこうした内容を含むことで法令の施行に対応した。

ここまで、大学の教職課程で教員免許状を取得するために必要な授業科目としての教育原理に含まれる内容を確認した。それは、教育の理念や教育史、教育哲学、そして社会や制度や経営の事項である。これは大変広範な内容であるが、教育原理と言うように、これから実践や理論を研究するための基礎的な知識や論理を身につけることが中心となる。

第三節　教育学

教育学とは、教育を対象とする学問である。様々な学問が教育を対象としたことは多いが、第15章で見るように一七世紀のコメニウスの頃から体系的な教育の研究が始まり、一九世紀のヘルバルトの頃には教育学（英語 pedagogy, ドイツ語 Pädagogik）という言葉が定着し、二〇世紀には教育科学（英語 science of education）という語も併用された。日本では明治以後の近代学校を担う学校教員養成のための師範学校の教育に受容され、二一世紀でも教育学は学校教員にとって必須の知識を提供している。

そのように考えると、教育学という学問は、対象物である教育との間で特殊な関係を有している。いや、すべての学問について、対象と学問の関係は微妙である。

私は一九八二（昭和五七）年に大学に理科系で入学したのだが、同じ理科系でも、理学部と、工学部や農学部との間には、教員や学生の気風にまで影響するほど大きな学問のあり方の違いがあると感じた。対象を純粋に研究することで存在意義を示す学問と、対象に働きかけて有用性を示すことで存在意義を示す学問の違いである。実際には同じ学部や学科の内部でも対象との関係は様々で、「私は理論系ではなく実験系ですから」などと対象との関係を説明されることもある。

カエルをはじめとした生き物が大好きな私は、進むべきは理学部生物学科か農学部か悩んで、対象との関係が密接な農学部畜産獣医学科に進むことにしたが、解剖学の講義で気分が悪くなってしまい、受講を断念した。そして文科系に転じて、今度は文学部か教育学部かを悩んで、教育学部教育学科へと進むことにした。文学部であれば古典を古典として研究することが認められるが、教育学部であればその成果が現実に教育にどのような意味があるかということが常に問われていくので、そのことを学生の頃から現在に至るまで実感している。

個人的な体験談を述べたが、現実の教育への意義が問われざるを得ないのが教育学という学問である。それは多かれ少なかれ、すべての学問に求められることであり、工学や農学、医学、薬学はもちろん、法学、経済学、商学などでも同様であろう。美術や音楽などの芸術は、芸術のための芸術としての意義が主張できるが、それでも同時に人間や社会との関係が問われるものである。

どんな学問であっても、学問としての自律性を確立するためには、その学問の専門家が集まる学会が必要となる。学会は大会などでの会員の口頭報告や学会誌の論文について意見を述べたり審査したりすることで、学説などを評価する機能を持っている。日本では、第12章などで述べるように、近代の学問が帝国大学を中心に形成され、大学別の人脈形成が進んだために、全国的な学会形成が立ち後れた。教育学の分野では、表2に示すように、旧制中学校などの数学教育を扱った日本数学教育学会や、国策による日本諸学振興委員会との拮抗《きっこう》関係で形成された一九四一（昭和一六）年の日本教育学会をはじめとして、まだ創立一〇〇年以内のものばかりである。(2)

表2には、二〇年以上の歴史がある主要な学会のみを挙げた。実際にはこの何倍もの学会が存在する。表2の左の一列は、教育学一般や学問上の区分を名称に掲げた学会である。たとえば、師範学校では日本の教育の歴史が明治以来の必須の科目だったが、そうした分野をリードしたのは明治の初めでは江戸時代からの国学者たちであり、その後は西洋流の歴史学を学んだ研究者たちであった。(3)これらの研究者が教育学としての教育史研究を意識したときに、新しい学会が必要となり、一九四一年一月の日本教育史学会の結成へと至るのである。さらに戦後の教育改革では教育

表２　主要な教育学の学会と設立年

教育学の区分による	教科・教育内容の区分による	教育機関や学説等による
日本教育史学会 1941	日本数学教育学会 1919	(教育機関など)
日本教育学会 1941	日本地学教育学会 1948	日本保育学会 1948
日本教育社会学会 1948	歴史教育者協議会 1949	日本通信教育学会 1950
中国四国教育学会 1949	全国大学国語教育学会 1950	日本図書館情報学会 1953
日本教育心理学会 1952	日本社会科教育学会 1950	日本社会教育学会 1954
日本教育医学会 1953	日本体育学会 1950	日本産業教育学会 1960
教育史学会 1956	全国社会科教育学会 1951	日本特殊教育学会 1963
教育哲学会 1957	日本道徳教育学会 1951	全日本博物館学会 1973
日本教育経営学会 1958	日本美術教育学会 1952	日本生涯学習学会 1979
日本教育方法学会 1964	日本物理教育学会 1952	大学教育学会 1979
日本教育メディア学会 1964	日本理科教育学会 1952	日本児童育成学会 1981
日本比較教育学会 1965	日本学校保健学会 1954	日本コミュニケーション障害学会 1983
日本教育行政学会 1966	日本女子体育連盟 1954	日本学校教育学会 1985
日本教育法学会 1970	日本生物教育学会 1955	
関東教育学会 1973	日本読書学会 1956	(学説など)
日本教育工学会 1984	日本家庭科教育学会 1958	日本デューイ学会 1957
日本教育情報学会 1985	文学教育研究者集団 1958	日本モンテッソーリ協会 1968
日本教材学会 1989	数学教育学会 1959	日本ペスタロッチ・フレーベル学会 1982
教育目標・評価学会 1990	日本時事英語学会 1959	日本キリスト教教育学会 1988
日本カリキュラム学会 1990	日本数学史学会 1959	日本仏教教育学会 1992
日本教育制度学会 1993	外国語教育メディア学会 1961	
	大学英語教育学会 1961	
	日本語教育学会 1962	
	日本農業教育学会 1964	
	日本カウンセリング学会 1967	
	日本音楽教育学会 1970	
	日本体育・スポーツ経営学会 1970	
	日本フランス語教育学会 1970	
	教育システム情報学会 1974	
	全国語学教育学会 1975	
	日本教科教育学会 1975	
	日本実用英語学会 1975	
	舞踏学会 1975	
	日本科学教育学会 1977	
	日本進路指導学会 1977	
	日本体育科教育学会 1978	
	日本創造学会 1979	
	異文化間教育学会 1981	
	日本スポーツ教育学会 1981	
	日仏教育学会 1982	
	美術科教育学会 1982	
	全国漢文教育学会 1983	
	日本生活指導学会 1983	
	全国大学書写書道学会 1985	
	日本学校教育相談学会 1990	
	日本環境教育学会 1990	
	日本国際教育学会 1990	
	国際アジア文化学会 1992	
	日本特別活動学会 1992	

久保義三ほか編著『現代教育史事典』東京書籍、2001 年などを参考に、設立 20 年以上の主要な学会のみを掲載。名称変更がある場合は新しい名称として、設立年は前身の学会の設立年を付記した。この表の区分はあくまでも本書の説明のための区分である。

学が活性化し、様々な分野の学問と架橋する学会がつくられていく。こうした学会では、心理学から教育心理学、社会学から教育社会学という形で旧来からの学問を意識して、教育に関する人間の現象を対象とする学問が形成されていく。学術研究としての性格の強い学会も、常に実践性や有用性が問われることになるが、そのような社会の期待に応えるためにも学問としての水準がまず求められる。

教育に関する学会の多数を占めるのは、表2中央一列の、教科や教育内容ごとの学会である。これらの学会は、大学の研究者だけでなく、実際に教育を行う学校教員が会員の多数を占める点が特徴である。美術教育を対象にする美術教育学は、明治期以来の美学美術史学という学問や美術の動向を教育すべき内容としては意識しても、研究として論じるべき対象はダイレクトに教育実践が中心となる。学会大会の発表でも、自らが実践した教育についての研究報告が多く見られる。こうした現象は、医学系の学会での医師たちの報告でも見られることだから、臨床的な研究という言い方をしてもよいだろう。

このほか表2右の一列に、保育、生涯学習といった、教科・教育内容というよりも教育機関や領域ごとに形成される学会もある。また、代表的な教育学者や宗教を名称に掲げて、古典研究から実践にわたる学説別の学会も形成されている。なお、限られた代表例だけの表2を見ても、どう見ても重複していると思える名称の学会が多いが、学説や人脈の違いを背景とする歴史的経緯によって、離合集散していることもまた事実である。

ここでは、教育学の研究が評価される場である学会を概観することで、第二節で見た教育原理で求められる内容について、学問上の位置を確認したい。教職課程履修者は大学で、各教科の教育法や、道徳教育、特別活動、生活指導、教育相談などの実践に直結した多くの分野について学ぶことになる。これらは、教育の学術研究の位置では、多数の学会のある教科や教育内容の学会で対象となる実践的または臨床的な内容である。これに対して、教育原理に含まれることになる教育の理念や教育史、教育哲学、そして社会や制度や経営の事項は、教育を学術研究の対象として位置づける学問のなかで論じられてきたものである。

学校の教育現場で直接に生かすことのできる知識や技術は教育学の応用的な分野であるが、本書が論じるのは基礎的な分野である。基礎というのは、実際の教職課程で最初に学び始めるための入門編という意味であるが、同時に様々な応用に発展し得る土台という意味も込められている。応用的な展開の成否も、基礎となる土台によっている。

それでは、それぞれが教育を問い直していくうえで、必要となる教育に関する知識や論理の基礎を手に入れるために本書が生かされることを願いながら、記述を進めたい。

（1）佐藤秀夫『ノートや鉛筆が学校を変えた』平凡社、一九八八年。
（2）駒込武・川村肇・奈須恵子編著『戦時下学問の統制と動員　日本諸学振興委員会の研究』東京大学出版会、二〇一一年。
（3）高橋陽一「日本教育史学の成立と国学」『明治聖徳記念学会紀要』復刊第四七号、二〇一〇年一一月。

第2章　子どもをめぐって

小学生や中学生と同じように、高校生も公式には子どもだという常識が崩れた。二〇一五（平成二七）年に成立した「公職選挙法等の一部を改正する法律」（平成二十七年六月十九日法律第四十三号）が公布されて、二十歳からを有権者としていた公職選挙法（昭和二十五年四月十五日法律第百号）が改正されて、**十八歳選挙権**が二〇一六（平成二八）年六月一九日に施行された。日本国の主権者になることは将来にむけての教育課題であったが、高等学校三年生の教室では生徒の何割かがすでに有権者であるという現実に変化して、学校現場に驚きがあった。さらに二〇二二（令和四）年四月からは**十八歳成人**となり、変化は急速なものがある。この章では揺れ動く子どもという言葉について考えてみる。私たちが日常に使うこの言葉を再考して、さらに法律上の定義を確認していきたい。

第一節　子どもの二つの意味

子どもという言葉は、どのように理解されているだろうか。まずは、親子にありがちな会話を聞いてほしい。

「おかあさん、私はもう子どもではないの。」

「何を言っているの。あなたはいつまでも私の子どもよ。」

この寸劇が面白いのは、親と子が「子ども」を異なる意味で使っているところである。子ども扱いを嫌う娘が年齢または発達段階としての「子ども」という意味で使用して、母親は親子関係における「子ども」という意味で反論している。

親子関係が成長してからも続くことは、今に始まったことではない。

　怒りを歌え、女神よ、ペレウスの子アキレウスの[1]――

このように美の神ムーサに祈りを捧げて始まるホメロスの『イリアス』の冒頭から、何回も古代ギリシャの英雄たちの名は、父の名前を冠して呼ばれ続ける。古代ローマでは氏族名 praenōmen（プラエノーメン）や家名 cōgnōmen（コーグノーメン）が定着したが、個人の名前だけの時代が長かったギリシャでは、父の名前 πατρώνυμιον（パトローニューミオン）を冠して呼ぶことが多い。だからアキレス腱《けん》に名をとどめるこの英雄も、何千年たってもペレウスの子なのである。

ただ、「ペレウスの子」などと一世代限りの親子関係でその父の名を冠して呼んでも、誰にでもわかる個人情報としては特定が不十分である。そこで、一族の最初の名前を氏族名つまり姓として使い続けることもある。たとえば一族の始祖がドナルドやアーサーという名前ならば、子孫の氏族名がマクドナルドやマッカーサーになる。こうした「子」を表す Mac や Mc で始まるスコットランド系やアイルランド系の英米人と出会うことが多い。親子関係や家族関係が子孫にまで影響する例としては、古代中国の「公侯伯子男《こうこうはくしだん》」という五爵があり、伯爵、子爵、男爵は、先祖が周王と伯父や子どもなどの一族の関係にあることを表していた。もちろん「子」はもっと形骸化して男子の敬称となるから、孔丘《こうきゅう》や孟軻《もうか》に対して、数千年たっても彼らの教え子である我々は尊敬を込めて、孔子、孟子と呼ぶのである。日本では、「子」は蘇我馬子や小野妹子など男子の名前であったが、平安貴族では女子名で多用されて、現代の

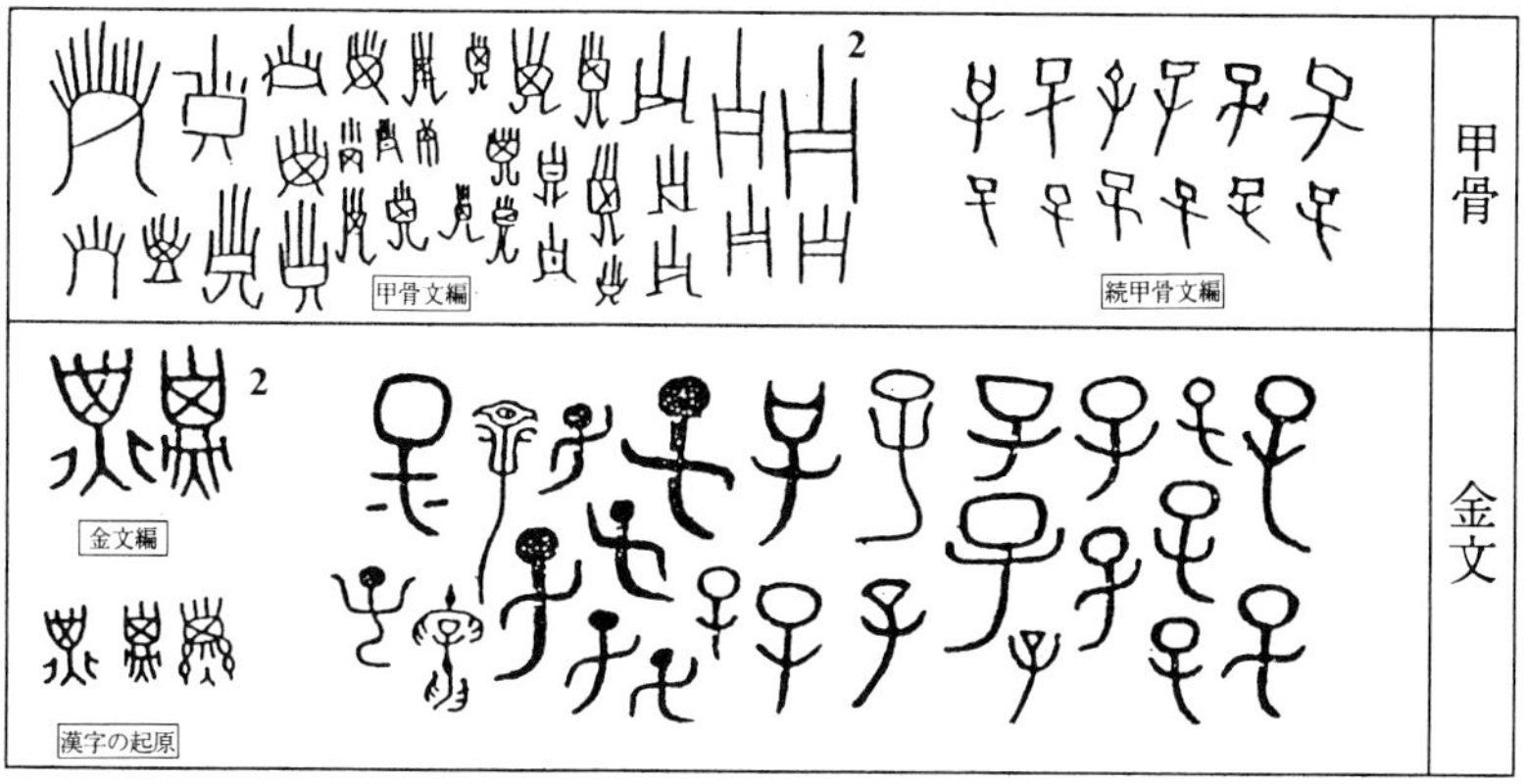

図１　甲骨文・金石文の「子」
水上静夫編著『甲骨金文辞典上巻』雄山閣、1995年、349頁より「子」の一部を採録。

日本人はそれにあやかって「子」を女子名に多用する傾向がある。これも流行があるようで、二〇二二年度「教育原理」受講者名簿を数えると、「子」のつく名前は一割を切っている。

このような親子関係の意味での「子ども」は未来永劫、子々孫々に固定的なものと思える。「私はもう子どもではないの。」と言う場合は、ある年齢からは「子ども」でなくなるという意味である。漢字の「子」も、元々は、その文字のとおり、乳幼児としての子である。図1には、甲骨文や金石文の「子」の字体を掲げた。こうした漢字の古い字体は、象形文字としての意味を確認するのに便利なため多くの漢和辞典に解釈が記されている。しかし、実際には発掘や伝来による甲骨や金属器に刻まれたのは文字だけなのだから、解釈には違いが発生する。甲骨文の一部にある「川」のような記号は、子どもの頭髪だそうであるが、なぜかびっくりしているようにも見える。ともかくこの「子」を見るかぎり、乳児と見ようが、幼児と見ようが、小さな年齢段階の子どもが描かれていると考えられる。

ところでここまで「子ども」と書いてきた。現在の教育学の分野では、「子ども」と漢字かな交じりに書くことが通例であるが、新聞雑誌等では「子供」と漢字で統一したり、「こども」とすべてひらがなに開いたりすることもある。基本は書き癖と考えてよい。「供」はお伴《とも》やお供えのような付随的な意味だから、ひらがなで書くべきだという理屈を耳にすることがあるが、本来的には「子ども」の「とも」は、「野郎ども、行くぜ」と海賊の親分が子分に呼びかけるような複数を示す接尾語の「とも」や「ども」である。「野郎ども」のニュアンスにあるように、「ども」には謙譲や侮蔑の意味が含まれるので、「子ども」にも「お宅のお子たちは」と上品に言う類語がある。「平家の公達《きんだち》」の「たち」である。近年は言葉が乱れているので、「たち」と「ども」が混用され、こともあろうか一人称複数で「私たち」と記すことが多いが、自称に「たち」と言うのは、「オレ様」や「朕《ちん》」と同様に尊大であり、「私ども」がよい。ただ、日本国の主権者たる国民の一員として自称したり、学校教員が朝礼で児童生徒と自己を総称して一同に呼びかけるのであれば、「私たち」もまた適切な用語と言えよう。いずれにせよ、「子ども」は複数なのだが、現代では単数でも使う。英語のチャイルドとチルドレンのような違いは、日本語では無視されやすいのである。

第二節　法律における子ども

子どもは、現在の法律のなかでどう定義されているだろうか。まずは**日本国憲法**から見てみたい。

日本国憲法（昭和二十一年十一月三日憲法）
第二十六条　すべて国民は、法律の定めるところにより、その能力に応じて、ひとしく教育を受ける権利を有する。
2　すべて国民は、法律の定めるところにより、その保護する子女に普通教育を受けさせる義務を負ふ。義務教育は、これを無償とする。

一九四六（昭和二一）年一一月三日、つまり今日の「文化の日」に公布され、翌年五月三日、これも今日の「憲法記念日」に施行されたこの憲法は、戦前の大日本帝国憲法の批判や反省に立ちつつも、少なくないものを継承している。第20章などで論ずる権利としての「義務教育」について、戦前は勅令の規定にすぎなかったものを憲法上の「教育を受ける権利」として、つまり国民の権利としての教育権として規定したことが、この第二十六条の最も評価するべき点である。一つの条の第一段落を第一項、第二段落を第二項と言い、第二項の冒頭にアラビア数字で2と記す。法令集で①などを追加するものがあるが、第一項には1は記さないのが本来の書き方である。第一項にも第二項にもある「法律の定めるところにより」は、具体的には教育基本法や学校教育法などの教育関係の法律を指す。

第二項には、「子ども」という言葉にこだわってきた視点からすると、気になる言葉がある。「保護する子女」という**子女**である。今日では「帰国子女」という言葉ぐらいでしか日常語では聞かないが、戦前は「子女」が一般的であった。男女の平等を定めた日本国憲法からすると、「子女」という表現には違和感がある。もちろん、「女」は「むすめ」と訓じてよく、「子」が「女」と対照して男子を意味する。すると、ここでは「男子と女子」という意味であり、「教育を受ける権利」は男女ともにあるという意味である。ただ「男女」という「女」と同じ漢字である以上は、「女は子でない」とか「女はいつまでも子ども扱い」というニュアンスを感じさせることも確かである。この日本国憲法の規定を受けて、一九四七（昭和二二）年の教育基本法第四条の義務教育の規定にも「保護する子女」という文言があったが、二〇〇六（平成一八）年の全部改正による教育基本法第五条では「保護する子」と改めた。「子」の一文字で男女ともに含むのが現在の法律用語である。「帰国子女」も「帰国生」や「帰国生徒」などへの置き換えが進んでおり、武蔵野美術大学でも「帰国生特別入学試験」と名称を変えている。

「子女」か「子」かにこだわったが、日本国憲法においては同義であると解釈してよい。ただし、現在でも日常語として残っている「子弟」については、男子だけを指すものであるから、たとえ男子校でも注意しておく必要がある。「子弟」と対になる「父兄」はどう見ても女性排除の不適切な用語である。では、「父母」はどうかと言うと、これも教員が家庭への連絡等に使用する場合には注意してほしい。家庭には「父」だけの場合も、「母」だけの場合もあるし、その父母ともにいない場合もある。憲法にあるとおり「保護」する者、つまり**保護者**が法的にも実際にも最も適切な用語である。

保護者とは親権を行う者であり、父母や養親がいない場合、保護者は未成年後見人として選任される。親権者について、**民法**の規定を見てほしい。

民法（明治二十九年四月二十七日法律第八十九号）

（親権者）

第八百十八条　成年に達しない子は、父母の親権に服する。

2　子が養子であるときは、養親の親権に服する。

3　親権は、父母の婚姻中は、父母が共同して行う。ただし、父母の一方が親権を行うことができないときは、他の一方が行う。

民法は浩瀚《こうかん》な法典であり、大小の改正が何度も行われているが、法律そのものとしては一八九六（明治二九）年に帝国議会を経て制定された法律として継続している。もちろん、制定時の第八百七十七条にある「子ハ其家ニ在ル父ノ親権ニ服ス」といった父親優先の規定は現在はなく、父母が共同して親権を行う。第八百十八条第一項の「**成年**」という用語は、民法第四条（成年）に「年齢二十歳をもって、成年とする。」と規定されたように、満年齢の二〇歳、つまり「はたち」であった。この第四条が、二〇一八（平成三〇）年に「民法の一部を改正する法律」（平成三十年六月二十日法律第五十九号）により、「年齢十八歳をもって、成年とする。」と改正されて、二〇二二（令和四）年四月一日より施行された。すなわち**十八歳成人**への明治以来の改正である。この前提には、第5章に見る子どもの権利条約などの世界的な十八歳成人の広がりと、本章冒頭に述べた十八歳選挙権が二〇一六（平成二八）年に施行された背景がある。

親権については第4章で歴史的に検討するが、この民法第八百十八条の「子」は、第一節で考えた視点と重ね合わせると、親子関係の「子」と、年齢段階による「子」が重なっていることになる。「もう子どもではないの。」という自己主張は、精神や身体の能力などを挙げて主張するだろうが、ここではそういう発達段階ではなく、法のもとに、あるいは地球の自転と公転のもとに、一律平等に訪れる十八歳という年齢段階で規定される。

未成年と法律と言えば、誰もが想起するのが、未成年者の飲酒や喫煙の禁止である。**未成年者喫煙禁止法**と**未成年者飲酒禁止法**として戦前から定着した法律である。民法改正にともなって法律名が、「**二十歳未満ノ者ノ喫煙ノ禁止ニ関スル法律**」と「**二十歳未満ノ者ノ飲酒ノ禁止ニ関スル法律**」へと変更された

二十歳未満ノ者ノ喫煙ノ禁止ニ関スル法律（明治三十三年三月七日法律第三十三号）
第一条　満二十年ニ至ラサル者ハ煙草ヲ喫スルコトヲ得ス

二十歳未満ノ者ノ飲酒ノ禁止ニ関スル法律（大正十一年三月三十日法律第二十号）
第一条　満二十年ニ至ラサル者ハ酒類ヲ飲用スルコトヲ得ス

両法ともに大日本帝国憲法下にできた明治大正期の法律であり、条文は関係者の責務の明記など様々な改正を経ているが、全部改正などの大規模な改正を経ていなかった。成人が一八歳となっても飲酒や喫煙は二〇歳になってから可能とする規定が、健康上も合理的であるから、法律の名称の「未成年」は「二十歳」へと改正された。名称が古風なカタカナ入りで長くなったが、現在はまだ略称も定着していないので、正式名称で覚えてほしい。本文の「至ラサル」「得ス」は「至ラザル」「得《え》ズ」と濁音で読んでほしい。「満二十年」は民法の「年齢二十歳」と同義である。

さて、法律上の「子ども」の年齢段階がすべて一八歳未満であればわかりやすいのだが、同じ日本国の法律でも、社会福祉関係の法律ではこの民法改正以前から満年齢一八歳未満とするものが通例であった。子どもを対象とした社会福祉は、すべての児童が心身ともに健康に育成されることを理念にして各種の児童福祉施設について定めた**児童福祉法**を中心として構成される。

児童福祉法（昭和二十二年十二月十二日法律第百六十四号）

第四条　この法律で、児童とは、満十八歳に満たない者をいい、児童を左のように分ける。

一　乳児　満一歳に満たない者

二　幼児　満一歳から、小学校就学の始期に達するまでの者

三　少年　小学校就学の始期から、満十八歳に達するまでの者

児童福祉法は、保護者との親子関係等を前提とした「子」や「子女」ではなく、**児童**という言葉で対象者を定義しているが、「満十八歳に満たない者」つまり満年齢一八歳未満としている。第四条一、二、三の箇条書きを第一号、第二号、第三号と言う。この三つの号によってさらに児童を**乳児**、**幼児**、**少年**という三段階で、区切っている。民法

上では親権により保護される満一八歳と満一九歳の「子」は、児童福祉法上では「児童」ではないことになる。この児童福祉法上の規定により、第4章で見る「児童虐待の防止等に関する法律」などの児童福祉関係の法律も、対象を満年齢一八歳未満の「児童」とすることで足並みを揃えている。ところで、日常の言語だと「少年」は「少女」と対になって男性のみを表すが、年が少《わか》いことを指すのが少年だから、男女ともに指して問題はない。

ここで、児童福祉法を中心にした**児童福祉**について、すこし説明しておきたい。児童福祉は、満一八歳に満たない児童を対象とした社会福祉である。国では**厚生労働省**が所管して、都道府県では**児童福祉審議会**をおいて児童虐待の対応、里親の認定や児童福祉の方針などの事項を審議する。保護者や児童が児童福祉のサービスを受けるための相談の窓口として、都道府県は**児童相談所**を設置して、社会福祉主事などの資格を持つ**児童福祉司**が任用される。地域の相談活動は、市町村レベルではボランティアの位置づけの民生委員が**児童委員**を兼ねて対応する。児童福祉のサービスを提供する**児童福祉施設**は、経済的理由や障害などの対応に特化した多様な施設があるが、幅広く子どもが関わる施設としては乳児や幼児の保育に当たる**保育所**と**幼保連携型認定こども園**があり、児童館や児童遊園などは**児童厚生施設**と呼ばれる。保育所では大学等で養成された**保育士**が保育に当たり、幼保連携型認定こども園では幼稚園と保育所の両方の役割を持つので幼稚園教諭免許状と保育士資格の両方を持つものが当たる。また中学校卒業までの子どもを保護する保護者に支給される**児童手当**などの経済的支援も、児童福祉に含まれる。

児童福祉法と同じく、一八歳での切り方は世界的にも一般的で、第5章でも見る「児童の権利に関する条約」（子どもの権利条約）でも、同様である。この一八歳で成人とする国際的動向が、冒頭でみた十八歳選挙権をはじめとした近年の改革に大きな影響を与えている。

児童の権利に関する条約（平成六年五月十六日条約第二号）

第一条　この条約の適用上、児童とは、十八歳未満のすべての者をいう。ただし、当該児童で、その者に適用される法律によりより早く成年に達したものを除く。

この第一条の後半の「ただし」で始まる一文、つまり但書きの意味は、条約締結国ごとに様々であろうが、たとえば日本では一八歳成人以前の結婚が可能な年齢を民法で定めた**婚姻適齢**の制度が該当した。以前の民法第七百三十一条（婚姻適齢）では「男は、十八歳に、女は、十六歳にならなければ、婚姻をすることができない。」と定めて、第七百五十三条（婚姻による成年擬制）ではこれを受けて「未成年者が婚姻をしたときは、これによって成年に達したものとみなす。」としたことが該当した。つまり二〇歳以前に結婚した未成年者が成年に達したと見なされていたのである。この婚姻適齢は一八九六（明治二九）年に制定されたときの民法第七百六十五条では「男ハ満十七年女ハ満十五年ニ至ラサレハ婚姻ヲ為スコトヲ得ス」であり、戦後の民法でも同様に婚姻適齢は一六歳と一八歳の差となって男女平等でなく、この不平等を改める課題が指摘されていた。これが**十八歳成人**と連動して、第七百三十一条は「婚姻は、十八歳にならなければ、することができない。」と男女格差を改めて、同時に未成年者を婚姻によって成人とみなす成年擬制の規定も不要になって削除された。現在の民法では「第七百五十三条　削除」と、条文が順送りで番号が混乱しないように、条のみが残っている。

次に学校を中心とした教育関連の法令での子どもについて見てみよう。学校教育法をはじめとした教育法令では、年齢段階での規定は第20章で見る義務教育の就学年齢などがあるが、子どもの定義という形ではない。ただし、**校種**や**学校種別**という、小学校や中学校などの学校段階の法令上の呼び名によって、学習者の呼び方は、戦前からほぼ確定していて、**幼児**、**児童**、**生徒**、**学生**という段階である。現在では次のようになる。

学習者	校種・学校種別
幼児	幼稚園、特別支援学校幼稚部
児童	小学校、特別支援学校小学部
生徒	中学校、高等学校、中等教育学校、特別支援学校（中学部・高等部）
学生	大学（学部・大学院・短期大学）、高等専門学校

簡単に整理すると、高等教育は学生、中等教育は生徒、初等教育は児童となる。幼稚園の学習者は園児と呼称されやすいが、法令上は幼児である。特別支援学校は相当する学校種別に一致するのでわかりやすいが、高等専門学校には高等学校一年生に相当する入学者がいるのだが、それでも高等教育に分類されるから「学生」に統一されている。初等中等教育段階では「児童会」や「生徒手帳」などの言葉を聞くので理解しやすいが、日常では「小学生」「中学生」「高校生」が一般的である。このことから、中学生なども「学生時代」と言ってしまうことがある。大学生だけが学生だと言うと、第8章で見るように、この言葉を「がくしょう」と読んだ日本古代の大学寮以来の特権性も感じられる。

この学校関係の呼称と、先に見た児童福祉法上の呼称は、微妙に重なって混乱しやすい。次のようにくらべてみよう。

段階	一歳未満	一歳	幼稚園	小学校	中学校	高等学校	大学
児童福祉	乳児	幼児		少年		一八歳～	
学校教育			幼児	児童	生徒		学生

児童福祉法はあらゆる児童を年齢段階で定義し、学校教育では就学する学校種別により区別するのだから、正確には対応しない。義務教育では四月一日を学年の始期として、それが中等教育や高等教育に連動するから、大人になっても「年が同じ」と「学年が同じ」という二つの同年齢の感覚が続くことになる。
最後に、刑法や少年法での区分を見てみよう。次の**刑法**の規定は有名である。

刑法（明治四十年四月二十四日法律第四十五号）
（責任年齢）
第四十一条　十四歳に満たない者の行為は、罰しない。

これは刑事責任を問うことのできる年齢である**責任年齢**について定めているものである。「私はもう子どもではないの。」という意味を「私は一人前に責任を持っています。」という意味に解釈すると、刑法では乳児も幼児も一四歳になるまでは責任を持っていないということになる。
この刑法に対して、少年の刑事事件に特別の処置をとるための特別法として、違法行為以外のケースも含めて、少年の健全育成を目的に非行のある少年の矯正や保護処分を規定したのが、**少年法**である。

少年法（昭和二十三年七月十五日法律第百六十八号）
（少年、成人、保護者）
第二条　この法律で「少年」とは、二十歳に満たない者をいい、「成人」とは、満二十歳以上の者をいう。
2　この法律で「保護者」とは、少年に対して法律上監護教育の義務ある者及び少年を現に監護する者をいう。

少年法の言う**少年**は満年齢二〇歳未満であるから、現在の民法の**十八歳成人**とは合致しない。この少年の規定の微妙さは、刑法第四十一条の責任年齢の規定を踏まえてさらに詳細に少年の特例を規定していく点にあり、第五十一条（死刑と無期刑の緩和）には第一項「罪を犯すとき十八歳に満たない者に対しては、死刑をもつて処断すべきときは、無期刑を科する。」、第二項「罪を犯すとき十八歳に満たない者に対しては、無期刑をもつて処断すべきときであつても、有期の懲役又は禁錮を科することができる。この場合において、その刑は、十年以上二十年以下において言い渡す。」という少年への刑事罰の緩和が規定されている。こうした刑事罰や手続きをめぐっては常に世論を喚起するものであり、一九九七（平成九）年に神戸市で連続児童殺傷事件が起きて、少年事件の「凶悪化」が話題になると、被害者救済とともに「厳罰化」が主張され、二〇〇〇（平成一二）年一一月には少年法の改正が行われている。具体的には、旧少年法第二十条では「但し、送致のとき十六歳に満たない少年の事件については、これを検察官に送致することはできない。」として手続き上で検察官送致を禁じて刑事罰の対象外としていた規定を外して、重大な事件について刑法同様に刑事罰を問えることとしたのである。その後も、二〇〇七（平成一九）年に少年院送致の下限年齢を一四歳以上から一二歳以上に引き下げ、二〇〇八（平成二〇）年に犯罪被害者の傍聴や閲覧などの範囲を広げ、二〇一四（平成二六）年に一八歳未満の少年の有期刑の上限を一五年から二〇年へ引き上げるなど、少年法の改正が行われてきた。十八歳成人に連動して少年法の少年も一八歳とする議論もあったが、二〇二二（令和四）年四月一日に施行された改正では、民法上の成人となる一八歳と一九歳の罪を犯した少年を**特定少年**として、一七歳以下の少年とは異なる扱いを定めた。家庭裁判所から通常の刑事裁判所に送られる特定少年の扱いを二〇歳以上のものと原則同様にしたり、その逆送の範囲を一年以上の禁錮・懲役に広げたり、実名報道を解禁したことなどである。

今後も、刑法及び少年法の年齢段階をめぐる刑罰や手続きの問題は社会的議論の一つとなり続けるであろう。冒頭に述べた十八歳選挙権をめぐっても、選挙違反者などに一八歳や一九歳を含める改正が行われ、民法等の改正を含めた議論が加速した。その際、罪と罰をめぐる公正性や被害者の救済とともに、少年法の重要な機能である加害者の矯正、すなわち教育という側面にも注目するべきであろう。

従来、法令上の「子ども」という言葉は、すべてをひらがなで書く**こども**として国民の祝日に関する法律（昭和二十三年七月二十日法律第百七十八号）に定める「**こどもの日**」や、厚生省、のち厚生労働省所管の「こどもの国」など、固有名詞などに限定されていた。しかし、一八歳未満を対象とした「子どもの読書活動の推進に関する法律」（平成十三年十二月十二日法律第百五十四号）や、幼保一元化のための**認定こども園法**と略称される「就学前の子どもに関する教育、保育等の総合的な提供の推進に関する法律」（平成十八年六月十五日法律第七十七号）、中学生までを対象とした子ども手当のための「平成二十二年度等における子ども手当の支給に関する法律」（平成二十二年三月三十一日法律第十九号）、「東京電力原子力事故により被災した子どもをはじめとする住民等の生活を守り支えるための被災者の生活支援等に関する施策の推進に関する法律」（平成二十四年六月二十七日法律第四十八号）、「子どもの貧困対策の推進に関する法律」（平成二十五年六月二十六日法律第六十四号）など、法令上の「**子ども**」の概念を多様に使用する例が増加していることにも注目したい。話を複雑にするが、認定こども園法は、法律のタイトルでも「子ども」と記して、「小学校就学の始期に達するまでの者」としての「子ども」を定義するが、これにより設置された**認定こども園**は、ひらがなの「こども」で、法律の略称も「認定こども園法」が定着した。子ども手当も、近年の政治課題として複雑な変遷をたどって、二〇一二（平成二四）年度からは**児童手当法**（昭和四十六年五月二十七日法律第七十三号）による**児童手当**として実施されている。二〇二三（令和五）年四月一日に設置される**こども家庭庁**は、文部科学省や厚生労働省などにわたる子どもの行政事務を一元化するために「子ども庁」として議論されていたが、名称も紆余曲折を経て、こども家庭庁設置法（令和四年六月二十二日法律第七十五号）が公布され、ひらがなの「こども」となった。

本章では、日常の言語と法律の文言の双方から、「子ども」にアプローチした。そこでは、親子関係と年齢段階・発達段階による二つの意味を確認することができた。法律上もそうした二重性が見られるが、発達段階よりも形式的に平等に確定しうる年齢が重視される。しかし、同じ日本国の法令のなかでも、子、子女、児童、乳児、幼児、少年、子どもなどと多様な言葉があり、さらに学校段階に依拠した学生、生徒、児童、幼児という区別とも微妙に異なりつつ重なるのである。この微妙さは、単純な混乱や矛盾ではなく、まさに子どもを把握する際の機能的な対応を踏まえた子どもの見方を反映している。この「子ども観」の問題を次章で見てみたい。

（1） ホメロス、松平千秋訳『イリアス（上）』岩波文庫、一九九二年、一一頁。A.T. Murray, William F. Wyatt, Homer "Iliad", Harvard University Press, 2001, pp. 12–13.

第3章　子ども観と子殺しの禁止

これから、第2章で確認した多様な子どもの定義を踏まえて、子ども観というものを考えていきたい。ここで取り組むのは子どもをどう見るかという課題であるが、まず冷静な視座を持つための導入としてそれを論じていきたい。さらに、子殺しという隠れた歴史と、それを禁止しようとした動きにまで、視野を深めていく。

第一節　教育の神話

教育という世界では、善意で嘘が語られることがある。「どんな子どもにも無限の可能性がある。」とか、「発達の可能性は無限である。」といった神話は、「無限」がすべてに当てはまるという全称命題による論理であるから、反証を一つあげることで論理が崩壊する。もっとも「～と私は信じる」と言われると、それを信じている私が存在していることは事実だし、それは法的にも日本国憲法第十九条の思想・良心の自由や第二十条の信教の自由が守ってくれる。もちろん教育学における成否は第二十三条の学問の自由という土俵で決着をつけねばならない。

戦後の教育学において、教育心理学と関係して、遺伝と環境、文化と言語などを語るための題材として魅惑し続けてきた神話は、**野生児**の神話である。一九八二（昭和五七）年に大学に入学した私も、この神話を何度も教育学や心理学の講義で聞かされた。これは、教養学部で内定していた農学部畜産獣医学科を断念して教育学科に進んだ当時の私にとっては、目が点になるような話だったのだが、野生児にまつわる神話を事実として学問に誘うという風習が当時の教育学にはあったのである。現在でも古い教育学、教育心理学の教科書では、野生児の逸話、アヴェロンの野生児とカマラとアマラで一席ぶつものが再版されている。私自身が学部時代に受講した教育原理の内容は、堀尾輝久が講義録をもとに公刊しているので、そこから引用したい。

人間が人間になる過程としての学習と成長にとって、社会的環境と教育的配慮は不可欠です。発達の可能性は、人間的な環境と文化的な条件がととのってこそ発現するからです。人間は社会のなかで、言語による交通《コミユニケーション》により、文化との接触を通して発達していきます。狼に育てられた野生児の事例（イタール『アヴェロンの野生児』福村出版、一九七五年）と、人間に育てられたライオンの話（J・アダムソン『野生のエルザ』文春文庫）は、発達の可能態としての子どもと人間の文化の関係について、多くのことを教えてくれます。(1)

堀尾輝久は戦後日本を代表する教育哲学者であり、第7章でも紹介するように法と発達論に依拠して教育権論を樹立した人物であり、引用したこのコンパクトな『教育入門』を私も良書として学生たちに勧めている。ただ、神話に依拠して学問を述べようとしたこの箇所は疑問があり、私は大学院学生のとき、直接に本人に誤りであるとお伝えした。

一七九九年にフランスのコーヌの森で発見されたアヴェロンの野生児は、堀尾が主張するようにはオオカミに育てられていない。医師イタール（Jean Marc Gaspard Itard, 一七七四〜一八三八）は「一二歳と推定されるときまで、全くひとりぼっちで住んでいた」「多分四、五歳のときに捨てられ」と冷静に推定している。(2)

このほか、一九二〇年にインドのオオカミの洞穴から二人の少女が見つかったとして、八歳と一歳半と推定した二人を牧師シング（Joseph Amrito Lal Singh）がカマラとアマラと名付けて養育したことも有名になった。彼の報告書や翻訳紹介書が日本にも広がった(3)。シングの報告の誤りは、動物行動学者の小原秀雄が端的に述べている。オオカミの乳が人間の飲用に適せず、オオカミは生後五週間で離乳するために人間を育てる可能性が低く、さらに狼少女の目が夜に光るとか、オオカミが木に登るとか初歩的な間違いが多いとする。そして根拠のない作り話をもとにした報告を信じた教育学者たちへの批判を小原は行っている(4)。

このように自然科学的観点から批判された教育学の弱みは、史料や臨床記録を検証せずに、人間には教育が必要であるというために根拠薄弱な題材を無批判に活用したところにあった。

前世紀後半に席巻《せっけん》したこうした現象をもう一度考え直すと、確かに狼少年や狼少女は、自然と文化、遺伝と環境といった想像を広げる魅力ある神話だったと言えるだろう。洋の東西を問わず、神話の世界では、動物に育てられたり、動物から生まれたり、はたまた動物に変態する神々や人間は枚挙にいとまがない。狼少年の原型になるのは、初期にローマの権力を争ったロムルスとレムスの兄弟がオオカミに育てられたという、欧米の知識人なら知らない人がいない神話である。しかし神話は神話であって、教育学においてはまず宗教教育研究において研究するべき対象である。

この古代ローマ人が好んだ神話について、同時代の歴史家はどうだったろうか。『ローマ建国史』の著者リウィウス（Titus Livius, 前五九～後一七）も(5)、『英雄伝』の著者プルタルコス（Πλούταρχος, 四六頃～一二七頃）も(6)、単純には実話とは信じずに異説を収集して、二人を育てた婦人のオオカミと呼ばれた職業などを考証していた。現代の教育学に先立つこと二〇〇〇年、神話は神話として伝承しつつ批判的考証をした古代の歴史家に敬意を表したい。

第二節　子ども観として捉える

第一節では戦後教育学の混乱を見たが、これは決して無駄な話題ではない。どの時代も不確かな情報や思い込みによって、子どもや教育というものを把握しようとして悪戦苦闘し、このような混乱が生じるのである。

子どもをどう捉えるのか。それは**子ども観**という言葉で表現できる。宮澤康人は、子ども観とは、「子供と大人のかかわり方の表現」[7]であると定義した。宮澤は第2章で見た子どもという言葉の表記方法については「子供」で統一して表記しているが、ともかく、子ども観を子どもの見方とせずに、大人とのかかわり、つまり大人と子どもの関係性、相互規定性として明示したことに注目したい。第2章では、ある年齢までが子どもであれば、それ以後が大人となる多様な法律上の規定を見てきたが、ここで注目したいのは、もっと直接的な「かかわり方」つまり、子育てなどの親子関係である。

宮澤康人は、子ども観の説明として、ドゥモース（Lloyd DeMause, 一九三一〜 ）の『親子関係の進化』を紹介してきた[8]。私は、先述した堀尾輝久の教育原理の講義を拝聴していた頃に、宮澤康人の西洋教育史の講義としてドゥモースの学説を学んだ。ただ、その頃から、この学説は余りに茫漠として史料的な実証性に欠けていると感じていた。そのときに感じた批判は多様な西洋社会の教育の歴史を知れば知るほど妥当であると思うのだが、それでもこの学説が魅力的であるのは、大づかみであっても歴史のなかに子育ての様態Modeの進化として子ども観を位置づけ、それが重層性を持って現在まで続くことを説明していることである。

ドゥモースの学説の様態を示す用語を教育学の基礎として覚える必要はないだろうが、図2の複数の様態が並存して重なり合うイメージは是非とも理解してほしい。横軸の年代はあくまでも暫定的な仮説であろうし、縦軸は数量などを実証したものではなく、あくまでも説明のための概念図である。

まず最初から続いているのが、第一の子殺し的様態Infanticidal Modeであり、古代から四世紀まで主たるものとして続いていく。親が子育ての不安を解消するために子どもを殺し、残った子どもにも影響を及ぼすという子育てである。この子殺しについては次節から詳しく検討するが、ローマ法で公認された親による子どもの生殺与奪《せいさつよだつ》の時代であ

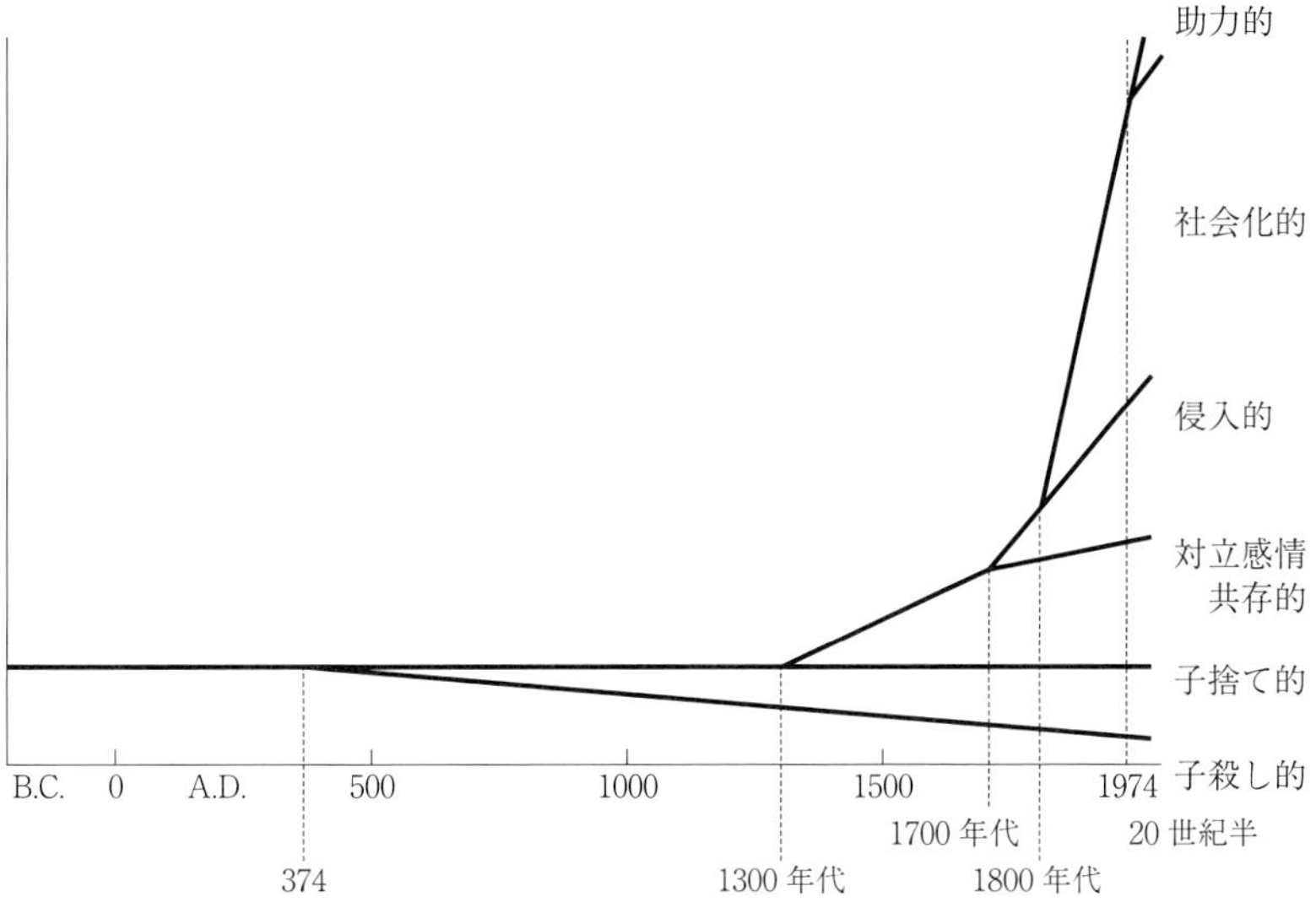

図２　子育て様態の進化（L. ドゥモース『親子関係の進化』海鳴社、1990 年、130 頁）

る。ドゥモースの図は、これが現代まで減少しながらも続くとしている。

第二の子捨て的様態 Abandonment Mode は、四世紀から登場して、徐々に子殺し的様態に取って代わってくる。子どもを魂を持つ存在として認めるが、親が自ら育てずに、乳母や修道院に任せたり、里子や召し使いなどに出すことが様々な階層で広がっていく。この図では三七四年にローマ皇帝がキリスト教の教義から子殺しを重罪とする布告が出されたことを画期としている。

第三の対立感情共存的様態 Ambivalent Mode は、一四世紀から一七世紀に登場して、ルネサンスや宗教改革から市民革命の時期の子育てとなり、その後も増大する。子どもは親の生活のなかで育てられるが、危険な存在として加工する対象として捉えられる。ドゥモースは、体罰を加えたり、身体を拘束したり、姿勢を矯正したりする器具を例示している。

第四の侵入的様態 Intrusive Mode は一八世紀から広がっていく。文字どおり親が子どもの心に侵入して、子どもの意志を統制しようとする様態である。以前の身体に加える強制や体罰から、新たに内面の統制へと移行するのである。ドゥモースはこの時期に小児科の専門医が成立したり、幼児死亡率が減少したりする背景を述べている。

第五の社会化的様態 Socializing Mode は一九世紀から登場して、子どもを社会へと順応させるものである。子どもを親自身だけではなく、社会が養成するものとして扱っていく。学校教育、とりわけ義務教育が子育ての前提となる時代である。

最後に第六の助力的様態 Helping Mode が二〇世紀半ばから登場する。第二次世界大戦後の時期からは、父母が莫大な時間を使って押しつけずに助ける子育てが広がっていく。

このように概観してみると、ドゥモースが子育ての最初の様態として取り上げた子殺しをめぐる問題をどのように位置づけるかは、親子関係を考えるためにも深刻で重要な問題である。ここでは、まず、歴史のなかから子ども観を紡ぎ出すための導入となるべき視点を提起して次節へとつなげていきたい。

第三節　子殺しと教育

ドゥモースは、心理歴史学という立場から、親の心理を子どもに投影する「投影的育て方」として、**子殺し**の問題を論じている。[9] つまり親の側の子育ての不安の解消として子殺しの衝動が広く存在すると見て、子どもを殺したり儀式の犠牲にしたりすることが多くの記録にあることを挙げる。そして前節で見たように、ローマではキリスト教の影響下で三七四年に、子殺しがやっと法律的な罪と認められるという構図である。

突飛な描き方と思われるかもしれないが、ドゥモース以前から日本の教育史研究でも、このテーマは大きな題材であった。戦後日本の教育史研究を主導して全四〇巻の『世界教育史大系』を完成させた梅根悟は、主著『世界教育史』に、「教育のために子殺しがおこなわれた」という有名な言葉を残している。[10]「人間だけが子殺しをする」という説明は動物学者から否定されるだろうが、彼の主張は人間の子殺しには「経済的理由」による計画が貫かれているという点にある。そして、「子殺しと教育はつらなっており、表裏の関係にあるものである。子殺しが打算であるということは、やがて生きのこる子供の育てかたに、親の打算からの計画性が加えられることにつらなる。」と述べる。

つまり、親の「打算」による子殺しは「計画性」につながり、これが生き残る子どもの教育へとつながるというのが、梅根悟の説である。この説に対して、教育史学者の石島庸男《いしじまつねお》は、子殺しがそのまま教育に連なっているのではなく、「教育が成立するための原始共同体成員の生存の前提を、悲惨にも明らかにしているにすぎないのではないだろうか。」[11]という修正を加えている。確かに、打算や計画性と言う前に、厳しい生活状況もまた論じるべきであろう。

いずれにせよ子殺しの問題が、教育を考えるための歴史的な前提として措定される。続いて、いくつかの題材を読み解きたい。

第四節　子殺しの神話

実際の子殺しが行われた数量についてはドゥモースも様々に言及しているが、確かに統計的に示せるものではない。そうしたなかでは、子殺しを扱った代表的なテキスト、とりわけ人びとに知られた説話、神話のなかから読み取ることに意味がある。

日本の国産み神話は今も知名度のある神話であるが、超越的な天地創造ではなく、島々の誕生が出産と重ねられるところに特徴がある。この神話は、実は子殺しから開始される。

『古事記』ではイザナギとイザナミという男女の神が、天上から天沼矛《あめのぬぼこ》を使って地上を固めようとしてまず淤能碁《おのご》呂島《ろしま》を作る。そこに降りて、天之御柱《あめのみはしら》を舞台にして結婚式を行う。この柱を左からイザナギが、右からイザナミが回ることをイザナギが指定して、互いに言葉を交わすのである。

約竟以廻時、伊耶那美命、先言阿那迩夜志、愛袁登古袁。（約《ちぎ》り竟《を》へて廻《めぐ》る時《とき》、伊耶那美命《いざなみのみこと》、先《ま》づ「阿那迩夜志《あなにやし》、愛袁登古袁《えをとこを》」と言ふ。）

後、伊耶那岐命、言阿那迩夜志、愛袁登売袁。（後《のち》に、伊耶那岐命《いざなぎのみこと》、「阿那迩夜志《あなにやし》、愛袁登売袁《えをとめを》」と言ふ。）

各言竟之後、告其妹曰、女人先言不良。（各《おのもおのも》言《い》ひ竟《を》へし後《のち》、其《そ》の妹《いも》に告《の》らして曰《いは》く、「女人《をみな》先《ま》づ言《い》へるは不良《さがな》し。」とのらす。(12)）

神々なので二柱《ふたはしら》と言うべきだろうが、まことにリアルな男女二人の婚礼の描写である。結婚の約束をして柱を回るとき、女神のイザナミが先に、「あああよい男だ」と相手を褒める言葉を言う。その後に、男神のイザナギが「あああよい女だ」と言う。つまり互いにプロポーズの言葉を言い合ったわけであるが、女性が先に言ったことになる。そこで彼が彼女に対して、「女性が先に言うのは良くない」と苦情を言うのである。ずいぶんと狭量な男神だと思うだろうが、おそらくは彼が天之御柱の回り方を左から右からと指定したあたりから、儀式として男女間の上下関係を象徴させているのだろう。左と右、先と後のどちらが上なのかは文化圏や時代や文脈で多種多様なのだが、ここでは左回りと先言が上だという設定であろう。それなのにイザナミが先に発言したから「女人先言」だと彼が文句を言っているのである。そう言えば、カトリックの聖人崇拝をしていないはずの人びとが、女性から先に告白してよいのがバレンタインデーだと称してチョコレートの売り上げ向上に貢献しているわけだから、現代の日本人の風習も似通っている。

雖然、久美度迩興而生子、水蛭子。（然《しか》あれども、久美度《くみど》に興《おこ》して生《う》みませる子《こ》は、水蛭子《ひるこ》。）
此子者入葦船而流去。（此《こ》の子《こ》は葦船《あしぶね》に入《い》れて流《なが》しつ。）

イザナギのクレームにかかわらず儀式が終わって、二人は寝所で契りを交わして子どもを産むのだが、その子どもが「水蛭子」だった。近世の国学者、本居宣長の『古事記伝』によれば、ヒルに似て「手足なども無《なく》て、見る形の似たる」状態か、「手足などもあれど、弱《よわく》て凡《すべ》て萎々《なえなえ》とある」[13]状態かということになる。後者の手足がある可能性は、『日本書紀』のこれと並行する神話に「此児年満三歳、脚尚不立」（この児は年三歳になれど脚尚《な》ほ立たず）[14]とあることからの解釈である。どちらにせよ、手足が不自由な、肢体不自由の子どもである。そしてこの子が葦船に入れられて流し捨てられるのである。神話の世界なのだから、第一節の野生児のように誰かに拾われてせめて子捨てで終わってほしいと願いたいが、残念ながら話はここで終わるのだから、イザナギとイザナミによる子殺しである。

次、生淡島。是亦不入子之例。（次《つぎ》に淡島《あはしま》を生《う》みましき。是《こ》も子《こ》の例《かず》には入《い》らず。）

次に淡島を出産する。淡島という島は各地にあるから国学者たちの考証的関心を誘うのであるが、神話の素直な読み方は、淡島という淡く消え去る島であり、子の数に入らないということであるから、乳幼児としての死亡または子殺しを感じさせる。

神話はこのあと、二人の神が天に戻って天の神々と相談して卜占《ぼくせん》を行い、やはり女人先言がよくないのだと結論が出る。どんな占いをしたのかは明記されないが、もしも東アジアで一般的な方法であれば、孔子が編纂《へんさん》したとされる[15]『易経《えききょう》』には女性が強いことを戒める「姤《こう》」の卦《け》など、男女間の上下関係を教える内容が満載である。そもそも、占いの結果を示す卦はすべて、男女を象徴する陰陽の爻《こう》が六つ重なることによって構成される。さて、卜占の結果がイザナギの苦情と一致したので、二人は地上に降りて天之御柱で儀式をやり直すことになる。この儀式のやり直しによって夫婦は、今の地名で言えば、淡路、四国、隠岐、九州、壱岐、対馬、佐渡、そして最後に本州たる大倭豊秋津島《おおやまととよあきづしま》を産んで、大八島国《おおやしまくに》つまりこの国土を形成することになる。順序は『古事記』と『日本書紀』で違うが、古代日本の神話なのだから、北海道も沖縄もその他の話題の島々も眼中にはない。

大八島が産み落とされてハッピーエンドと言いたいところだが、わが島々の創世神話は肢体不自由児の子殺しから始まっていることは決して忘れ去るべきではない。

次に、神に捧げられた子イサクの物語を、『**旧約聖書**』の「創世記」第二二章から引用しよう。

神は命じられた。「あなたの息子、あなたの愛する独り子イサクを連れて、モリヤの地に行きなさい。わたしが命じる山の一つに登り、彼を焼き尽くす献げ物としてささげなさい。」次の朝早く、アブラハムはろばに鞍《くら》を置き、献げ物に用いる薪を割り、二人の若者と息子イサクを連れ、神の命じられた所に向かって行った。三日目になって、アブラハムが目を凝らすと、遠くにその場所が見えたので、アブラハムは若者に言った。「お前たちは、ろばと一緒にここで待っていなさい。わたしと息子はあそこへ行って、礼拝をして、また戻ってくる。」アブラハムは、焼き尽くす献げ物に用いる薪を取って、息子イサクに背負わせ、自分は火と刃物を手に持った。二人は一緒に歩いて行った(16)。

旧約聖書の主人公であるイスラエルの民の、このときのリーダーであるアブラハムに対して、神がイサクを生《い》け贄《にえ》とする子殺しを命じる場面である。アブラハムは命じられるままに子どもを連れて、生け贄を焼く燔祭《はんさい》のための資材を伴って、目的地に進んでいく。神が語りかけたのは父親のアブラハムであるから、子どものイサクは何も知らないのである。

イサクは父アブラハムに、「わたしのお父さん」と呼びかけた。彼が、「ここにいる。わたしの子よ」と答えると、イサクは言った。「火と薪はここにありますが、焼き尽くす献げ物にする小羊はどこにいるのですか。」アブラハムは答えた。「わたしの子よ、焼き尽くす献げ物の小羊はきっと神が備えてくださる。」二人は一緒に歩いて行った。

当然にイサクは疑問を父親に尋ねる。父親の回答は神へのゆるぎない信仰とも読めるが、素直に読めば、子どもをだますための内容である。

神が命じられた場所に着くと、アブラハムはそこに祭壇を築き、薪を並べ、息子イサクを縛って祭壇の薪の上に載せた。そしてアブラハムは、手を伸ばして刃物を取り、息子を屠《ほふ》ろうとした。そのとき、天から主の御使いが、「アブラハム、アブラハム」と呼びかけた。彼が、「はい」と答えると、御使いは言った。「その子に手を下すな。何もしてはならない。あなたが神を畏《おそ》れる者であることが、今、分かったからだ。あなたは、自分の独り子である息子すら、わたしにささげることを惜しまなかった。」アブラハムは目を凝らして見回した。すると、後ろの木の茂みに一匹の雄羊が角をとられていた。アブラハムは行ってその雄羊を捕まえ、息子の代わりに焼き尽くす献げ物としてささげた。

神が羊を備えてくれたおかげで、父親は子殺しを行わないですんだことになる。その意味でハッピーエンドであり、イスラエルの民の次世代のリーダーたるイサクに確固たる地位が与えられることになる神話である。神はアブラハムの信仰を試したということなのだろうが、素直に読めば、子殺し未遂事件の説話であることがわかる。

このほか、子殺しをめぐる神話や説話は、枚挙にいとまがないのだが、もう一つ付け加えたい。五月五日の端午の節句は、今日の日本国では「国民の祝日に関する法律」（昭和二十三年七月二十日法律第百七十八号）に基づいて「**こどもの日**」（ここでは「子ども」はひらがなで書かれている）として「こどもの人格を重んじ、こどもの幸福をはかるとともに、母に感謝する。」ことが規定されている。しかし、司馬遷の『史記』はこの五月五日について別の説話を伝えている。鶏鳴狗盗の食客を配下に活躍した中国の戦国時代の孟嘗君《もうしょうくん》つまり田文《でんぶん》は五月五日に生まれたので、父の田《でん》嬰《えい》は母に「勿挙也。」（とり挙ぐる勿《なか》れ。）と子殺しを命じたというのである。しかし母は密《ひそ》かに田文を育てたので、彼は長じて父に対面して子殺しの理由を問い詰める。田嬰は、「五月子者、長与戸斉、将不利其父母。」（五月の子は、長じて戸と斉《ひと》しくして、将《まさ》に其父母に利ならざらん。）[17]と子どもが家庭でひとしく振る舞って父母に不利になるのだと言う。どうも意味不明の説明であるから、後の注釈家は、五月五日に生まれた子は、男ならば父を害し、女ならば母を害するという伝説を添えている。これに対して田文は「人生受命於天乎。将受命於戸邪。」（人は命を天より受くるや。将《はた》また戸より受くるや。）と問い返す。これに回答できない父親に対して、「必受命於天、君何憂焉。必受命於戸、則可高戸耳、誰能至者。」（必ず命を天より受くれば、君何ぞ憂へん。必ず命を戸に受くれば則ち戸を高からしめんのみにして、誰ぞ能く至らんや。）と畳みかける。この歴史に名高い論客は、子どもの出産と子育てを戸（家庭）や父母との関係のみで理解した父親に対して、天から命を授かる子どもという概念を対置させる。つまり子どもは、父母だけのものではなく、天からの賜りものだという主張である。父母からの血脈を重んじる思想に対して、超越的な天の思想を登場させることで別の結論を導こうとする。そして、その子どもたる田文が、天からこの戸に命を授かったのだから田嬰の戸の発展に尽くしますということで、弁舌家らしい対立の解決をもって面目躍如の結論としているのである。

第五節　子殺しをなくす過程

子殺しをめぐる神話を見てきたが、「七つまでは神のうち」ということわざがある。現代では子どもの独自性や神秘性を言う言葉だが、実際には子どもの死亡しやすさ、乳幼児の死亡率の高さを前提とした言葉である。江戸時代の初期は、関東では新田開発が盛んで人口が増加し、子殺しが表面化しにくい。しかし、梅根悟の説を裏付けるように、江戸時代中期以降に寺子屋と後に言われる手習塾などの教育が盛んになる時期は、同時に人口が増えないで子殺しが語られる時代となる。それは、子殺しが存在することを顕在化させて、問題として対応する流れにもなった。

まず、図3の浮世絵を見てほしい。原本は多色刷りのものである。

画面右上の閻魔《えんま》が目に飛び込む。この形相を見れば、現代人でも閻魔だと思う。このインドの神は、経由した中国の官吏の服装を着込んで、日本の仏教の地獄図のなかに定着した。画面中央では、女性が子どもによって責めさいなまれ、画面下部では女性が子どもの顔に手を当てつつ、胸を膝で押さえて窒息死させている。

閻魔の机に置いてあるのが、誰もが知っている「閻魔帳」である。現代のような児童生徒の成績簿ではなく、生前の所行が文字情報で記されたものである。そして、横には浄玻璃《じょうはり》の鏡がある。これは生前の悪業を映し出すものであるが、画面下部の美人画風の女性が、こちらでは鬼の形相で子殺しをしている。この浄玻璃の鏡は画像記録情報の再現装置であるが、便利なことに画像変換処理の機能もあるようで、まるで二一世紀のツールのようである。ここまでの絵だけでも、閻魔大王の存在を知る者であれば、子殺しをした女性の罪過を明示して地獄での審判と刑罰が描か

図３ 「子返しの図」歌川国明画、社倉育嬰講、1862（文久 2）年、家鴨文庫蔵。

れていることが理解できる。

画面右下には「應需　國明画」とあり、すぐ下に朱色で円形の花押がある。歌川国明（初代）は歌川国貞（初代）の門人であり、弘化・慶応期（一八四四～六七）に活躍した。「応需」は、応需書きといって、注文によって制作したことを示す表示である。

さらに、その発注をした関係者の情報は、罫《けい》で囲んで「社倉育嬰講中印施」とある。「社倉《しやそう》」とは古代中国の食料備蓄による互助システムだが、それを知る者が組織を作り、「育嬰講中《いくえいこうちゆう》」と称したことがわかる。「社中」の「中」は略してよく、近世の互助や宗教の民間組織である「講」だろうから、嬰児《えいじ》を育てる「育嬰講」という名称である。「印施《いんせ》」とは宗教関係の書籍などを無償で印刷して頒布する行為である。さらに小さく罫で囲んで「若与板」とあるのは、版木師「若与」の屋号または略称を示す。つまり社倉スタイルの育嬰講が絵師・国明に原画を依頼して若与が版を作り、商品としてではなく施本《せほん》の形態で流布したことがわかる。

社倉育嬰講は秩父の商人たちが集めた養育金を支給するために一八六三（文久三）年には触れ書きを回したとの記録のある講組織で、現在の埼玉県、秩父大宮の村役人の井上如常が組織したものとして、高橋梵仙ら人口動態の研究者が注目してきた[18]。

印施の浮世絵だが、商品の浮世絵同様に幕府の出版統制の対象となる。江戸町奉行のもとで江戸の町名主が毎月交代で月番名主として改印《あらためいん》を押し、その印影をそのまま画面に翻刻する。これが画面右端の中ほどに丸い「戌正改」と読み取れる記号である。戌《いぬ》の歳の正月の改めという意味であり、他の浮世絵と照合すれば、一八六二（文久二）年一月に出版許可が出された作品とわかる。

さて画面の右側には絵解きとして、次のような文字が記されている（句読点は補った）。

子《こ》かへしする人の顔《かほ》を見たくハ、此鏡《このかがミ》に
うつるを見《み》よ。かほかたちハやさしくとも、
心《こころ》のすがたハ此鬼《このおに》よりもおそろしきありさま
なり。此やうな女《おんな》をつまにもつ男《おとこ》の
こゝろハさぞおそろしき
事ならん。

「子返し」とは、子殺しのことである。子どもを神の世界に返すという婉曲《えんきょく》な表現である。苗の本数を減らす農業技術に当てはめた**「間引き」**とともに、当時の文書では殺人を隠蔽する婉曲な表現が用いられていることが一般的である。「此鏡」は浄玻璃の鏡であり、このツールを作品の示すストーリーの中心に置いていることがわかる。子殺しをする女性は顔形が優しく見えても心は鬼よりも恐ろしく、夫も同様であると述べている。さらに左側の絵解きに続く。

天《てん》の人《ひと》を生《しやう》ずる事《こと》、
人力《じんりき》の能及処《よくおよぶところ》にあらず。一人《いちにん》
生《しやう》を受時《うくるとき》ハ其禄《そのろく》ハ天《てん》より与《あたへ》給ふ也。此理《このり》をしらずして
まづしきものハ、子供《こども》ゆへに困窮《こんきゆう》すると心得《こころえ》誤《あやまり》、孕《はらめる》うちに薬《くすり》
をもつて下《くだ》し、生出《うまれいで》て後《のち》ハ是《これ》を殺《ころ》すゆへに、天禄《てんろく》もともに
失《うしなひ》ていよ〳〵まづしきに至《いた》る也。いかにも天《てん》よりあたへ給ふ子《こ》なる

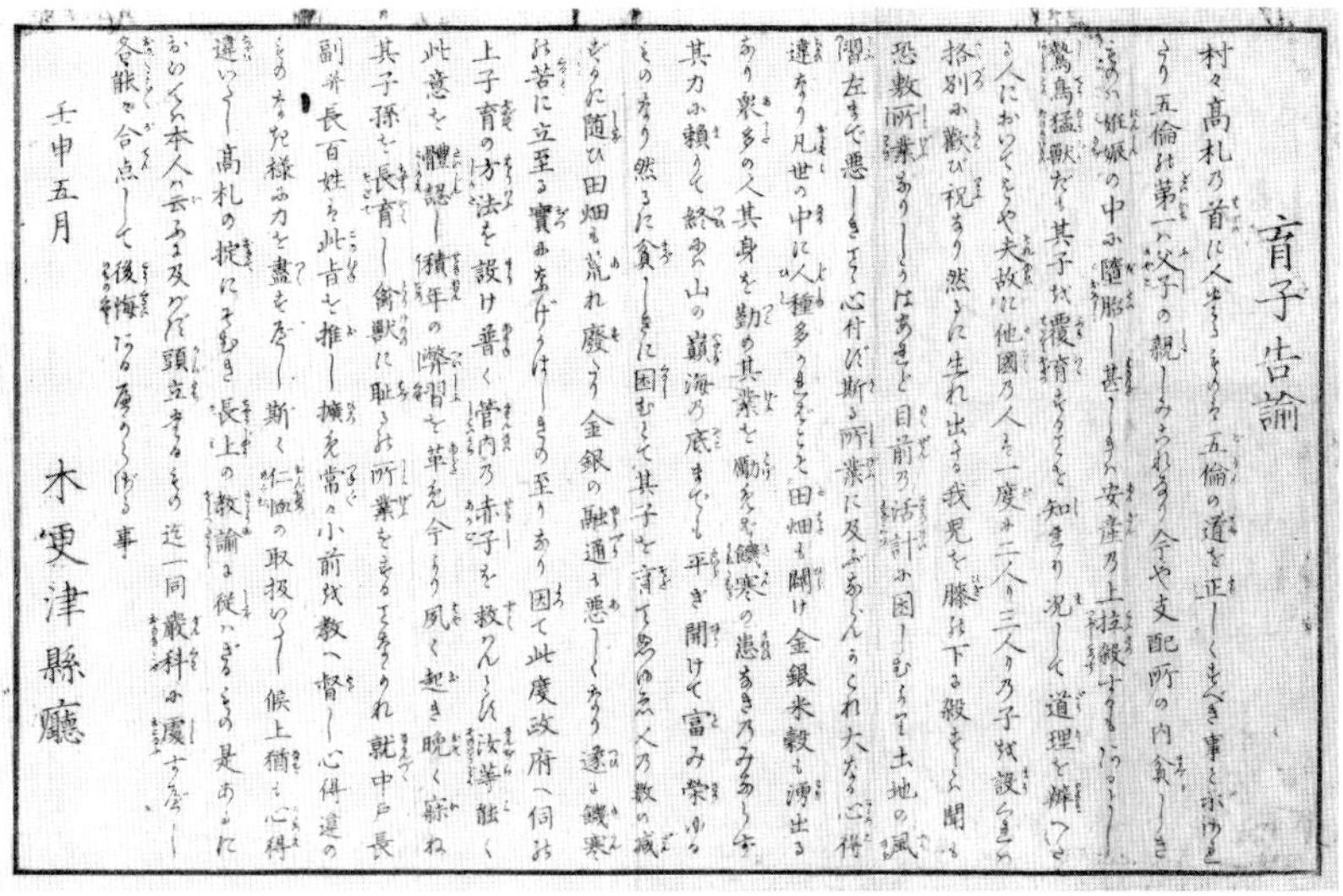
育子告諭

壬申五月

木更津縣廳

図４　木更津県庁「育子告諭」1872（明治５）年５月、家鴨文庫蔵。

事《こと》を弁《わきまへ》、心《こころ》を尽《つく》して養育《やういく》あるべし。殊《こと》に当郡《たうぐん》にてハ養《やしなひ》に乏《とも》しきものへハ厚《あつき》御手当《てあて》も下《くだ》さる事、余所外《よそほか》にハ稀《まれ》なる御恵《めぐみ》なり。其有《そのあり》がたきを考《かんがへ》てもいかにも〳〵、慎恐《つつしみおそる》べき事なり。

人は天から禄を授かるという主張である。こうした家の経済の発展を願うために天などを説明にもちいるのは、町民や農民のリーダーに浸透した江戸時代の心学の思想に典型的に現れる。もちろんその思想は中国の思想にさかのぼるのだから、先ほどの孟嘗君の発言と驚くほど酷似するのだ。

ここでは子殺しの原因を「子供ゆへに困窮する」というのは誤解だとする。天禄を受けた子どもを殺すからいっそう貧困になるので、心を尽くして養育するべきだと述べる。さらには、困窮しているものには秩父郡では「御手当」があると経済的支援の「御恵」を具体的に示しているのである。

ここでは一つの浮世絵を示したが、近世後期には書籍や絵馬などのスタイルも含めて、こうした子殺しの中止を訴えるものが多く伝わっている。様々な宗教は子殺しの神話を伝えているのだが、同時にその宗教の論理を活用して子殺しの中止が求められていく。ここで見た井上如常発注の歌川国明の浮世絵版画では、仏教とともにやってきたインドの神と地獄の思想、中国からの儒教の天の思想、さらに近世に興隆する心学の発想までが動員されている。

こうした取り組みは、近代になってからも継続する。図4は、現在の千葉県の一部である木更津県が一八七二（明治五）年に木版で印刷して県内に回覧した「育子告諭《いくしこくゆ》」である。二一世紀でも子育て支援は日本の課題であるが、この告諭はひたすら子殺しの中止を説諭するためのものである。「生まれ出たる我児を膝の下に殺す」などと問題を描き、これを「積年の弊習」と呼んでいる。それほど定着した慣習という意味である。

この章においては、子殺し、あるいは子返しや間引きと呼ばれた問題を描いたテキストや図像を読み取り、そのなかで子殺しをやめさせようとする流れが出てくることを描いてきた。孟嘗君の問答や井上如常の取り組みなど有名無名の様々な人びとが、様々な思想と宗教からこの問題を問うてきた。このことを心にとめながら、次の章では法律の世界の子どもの権利をめぐる歴史と現状へとつなげていきたい。

（1） 堀尾輝久『教育入門』岩波新書、一九八九年、一五〜一六頁。
（2） イタール、古武彌正訳『アヴェロンの野生児』福村書店、一九七五年、二二頁。J・M・G・イタール、中野善達・松田清訳『新訳アヴェロンの野生児　ヴィクトールの発達と教育』福村出版、一九七八年、二八頁。
（3） J・A・L・シング、中野善達・清水知子訳『野生児の記録1　オオカミに育てられた子　カマラとアマラの養育日記』福村出版、一九七七年。アーノルド・ゲゼル、生月雅子訳『狼に育てられた子』家政教育社、一九六七年。C・マクリーン、中野善達訳編『ウルフ・チャイルド　カマラとアマラの物語』福村出版、一九八四年。
（4） 小原秀雄『教育は人間をつくれるか』農山漁村文化協会、一九八九年、一一七〜一二〇頁。心理学の分野からの批判としては、鈴木光太郎『オオカミ少女はいなかった　心理学の神話をめぐる冒険』新曜社、二〇〇八年。
（5）リーウィウス、鈴木一州訳『ローマ建国史（上）』岩波文庫、二〇〇七年、二二頁。Livius, "Ab urbe condita Liber I", Reclam, Stuttgart, 1981, pp. 20–21.
（6）村川堅太郎編『プルタルコス英雄伝（中）』ちくま学芸文庫、一九九六年、二〇三～二〇五頁。
（7）宮澤康人『大人と子どもの関係史序説』柏書房、一九九八年。宮澤は教育関係史という観点での歴史像を提起しており、ほかに『大人と子どもの関係史の方へ』匠平出版、一九九五年や、『〈教育関係〉の歴史人類学』学文社、二〇一一年などの著書がある。
（8）L・ドゥモース、宮澤康人ほか訳『親子関係の進化　子ども期の心理発生的歴史学』海鳴社、一九九〇年（一九八二年原版）。
（9）前掲書。
（10）梅根悟『世界教育史』新評論、一九六七年、一九～二七頁。
（11）石島庸男・梅村佳代編『日本民衆教育史』梓出版、一九九六年、五～六頁。
（12）青木和夫ほか校注『古事記　日本思想大系一』岩波書店、一九八二年、二二一～二二三頁。テキストの注や甲類乙類の仮名の書き分けなどを略して、訓読を適宜改めた。
（13）本居宣長『本居宣長全集　第九巻』筑摩書房、一九六八年、一七八頁。
（14）坂本太郎ほか校注『日本書紀　上　日本古典文学大系六七』岩波書店、一九六七年、八八～八九頁。訓読を適宜改めた。
（15）王弼ほか注、孔穎達正義「周易正義」阮元校刻『十三経注疏　附校勘記　上』中華書局、一九八〇年、五七頁。朱熹「周易本義」『四書五経　上冊』古籍出版、一九八八年、三九頁。
（16）「創世記」共同訳聖書実行委員会『聖書　新共同訳』日本聖書協会、一九八七年。
（17）司馬遷「孟嘗君列伝」『史記　七　伝一』中華書局、一九五九年、二三五二頁～二三五三頁。注釈は同「索隠」より。

(18) 高橋梵仙『日本人口史之研究 第二』日本学術振興会、一九五五年。金津日出美「「堕胎・間引」考」衣笠安喜編『近世思想史研究の現在』思文閣出版、一九九五年。

第4章　親権の発展

第3章では、歴史や思想、神話のなかでの親子関係の大きな像を考え、とりわけ深刻な子殺しをめぐる問題に焦点を当ててきた。この章では、親権をキーワードにその変遷を見つめ直すことで、親の権利でありかつ義務である親権へと変化して、現代に至るあり方を考えていく。

第一節　子の権利の上進史

「**親権**の歴史は子の地位の上進史だと云ってよい」と明瞭な表現で親権の歴史をまとめたのは、戦前の民法学者の穂積重遠《ほづみしげとお》（一八八三～一九五一）である。(1) 彼によって、親権が親による子どもの所有観念から支配観念へと変化し、さらに権利から義務へと変化していく様子が、子の地位の上昇の歴史として確認されている。

法律の歴史は、古代ローマ帝国のローマ法から始めるのが普通である。それは第26章の大学の歴史で見るようにラテン語がヨーロッパ共通の学問の言語となった経緯とともに、**ローマ法**の概念が各国の法に影響を与えてきたからである。

古代ローマは市民国家であるが、古代の市民とは、奴隷ではない自由民の男のことである。自由民の女は、政治や軍事には参加できない。そして父 pater（パテル）は、単に父母と子の関係だけでなく、家族を束ねる家父や家長や家父長と訳される paterfamilias（パテルファミリアス）でもある。核家族の時代に生きている我々は家族 familia（ファミリア）を夫婦と血縁関係のある集団と考えるが、この時代の家族には血縁者から奴隷までも含められ、家屋や家畜、農園などを所有する大きな集団なのである。家父は財産を管理して大集団を支配する立場なのだ。この家父の持つ権限が家父権 patria potestās（パトリア　ポテスタース）である。この権利は、独立した権限として子を遺棄したり処罰したりすることもできる権利であり、生殺与奪《せいさつよだつ》の権利 jūs vītae necisque（ユース　ウィータエ　ネキスクエ）も含まれる。生きること vīta（ウィータ）も殺すこと nex（ネクス）も含んだ権利 jūs（ユース）なのだ。これは子どもの成人後も継続するものである。つまり父親は子どもに対して子殺しや子捨てを行うことが法律的に認められているのである。もちろん、古代ヨーロッパ全体がそうだったわけではなく、ローマ人から非文明的に見えたガリア人、つまりのちのフランス人たちのように、武器を持てる者の権利としての父の権利も、同様に武器を持てるようになった子どもに対しては制限され、さらに新生児の遺棄が追放刑とされる例があるなどローマとは異なる法が存在した。

　家のなかの独裁君主のような権限を持った家父であるが、キリスト教の影響のなかで神に対する義務として子どもを育てる義務が滲透していく。ドゥモースが注目した三七四年の子殺しの禁令もまたその文脈である。この家父権の義務性の認識は、同時に子どもへの懲戒権や追放の権利なども認めるものであった。ドゥモースの言う「子捨て的様態」としての修道院への子捨てもまたキリスト教の制度のなかに置かれることになる。

　この義務性を強めた家父権が、**フランス革命**によって、新たな民法典のなかの位置づけを得た親権として確立して、近代を通じて世界に伝播《でんぱ》していく。一七八九年のフランス革命は、同年の**人権宣言**により、人類の権利の歴史の画期をなしている。この人権宣言は、ルソーらのフランス啓蒙思想や先行する一七七六年のアメリカ独立宣言などの影響を受けて、自由と平等、市民の主権や言論の自由、三権の分立などを内容としている。しかしながら、この当時は子捨てが広く見られた時代であり、新たな革命による政治の主体となる自由な市民は、大人の男のみであった。

　フランス革命は、政治とともに文化や思想、宗教をめぐって様々な立場から議会で論争を行う時代である。数学者であり、立法議会や国民公会で活躍した**コンドルセ**（Marie Jean Antoine Nicolas de Caritat, marquis de Condorcet, 一七四三〜九四）は、教育の機会均等や知育中心の学校教育として公教育を主張した。公教育は親の教育を補完するものであると位置づけることで、様々な対立の原因となる宗教に基づく家庭教育から切り離そうとした。一方で政治上の急進的な改革を進める流れは、新しい共和国に文化と教育についての強い権限を求め、「共和国の子ども」として位置づけようとする流れが起こる。たとえばルペルティエ（Louis-Michel LePeletier de Saint-Fargeau, 一七六〇〜九三）は、初等教育を共和国市民を育成するために徳育中心の学校として構想している(2)。こうした革命のなかで、従来の家父権は変化して、未成年の子に対して父親と母親の双方に親権を認める法律が作られていった。

　フランス革命の国内外の緊張のなか、ナポレオン・ボナパルト（Napoléon Bonaparte, 一七六九〜一八二一）が権力を握ることになる。一七九九年に統領となり、一八〇四年に皇帝となるのだが、一八〇四年に出されたものが、フランス民法典であり、略称して民法典と言い、**ナポレオン法典**と呼ばれているものである(3)。法の前の平等を確立したことで知られるこの法典で、親の義務としての親権を確立したものの、婚姻中は父母ではなく、父親のみが親権を行使することとなった。政治史的に考えるとナポレオンの政治はフランス革命の反動でもあり、それは革命期に認められた父母の親権を父親のみの親権としたことにも現れている。ただ革命以前に戻ったわけではなく、親権研究者の田中通《たなかみち》裕《ひろ》がナポレオン法典の「反ローマ法的側面」や「革命法の継承的側面」と呼んで強調した親権の義務性は揺るがなかった。立法院でのアルビソン（Albisson）の理由説明では、「父母のその子についての権威は、直接的には子の利益以外の原因・目的をもたない。それは、正確に言えば、権利ではなく、神聖かつ欠くべからざる義務を、そのすべての範囲で妨害されることなく遂行するための手段にすぎないのである。」と言う。ここで「**子の利益**」が親権の目的であると明言されており、現在の子どもの権利に通じる思想が明確に表明されている(4)。

　なお、親権（両親の権利や権威、parental authority）という言葉は、家父権というローマ法の概念に起源を有するが、ナポレオン法典では家父権 la puissance paternelle という文言であり、これが変化しながらも長い間フランスに継承され、両親の権威としての親権 l'autorité parentale へと改められたのは、遥かに下って一九七〇年のことだった(5)。

いずれにせよ、フランス革命により法律上の親権が権利であり同時に義務であるものとして確立されたことが、人類史上に画期的な意義を持ち、これが各国へと影響を与えるのである。

第二節　日本の親権

中国や日本の親子関係については第3章でも見たのだが、この関係を象徴するのが**儒教**における礼である。「**礼**」とは家における祖先の崇拝を中心として、国家の儀式や個人の通過儀礼まで様々なものを含みこみ、『礼記《らいき》』や『周礼《しゅうらい》』や『儀礼《ぎらい》』などの諸本によって伝えられ、儒教の根幹に位置する儀礼である。家の主人である父親は家に先祖を祭って儀礼の中心となることで大きな権限を持つことになる。こうした宗教的な観念が現実の父に対する子どもの関係として位置づけられたときに「**孝**」という観念となる。孝は本来は子どもの持つ感情を示す言葉であるが、日本でも「親孝行」と言うように、子どもから親へと片務的に奉仕する関係を示す言葉になる。それは親を大切にし、さらに祖先への儀礼を欠かさないために次の世代の子どもを育てるという観念となる。儒教が大切にした道徳上の観念には、様々な人間関係を意味する「仁」や、本来は真心を意味しながら主人への服従を意味する「忠」など多くの徳目があるが、「孝」は「礼」という儀礼を伴うがゆえに家族関係を重んじた儒教の中心的な倫理となっているのである。

今世紀の日本人も父母や祖先の位牌《いはい》を祭っている家が多い。私の家でも父母と先祖累代の二つの位牌に天台宗式の戒名を記して祭っている。位牌には日本の仏教各宗派の様式により授けられた戒名が書かれ、家庭の仏教儀礼で使われるために、位牌が仏教の儀式用のツールだと誤解している人が余りに多い。しかしこれはインドや仏教起源のものではなく、儒教の礼のためのツールとしての木主《もくしゅ》である。日本では儒教は思想や学問であって宗教でないという理解が一般的であるが、実際には神仏諸宗教と混淆《こんこう》しつつ深く宗教儀礼に定着している。

古代から近世まで有力な親子関係の倫理を提供した儒教は、明治維新により昌平坂《しょうへいざか》学問所や藩校が儒学の中心としての地位を失い、同時に民間に道徳の概念を提供してきた地位も揺らいでいく。第11章などでも見る一八七二（明治五）年の学制の時期に活用された倫理教科書の代表は洋学者の箕作麟祥《みつくりりんしょう》（一八四六～九七）による『泰西勧善訓蒙《たいせいかんぜんくんもう》』（一八七一年）であるが、これはフランスの小学校教科書の翻訳であった。彼は維新政府の民法編纂の中心となる。維新政府に西洋の学問などを提供するために欧米から雇用された専門家が御雇《おやとい》外国人である。民法編纂をリードしたのが一八七三（明治六）年に来日した御雇外国人であるフランス人の法学者**ボアソナード**（Gustave Emile Boissonade, 一八二五～一九一〇）である。

こうしてナポレオン法典をモデルとして最初の民法がフランス法学者たちによって起草されていき、一八九〇（明治二三）年には財産編・相続編・人事編からなる**民法**（明治二十三年四月二十一日法律第二十八号、明治二十三年十月七日法律第九十八号）が公布され、一八九三（明治二六）年から施行される予定となった。親権はこの人事編に含まれている。この民法に対して、帝国大学の英法学者たちから実施延期論が唱えられ、さらにドイツ法学者の穂積八束《ほづみやつか》（一八六〇～一九一二）は「民法出デテ忠孝亡ブ」という論文を発表するなど、**民法典論争**（当時の商法の論争とあわせて言うときは法典論争）が起こる。この結果として帝国議会で施行延期が可決されて、第二次伊藤博文内閣のもとで法典調査会が設置されて、ドイツ民法の影響を受けた新しい民法が起草されて、帝国議会で可決されて、一八九六（明治二九）年に公布され、一八九八（明治三一）年に施行され、大小何度もの改正を経て現在に至るのである。

帝国大学教授の穂積八束による「民法出デテ忠孝亡ブ」という主張は、法学と教育学の歴史で有名な言葉となったので、これだけを聞くとよほど一八九〇（明治二三）年の民法は旧来の家族秩序に否定的なのだろうとの印象を受けるのだが、第百四十九条に「親権ハ父之ヲ行フ」とあるように、ローマ法からナポレオン法典に至る家父権としての親権、つまり父親の親権を前提にしているのであって、儒教的な秩序が滅びるようなものではない。彼の主張は「我国ハ祖先教ノ国ナリ」と書き出したように、むしろ同年の教育勅語に象徴される天皇と臣民の家族をもとにした秩序を主張することで論敵を破ろうとする政治的な主張と思える。(6) 当時の法学者たちは、他の学問分野に見られる語学や留学経験による背景だけでなく、国ごとに異なる法律と理論を移入する直接的な役割から、英、仏、独などの国別の法学を標榜することとなっていた。現在は中央大学、法政大学、獨協大学と呼ばれる大学も、当時は英吉利《イギリス》法律学校、和仏法律学校、独逸《ドイツ》学協会学校という国名を冠した名称で法律家養成をしていた。幕末には英国に留学しながら維新後にドイツを中心に憲法を学んだ**伊藤博文**（一八四一～一九〇九）が憲法起草をリードして、一八八九（明治二二）年公布の大日本帝国憲法がドイツ法の影響下に成立することも、この論争の背景をなしているのである。

帝国議会を経て、第一編から第三編は一八九六（明治二九）年に、親権が含まれる第四編と第五編は一八九八（明治三一）年に民法が公布されて、一八九〇（明治二三）年の民法が廃止される。これが実際に一八九八（明治三一）年から施行された一八九六（明治二九）年の**民法**である。これが明治民法と呼ばれるものだが、その前の一八九〇年の民法も明治の民法だし、現在の民法も「明治二十九年法律第八十九号」の公布年と法令番号を受け継いでいるので、混乱しやすい。ここでは一八九六年の民法と言おう。その制定時の条文である。

民法（明治二十九年四月二十七日法律第八十九号、明治三十一年六月二十一日法律第九号）

第八百七十七条　子ハ其家ニ在ル父ノ親権ニ服ス但独立ノ生計ヲ立ツル成年者ハ此限ニ在ラス

父カ知レサルトキ、死亡シタルトキ、家ヲ去リタルトキ又ハ親権ヲ行フコト能ハサルトキハ家ニ在ル母之ヲ行フ

第八百七十八条　継父、継母又ハ嫡母カ親権ヲ行フ場合ニ於テハ次章ノ規定ヲ準用ス
第八百七十九条　親権ヲ行フ父又ハ母ハ未成年ノ子ノ監護及ヒ教育ヲ為ス権利ヲ有シ義務ヲ負フ
第八百八十条　未成年ノ子ハ親権ヲ行フ父又ハ母カ指定シタル場所ニ其居所ヲ定ムルコトヲ要ス但第七百四十九条ノ適用ヲ妨ケス
第八百八十一条　未成年ノ子カ兵役ヲ出願スルニハ親権ヲ行フ父又ハ母ノ許可ヲ得ルコトヲ要ス
第八百八十二条　親権ヲ行フ父又ハ母ハ必要ナル範囲内ニ於テ自ラ其子ヲ懲戒シ又ハ裁判所ノ許可ヲ得テ之ヲ懲戒場ニ入ルルコトヲ得
子ヲ懲戒場ニ入ルル期間ハ六个《か》月以下ノ範囲内ニ於テ裁判所之ヲ定ム但此期間ハ父又ハ母ノ請求ニ因リ何時ニテモ之ヲ短縮スルコトヲ得

民法典論争であれほどナポレオン法典が嫌われたはずなのだが、この一八九六年の民法は実にナポレオン法典と似ている。父が母に優越して単独に行使する第八百七十七条の親権、つまりローマ法以来の家父権は、ナポレオン法典が革命期の父母の同権を覆して規定したものであり、この民法もそのとおりである。子どもは成人して独立すれば親権を離れるし、父に事故があるときは母が親権を行う。第八百七十八条は父母以外のケースとして、次章つまり第六章の後見の規定を準用することを規定した。一八九六年の民法の家族は戸主を中心に構成されて、その戸主の規定がこの家父権としての親権と呼応する。この男女同権に反する規定は、第二次世界大戦後の改革で改められることになる。

第八百七十九条の規定は、親権として行う内容として、「未成年ノ子ノ監護及ヒ教育」を明記する。**監護**は子どもの身上を監《み》て護ることだから、衣食住全般にわたって未成年の子を監督して養護することになる。**教育**は未成年の子

に施される教育全般となる。だから、広範に身体についての健康や安全、知的な教育から道徳や宗教の教育まですべてを含むことになる。この内容が、「権利ヲ有シ義務ヲ負フ」というのだから、親権とは権利を持つだけでなく、義務を負うことなのである。こうしてフランス革命に至る過程で成熟した義務としての親権という思想は、この民法において日本の法律の条文として確立したことになる。この世界史的な広がりを感じさせる文言は、現在の民法でもほぼそのまま継承されている。

第八百八十条は、親権者による居所の指定権を定め、但書きで第七百四十九条の戸主による居所指定権との関係を記している。居場所の指定は権利及び義務としての親権を行うための前提であり、今日でも子どもの「家出」や「行方不明」が一大事件となることの法的根拠である。

第八百八十一条は、親権と兵役との関係である。ナポレオン法典では志願兵としての入営を父の許可なしに認めていたのだが、ここでは親権者の許可を必要としている。未成年者の志願兵や兵役扱いとなる軍学校入学に関することであるから、戦後は不要となった規定である。

第八百八十二条は懲戒の規定である。親権者は、自ら懲戒ができるのである。この懲戒が生殺与奪まで含んでいたのがローマ法だが、親権の義務制を強調したナポレオン法典は裁判所などの法的手続きを明示した。この規定からそのまま最大六箇月という期間までも継承されていることになる。生殺与奪まで含まないことを示すために、「必要ナル範囲内ニ於テ」という制限がある。この文言が変化しながら現在も継承されるのだが、施行されなかった一八九〇(明治二三)年公布の民法第百五十一条但書きにある「但過度ノ懲戒ヲ加フルコトヲ得ス」という表現のほうが明瞭だったことになる。親による懲戒は、教育のために不可欠のものだが、同時に現在に至る児童虐待の問題を惹起することにもなりうるのである。

明治の民法は戸主をリーダーにした家制度を確立したが、これは法の前の平等、とりわけ男女の平等に反するものであり、戦後改革として日本国憲法の制定とともに見直しがなされた。実際には一九四六（昭和二一）年一一月三日公布、翌一九四七年五月三日施行の日本国憲法に本格的な民法改正が間に合わなかったために、まず「日本国憲法の施行に伴う民法の応急的措置に関する法律」（昭和二十二年四月十九日法律第七十四号）を憲法に合わせて施行した。この第一条は「個人の尊厳と両性の本質的平等」をうたって民法の戸主や家督相続に関する規定の適用などを中止し、第六条で「親権は、父母が共同してこれを行う。」と明記した。そして一二月二二日には民法の改正（昭和二十二年十二月二十二日法律第二百二十二号）が公布され、翌一九四八（昭和二三）年一月一日に施行された。このときの大きな改正では、名称と法令番号が継続する改正手続きが採られた。その後も民法の改正は毎年のように続くのだが、二〇〇四（平成一六）年には「民法の一部を改正する法律」（平成十六年十二月一日法律第百四十七号）により、表現が文語カタカナ書きから、口語ひらがな書きに改められ、現在に至っている。

本書改訂の二〇二二（令和四）年現在、民法の親権に関する主要な規定は、次のとおりである。

民法（明治二十九年四月二十七日法律第八十九号）

（監護及び教育の権利義務）

第八百二十条　親権を行う者は、子の利益のために子の監護及び教育をする権利を有し、義務を負う。

（居所の指定）

第八百二十一条　子は、親権を行う者が指定した場所に、その居所を定めなければならない。

（懲戒）

第八百二十二条　親権を行う者は、第八百二十条の規定による監護及び教育に必要な範囲内でその子を懲戒することができる。

第八百二十条は、一八九六年の民法の第八百七十九条をほぼ踏襲している。「親権を行う者」つまり父母などの親権者によって行われる行為は「監護及び教育」を内容として、それが「権利」であるだけではなく「義務」であるという親権の義務性を表す本質的な規定である。

現在の文言は、二〇一一（平成二三）年の「民法等の一部を改正する法律」（平成二十三年六月三日法律第六十一号）により、「子の利益のために」という文言が追加されたもので、二〇一二（平成二四）年四月一日に施行された。親権が「**子の利益**のため」のものであることは、フランス革命以来絶えず強調されてきたことであって法律と思想の常識であるが、二一世紀でわざわざこの文言が加えられた背景には、児童虐待をはじめ親権が親の恣意によって子どもの利益を侵害する事件が発生することによる。親権の停止や喪失に関する見直しと連動して、この本質的な規定も改正されたのである。

第八百二十一条の居所の指定は、ナポレオン法典や一八九六（明治二九）年の民法に引き続き、親権が行われるための基本的な前提である。

第八百二十二条の懲戒の規定は、かつては、第一項に「親権を行う者は、必要な範囲内で自らその子を懲戒し、又は家庭裁判所の許可を得て、これを懲戒場に入れることができる。」とあり、第二項で「子を懲戒場に入れる期間は、六箇月以下の範囲内で、家庭裁判所がこれを定める。但し、この期間は、親権を行う者の請求によって、何時でも、これを短縮することができる。」となっていた。この規定は、先に述べたとおり、ナポレオン法典と一八九六年の民法に共通する内容であるが、「必要な範囲」の意味の不明確さが児童虐待の原因となり得るものである。このため「児童虐待防止対策の強化を図るための児童福祉法等の一部を改正する法律」（令和元年六月二十六日法律第四十六号）には親権者の**体罰禁止**を明確にするため、児童福祉法と児童虐待防止法に児童のしつけに際して体罰を加えてはならないとする条項を追加して、民法の第八百二十二条の見直しについて、改正法の附則第七条第五項で「この法律の施行後二年を目途として」検討や必要な措置と明記した。また実際には「懲戒場」の手続きは児童福祉法や少年法などの法制が整備された現在では有名無実の規定であった。

このため、二〇一一年の改正で前記の「子の利益のために」を追加した第八百二十条に連動させて、「監護及び教育に必要な範囲内で」と明確に範囲を定めて、親自らが行う懲戒を、あくまでも「子の利益のために」行う親の権利にして義務たるものとして、懲戒場の規定も削除したのである。

こうした民法上の規定と対応するものとして、二〇〇六（平成一八）年の全部改正により加えられた教育基本法の**家庭教育**の規定を確認しておきたい。

教育基本法（平成十八年十二月二十二日法律第百二十号）

（家庭教育）

第十条　父母その他の保護者は、子の教育について第一義的責任を有するものであって、生活のために必要な習慣を身に付けさせるとともに、自立心を育成し、心身の調和のとれた発達を図るよう努めるものとする。

2　国及び地方公共団体は、家庭教育の自主性を尊重しつつ、保護者に対する学習の機会及び情報の提供その他の家庭教育を支援するために必要な施策を講ずるよう努めなければならない。

教育基本法第十条の眼目は、「父母その他の保護者」つまり親権者に対して、子の教育を「**第一義的責任**」として明記したことである。親権は、子どもが生きていくために必要な親の権利であり義務なのだから、国や地方公共団体が行う施策に先立って存在するべき「第一義的」なものである。このことを第一項に明記したうえで、第二項では国及び地方公共団体には、まず「家庭教育の自主性」の尊重を求め、学習の機会や情報の提供をはじめとした「支援」を規定しているのである。この条文は第19章で改めて検討する。

第三節　児童虐待の禁止

親権の本質は、子どもの利益のために監護や教育を行うことであり、その第一義性を法律の上で明確にするためにも、権利を有し義務を負うという書き方がされている。保護者が第一義的責任を果たすために、その裁量のなかで子どもを叱るために、懲戒権が認められることになる。

親による**懲戒**というものは、他人から見えにくい家庭内のことであるから、非常に困難な性格を持つものである。第29章で見るように学校教員にも学校教育法第十一条により懲戒権が、体罰の禁止と併せて規定されている。民法第八百二十二条の親権者の懲戒権には、学校教員のような体罰禁止規定がないから、親権としての懲戒権には「必要な範囲」のなかに虐待に至りうる体罰が含まれているという解釈が成り立つ。この曖昧さを解消したのが、二〇一一（平成二三）年の民法改正による「第八百二十条の規定による監護及び教育に必要な範囲内で」という条件の追加であることは前節で確認したとおりである。懲戒はあくまでも「子の利益のために」行うもので、「監護及び教育」という親権者の権利と義務を果たすための懲戒権なのである。

話がそれるが、一九八〇年代に学生として教育学を学んでいた私は、なぜ児童虐待が日本でなく欧米で大きな社会問題になるのかというテーマの話し合いを何度か経験した。一家心中や母子心中など江戸文学からテーマとされてきた心中事件、つまり自殺と子殺しを兼ねた行為などは報道されることが当時も多かった。一方、多様な児童虐待を社会問題として取り組んでいた欧米とは認識と情報に差があって児童虐待そのものは報じられにくかった。そこで、文化論や子ども論としてのディスカッションのテーマには最適だった。さすがに当時も児童虐待が日本にないと思っている学生はいなかったが、二一世紀になって児童虐待への注目と取り組みが進むと、二〇世紀の日本では情報の把握と取り組みが遅れていたのが一番の問題だったと考えられる。

念のために言うと児童虐待という言葉は決して最近の造語ではない。親権者の監護や教育が不十分であったり、貧窮した家庭の子どもが労働力として虐待的に酷使される問題については、イギリスではエリザベス救貧法（Elizabethan Poor Law）以来、親権と社会をめぐる大きな問題となり[7]、産業社会の問題として工場法の取り組みのなかで、**児童労働**は制限するべき社会の課題として認識されてくる。日本でも、一八七四（明治七）年に一三歳以下の貧窮した児童の保護の定めを含む救恤《きゅうじゅつ》規則や、一九一一（明治四四）年に児童労働と婦人労働の保護のために制定された工場法などがある。あらゆる家庭に起こるかもしれない児童虐待と言うよりも、社会のひずみのなかで深刻に発生する児童労働問題を中心に児童保護が構想されていく流れが見える。

これは一九三三（昭和八）年に初めて「**児童虐待**」を正面から取り上げた法律が制定されたときも、同様であった。**児童虐待防止法**（昭和八年四月一日法律第四十号）は、次に見る二〇〇〇年の法律の略称と同一名称であるために混乱しやすいのだが、別の法律である。帝国議会を経て公布されたこの法律は、第一条で「児童」を「十四歳未満ノ者」と定義して、第二条で「児童ヲ保護スベキ責任アル者」が「児童ヲ虐待シ又ハ著シク其ノ監護ヲ怠リ因《よっ》テ刑罰法令ニ触レ又ハ触ルル虞《おそれ》アル場合」に地方長官が訓戒をしたり、監護の条件を付したり、施設に委託したりすることができるというものである。児童虐待の概念が監護を怠る育児放置にまで広げられてはいるが、同時に刑法等に触れる事実や虞の存在が必要となるために、適用範囲が狭くなることが理解できる。また、第七条で「軽業」「曲馬」「諸芸ノ演出」「物品ノ販売」という列記を見ると明らかで、工場法の対象とならない零細な児童労働の制限として運用される法律であることがわかる。この法律は一九四七（昭和二二）年に**児童福祉法**（昭和二十二年十二月十二日法律第百六十四号）が包括的に児童福祉を規定したことにより、廃止された。

こうして児童福祉法による保護はあるが、児童虐待を独自に扱う法律に欠ける状態となっていた。第5章に見る子どもの権利条約などの国際的な動向のなかで、日本でも親権を行う者が行ってはならない児童虐待を明確に定義してその防止を定める法律の制定が必要となり、二〇〇〇（平成一二）年の**児童虐待防止法**と略称される「児童虐待の防止等に関する法律」が公布された。この児童虐待防止法という略称が、一九三三（昭和八）年の同名の法律と重なるのでまぎらわしいが、現在の児童虐待防止法はきわめて広範囲に児童虐待を規定している。

児童虐待の防止等に関する法律（平成十二年五月二十四日法律第八十二号）

（目的）

第一条　この法律は、児童虐待が児童の人権を著しく侵害し、その心身の成長及び人格の形成に重大な影響を与えるとともに、我が国における将来の世代の育成にも懸念を及ぼすことにかんがみ、児童に対する虐待の禁止、児童虐待の予防及び早期発見その他の児童虐待の防止に関する国及び地方公共団体の責務、児童虐待を受けた児童の保護及び自立の支援のための措置等を定めることにより、児童虐待の防止等に関する施策を促進し、もって児童の権利利益の擁護に資することを目的とする。

（児童虐待の定義）

第二条　この法律において、「児童虐待」とは、保護者（親権を行う者、未成年後見人その他の者で、児童を現に監護するものをいう。以下同じ。）がその監護する児童（十八歳に満たない者をいう。以下同じ。）について行う次に掲げる行為をいう。

一　児童の身体に外傷が生じ、又は生じるおそれのある暴行を加えること。

二　児童にわいせつな行為をすること又は児童をしてわいせつな行為をさせること。
三　児童の心身の正常な発達を妨げるような著しい減食又は長時間の放置、保護者以外の同居人による前二号又は次号に掲げる行為と同様の行為の放置その他の保護者としての監護を著しく怠ること。
四　児童に対する著しい暴言又は著しく拒絶的な対応、児童が同居する家庭における配偶者に対する暴力（配偶者（婚姻の届出をしていないが、事実上婚姻関係と同様の事情にある者を含む。）の身体に対する不法な攻撃であって生命又は身体に危害を及ぼすもの及びこれに準ずる心身に有害な影響を及ぼす言動をいう。）その他の児童に著しい心理的外傷を与える言動を行うこと。

（児童に対する虐待の禁止）
第三条　何人も、児童に対し、虐待をしてはならない。

第一条では、この法律の目的として、児童虐待の防止を定めている。このなかで「人権を著しく侵害し」などの文言は、二〇〇四（平成一六）年の改正（平成十六年四月十四日法律第三十号）で追加されたものである。「人権侵害」という言葉は珍しい言葉ではないから素通りしてしまいそうだが、この追加には大きな意味がある。児童虐待を親権者の権利の濫用や義務の放棄として、つまり親子関係を基軸として考えるだけではなく、子どももまた人権を持った平等な人間として認識してこの法律の位置づけを明確にしたことになる。つまり、あらゆる人に共通な人権の問題として、著しい人権侵害として、児童虐待を位置づけたということである。
第二条は、父母などの親権を行う者つまり保護者によって行われる児童虐待を、第一号から第四号まで列記して定義した。この法律の言う児童は、学校教育における小学校の児童の意味ではなく、現在の社会福祉法令で一般的な、一八歳未満の子どもを示す児童である。

第一号は傷害や暴行といった**身体的虐待**である。傷害や暴行は刑法に定めた罪でありながら民法第八百二十二条の懲戒権の規定があるために曖昧になりかねないが、この規定により児童虐待に相当することが明確になる。第二号は、**性的虐待**である。「わいせつな行為」を子に対して行うことも、行わせることも該当する。第三号は、親権者の監護の義務を怠ることになる**放置**である。一般に用いられる**ネグレクト**、育児放棄などの言葉もこれに相当する。親権者の監護には衣食住など子どもの身上にかかわるすべてが含まれているが、食事を与えなかったり、危険な場所に置いたりすることも放置である。さらに保護者以外の同居人が子どもに児童虐待を行う場合は、これらを監護しない保護者の怠慢もまた放置となるのである。第四号は心理的外傷を与える言動などの**心理的虐待**である。心理的外傷はトラウマという用語が一般的になっている。子どもに暴言を浴びせたり、拒絶的な行動をしたりすることなどで、子どもに心の傷を与えることが含まれる。さらにその子どもに対してではなくても、配偶者への暴力も子どもの心に傷を与えるものであると規定されている。そして、第三条においては、この定義を踏まえて、あらゆる人が児童を虐待してはならないと規定されている。

さらに第四条では国及び地方公共団体の責務を定め、第七条からは地方自治体、福祉事務所や児童相談所などが児童虐待に対応して行う処置として、保護者の出頭要求や立入調査、臨検、捜索などを具体的に定めている。このなかで、第五条と第六条は教育関係者について明記されているので、特に検討したい。

（児童虐待の早期発見等）

第五条　学校、児童福祉施設、病院、都道府県警察、婦人相談所、教育委員会、配偶者暴力相談支援センターその他児童の福祉に業務上関係のある団体及び学校の教職員、児童福祉施設の職員、医師、歯科医師、保健師、助産師、看護師、弁護士、警察官、婦人相談員その他児童の福祉に職務上関係のある者は、児童虐待を発見しやすい立場にあることを自覚し、児童虐待の早期発見に努めなければならない。

2　前項に規定する者は、児童虐待の予防その他の児童虐待の防止並びに児童虐待を受けた児童の保護及び自立の支援に関する国及び地方公共団体の施策に協力するよう努めなければならない。

3　第一項に規定する者は、正当な理由がなく、その職務に関して知り得た児童虐待を受けたと思われる児童に関する秘密を漏らしてはならない。

4　前項の規定その他の守秘義務に関する法律の規定は、第二項の規定による国及び地方公共団体の施策に協力するように努める義務の遵守を妨げるものと解釈してはならない。

5　学校及び児童福祉施設は、児童及び保護者に対して、児童虐待の防止のための教育又は啓発に努めなければならない。

第五条第一項は児童虐待の**早期発見**のための努力義務である。この条文の主語を注意深く読んでほしい。「団体」としての「学校」と、「職務上関係のある者」としての「学校の教職員」の両方が登場している。つまり学校全体として組織的に児童虐待の早期発見のための努力をしなければならないし、専門職たる一人ひとりの教員もまた同様に努力しなければならないのである。そして第二項では、児童虐待の防止や児童の保護や自立のために、国や地方公共団体に協力し、さらに第五項では学校として児童や保護者にも児童虐待の防止のために教育や啓発をしなければならない。三つの項の共通の述語である「努めなければならない」として**努力義務**を定めている。この早期発見のプロセスで不用意に加害者となる親権者に漏洩するなどの事件もあるため、第四項では**守秘義務**を明確にして、さらに第五項では守秘義務が関係者の連携を妨げないように規定しているのである。わかりやすく言うと、児童虐待は学校など個々の専門機関や専門家では全容を把握しにくい深刻で緊急の問題であるため、親権者などに秘密が漏れないように連携しながら対応するわけである。そして発見された場合には次の第六条の通告へと進むことになる。

（児童虐待に係る通告）

第六条　児童虐待を受けたと思われる児童を発見した者は、速やかに、これを市町村、都道府県の設置する福祉事務所若しくは児童相談所又は児童委員を介して市町村、都道府県の設置する福祉事務所若しくは児童相談所に通告しなければならない。

2　前項の規定による通告は、児童福祉法（昭和二十二年法律第百六十四号）第二十五条の規定による通告とみなして、同法の規定を適用する。

3　刑法（明治四十年法律第四十五号）の秘密漏示罪の規定その他の守秘義務に関する法律の規定は、第一項の規定による通告をする義務の遵守を妨げるものと解釈してはならない。

この**通告**の義務を定めたこの第六条第一項は法律の文言の主語と述語に注意を払うことが大切な条文である。主語の「児童虐待を受けたと思われる児童を発見した者」とは、該当する者すべてである。第五条にあげられた学校や教員などの団体と個人はもちろん、すべての国民、さらに言えば人権上の事項であるから日本国民でない者も含めてすべての人びとである。「児童虐待を受けたと思われる」という文言も重要である。具体的な物的な証拠や証言で裏付けられる以前に、「思われる」段階が、「発見」なのである。夜間に重ねて児童虐待と「思われる」物音を聞いたとか、あの子の足の傷は児童虐待と「思われる」とかいったものが、「発見」なのである。述語の「通告しなければならない」とは、通告の義務である。第五条にあった「努めなければならない」という努力義務よりも強い文字どおりの**義務**である。確かに通告しないと罰せられるとは第十七条の罰則規定にはないが、すべての人びとに児童虐待は発見時の通告義務が課せられている。なお法律で罰則規定が条文に含まれるのは重大な場合であり、「通告しなければならない」という義務の文言の意味は大きい。実際の通告は、市町村や福祉事務所や児童相談所の窓口で行うか、あるいは児童委員を通じて行うことになる。なお、**福祉事務所**とは都道府県や市が社会福祉法に基づいて設置する事務所であり、**児童相談所**は都道府県及び政令指定都市などが児童福祉法に基づいて設置する相談所である。**児童委員**とは児童福祉法に基づいて民生委員が兼ねる委員であり、厚生労働大臣が委嘱する委員である。特に児童虐待防止では児童相談所が役割を発揮することになる。これを受けて第六条第二項は、第一項の通告があった場合に、児童福祉法第二十五条に言う「要保護児童」の発見の通告に準じて児童相談所などが手続きを行うことを定めている。

第六条第三項は、**守秘義務**との関係を示している。刑法第百三十四条は医師などの秘密漏示罪を規定しており、学校の教員についても国公立であれば国家公務員法や地方公務員法の定める守秘義務、私立であれば就業規則等で守秘義務が課されている。この規定の遵守のみで解釈すると、児童虐待は業務上知り得た秘密に該当するために医師も弁護士も学校教員も通告できないことになる。その法律上の矛盾を解消するために、第六条第一項の通告の義務を優先して解釈できるように「通告をする義務の遵守を妨げるものと解釈してはならない。」という法令の解釈技術的な表現が用いられている。技術的な表現であるが、児童虐待を優先するべき重大な人権侵害として把握したときの当然の優先順位と言える。多くの被害児童は児童虐待の事実を打ち明けてくれなかったり、秘密としてしか漏らさなかったりするものである。この「秘密」の守秘義務だけを優先すると、その子どもの人権侵害が救済されないために、優先順位を明示してあるのである。

（親権の行使に関する配慮等）
第十四条　児童の親権を行う者は、児童のしつけに際して、体罰を加えることその他民法（明治二十九年法律第八十九号）第八百二十条の規定による監護及び教育に必要な範囲を超える行為により当該児童を懲戒してはならず、当該児童の親権の適切な行使に配慮しなければならない。

2　児童の親権を行う者は、児童虐待に係る暴行罪、傷害罪その他の犯罪について、当該児童の親権を行う者であることを理由として、その責めを免れることはない。

これが民法第八百二十条（監護及び教育の権利義務）と第八百二十二条（懲戒）の規定により、**体罰禁止**を明確にした条文である。二〇〇〇（平成一二）年の法律制定時にも「児童の親権を行う者は、児童のしつけに際して、その適切な行使に配慮しなければならない。」と第一項で定めていたが、それでも親権としての懲戒権を口実にした体罰による事件が続くために、しつけを口実にした体罰による事件を防止するために現在の条文になったものである。

二〇〇〇（平成一二）年に公布された児童虐待防止法は、児童虐待の防止に有効に機能するように、その後も様々な改正を経ている。二〇〇四（平成一六）年には第一条に著しい人権侵害としての児童虐待の法的位置づけを明確にしたほか、立入検査や養育支援事業などが整備されてきた。また、第二節で見た二〇一一年の民法改正における「子の利益のために」という文言の明示と連動して、民法における二年間の親権停止という制度を新たに規定し、親権喪失などの規定の見直しも行われた。二〇一七（平成二九）年には児童相談所による児童虐待に関する保護者への指導を強化するために家庭裁判所が勧告できるように司法関与が強化された。そして児童虐待防止の施策が次々と発表されたが、重大な児童虐待事件が後を絶たず、二〇一九（平成三一）年には、児童福祉法や児童虐待防止法を改正して、体罰禁止や児童相談所の連携強化を図り、二〇二二（令和四）年にも児童福祉法の改正により児童相談所の体制整備が進められている。

本書改訂段階での最新の児童虐待数を見ると、二〇二〇（令和二）年度において虐待死は、心中が一九例二八人、心中以外が四七例四九人で数年間増減を繰り返し、二〇二一（令和三）年度速報値による全国二二五箇所の児童相談所の児童虐待相談件数は二〇万七六五九件で毎年増加して過去最多となった。その比率は身体的虐待が二三・七パーセントへ、ネグレクトが一五・一パーセントまで低下して、心理的虐待が六〇・一パーセントへと増加する傾向があり、性的虐待は一・一パーセントと顕在化しにくい比率になっている。相談が毎年増加していることは、児童虐待が増加しているということを単純に表しているのではなく、児童虐待が顕在化して、子どもと保護者を支援する道が広がっているとも解釈できる。[8] 二〇一五（平成二七）年から児童相談所への児童虐待の通告のための全国共通ダイヤルを一〇桁から短い**一八九**（いちはやく）へと変更したことも効果をあげている。

なお、児童虐待防止法以外にも、個別の子どもを保護するための法令の整備が進んでいる。第2章で言及した「**二十歳未満ノ者ノ喫煙ノ禁止ニ関スル法律**」（明治三十三年三月七日法律第三十三号）や「**二十歳未満ノ者ノ飲酒ノ禁止ニ関スル法律**」（大正十一年三月三十日法律第二十号）は二〇二二（令和四）年四月から十八歳成人となったため法律名を変更したが、ともに二〇歳未満の未成年者を対象として健康の保護の観点からその意義が大きく、販売事業者の責務も強調されている。児童の性的虐待の防止の点では、**風俗営業法**と略称される「風俗営業等の規制及び業務の適正化等に関する法律」（昭和二十三年七月十日法律第百二十二号）が機能してきたが、あらたに**児童買春禁止法**と略称され、買春を「かいしゅん」と発音する「児童買春、児童ポルノに係る行為等の処罰及び児童の保護等に関する法律」（平成十一年五月二十六日法律第五十二号）や**出会い系サイト規制法**と略称される「インターネット異性紹介事業を利用して児童を誘引する行為の規制等に関する法律」（平成十五年六月十三日法律第八十三号）が注目される。また、性的虐待や心理的外傷の誘引とならないためにも青少年有害情報のフィルタリングなどを促進した、**青少年インターネット環境整備法**と略称される「青少年が安全に安心してインターネットを利用できる環境の整備等に関する法律」（平成二十年六月十八日法律第七十九号）も重要である。近年の法令の名称は長くなる傾向があるので、法令集などで一般的な略称を示した。しかし、略称はあくまで通称であって、多様に略されていることに注意しておいてほしい。

また、心理的外傷の原因として配偶者への暴力が児童虐待防止法に示されたが、これについては、**DV防止法**と略称される「配偶者からの暴力の防止及び被害者の保護に関する法律」（平成十三年四月十三日法律第三十一号）の意義も確認したい。この法律は、一般の法律としては珍しく前文が付されており、配偶者からの暴力が犯罪でありながら十分な対応がなされなかった背景から説き起こされている。本章では古代からの家父権の概念を専ら大人と子どもの関係の説明として論じたが、家父権は子どもの支配のみならず、夫の妻への支配でもあり、戦後改革により民法の戸長の権限が改められたにもかかわらず、二一世紀において再びドメスティック・バイオレンスの問題に改めて取り組まなければならない現状なのである。

障害者虐待防止法と略称される「障害者虐待の防止、障害者の養護者に対する支援等に関する法律」（平成二十三年六月二十四日法律第七十九号）も、第三条に「何人も、障害者に対し、虐待をしてはならない。」と定め、障害者虐待の早期発見を学校や学校の教職員などに求めたものであり、児童虐待防止法のあり方と呼応する。社会のなかで障害の有無にかかわらず互いを尊重できる社会を目指すためにも、教育関係者の責務が重要であると改めて確認できる。同じく、**高齢者虐待防止法**と略称される「高齢者虐待の防止、高齢者の養護者に対する支援等に関する法律」（平成十七年十一月九日法律第百二十四号）も、高齢者虐待の防止のための早期発見などを規定している。

なお、教師による懲戒と体罰の禁止は第29章で述べるが、教師による児童生徒への性暴力について「教育職員等による児童生徒性暴力等の防止等に関する法律」（令和三年六月四日法律第五十七号）により、その啓発や早期発見が取り組まれ、教員免許の失効などの処置が厳正化されている。

このように古代の家父権から説き起こして、現代に至る親権の流れを見てきたが、その歴史的な意味を理解して、これからの子どもの権利を考えることには大きな意義があるだろう。第3章で見たドゥモースの「子殺し的様態」のみならず、「子捨て的様態」「対立感情共存的様態」「侵入的様態」は、こうした親子関係の歴史的課題が同時に現代的課題であり、これからの私たちの教育を考える課題となることを示唆している。

（1）穂積重遠『親族法』岩波書店、一九三三年、五五〇頁。本節の記述は本書に加えて田中通裕『親権法の歴史と課題』信山社、一九九三年を参照した。
（2）コンドルセ、渡辺誠訳『革命議会における教育計画』岩波書店、一九四九年。コンドルセほか、坂上孝編訳『フランス革命期の公教育論』岩波書店、二〇〇二年。
（3）この呼称の複雑な経緯については、滝沢正『フランス法』三省堂、一九九七年、七六～七九頁。
（4）田中通裕、前掲書、四六頁。
（5）水野紀子「家族」北村一郎編『フランス民法の二〇〇年』有斐閣、二〇〇六年、一七三頁。
（6）中村淑子「法典論争」、村上一博「穂積兄弟」、白石玲子「民法：家族法」日本近代法制史研究会『日本近代法一二〇講』法律文化社、一九九二年、一二八～一三八頁。なお本章第一節で引用した穂積重遠は、穂積八束の兄である法学者の穂積陳重《のぶしげ》の長男である。
（7）川田昇『イギリス親権法史　貧窮法政策の展開を軸として』一粒社、一九九七年。
（8）厚生労働省社会保障審議会児童部会児童虐待等要保護事例の検証に関する専門委員会「子ども虐待による死亡事例等の検証結果について（第一八次報告）」（二〇二二年九月）及び「令和三年度児童相談所での児童虐待相談対応件数（速報値）」の同省ホームページ発表による。

第5章　子どもの権利の発展

第4章で見たとおり親権の歩みは、子どもの地位が高まっていく歩みであるが、あくまでも親が子に対して監護や教育を提供するという、保護される客体としての子ども観が前提にある。子どもの保護は二一世紀においても児童虐待の防止をはじめとして大きな社会的課題なのであるが、一方で一人の人間としての子どもという位置づけをも考える必要がある。親とは異なる個性を持った子ども、自由に遊ぶ子ども、そして親と異なる意見を言い始めて、やがて親から独立していく主体としての子どもである。こうした親とは異なる一人の人格として子どもをどう位置づけるかという課題があり、これが親権という概念だけでは語れないために、人権や**子どもの権利**という概念に注目する必要が出てくる。

この章の中心テーマである児童の権利に関する条約（子どもの権利条約）は、国際連合が一九八九（平成元）年に採択してから、日本の批准は五年も遅れた。ここには日本社会での子どもの権利に対する不理解を教育や社会福祉関係者は悩んだものだが、今日では子どもの権利条約が法律の制定の趣旨を第一条に明記される事例もでている。二〇〇九（平成二一）年に子どもや若者の支援を政府が総合的に行うために制定された**子ども・若者育成支援推進法**（平成二十一年七月八日法律第七十一号）や、二〇一七（平成二九）年に不登校の子どもや夜間中学で学ぶ成人の支援を定めた**教育機会確保法**と呼ばれる「義務教育の段階における普通教育に相当する教育の機会の確保等に関する法律」（平成二十八年十二月十四日法律第百五号）である。さらに、戦後改革で制定された**児童福祉法**の第一条に、二〇一六（平成二八）年六月三日の一部改正で児童の権利に関する条約が明記された。このように子どもの権利は、新しい教育と児童福祉の基本的な理念として本格的に活用されている。

第一節　子どもの権利への動き

二〇世紀を**児童の世紀**と呼んだのは、スウェーデンの女性教育家**エレン・ケイ**（Ellen Key, 一八四九～一九二六）であり、彼女の一九〇〇年の著書『児童の世紀』は各国語に翻訳されて多くの人々に影響を与えた。一九世紀までに欧米でも日本でも義務教育の普及を経て学校教育が社会に定着したなかで、子ども中心の教育のあり方を模索する初等教育の改革や、中等教育以後の教育の広い普及を目指す動きが登場する。その歴史は本書でこれから記述するが、こうした世界的な新教育運動と教育改革の時代は、同時に子どもの権利が注目される時代でもあった。

世界的な新教育運動が子どもの権利として結実した成果は、一九二四（大正一三）年九月二六日に国際連盟の第五回総会で採択された**児童の権利に関するジュネーヴ宣言**（子どもの権利宣言、ジュネーヴ宣言 the Geneva Declaration of the Rights of the Child）の五箇条の主文に見ることができる。

Ⅰ　子どもは、身体的および精神的両面の正常な発達に必要な手段が与えられなければならない。

Ⅱ　飢えた子どもは食物が与えられなければならない。病気の子どもは看護されなければならない。発達の遅れた子どもは援助されなければならない。非行を犯した子どもは更生されなければならない。孤児および浮浪児は住居を与えられ、かつ援助されなければならない。

Ⅲ　子どもは、危難に際して最初に救済を受ける者でなければならない。

Ⅳ　子どもは、生計を立てることができるようにされ、かつ、あらゆる形態の搾取から保護されなければならない。

Ｖ　子どもは、その才能が人類同胞のために捧げられるべきであるという自覚の下で、育てられなければならない[1]。

国際連盟（League of Nations）は、第一次世界大戦後の一九二〇（大正九）年に発足した世界初の国際的な平和維持機関である。世界的な新教育運動の世論を背景に、飢餓や危難において保護されるべき子どもや人類に将来貢献する子どもを示して、身体や精神の発達の権利という基本的な子どもの権利を明確にした宣言である。

　この国際連盟を日本は一九三三（昭和八）年に脱退し、戦争の時代へと進んでいく。国際的な被害をもたらした第二次世界大戦の反省から、戦後の国際社会は、改めて人権のなかに子どもの権利を位置づけることを国際的課題としていく。

　第二次世界大戦の戦勝国となった連合国の諸国は、国連憲章のもとに国際機関としての国際連合（the United Nations）を一九四五（昭和二〇）年一〇月二四日に結成した。そして、教育、科学、文化の分野の戦後復興を進めるためにユネスコ（国際連合教育科学文化機関　United Nations Educational, Scientific and Cultural Organization, 略称ユネスコ、UNESCO）を創立する。一九四五（昭和二〇）年一一月一六日に採択された**ユネスコ憲章**（国際連合教育科学文化機関憲章）は、「戦争は人の心の中で生まれるものであるから、人の心の中に平和のとりでを築かなければならない。」という有名な前文を掲げて、正義、法の支配、人権及び基本的自由に対する普遍的な尊重を助長するための教育などを促進することを掲げた。

　国際連合は一九四八（昭和二三）年の第三回総会で一二月一〇日に、**世界人権宣言**（Universal Declaration of Human Rights）を採択する。これは全三〇条からなり、自由権や参政権などの社会権を世界規模で確認した歴史的な文書である。第一条と、直接に教育に関する条項を見てみよう。

第一条
すべての人間は、生れながらにして自由であり、かつ、尊厳と権利とについて平等である。人間は、理性と良心とを授けられており、互いに同胞の精神をもつて行動しなければならない。

第二十五条
1　すべて人は、衣食住、医療及び必要な社会的施設等により、自己及び家族の健康及び福祉に十分な生活水準を保持する権利並びに失業、疾病、心身障害、配偶者の死亡、老齢その他不可抗力による生活不能の場合は、保障を受ける権利を有する。
2　母と子とは、特別の保護及び援助を受ける権利を有する。すべての児童は、嫡出であると否とを問わず、同じ社会的保護を受ける。

第二十六条
1　すべて人は、教育を受ける権利を有する。教育は、少なくとも初等の及び基礎的の段階においては、無償でなければならない。初等教育は、義務的でなければならない。技術教育及び職業教育は、一般に利用できるものでなければならず、また、高等教育は、能力に応じ、すべての者にひとしく開放されていなければならない。
2　教育は、人格の完全な発展並びに人権及び基本的自由の尊重の強化を目的としなければならない。教育は、すべての国又は人種的若しくは宗教的集団の相互間の理解、寛容及び友好関係を増進し、かつ、平和の維持のため、国際連合の活動を促進するものでなければならない。
3　親は、子に与える教育の種類を選択する優先的権利を有する。

第二十五条第二項の「母と子」（Motherhood and childhood）と育児に関する条項では女性のみが書かれる点に時代を感じるが、第一項ですべての人に保障された生活権を、特に母と子について優先的に認めようとした文言として読み取りたい。第二十六条は第一項で無償の義務教育の保障と高等教育を含む教育の機会均等を定め、第二項で人格の完全な発展（the full development of the human personality）をはじめとする教育の目的を国際連合の活動を踏まえて記し、第三項は親権に留意して子どもの教育の選択のための親の優先的権利（a prior right）を規定する。

世界人権宣言はあくまでも宣言であるから、国際法としては慣習法的な常識を形成しても、直接に各国に対して法的拘束力がある条約ではない。条約であれば、法律と同じく法的拘束力が批准国内に発生する。このために国際連合では世界人権宣言を踏まえて条約の検討を重ね、一九六六（昭和四一）年一二月一六日の第二一回国連総会で**国際人権規約**が「経済的、社会的及び文化的権利に関する国際規約」と「市民的及び政治的権利に関する国際規約」の二つの規約として採択され、一九七六（昭和五一）年に発効した。前者は**社会権規約**や国際人権A規約、後者は**自由権規約**や国際人権B規約とも略称される。

日本国は、世界人権宣言のときは言うまでもなく連合国の占領下にあったが、一九五六（昭和三一）年に国際連合に加盟した。そして日本国として一九七九（昭和五四）年にいくつかの条項を留保しつつ条約として批准している。このうち、社会権規約の第十条を見てみよう。なお、条約は国内の法令と異なって第一項に「1」と記されたり、(a)などの記号が用いられるので、日本語でもそれに従うことになる。

経済的、社会的及び文化的権利に関する国際規約（昭和五十四年八月四日条約第六号）

第十条

この規約の締約国は、次のことを認める。

1　できる限り広範な保護及び援助が、社会の自然かつ基礎的な単位である家族に対し、特に、家族の形成のために並びに扶養児童の養育及び教育について責任を有する間に、与えられるべきである。婚姻は、両当事者の自由な合意に基づいて成立するものでなければならない。

2　産前産後の合理的な期間においては、特別な保護が母親に与えられるべきである。働いている母親には、その期間において、有給休暇又は相当な社会保障給付を伴う休暇が与えられるべきである。

3　保護及び援助のための特別な措置が、出生の他の事情を理由とするいかなる差別もなく、すべての児童及び年少者のためにとられるべきである。児童及び年少者は、経済的及び社会的な搾取から保護されるべきである。児童及び年少者を、その精神若しくは健康に有害であり、その生命に危険があり又はその正常な発育を妨げるおそれのある労働に使用することは、法律で処罰すべきである。また、国は年齢による制限を定め、その年齢に達しない児童を賃金を支払つて使用することを法律で禁止しかつ処罰すべきである。

社会権規約第十条は家族に対する保護や援助を第一項で定め、第二項で母の出産前後の社会保障を定め、第三項で平等な保護や援助と過酷な児童労働などからの保護を定めている。育児が親権者の義務であるだけではなく、それを支援することが国の義務でもあることが条約として定められているのである。この条項は世界人権宣言第二十五条第二項をもとにしており、同条項の「母と子」に関する規定も出産に関する規定として明確になっている。

続いて教育の権利について第十三条を見よう。

第十三条

1　この規約の締約国は、教育についてのすべての者の権利を認める。締約国は、教育が人格の完成及び人格の尊厳についての意識の十分な発達を指向し並びに人権及び基本的自由の尊重を強化すべきことに同意する。更に、締約国は、教育が、すべての者に対し、自由な社会に効果的に参加すること、諸国民の間及び人種的、種族的又は宗教的集団の間の理解、寛容及び友好を促進すること並びに平和の維持のための国際連合の活動を助長することを可能にすべきことに同意する。

2　この規約の締約国は、1の権利の完全な実現を達成するため、次のことを認める。

(a)　初等教育は、義務的なものとし、すべての者に対して無償のものとすること。

(b)　種々の形態の中等教育（技術的及び職業的中等教育を含む。）は、すべての適当な方法により、特に、無償教育の漸進的な導入により、一般的に利用可能であり、かつ、すべての者に対して機会が与えられるものとすること。

(c)　高等教育は、すべての適当な方法により、特に、無償教育の漸進的な導入により、能力に応じ、すべての者に対して均等に機会が与えられるものとすること。

(d)　基礎教育は、初等教育を受けなかつた者又はその全課程を修了しなかつた者のため、できる限り奨励され又は強化されること。

(e)　すべての段階にわたる学校制度の発展を積極的に追求し、適当な奨学金制度を設立し及び教育職員の物質的条件を不断に改善すること。

3　この規約の締約国は、父母及び場合により法定保護者が、公の機関によつて設置される学校以外の学校であつて国によつて定められ又は承認される最低限度の教育上の基準に適合するものを児童のために選択する自由並びに自己の信念に従つて児童の宗教的及び道徳的教育を確保する自由を有することを尊重することを約束する。

4　この条のいかなる規定も、個人及び団体が教育機関を設置し及び管理する自由を妨げるものと解してはならない。ただし、常に、1に定める原則が遵守されること及び当該教育機関において行なわれる教育が国によって定められる最低限度の基準に適合することを条件とする。

第十三条第一項は世界人権宣言第二十六条第一項と第二項を前提にして、教育の権利と目的を定めている。さらに第二項では(a)初等教育の義務制と無償制、(b)中等教育と(c)高等教育の漸進的無償制と機会均等、さらに(d)初等教育未修了者への配慮や(e)奨学金制度と教職員の物質的条件の改善が規定されている。この第二項のうち、日本国は(b)(c)の**無償教育の漸進的導入**について、批准にあたって留保を表明して、この条項には拘束されないとしていた。しかし、二〇一二（平成二四）年九月一一日に中等教育と高等教育における無償教育の漸進的な導入についての留保の撤回を日本政府から国際連合事務総長に通告した。これは二〇一〇（平成二二）年度から実施された**高等学校授業料無償化**に連動したもので、**高校授業料無償化法**と略称される「公立高等学校に係る授業料の不徴収及び高等学校等就学支援金の支給に関する法律」（平成二十二年三月三十一日法律第十八号）が制定され、二〇一三（平成二五）年に「高等学校等就学支援金の支給に関する法律」と改称されている。なお、この規約は続く第十四条で無償の初等教育の実施義務を定めている。第三項は世界人権宣言第二十六条第三項に関連して「宗教的及び道徳的教育」についての親権者が選択する権利を行使することを定めたものである。第四項はこの条約と法令の遵守《じゅんしゅ》を前提とした私立学校設置の自由を規定している。

続いて自由権規約を見てみよう。

市民的及び政治的権利に関する国際規約（昭和五十四年八月四日条約第七号）

第二十四条

1　すべての児童は、人種、皮膚の色、性、言語、宗教、国民的若しくは社会的出身、財産又は出生によるいかなる差別もなしに、未成年者としての地位に必要とされる保護の措置であつて家族、社会及び国による措置についての権利を有する。

2　すべての児童は、出生の後直ちに登録され、かつ、氏名を有する。

3　すべての児童は、国籍を取得する権利を有する。

第二十三条では家族の保護と結婚の権利を定めており、この第二十四条では子どもの権利を定めている。「すべての児童は」と子どもを主語とした権利規定は、文字どおり子どもの権利としての規定である。第一項は差別のない平等な権利を規定しており、第二項では戸籍等の登録や氏名を持つこと、第三項では国籍を持つ権利を規定している。

第二十四条は簡略ではあるが、国際人権規約のなかに「すべての児童」が位置づけられたこと、つまり本条約が対象とする様々な人権のなかに、子どもの権利が明確になった点で画期的である。ただし、この規定は人権の主体としての、つまり人間としての位置づけが与えられるための国籍や登録や氏名という言わばスタートの規定である。また先に見た社会権規約第十条や第十三条を通じて、子どもの権利は保護や援助、教育の機会の提供という受け身の立場の権利であるとも読み取れる。国際人権規約が定めた規約には人間の主体的で自由な社会参加という点が、子どもについてどう適用されるのかはこの条約だけでは未確定である。それゆえに、第二節で見る子どもの権利条約が国際社会に登場する必要性が出てくる。

第二節　子どもの権利条約

国際人権規約に至る子どもの権利は、まだ保護や援助の客体としての子ども、つまり守られる子どもという子ども観を反映している。それは親子関係や民法などの国内法でしか守られていなかった子どもが、国際社会や国際条約のなかで守られるという点においては画期的な前進なのだが、自由に遊ぶ子どもや成長して親と異なる意見を言い始める子どもの実際の姿とはまだ乖離《かいり》している。

敗戦国日本は国際人権規約に至る国際社会においては表舞台に登場することがなかったが、一九四九（昭和二四）年に児童福祉審議会において児童憲章を制定しようとする動きが起こる。この提起から、内閣総理大臣が招集した児童憲章制定会議が開かれ、一九五一（昭和二六）年五月五日に**児童憲章**が制定された。この児童憲章の冒頭にある次の三箇条は、児童福祉関係者にとっては格言のように、よく知られている言葉である。

児童は、人として尊ばれる。
児童は、社会の一員として重んぜられる。
児童は、よい環境のなかで育てられる。

国際人権規約などに先立って、「人として」や「社会の一員として」という言葉で、人権の主体としての子どもの位置づけが明確に宣言されたことが、世界的に見ても画期的である。

念のために言うと、この児童憲章は、法律などではなく宣言的な文章であるから、実際の力はない。またこれに続く本文たる一二箇条は、「まもられる」「与えられる」という述語が連続して、保護や援助の客体としての子ども観だと言えるだろう。しかしながら、一九五一年に児童福祉関係者たちがいち早く人間であり社会の一員である新しい子ども観を打ち出して、日本国の政府として宣言した点に注目したいのである。

一九五九（昭和三四）年一一月二〇日、国際連合の第一四回総会で、**児童の権利に関する宣言**（子どもの権利宣言 Declaration of the Rights of the Child）が採択される。紛らわしいことだが、一九二四（大正一三）年の国際連盟の五箇条からなる児童の権利に関するジュネーヴ宣言と同一名称である。この宣言は、児童の権利に関するジュネーヴ宣言と世界人権宣言をその前文に引用して、国際連合として全一〇条で示したものである。これらの内容は第一条が「すべての児童は、いかなる例外もなく」とする権利に関する平等から始まり、権利の保護、名前や国籍の権利、社会保障の権利、障害児の権利、家庭環境の保障、教育・遊戯の権利、優先的保護、虐待などからの保護、差別などからの保護となっている。この宣言で特に目を引くのは、第七条の後半に「児童は、遊戯及びレクリエーションのための十分な機会を与えられる権利を有する。」として、遊ぶ権利を子どもの権利として独自に主張している点である。

ただし、これもまた、宣言であるために、条約が持つような法的な力を有していない。そこで一九七八（昭和五三）年には国際連合の人権委員会で条約作りの動きが始まり、さらに一九七九（昭和五四）年のユニセフによる国際児童年の活動により飢餓や内戦などの危険にさらされている子どもの過酷な状況への国際的関心が高まっていく。

こうして一九八九（平成元）年一一月二〇日に国際連合の第四四回総会で**児童の権利に関する条約**（**子どもの権利条約**、Convention on the Rights of the Child）が採択される。こうした条約の和名がいろいろとあるのは、翻訳の違いとして当然なのだが、この条約に関してはより複雑である。日本も加盟する国際連合で採択された条約であるが、日本の批准は、一九九四（平成六）年まで五年も遅れた。この空白期間に日本ユニセフ協会や研究者たちは「子どもの権利条約」の名称を翻訳名として普及させたので、現在も条約名と異なる「子どもの権利条約」のほうが知られている。特に日本政府が消極的であった理由としては、実際に批准後の一九九四（平成六）年に教育委員会などに発した文部次官通知「「児童の権利に関する条約」について（通知）」（平成六年五月二十日文初高第百四十九号）で「本条約第十二条から第十六条までの規定」について「校則」との関係を特筆したように、新しい規定が日本の学校現場の慣行と異なっている点が見られたからである。

この条約は前文において、「千九百二十四年の児童の権利に関するジュネーヴ宣言及び千九百五十九年十一月二十日に国際連合総会で採択された児童の権利に関する宣言において述べられており、また、世界人権宣言、市民的及び政治的権利に関する国際規約（特に第二十三条及び第二十四条）、経済的、社会的及び文化的権利に関する国際規約（特に第十条）」と、まさに今まで見てきた諸宣言と条約を列記して、それらを踏まえた内容であることを述べている。[2]

全五十四条の条文すべてを引用することはできないが、国際教育法研究会訳で付された見出しを参考にして、簡単に概要を示しておく。

なお、今までの法律で見たとおり、現在の法律には**見出し**がつくことが多いが、古い法令や条約などに見出しがないものもある。見出しはあくまでも検索のときの利便性のためであり、法令や条約の内容のような法的拘束力はない。学校教育法のように見出しのない法律には、法令集をつくるときに編集者がつけた見出しが使われることもある。また児童の権利に関する条約の見出しについては、現在は外務省のウェブページで「条約の理解と検索の便に供するために」として参考に公表されたものもあるので、念のために言及しておく。この条約の全文を確認するには、この外務省のウェブページが便利であり、また公益財団法人日本ユニセフ協会の「子どもの権利条約」のウェブページも学校や児童福祉の現場で教材にできるわかりやすい情報提供として、定評がある。

第一部

〔定義と原則〕

第一条　子どもの定義

第二条　差別の禁止

第三条　子どもの最善の利益

第四条　締約国の実施義務

第五条　親の指導の尊重

〔生きていくための権利〕

第六条　生命への権利、生存・発達の確保

第七条　名前・国籍をもつ権利

第八条　アイデンティティの保全

第九条　親からの分離の禁止

第十条　家族再会のための出入国

第十一条　国外不法移送・不返還の防止

〔市民としての自由〕

第十二条　意見表明権

第十三条　表現・情報の自由

第十四条　思想・良心・宗教の自由

第十五条　結社・集会の自由

第十六条　プライバシィ・通信・名誉の保護

第十七条　適切な情報へのアクセス

〔親権との関係〕

第十八条　親の第一義的養育責任と国の援助

第十九条　親による虐待・放任・搾取からの保護

第二十条　家庭環境を奪われた子どもの養護

第二十一条　養子縁組

〔子どもの社会福祉〕

第二十二条　難民の子どもの保護・援助

第二十三条　障害児の権利

第二十四条　健康・医療への権利

第二十五条　医療施設等に措置された子どもの定期的審査

第二十六条　社会保障への権利

第二十七条　生活水準への権利

〔子どもの教育〕

第二十八条　教育への権利

第二十九条　教育の目的

〔その他の保護〕
第三十条　少数者・先住民の子どもの権利
第三十一条　休息・余暇、遊び、文化的・芸術的生活への参加
第三十二条　経済的搾取・有害労働からの保護
第三十三条　麻薬・向精神薬からの保護
第三十四条　性的搾取・虐待からの保護
第三十五条　誘拐・売買・取引の防止
第三十六条　他のあらゆる形態の搾取からの保護
第三十七条　死刑・拷問等の禁止、自由を奪われた子どもの適正な取扱い
第三十八条　武力紛争における子どもの保護
第三十九条　犠牲になった子どもの心身の回復と社会復帰
第四十条　少年司法
第四十一条　既存の権利の確保

第二部
第四十二条　条約広報義務
第四十三条　子どもの権利委員会の設置
第四十四条　締約国の報告義務
第四十五条　委員会の作業方法

第三部
第四十六条　署名
第四十七条　批准
第四十八条　加入
第四十九条　効力発生
第五十条　改正
第五十一条　留保
第五十二条　廃棄
第五十三条　寄託
第五十四条　正文

条約の第一条が「児童とは、十八歳未満のすべての者」と定義したことは、すでに第2章で確認した。第二条から第五条までは諸原則を記し、第六条からは従来の親権や生存権に基づいた生きるための権利を記している。数条をあけて、第十八条から第二十一条も親権に関する規定であり、第二十二条からは難民問題等の国際社会の実態を踏まえての社会福祉についての規定、第二十八条からは教育の権利、第三十条は少数者の権利である。第三十一条は児童の権利に関する宣言を踏まえた遊びの権利を芸術や文化活動まで広げて規定し、第三十二条からは深刻な搾取や紛争に対応した権利を明確にし、第四十条は少年司法のあり方、第四十一条は既存の権利の保護を規定している。第四十二条からの第二部は締約国の条約に対する義務を規定し、第四十六条からの第三部は条約の手続きなどの規定である。

さて、第十二条から第十七条までが従来の宣言や条約とは大きく異なる部分であり、保護され支援される客体としての子どもではなく、自ら発言したり行動したりする主体としての子どもの権利が記されている。

児童の権利に関する条約（平成六年五月十六日条約第二号）

第十二条

1　締約国は、自己の意見を形成する能力のある児童がその児童に影響を及ぼすすべての事項について自由に自己の意見を表明する権利を確保する。この場合において、児童の意見は、その児童の年齢及び成熟度に従って相応に考慮されるものとする。

2　このため、児童は、特に、自己に影響を及ぼすあらゆる司法上及び行政上の手続において、国内法の手続規則に合致する方法により直接に又は代理人若しくは適当な団体を通じて聴取される機会を与えられる。

第十二条は子どもの**意見表明権**（the right to express those views freely）を定めている。国際人権規約では大人の自由な政治参加の権利が前提となっているが、児童の権利に関する条約では子どもの権利を定めているのだから、この意見表明権が「児童に影響を及ぼすすべての事項」についての社会的な参加の方法となる。第二項は特に裁判や行政手続きの取り扱いについてであり、親権をめぐる裁判などでの意見の表明と考えるとわかりやすいが、第一項は「すべての事項」であるから、たとえば自らが受ける教育のあり方なども含まれる。また「意見」とは、大人が政治参加や行政手続きなどで行う公式の手段だけでなく、「その児童の年齢及び成熟度に従って」行われるものである。対象となる一八歳未満の児童は、学校で言えば高等学校の生徒から幼稚園の幼児まで様々な子どもがいるのだから、その意見を汲み取るための努力が教師や親たちに求められることになる。意見の英文はヴュー view となっているが、これは思想によって整理された意見 opinion というよりも好き嫌いなどの幼い段階を含めた、ものの見方を意味する。

一九九四年の文部次官通知の第五項で「表明された児童の権利がその年齢や成熟の度合いによって相応に考慮されるべきという理念を一般的に定めたものであり、必ず反映されるということまでをも求めているものではないこと。」としたのは、条文解釈としては誤っていないが、まるで反映しないことが条約制定の意思であるかのように消極的に読み取れる。子どもの意見表明は確かに的外れや思い違いもあるだろうが、それを専門家たる教師や親権者、さらには大人たちが汲み取って教育に生かしていくことが大切なのである。たとえば子どもによる学校の授業評価の取り組みは学校種別ごとに工夫して進んでいるが、子どもが書いたアンケートの分析と活用には教師の高度な専門性が必要なのであり、これもまた児童の意見表明権を生かした取り組みと位置づけてよいだろう。

第十三条

1　児童は、表現の自由についての権利を有する。この権利には、口頭、手書き若しくは印刷、芸術の形態又は自ら選択する他の方法により、国境とのかかわりなく、あらゆる種類の情報及び考えを求め、受け及び伝える自由を含む。

2　1の権利の行使については、一定の制限を課することができる。ただし、その制限は、法律によって定められ、かつ、次の目的のために必要とされるものに限る。

(a)　他の者の権利又は信用の尊重

(b)　国の安全、公の秩序又は公衆の健康若しくは道徳の保護

第十三条は児童の**表現の自由の権利**（the right to freedom of expression）についてである。第一項は大人と同じような表現の自由、日本国憲法では第二十一条に定める権利が述べられているが、子どもにとっては言葉の表現も口頭や手書きや印刷と様々であろう。芸術というのも高度な芸術だけでなく、発達段階に即応した様々な表現方法が含まれていると考えてよい。「国境とのかかわりなく」という表現はしばらく前までは空想的だと思われただろうが、インターネットが普及した現在ではきわめて現実的な子どもの表現である。権利一般が他者の権利を侵害するような濫用に至ってはならないし、公共の福祉が前提であるから第二項にあるとおりの制限も言及されているのである。この第二項は正確に読み取るべき条項である。なんでも制限してよいというのではなく、「一定の制限」は法律で定めるべきであり、かつ権利や公共の福祉の侵害の防止という目的だということであり、言わば権利を制限することの制限を明記しているのである。第4章で言及した「青少年が安全に安心してインターネットを利用できる環境の整備等に関する法律」（平成二十年六月十八日法律七十九号）によって有害情報のフィルタリングなどを法律によって明示して、子どもの権利保護のために規定したことは、実例と言える。第十二条のように自己に関係する事柄について意見を表明する権利とともに、さらに広範に、場合によっては国境を超えて子どももまた表現の自由を持っているのである。

第十四条

1　締約国は、思想、良心及び宗教の自由についての児童の権利を尊重する。

2　締約国は、児童が1の権利を行使するに当たり、父母及び場合により法定保護者が児童に対しその発達しつつある能力に適合する方法で指示を与える権利及び義務を尊重する。

3　宗教又は信念を表明する自由については、法律で定める制限であって公共の安全、公の秩序、公衆の健康若しくは道徳又は他の者の基本的な権利及び自由を保護するために必要なもののみを課することができる。

第十四条は思想や良心、宗教の自由についての児童の権利（the right of the child to freedom of thought, conscience and religion）についてである。これが人権であることは、フランス革命の時代から大いに主張されてきたし、日本国憲法も第十九条と第二十条でその権利を規定している。この第十四条第一項は、これを子ども自身の権利として明確にしているのである。従来の親権は、こうした事項についても国家などに優先して親の第一義的な選択や指示をする権利と義務が認められ、そのことを第二項でも留意している。この第二項による親権は当然に子どもの利益のために行使されるものであるから、まず「児童に対しその発達しつつある能力に適合する方法で」あることが求められる。この第一項と第二項を考え合わせると、子どもの自由な権利があって、それを助けるための親権があるということになる。親と子どもの双方の思想や良心、宗教が成長に伴って異なってくるということは、人類の歴史を通じて普通に見られた現象である。そのようなありふれた事実について、子どもの権利という視点から明確な規定を与えた点にこの第十四条の意味がある。第三項はまた権利の濫用や公共の福祉との関係からの規制を定めている。自由の制限に慎重な視点から、「必要なもののみを課する」という権利を制限することの制限という文意を正確に読み取るべきである。

第十五条
1　締約国は、結社の自由及び平和的な集会の自由についての児童の権利を認める。
2　1の権利の行使については、法律で定める制限であって国の安全若しくは公共の安全、公の秩序、公衆の健康若しくは道徳の保護又は他の者の権利及び自由の保護のため民主的社会において必要なもの以外のいかなる制限も課することができない。

第十五条は結社の自由及び平和的な集会の自由についての児童の権利（the rights of the child to freedom of association and to freedom of peaceful assembly）についてである。これもまた、近代社会の市民権の基本をなすものであり、第十三条同様に日本国憲法第二十一条第一項に「集会、結社及び言論、出版その他一切の表現の自由は、これを保障する。」と明記された権利である。このことを本条約第十五条第一項は子どもの権利として明記し、第二項は権利を制限することの制限を明示しているのである。

第十六条
1　いかなる児童も、その私生活、家族、住居若しくは通信に対して恣意的に若しくは不法に干渉され又は名誉及び信用を不法に攻撃されない。
2　児童は、1の干渉又は攻撃に対する法律の保護を受ける権利を有する。

プライバシーの保護、さらに日本国憲法第二十一条第二項の規定する通信の秘密に連動する規定である。第二項に言う法律の保護について、今日では「個人情報の保護に関する法律」（平成十五年五月三十日法律第五十七号）をはじめとした整備が進んでおり、学校現場でも取り組みが進んでいる。私が子どもの頃は所持品検査と称して私物を検査する教師に遭遇したことがあるが、凶器や爆発物等の発見という生命のための公共目的以外であれば検査する側のほうが犯罪視されるようになったのは、人権感覚の浸透と言える。

続く第十七条もマスメディアからの情報や資料を児童が活用する権利を明記したものとして注目できる。

あえて第十二条から第十六条を逐条的に見たが、この五条が一九九四年の前掲の文部次官通知では、特に第四項の箇所で次のように指摘されたものである。

4　本条約第十二条から第十六条までの規定において、意見を表明する権利、表現の自由についての権利等の権利について定められているが、もとより学校においては、その教育目的を達するために必要な合理的範囲内で児童生徒等に対し、指導や指示を行い、また校則を定めることができるものであること。

校則は、児童生徒等が健全な学校生活を営みよりよく成長発達していくための一定のきまりであり、これは学校の責任と判断において決定されるべきものであること。

なお、校則は、日々の教育指導に関わるものであり、児童生徒等の実態、保護者の考え方、地域の実情等を踏まえ、より適切なものとなるよう引き続き配慮すること。

書いてあることは決して不合理ではないが、日本国が加盟する国際連合の定めた国際条約を国会が批准したのだから、その条約に基づいて趣旨を伝えるのが本来の文部次官通知のあり方だったはずである。しかし、条約にはない校則の取り扱いで終始している。第四項の第一段落の「定められているが、もとより」という言い回しに、まるで籠城でもするような防衛的姿勢を感じるのはなぜだろうか。条約の各条項は権利の制限のためには法律などの慎重な規定が必要であることを定めているが、校則はあくまでも教育のために学校現場で運用されるルールであり、日本国の国会において定められた法律ではない。

この条約第十二条から第十六条までの規定は、すべて日本国憲法にすでに明記されている国民の権利とも通じてるものであるから、国民たる子どもの権利でもある。日本国の学校現場では学生・生徒・児童・幼児の国籍にかかわらず本条約締結前から保障されていた権利だったはずである。それが徹底されていないならば、条約第四十二条は締約国が成人にも児童にもこの条約を知らせる義務を課しているのだから、周知と改善が日本国の政府には必要なのである。

条約締結時の文部次官通知がまことに残念な代物であることばかり強調してしまったが、決して日本国全体がさぼっているわけではない。条約第四十三条に定める国際連合の児童の権利委員会がひらかれ、条約を批准した国は第四十四条に基づいて五年ごとに報告することになる。日本国もこの報告を行い、一九九八（平成一〇）年、二〇〇四（平成一六）年、二〇一〇（平成二二）年、二〇一九（平成三一）年と委員会所見が発表されている。第二回や第三回の所見では子どもの意見尊重が学校などで制限されていることを改善するように勧告されている。委員会所見の項目はさらに多岐にわたっており、閉塞的になりやすい教育や子育ての問題が国際的な人権問題として国際水準でオープンに議論されたことは今までにない前進と言えよう。またこの所見では、「児童買春、児童ポルノに係る行為等の処罰及び児童の保護に関する法律」や「児童の虐待の防止等に関する法律」の制定やその後の改正などの取り組みが、「積極的な側面」として評価されていることにも注目しておきたい。また本章冒頭で記したように、児童福祉法の一部改正をはじめ、日本の法律の第一条に目的の規定として条約を明記するようになったことも、大きな変化である。

さらに「川崎市子どもの権利に関する条例」（平成十二年十二月二十一日川崎市条例第七十二号）をはじめとして、地方自治体や学校でも子どもの権利を教育の現場に生かす動きが進められていることにも注目したい。
続いて、第二十八条と第二十九条の教育と関連する次の条文も掲載しておく。

第二十八条

1 締約国は、教育についての児童の権利を認めるものとし、この権利を漸進的にかつ機会の平等を基礎として達成するため、特に、

(a) 初等教育を義務的なものとし、すべての者に対して無償のものとする。

(b) 種々の形態の中等教育（一般教育及び職業教育を含む。）の発展を奨励し、すべての児童に対し、これらの中等教育が利用可能であり、かつ、これらを利用する機会が与えられるものとし、例えば、無償教育の導入、必要な場合における財政的援助の提供のような適当な措置をとる。

(c) すべての適当な方法により、能力に応じ、すべての者に対して高等教育を利用する機会が与えられるものとする。

(d) すべての児童に対し、教育及び職業に関する情報及び指導が利用可能であり、かつ、これらを利用する機会が与えられるものとする。

(e) 定期的な登校及び中途退学率の減少を奨励するための措置をとる。

2 締約国は、学校の規律が児童の人間の尊厳に適合する方法で及びこの条約に従って運用されることを確保するためのすべての適当な措置をとる。

3 締約国は、特に全世界における無知及び非識字の廃絶に寄与し並びに科学上及び技術上の知識並びに最新の教育方法の利用を容易にするため、教育に関する事項についての国際協力を促進し、及び奨励する。これに関

しては、特に、開発途上国の必要を考慮する。

第二十九条

1　締約国は、児童の教育が次のことを指向すべきことに同意する。

(a)　児童の人格、才能並びに精神的及び身体的な能力をその可能な最大限度まで発達させること。

(b)　人権及び基本的自由並びに国際連合憲章にうたう原則の尊重を育成すること。

(c)　児童の父母、児童の文化的同一性、言語及び価値観、児童の居住国及び出身国の国民的価値観並びに自己の文明と異なる文明に対する尊重を育成すること。

(d)　すべての人民の間の、種族的、国民的及び宗教的集団の間の並びに原住民である者の理解、平和、寛容、両性の平等及び友好の精神に従い、自由な社会における責任ある生活のために児童に準備させること。

(e)　自然環境の尊重を育成すること。

2　この条又は前条のいかなる規定も、個人及び団体が教育機関を設置し及び管理する自由を妨げるものと解してはならない。ただし、常に、1に定める原則が遵守されること及び当該教育機関において行われる教育が国によって定められる最低限度の基準に適合することを条件とする。

こうした教育を受ける権利や教育の目的の規定は、戦後教育改革の教育基本法に呼応しつつ、現在までの新しい教育改革の動向に影響を与えるものである。

これまで、数章にわたって、子殺しから子どもの権利に至るまでの子ども観の変遷を見てきたことになるが、本章の子どもの権利条約が現在の到達点と言える。親の所有物のように扱われていた時代から、親と子どもの関係が徐々に変化していき、親権自体が絶対的な支配権から子どもの利益のための義務へと変化していくのが、人類史の大きな流れである。さらに親権が家庭内での閉ざされた時代から、家族が国家や社会と関係し合って国家が家庭の自主性を認めながら保護して援助し、さらに国際社会が国際条約として見守る時代にまで変化してきたのである。

条約締結国として一九九六（平成八）年から日本国政府が国際連合に提出した報告や国際連合の「児童の権利に関する委員会」の所見は、外務省のウェブページで公開されている。地方自治体では、この条約を踏まえて二〇〇〇（平成一二）年に、子どもたちも含めた市民参加で話し合って公式に「川崎市子どもの権利に関する条例」（平成十二年十二月二十一日川崎市条例第七十二号）を制定した川崎市の取組が顕著であり、継続的に「川崎市子どもの権利に関する実態・意識調査報告書」を公表している施策は評価されるべきである。

もちろん、国内外を問わず、子どもの権利をめぐる動向は日進月歩で変化しており、法令や国際的な動向がさらに進んでいることを期待したい。

（1）国際教育法研究会訳による。永井憲一『子どもの権利条約の研究　補訂版』法政大学出版局、一九九二年初版・一九九五年補訂版、二四一頁。
（2）前掲書、二三一～二四〇頁。

第6章　教育という言葉

教育とは何か。そのような大きな問いは答えに困るのだが、「これこそ教育だ」とか「こんなものは教育ではない」という表現からは、私たちが価値判断をして「教育」という言葉を用いていることがわかる。

この章では、むしろそれ以前に、そもそも教育という言葉は何なのか、そしてその言葉が教育学ではどう使われているかを考える。そうした語源や定義を踏まえていくことで、それぞれが「これこそが教育だ」といった議論を展開できることになるだろう。

第一節　「教育」と「教化」の語源

現在の日本では、教育という言葉を、一つは古代中国の古典を通じての漢字の熟語として、一つは明治期に移入された西洋からの概念の翻訳語として用いている。

第2章で「子」という漢字の甲骨文、金石文の字体から象形文字としての意味を考えたが、本章で論じることになる「教育」と「教化」について、「教」と「育」と「化」の三つの漢字について考えておきたい。甲骨文とは、第3章のイザナギとイザナミの神話になった卜占《ぼくせん》のように、古代中国で亀の甲や鹿の骨のひびで占いをするときに、その甲骨に刻み込んだ文字である。金石文は、金属や石碑に刻み込んだ文字という意味では現代も生産されているが、ここでは周代など古代中国の文物に刻み込まれた文字である。銅などの金属器が中心だから金文とも言う。

甲骨文や金石文に関する説明は、小さな学習用漢和辞典でも必ず掲載されているものであるが、意外と揺れが大きく、想像力が豊かな解釈も少なくない。水上静夫編著『甲骨金文辞典』は一つの文字に多くの字体を掲載しているので、いつも便利に参考にしている。「教」という文字についても、いくらか形の揺れや部分の省略があるが、三つの部分に分けて考えることができる。第2章で見た「子」と、×印が上下にかさなった「爻《こう》」と、日本人が部首として「のぶん」と呼んでいる「攴」（攵）である。「子」は、この部分が子どもの意味を表すことになる。「爻」は発音を表す音符だが、「交」と同じく交わるという意味を持つので、子どもに関係するという意味を含む。常用漢字の「教」

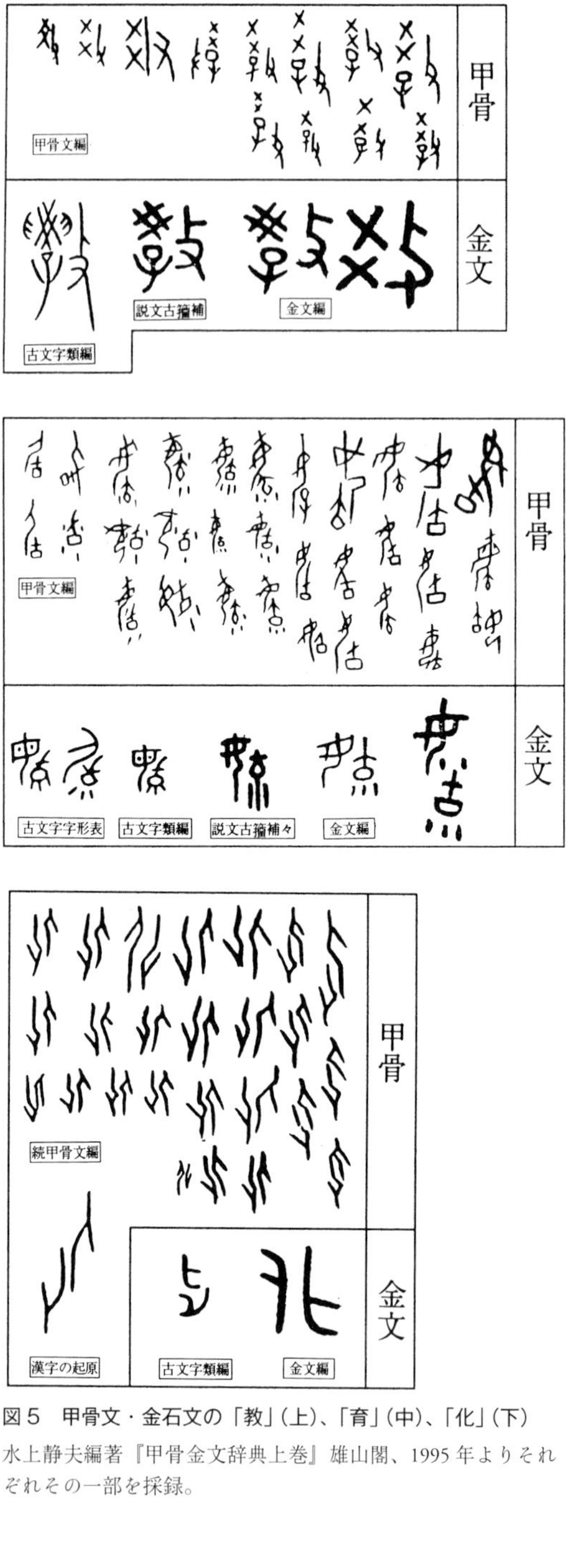

図5　甲骨文・金石文の「教」（上）、「育」（中）、「化」（下）
水上静夫編著『甲骨金文辞典上巻』雄山閣、1995年よりそれぞれその一部を採録。

という字体よりも正字、つまり清代の『康熙字典《こうき》』で採用されていた字体の「敎」のほうが、「爻」の形を伝えている。「攴」（攵）は働きかける、強いるという意味を表す部首で、漢字の辞典では教はこの「のぶん」の部首に分類されている。説明が長くなったが、「教」という文字には、その文字の形のなかに、子どもに係わってなにかをさせるという意味が含まれていると解釈してよい。

付け加えると「教」は本来はこのように子どもに働きかけて教える行為を示す文字であり、教える内容や理念は含まれない。しかし、教育理念や教育内容は必ず出てくるだろうから、後には「教」がむしろ理念や内容を意味して、儒教、仏教、宗教と言った熟語も一般的になっていく。

続いて「**育**」である。「育」は常用漢字である「育」という字体と、忘れ去られている、画数が多い「毓《いく》」という字体がある。「育」と「毓」はとても同じ文字と思えないが、甲骨文や金石文の字体で考えると、同じである。「子」は逆さの状態で「𠫓」という形で「育」の上部にも「毓」の右上部にも出てくる。甲骨文や金石文には「川」のような記号を含む字体があるが、これが「毓」の右部の「㐬」の下部である。子どもが母体から羊水とともに流れ出る様子とも、子どもが健やかに育つ様子とも解釈されているようだが、いずれにせよ金石文や甲骨文は文字そのものしか残っていないのだから、それは解釈である。ともかく子どもが動いている様子が「毓」の右部にはある。金石文や甲骨文には「母」を表す部分がある。これが「育」の「月」という日本で「にくづき」と呼ぶ部首であり、「毓」の「母」が「毎」のように変化した部分である。母を表していると思ってよいだろう。つまり、「育」も「毓」も同様に、子どもを母が産んで育てる様子を意味していることになる。

次に「**化**」である。「化」は、「人」を表す「にんべん」と「匕」から構成されている。常用漢字では右部を「匕」と書いて右部の横線は突き抜けないが、清朝の『康熙字典』の正字では突き抜けている。「匕」は漢音や呉音ではヒと発音して、さじ、スプーンを意味する漢字である。「化」には、本来、「𠤎」と書く別の文字が含まれている。これは呉音のケや漢音のカと発音するもので、変化の意味を持つ。金石文や甲骨文の「化」を見ると、常用漢字の字体よりも、一八〇度の点対称のような、上下左右に人間の位置が変化していることがわかる。座っている、倒れているといろいろと解釈できるが、人間の位置が素直に変化していることで、変化を意味しようとしたことが伝わる象形文字の意匠である。言うまでもなく、「化」は変わること、変化することを意味する。

横道にそれるが、古代の漢字に見入ると、教育漢字と常用漢字の現行字体を形式的に教え込む小中学校の教育に限界が感じられる。私は古代の中国の甲骨文や金石文を刻み込んだ人たちにあこがれを持つし、『康熙字典』に結実した清朝考証学の偉大な成果にも頭が下がるし、日本国の文部省のちの文部科学省や文化庁が定めた字体も大切だと思う。しかしそれは互いに異なるのであって、歴史的な変化の一場面の字体に過ぎない。止めや払い、さらに書き順などの当否を問う初等の漢字教育は有効な教育法なのだが、筆から鉛筆に移行して教科書体という活字やフォントを活用できる今の時代の産物に過ぎない。現実の私たちはＪＩＳという日本の標準によりつつ、相互の違いを過度にアピールするタイポグラフィーの様々なフォントに依拠してパソコンなどの制約ある表現手段としての文字につきあっている。自分自身で何回も彫り込んでいったり、個性を文字そのものに残していった時代の人びとの営みも忘れないでおきたい。

後漢（二五～二二〇）の時代は、古代の文字や古典から時代的に離れているので、注釈などの研究が盛んとなる。後漢の許慎は、『説文《せつもん》』とも日本人が呼び習わす『説文解字《せつもんかいじ》』という、最初のまとまった漢字辞典を著した。甲骨文や金石文という考古遺産としての字体から現代の私たちがどう読み取るかは、若干の冒険を含む解釈なのだが、『説文』は、後漢の中国の学者の解釈をそのまま読めるという利点がある。もちろん、それは儒学による解釈が国家的な秩序となった時代の学者の一つの解釈であるという前提で読み取るべきである。『説文』は採録された字体を伝える点でも貴重な文献だが、ここでは許慎の解釈を見てみたい[1]。

まず「**教**」である。

上所施、下所効也。（上の施すところ、下の効《なら》ふ所なり。）

甲骨文や金石文のどこにも「上」や「下」を意味する部分は見られなかった。あえて言えば親子の上下だろうが、許慎は抽象的に上下関係だと言い、上が施し、下が倣《なら》うという一方向的な関係だと解釈している。ここに以前とは異なる漢代の国家的な秩序観を反映した解釈が見られる。

次に「**育**」である。

養子、使作善也。（子を養ひ、善をなさしむるなり。）

子を養うという解釈は、「育」や「毓」の本来の象形文字としての意味と合致する。これに許慎は「作善」という道徳上の概念を加えている。「教」のように抽象的な「上下」を登場させた国家的な関係ではなく、明確に親子関係である。身体的な「養」と道徳的な「作善」は、奇《く》しくも明治以来の民法の親権の規定である「監護」と「教育」にも重なってくるようだ。許慎は「善」という「育」の本来の字の意味にない教育的内容を加えるが、親が子どもに行うトータルな行為が「育」ということになる。

最後に「**化**」である。

教行也。从匕人。（教え行ふなり。匕《か》と人とに从《したが》ふ。）

甲骨文や金石文では変化を表すはずの「化」を許慎は最初から「教行」だと定義して、「教」の文字に合致させた。「从」は「従」つまり「従」の異体字である。つまり「化」という文字は、「人」と「匕」という二つの部分の意味に従って解釈されるというのだから、これは甲骨文や金石文からの解釈と一致する。なお「匕」の箇所には、「匕変也」（匕は変なり）とある。許慎は「化」の本来の字の意味に含まれていない「教」と結びつけて、後に見る「教化」の意味を前提にしているように読み取れるが、変化という意味であれば甲骨文や金石文とも一致する。

「教」や「育」や「化」について、一つの文字としての意味を見てきた。「化」は変化ということにとどまるが、「教」と「育」に「子」が含まれ、「育」には「母」も含まれて、親子関係を含んだ文字であることは確認してほしい。

続いて熟語としての「教育」と「教化」について見てみよう。

「**教育**」という言葉が最初に出現する古典は『孟子』の「尽心章句上《じんしんしょうくじょう》」である。孔子（前五五二頃～前四七九）の後の儒教のリーダーである**孟子**（前三七二頃～前二八九）は、のちに「性善説」と評される楽天的な人間観と世界観を体現して戦国時代（前四〇三～前二二一）の諸国を遊説した。重要な文章なので、少し長くなるが引用しよう。(2)

孟子曰、君子有三楽。而王天下不与存焉。（孟子曰く、「君子に三楽あり。而して天下に王たるは与《あずか》り存せず。）
父母倶存、兄弟無故、一楽也。（父母倶《とも》に存し、兄弟故《けいていこと》無きは、一の楽なり。）
仰不愧於天、俯不怍於人、二楽也。（仰ぎて天に愧《は》じず、俯《ふ》して人に怍《は》じざるは、二の楽なり。）
得天下英才、而教育之、三楽也。（天下の英才を得て之を教育するは、三の楽なり。）
君子有三楽。而王天下不与存焉。（ゆえに、君子に三楽あり。而して天下に王たるは与り存せず」と。）

まず孟子は君子には三つの楽しみがあるが、天下に王として君臨することとは関係しないと述べている。君子とは儒教における人間の理想像である。実際には当時の社会の支配の頂点に王や諸侯がいて、士大夫が支配層を形成して、民衆がいるという明確な階層構造があったわけだが、倫理的な理想像たる君子を押し出すところに儒教の特徴がある。第4章で儒教の特徴としての親子関係の「孝」に注目したが、まさに一つめの楽しみは、父母が健在で兄弟も事故がないという家族の幸福である。二つめの楽しみは儒教の倫理的な特徴から、天上を仰ぎ見ても、地上で人と接しても、恥じるところがないということである。超越的な「天」という存在と、「仁」という徳目に結実する「人」との関係が儒教における宗教的でありながら世俗的である倫理を形成する。そして三つめの楽しみが、天下の英才を探し出して、その者を教育していくことだという。儒教の基本は家族内部の「孝」を中心とした閉ざされた関係であるが、人と人の間の「仁」へと進むときには「天下」に遍《あまね》く開かれた関係を持つことになる。孔子も孟子も弟子を育てたように、儒教に共感する者は、自ら君子を目指すと、同時に次の世代の君子を育てなければならない。これが天下の英才を得て教育するということである。この言葉はそのまま英才教育の語源になってしまうから辟易《へきえき》するが、孟子が目指しているのは脆弱《ぜいじゃく》な早期教育ではなく、次の世代を託するような人間関係である。この引用した箇所は、再び「君子に三楽あり。而して天下に王たるは与り存せず。」と冒頭と同じ言葉でとじられる。この重言を後漢の趙岐《ちょうき》の古註は君子の美徳を強調する表現だと解釈した(3)。もちろん君子や孝といった教育理念は儒教のものである。君子という大人が、英才に働きかけて、教え育てていくのである。

熟語としての孟子の「教育」は、親子の登場する甲骨文や金石文の意味と呼応する。親が子を教え育てることも、君子が次の時代の君子を教え育てることも、ともに教育である。親も君子も教育をして、子や英才に次の世代を託する。教育とは世代交代であり、受け継がれていくサイクルである。親と子の関係も君子と英才の関係も循環的であって、固定的ではない。今の子どもや英才が、次の世代の親や君子なのである。

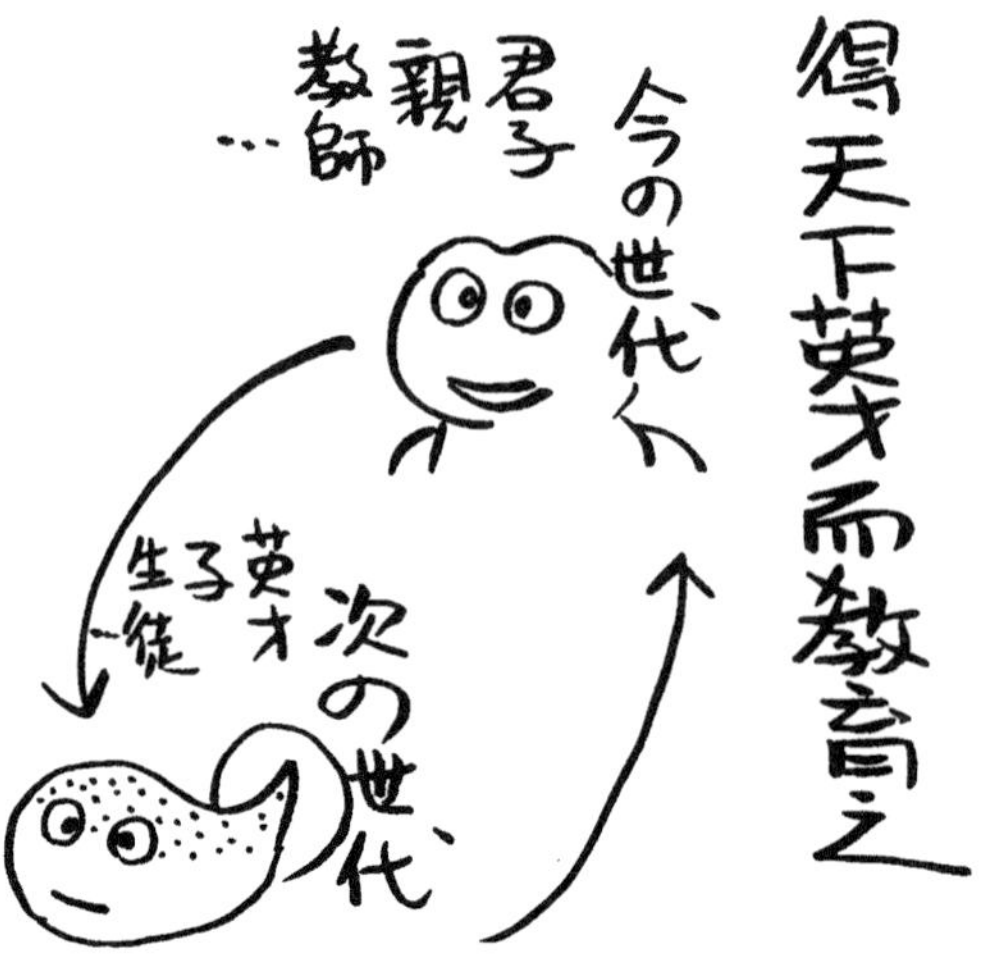

図６　世代交代としての教育（『孟子』の板書説明例より）

この様子を講義では、模式的に図6のように板書しているので参考に掲げる。

次は「**教化**」という熟語である。「教化」は中国古典では用例が多い。『礼記』の「経解」は漢代まで下った時代に編纂された章であろうが、礼の意義を述べたうえで、「故礼之教化也微。其止邪也於未形。」[4]（故に礼の教化や微なり。其の邪を止《とど》むるや、未だ形《あらは》れざるに於てす。）とある。儒教で重んじる儀礼には邪悪なものを止める効果があるが、それは微妙なものであるから、問題が未だ表面化しないうちに行うものだという箇所である。確かに儀礼の効用というのはそういうものだろう。ここで言う「教化」の意味には、一つには儀式の持つ影響感化という解釈が成り立つし、もう一つには儀式の持つ秩序維持の効果という解釈が成り立つ。前者は次節の海後宗臣《かいごときおみ》の「教化」の解釈につながる。後者がこれから見る『**日本書紀**』の「崇神《すじん》天皇十年条」の「教化」である。[5]

> 導民之本、在於教化也。（民《おほみたから》を導《みちび》く本《もと》は教化《をしへおもぶ》くるに在《あ》り。）
>
> 今既礼神祇、災害皆耗。（今《いま》、既《すで》に神祇《あまつかみくにつかみ》を礼《ゐやま》ひて、災害《わざはひ》皆《みな》耗《つ》きぬ。）
>
> 然遠荒人等、猶不受正朔。（然《しか》れども遠荒《とほきくに》の人等《ひとども》、猶《なほ》正朔《のり》を受《う》

けず。）

是未習王化耳。（是《これ》未《いま》だ王化《きみのおもぶけ》に習《なら》はざればか。）

其選群卿、遣于四方、令知朕憲。（其《そ》れ群卿《まへつきみたち》を選《えら》びて、四方《よも》に遣《つかは》して、朕《わ》が憲《のり》を知《し》らしめよ。）

これが崇神天皇の治世の一〇年七月一日に詔《みことのり》として群卿に出した命令である。念のために言うが崇神天皇の記事をそのまま歴史的事実だと考える歴史家は現代ではいないだろう。しかしながら、日本の歴史書で最初に「教化」という文言が出る箇所であり、神話は神話として考えるべき価値がある。崇神天皇は、最初に「導民の根本は教化にある」と宣言する。日本書紀は漢文であるが古代の日本語としての訓読が古いテキストで伝わっており、教化は「をしへおもぶくる」と読まれる。「教化」を古代の日本人は「をしへ」と「おもぶくる」という言葉の合成で理解したのである。現代語で言えば「教える」と「面を向けさせる」である。面を向けさせるは、赴かせると理解してもよい。顔をその方向に向けて進むという言葉の使役の形である。つまり、教化とは人を命じてある方向に向けさせるということである。

次の、すでに神祇に礼を尽くしたので災害が解決したという表現は、先ほど見た儒教の『礼記』にある礼の効果を意味している。日本の土着の信仰と中国の儒教は同じものではないが、漢文体で漢字で書く必要のあった古代人は、中国の「礼」で表現したのだ。先祖を祭る儒教に対して、日本では天神地祇、つまり天と地の神々が祭られている。

こうして国内は平穏なのに、「遠荒人等」は、「正朔」を受け入れないと言う。「とほきくにのひとども」とは、遠方の外国人ということだが、崇神天皇はまだ近畿地方しか治めていない設定であるから、それ以外の地域のことである。「正朔」は「正しいついたち」という意味だが、暦一般を指す。儒教の歴史観を示す魯国の記録『春秋』では、毎年の記述が「王正月《おうのしょうがつ》」という周王朝の暦の一月で始まる。このことで魯が周王の権威を認めることを明確にする

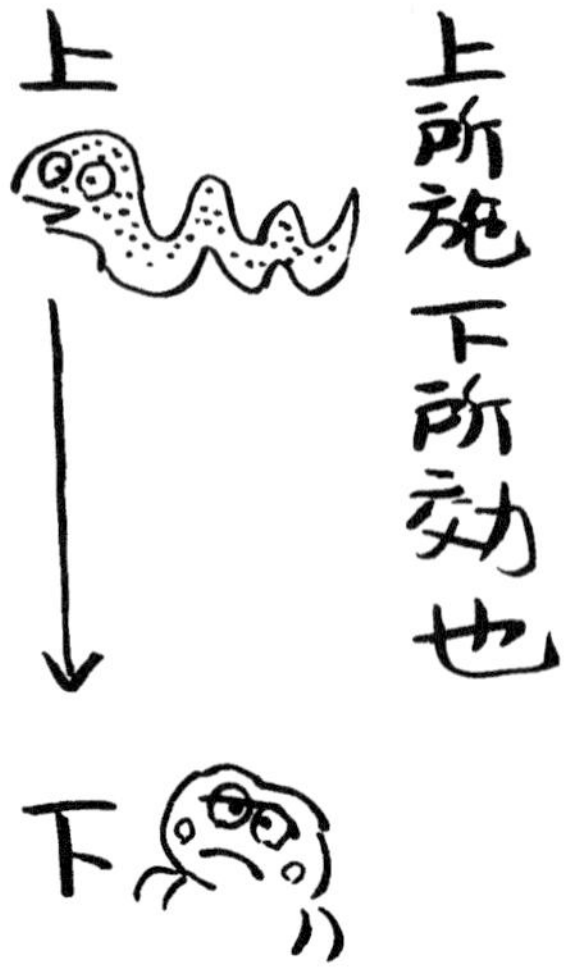

図７　秩序づけとしての教化（『説文解字』の「教」の板書説明例より）

ように、暦は儒教的な秩序観の中心にある。暦は時間の支配の根幹である。私も日付を書くたびに、二〇二三年と書くか令和五年と書くか悩むのだから、別に周王朝や崇神朝だけの問題ではない。グローバルな文書では西暦を使うが、国内の法令手続きでは元号を使うわけで、これが使えないと現代でも「王化」に従っていないということになる。「王化」を「きみのおもぶけ」と読んでいるが、これは「教化」と同様に、崇神天皇の示す方向に向くということである。

かくして、「教化」や「王化」に従わない「遠荒人等」に対して、崇神天皇は配下にある群卿を選んで、四方に派遣して、朕つまり崇神天皇の憲《のり》を知らせようとする。知らせるというと平和的だが、次の一一年条ではこの四方に派遣した群卿を「四道将《よつのみちのいくさの》軍《きみ》」と呼んで、その成功を記録している。つまり軍事力により「正朔」に象徴される「朕憲」を伝えるのである。四道とは具体的に、北陸、東海、西道、丹波だとあるから、まだ関東や九州四国に支配が及んでいないという控えめな場面設定である。

少し長めに崇神天皇一〇年の「教化」の文脈を見たが、「天皇」や「群卿」が、「民」や「遠荒人等」に対して、「正朔」や「朕憲」を受け入れるように「教化」や「王化」をするということになる。この文章は、先に見た『説文解字』の「教」の解釈で「上の施すところ、下の効《なら》ふ所なり。」と記された「上」と「下」の関係と一致する。この上下関係は、面を向けさせるという方向性、つまり秩序に関するものであるから、その上下の秩序は固定されることが眼目である。先に見た『孟子』の「教育」のように、子どもや英才が親や君子に成長して世代交代するのではなく、あくまでも「天皇」や「群卿」が「上」であり、「民」や「遠荒人等」は「下」である。つまりここで言われている「教化」とは、上下の秩序づけ、秩序の形成と固定化である。

この様子を講義では、模式的に図7のように板書している。

なお、教化という言葉自体は、さらに様々な意味を含み込んでいる。仏教で「教化《きょうけ》」という言葉を使う場合は、今日に至るまで布教や信者の養成という意味だから、仏教教団としての次世代の育成、つまり「教育」と同義語になっている。

近代から今に至る「教育」という漢語は、出典としての『孟子』以上に、英語のエデュケーションeducationという名詞やeducateという動詞の翻訳語として用いられる。この英語は、ラテン語のēdūcō（エードゥーコー、不定形はēdūcereエードゥーケレ）という言葉をもとにしている。ēまたexは「〜から」を意味する接頭語で、dūcō（不定形はdūcere）は「引く」という動詞である。だから「引き出す」というのが本来の意味であり、ラテン語でも引き出すことから転じて教育するという意味を持った。ドイツ語のErziehung（エルツィーウング）も引くziehenという動詞から構成され、引き出すことが教育するという意味を持った。子どもの持つものを大人が引き出すという意味であるから、確かに語源的にも、子どもに働きかけていき教え育てるという漢字の「教育」と重なっている。なお、古代ラテン語から近代学校の教育がエデュケーションと一体に理解されるまでの経緯を再検討して、本来は養育と訳すべきエデュケーション、ラテン語のēducōの名詞形のエデュカティオēducātiōと、英語で機関と訳されることの多いインスティテューション institution に対応するラテン語のインスティテュティオ institūtiō が意図的な教育を意味するとして、系統的に区別する研究もすすんでいる(6)。

もう一度、整理しよう。親などの大人が子どもを教え育てることが「教育」である。これは働きかけたり、引き出したりしながら長期的には世代交代を意味していく。これに対して類似する「教化」という言葉は、儀式による影響感化や仏教の教育という意味を持つ例もあるが、ここで注目したのは上下関係を固定する秩序づけという意味を持つ点で、それは「教育」と異なる概念である。

第二節　教育概念の拡大

戦前、日本では多くの教育学者が活躍したが、大正から昭和期にかけて教育現場と教育行政に大きな影響を与えた教育学説を発表した代表的人物に東京帝国大学文学部教育学科の教授、**吉田熊次**《よしだくまじ》（一八七四〜一九六四）がいる。彼の教育の定義を見てみよう。

> 教育といふ語は之を広義に解することも得べく、又之を狭義に解することも得べし。之を広義に解するときは、人が何等かの影響感化に依りて何等かの進歩発達を見たる場合に広く適用せらる。「教育は如何なる社会にも存す。」といふ場合の如きは教育を広義に解釈せるものなり。又之を狭義に解するときは、或一人の人が他の一定の人に故意に与ふる所の特殊の動作を指す。学校教育は狭義の教育に属するものなりとす。学校教育は、教育の主体たる教師が、其の客体たる生徒に対して具案的に与ふる所の活動にして、最も厳粛なる意義に於ける狭義の教育なり(7)。

吉田熊次が述べている「広義」と「狭義」という言葉だが、この「**広義の教育**」と「**狭義の教育**」という教育の分け方は、現代の教育学でも使われる常識的な区分法である。「影響感化」によるもの、つまり無意図的に行うものが広義の教育である。一方で「故意」に「具案的《ぐあんてき》」に、つまりプランを持って行うのが狭義の教育である。

吉田熊次の言う広義の教育は、コミュニケーション行為一般や認知活動一般までを「影響感化」に含めることになるので、人間の行為一般を広く教育として把握できることになる。これに対して、狭義の教育は意図があって計画があるのだから、教師や親が考えたうえで行う教育である。

吉田熊次の定義の眼目は、引用文の最後の一文にあるように、学校のみを「最も厳粛なる意義に於ける狭義の教育」と呼び、学校教育を、「教育の主体たる教師が、其の客体たる生徒に対して具案的に与ふる所の活動」と規定したことにある。つまり、学校教育が他の多くの教育に比較して優位に立ち、教師を主体として、生徒を客体とする一方的な関係として学校教育を規定するところに、彼の教育観の特徴がある。つまり、吉田熊次の教育学、あるいは彼を代表とする戦前日本の教育学は、基本的には学校教育を教育の最上位に置くための理論として機能したのである。これはまず小学校の義務教育を普及させ、次に中等教育を普及させるという明治から昭和戦前期までの学校教育の拡大を実現するために必要な理論であった。しかし、これが近代学校を見直すときには批判される宿命にある。

吉田熊次の優秀な教え子が、戦後の東京大学教育学部で活躍する**海後宗臣**《かいごときおみ》（一九〇一〜八七）である。海後宗臣の教育学の眼目は、教育を学校教育の専有物としないことである。すでに戦前から海後宗臣はこの理論を論じていたが、正面から論じたのが、戦後教育改革の最中に書かれた一九四八（昭和二三）年の『教育編成論』である。(8)

学校方式の教育が甚しく尊重せられたことによつて、教育観が学校を基本とするものになることは当然である。教育を解釈する場合に先ず学校方式による教育を念頭に置いて、これで解釈する基礎をつくつた。その結果は学校の形態をとつた教育を理解するに適切な教育観が立てられ、これを近代教育観としたのである。今日にあつてはこの教育解釈が余りにも長期に亘つて支配的であつた為に、学校方式による教育解釈が一つの教育通念とまでなつてしまつている。教育といえばそれは学校の如きものと直ちに考えさせるほどになつた。多くの教育論書のうちに見られる教育の解釈は、こうした近代教育観によつて、学校と離るべからざるものとなつてしまつているのである。〔中略〕

こうした教育が近代社会内に於いて重大な意味をもつていることは、あらゆる教育解釈をこれによつて制約することとなる。これを重視するの余り、これ以外の教育の領域を見ることができなくなつてしまつている。こゝにあげた教育解釈を承認して出発したらどうなるであろうか、これ以外の教育は取扱うことができなくなる。それは教育観の框《かまち》が余りにも狭く一つの方式にのみ制約されているからである。かくの如き制約がつけられていることは、教育を正しく発展させようとする場合に拘束を覚えることとなる。近代教育観がこうした制約をなしている点に注目し、この限定された教育解釈を解放しようと考えるのである。

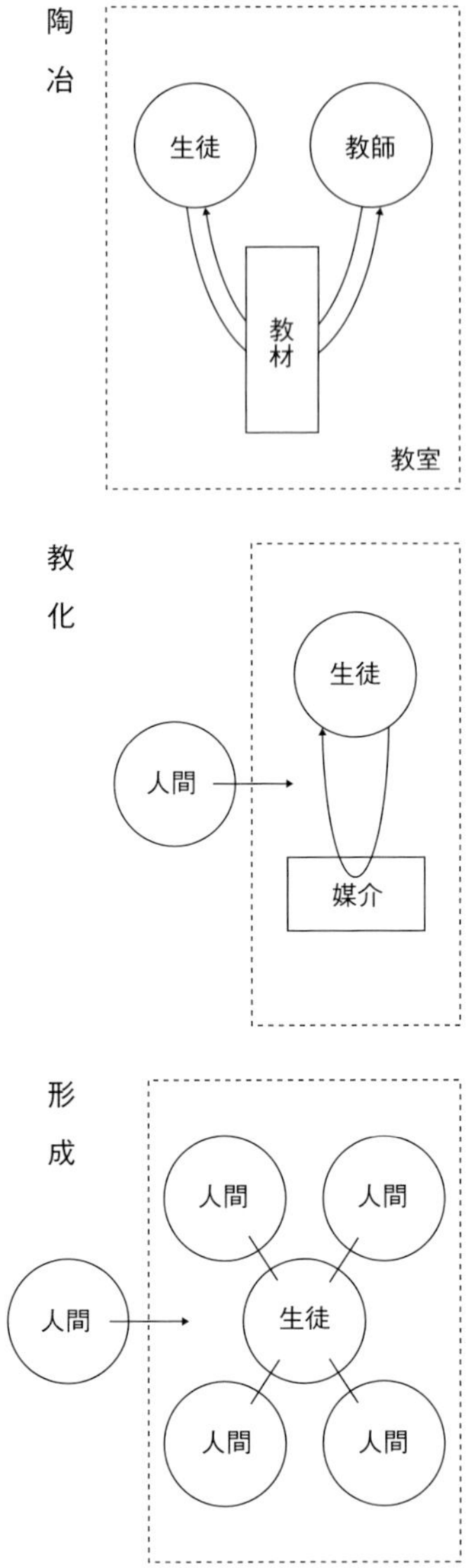

図8　海後宗臣の「陶冶」と「教化」と「形成」

長い引用になったが、文章の最後にあるとおり「限定された教育解釈を解放しよう」という明確な主張をしている。「学校方式」のみで教育を論じる「近代教育観」に対して、これでは教育が論じられないという趣旨であり、学校教育を中心に論じた吉田熊次の教育観に対して新しい教育の解釈を打ち出そうとしている。

もちろん、吉田熊次は「狭義の教育」だけでなく「広義の教育」も論じているのだが、海後宗臣は三つの方式として「教育構造」を規定していくことで、学校と学校以外の教育のそれぞれの位置づけを明確にしようとする。『教育編成論』に掲載された図8を掲げる。

まず、**陶冶**である。よく間違われるが、「治」でなく「冶」であり、「とうや」と読む。彼の陶冶という概念は、ほぼ学校教育と同じである。「学校内の教室に展開されている教育構造」だと述べられている。図8の上段のとおり、登場するのは、教師と教材と生徒である。教師と生徒は、教材を間において相互に関係し合っている。吉田熊次は、「教育の主体たる教師が、其の客体たる生徒に対して」と言ったが、海後宗臣はそれほど単純ではなく、陶冶を教師と生徒の相互関係として描いている。これが教師と生徒の人間関係をめぐる、戦前と戦後の教育観の変化とも言えるだろう。

この図でもう一つ注目してほしいのは「教材」である。これには教科書をはじめとして教育のために開発された様々なツールが当てはまる。吉田熊次が言うように学校教育が意図的、具案的に行われるためには、この教材が欠かせない。海後宗臣はこの教材の存在を陶冶としての教育に必要なものと考えている。

なお、海後宗臣はこのように「陶冶」を定義したが、「陶冶」はドイツ語の Bildung（ビルドゥング）、つまり形作る bilden という動詞の名詞形の訳語として、人間形成、教養、成長などの意味に使われることも多い。この意味では、同じ言葉が学校以外の教育の意味で用いられるケースもあるので注意したい。

次に**教化**である。海後宗臣の言う教化は「教育を受ける人間が媒介としての内容に触れてそこで啓発され、自己教養を重ねていく」というスタイルである。図8の中段の図を見てほしいが、直接の登場人物は図に書かれた「生徒」であり、その前にあるのは「媒介」である。媒介は英語やラテン語の medium（メディウム）の翻訳語であるが、複数形のメディアという形でそのまま現在では外来語として定着している。海後の文章では、読書、博物館、映画などが挙げられているが、図書館における図書、博物館における展示資料、映画館における映画などがメディアである。

この教化としての教育が、先の陶冶としての教育と異なることは明瞭であろう。陶冶における「教材」と教化における「媒介」は、「教材」のほうが教育のために意図的具案的に編集されたものであるが、図書は「媒介」の一種である。媒介のほうが広い概念である。このあたりの相違よりも大きいのが、こちらには「教師」が登場しないことである。生徒が「媒介としての内容に触れてそこで啓発され、自己教養を重ねていく」ということで、生徒本人のみが主体となって教育が成立するのである。

もちろん、図書館や博物館や映画館にはそれを成り立たせている人がいる。海後はさらに、「この場面の背後にあつて、このような教育関係を成立させるために教育的な情熱をもつている人間がなくてはならない。」という。図の枠の外側にいる「人間」の存在である。海後の文章に即すれば、図書館の司書、博物館の学芸員、映画館のスタッフなどがこれに相当する。さらに本や作品や映画をつくる人も含まれるだろう。

第一節で教化については、『日本書紀』崇神天皇一〇年条から秩序づけとしての意味を中心に検討したが、『礼記』の「経解」の「礼の教化や微なり」という文言には、儀式による影響感化として解釈できる文章があった。儀式は祭礼に直接参加する人びとだけではなく、それを見守る人びとの心にも大きな影響感化を与える。これは吉田熊次の言う「広義の教育」であり、海後宗臣の言う「教化」ということになる。繰り返し言うが、秩序づけとしての教化や仏教における教化は、海後宗臣の教化とは異なる概念である。

もう一度整理すると、海後宗臣の言う教化は、人間がメディアに関係して、感じたり行動したりすることで発生する教育であり、メディアを作ったり展示したりした人間が別にいるはずではあるが、その人はその教化の場にいなくても成立する教育なのである。

最後に**形成**という概念を見よう。海後宗臣は、「人間社会には何も見ず、話を聞いたのでもなく、又先生から教授されたのでもなくして、被教育者即ち生徒が育成されてきている事実が存在する」と言い、家や職場や地域を例とする。そこには多くの人間があり、物があるが、「媒介もなく教師もいない教育」があるということなのである。図8の下段を見てほしい。

媒介つまりメディアとしての物は、何かを意味して伝えるためにつくられたものである。私たちの周囲にある生活や生産のためのものは、そのままではメディアではない。祖父母や両親、職場や地域の先達たちは教師とは名乗らない。私たちの日常に接する人や物の多くは、媒介でも教師でもないのである。

これまで儒教の重要な概念である家のなかの親子関係の「孝」や、さらに広い人間関係である「仁」に注目したが、これも「礼」などのメディアなしの人間と人間の関係で行われる教育としては、海後宗臣の言う形成である。家族のなかの立ち居振る舞いのルールや、地域のなかでの行動のマナーなども実例となろう。意図的に誰かが主張したわけではなく定着した家族内だけで通じる暗号のような言葉は意外と多いし、地方語、いわゆる方言などの存在も、この例に挙げてよいだろう。

「形成」の図を見ると、家や地域や職場の外に、また別の人間があることに気づく。「人間関係を場面の外から動かし得る人間の存在を考えなければならない」と言い、この形成を「背後から編成することができる」と書いてある。海後宗臣が一九四八年にこの『教育編成論』を書いている時期はまさにそうであった。第4章で見たように民法改正により男性中心、戸主中心の家族制度を改めたのがまさにこの時期であった。一見すると集団内部に閉鎖されているかに見える形成も、外部からの影響を受けるのである。

なお、ここまで解説した海後宗臣の陶冶や教化や形成について、私たちが思いつく教育がどれに当たるかを考えることは、大切な作業である。私たちは実際の教育にはこれらが重層的に現れていることに気づく。学校は陶冶の典型例だが、教化のための図書室を備えている。さらに教師集団の職場、生徒集団の学校生活の場として見ると、学校の雰囲気は人間集団のなかで形成されることが多い。こうした重層性があることは当然であるが、その複雑さをあえて分析するために、教育の方式に着目したところに海後宗臣の定義の意義があるのだ。

さて、本章では教育や教化の語源を尋ねて、さらに教育学における教育概念の代表例として、吉田熊次の広義と狭義の教育、海後宗臣の陶冶と教化と形成という概念を挙げてきた。同じ言葉を使って全く違った意味に使う古典や現代のテキストもたくさんあるのだが、これらはまずは「教育とは何か」を考えていく発端となる。

ここではまず概念の導入を説明することが目的なので応用的な議論は述べないが、私自身はここで述べた崇神天皇一〇年条の「教化」に基づく「共通教化」という概念を用いた歴史研究[9]や、その「教化」と海後宗臣の教化を混成した「反教化的教化」（押し付けを排除した教化）という概念に基づく造形ワークショップの実践的提起を行っている[10]。教育を語るときには、古典や先人の言葉と自己の見解を関係づけて語る必要があることを強調するために付言しておく。

（1）段玉裁注、許慎『説文解字注』上海古籍出版社影印版、一九八一年、一二七、三八四、七四四頁。
（2）小林勝人訳注『孟子　下』岩波文庫、一九七二年、三四〇〜三四一頁。引用にあたって句読点と訓註を改めた。
（3）趙岐注「孟子注疏」『十三経注疏　附校勘記　下冊』中華書局、一九八〇年、二七六六頁。朱熹「孟子集註」『四書五経上冊』古籍出版、一九八八年、一〇四頁。趙岐等『四部要籍注疏叢刊　孟子　上』中華書局、一九九八年、一〇九頁、六〇五〜六〇六頁。

（4）鄭玄注「礼記正義」『十三経注疏　附校勘記　下册』中華書局、一九八〇年、一六一〇〜一六一一頁。竹内照夫『礼記　下　新釈漢文大系第二九巻』明治書院、一九七九年、七五九〜七六一頁。

（5）坂本太郎ほか校注『日本書紀　上　日本古典文学大系六七』岩波書店、一九六七年、二四二〜二四三頁。黒板勝美編輯『日本書紀　前編　新訂増補国史大系第一部一』吉川弘文館、一九六一年、一六三頁。

（6）太田光一「エヂュカチオ再考　コメニウスを中心に」『日本の教育史学』第五八集、二〇一五年一〇月。

（7）吉田熊次『教育大意要義』目黒書店、第一三版、一九三〇年、一〜二頁。

（8）海後宗臣『教育編成論』国立書院、一九四八年。図表三点は、四六、五二、五九頁より。

（9）高橋陽一「維新期国学における共通教化の析出　鈴木雅之の教育・教化論」『日本の教育史学』第三四集、一九九九年。高橋陽一「共通教化の基礎仮説　近代日本の国民統合の解明のために」『研究室紀要』東京大学大学院教育学研究科教育学研究室、一九九六年。高橋陽一「日本の政教関係と教育」教育史学会編『教育史研究の最前線』日本図書センター、二〇〇七年、高橋陽一『共通教化と教育勅語』東京大学出版会、二〇一九年。

（10）高橋陽一『美術と福祉とワークショップ』武蔵野美術大学出版局、二〇〇九年。高橋陽一編『造形ワークショップの広がり』武蔵野美術大学出版局、二〇一一年。高橋陽一『ファシリテーションの技法　アクティブ・ラーニング時代の造形ワークショップ』武蔵野美術大学出版局、二〇一九年。高橋陽一編『造形ワークショップ入門』武蔵野美術大学出版局、二〇一五年。

第7章　学校という言葉

学校とは何か。これが本章の問いである。教育への問いと異なって、学校とは何かという問いはきわめて機能的な存在についての質問とも思えるのだが、これもまた語源を尋ねると学校観をめぐる大きな問いへとつながっていく。古代の語源と、現在の法令から考えてみたい。

第一節　学校の語源

現在の日本の学校観は、グローバルな時代に即応して、外国の学校との互換性を様々な点で意識している。大学の留学や単位互換、初等中等教育の国際学力調査まで枚挙にいとまがない。まずはヨーロッパから見ておこう。

英語の**スクール** school やドイツ語の Schule（シューレ）といった一連の言葉は、ラテン語の schola（スコラ）、さらにギリシャ語の σχολή（スコレー）を語源とする。もともとはギリシャ語でスコレーは「ひま」「閑暇」という意味であったが、それがひまを有効に使うために集まる場所として学校という意味に変化した言葉である。このスコレーが、ローマ人のスコラとなり、さらにスクールなどヨーロッパ各地の言葉に変化して定着した。他国には余り広がらなかったが、ラテン語にはさらに lūdus（ルードゥス）という言葉もあり、これも遊戯や娯楽という意味から、学校という意味に変化した言葉である。奴隷を使用できる市民たちが閑暇をもてあましながら学問へと向かう様子が目に浮かぶ。つまり、ひまのある市民の子弟たちが学ぶ場所が西洋古代の学校というあり方を規定していた。

漢字の熟語としての**学校**の出典は、「教育」の出典に引き続いて、『**孟子**』である。その「滕《とう》文《ぶん》公《こう》章《しょう》句《く》上《じょう》」で、滕《とう》の文公の国の治め方についての質問に孟子が学校を説明している[1]。

設為庠序学校、以教之。（庠序《しょうじょ》学校を設け為して、以て之を教ふ。）
庠者養也。校者教也。序者射也。（庠は養なり。校は教なり。序は射なり。）
夏曰校、殷曰序、周曰庠。（夏《か》には校と曰《い》ひ、殷《いん》には序と曰ひ、周には庠と曰ふ。）
学則三代共之。（学は則ち三代之を共にす。）
皆所以明人倫也。（皆人倫を明らかにする所以なり。）

孟子が説明しているのは、「庠序学校」である。この庠序学校を設けて教育にあたるということだが、庠序学校が一つの名詞ではなく、庠と序と学と校に分けて語られている。

そして庠は、養と類似する発音であるから意味も類似して、養老という精神を学ぶ場を意味する。校は、教と類似する発音だから教えを学ぶ場を意味する。序は、射と昔は類似する発音であり、これもまた射について学ぶ場である。このように名称や教育内容についての説明となっている。養や教という言葉が学校と結びつくのは理解しやすいが、射というのは戦争のための実用技術や教養としての射を意味する。**六芸**《りくげい》といって礼楽射御書数の六つが六芸として古代中国の重んじた教養である。礼は本書で何度も出たが、楽は音楽、射は弓の射撃、御は戦車の制御、書は文学、数は数学である。戦車は第一次世界大戦以後のタンクのことではなく、古代の戦争用の馬車である。

続いて過去の制度が優れているという**儒教**の立場から、夏の王朝では校と言い、殷の王朝では序と言い、周の王朝では庠と言ったのだと歴史を述べる。ここまでに登場したのは「**庠序学校**」の四文字の内の、庠と序と校である。次に学については、学は三代、つまり夏と殷と周の三王朝の共通だという説明になる。孟子は堂々と滕の文公に説明しているのだが、この箇所が学校の語源だと言うとおり、これ以前の文献にはこうした説明ははっきりとは存在しない。だから、この「庠序学校」をめぐってこの短いテキストをどう読むかが問題になる。後漢の趙岐《ちょうき》の古註のとおり、「学則三代同名、皆謂之学」(2)（学は則ち三代ともに同じ名にして、皆之を学と謂ふ）という簡潔明瞭な説明がよい。学という教育機関が三王朝にわたって存在したというのだ。宋の朱熹《しゅき》の新註では「皆郷学也、学国学也」(3)（「庠と序と校は」皆な郷学なり、学は国学なり）として、郷と国の学校の序列としてシステマティックに理解するのだが、漢代以後の学校制度の確立を前提にしているから無理がある。

とにもかくにも、ここで「庠序学校」と書かれたから、私たちは「学校」という文字を現在も使っているのである。孟子は最後に教育機関も人倫を明らかにするためのものだと結論を述べている。各王朝を通じて儒教につながる道徳を教えることを中心にした教育制度の強調に、主張の力点がある。

この学校という言葉を幕末や明治の日本人が知っていたから、西洋のスクールなども学校と翻訳されて、今日に至るのである。

さて、西洋と東洋の二つの学校は、学校がなぜあるのかという問題に通じる。英語のスクールに至る「閑暇」を語源とするヨーロッパの学校のイメージは、市民の若者が自然に集まってできた学びの場である。一方で漢字の熟語である学校が登場した文脈は、国の政策として作った国の制度としての学校である。下から自然にできる学校と、上から制度としてつくられる学校という構図は、二一世紀の世界でも両方が見られる。念のために言うと西洋古代の学校も特権的な市民が教養と弁論術で指導者に栄達するための古代都市国家の制度と言えるし、春秋戦国時代に孔子や孟子の弟子になった若者は師の人格にひかれて自然と集まったのだから、東洋と西洋で峻別《しゅんべつ》できるわけでもない。そもそも学校には、自然と集まってできる側面と、制度としてできあがる側面があるのだ。それは別の言い方をすれば、何のための学校か、誰のための学校かという問いになるだろう。

第二節　公の性質

学校は何のためか。学校は誰のものか。古代の語源を尋ねて出てきたこの問いから、二〇〇〇年ほど時代を下った現代の学校のなりたちから考えてみよう。

教育基本法は、旧法第六条第一項も、全部改正後の現在の新法第六条第一項も次のように定めている。

教育基本法（昭和二十二年三月三十一日法律第二十五号）

第六条（学校教育）　法律に定める学校は、公の性質をもつものであつて、国又は地方公共団体の外、法律に定める法人のみが、これを設置することができる。

教育基本法（平成十八年十二月二十二日法律第百二十号）

（学校教育）

第六条　法律に定める学校は、公の性質を有するものであって、国、地方公共団体及び法律に定める法人のみが、これを設置することができる。

旧法新法ともに第二項を省略して引用したが、第一項は文言に大きな違いはない。小見出しが条文番号の前にあるか後ろにあるか、詰まる「つ」（促音）を大きく書くか小さく書くかは法令が作成された時代の違いによる。

冒頭の「法律に定める学校」とは学校教育法第一条に定める一条校と呼ばれる基本となる学校であり、次節に詳しく説明する。ともかくその学校が「**公**《おおやけ》**の性質**」をもっと書いてある。そして文章は学校設置者の規定へと進み、国と、地方公共団体と、法律に定める法人の三つのみであるとなっている。この三つの設置者が誰でも知っている「国立」と「公立」と「私立」という学校設置者の三区分となるもので、これも次節に見る学校教育法第二条に規定されている。「法律に定める法人」とは私立学校法（昭和二十四年十二月十五日法律第二百七十号）に基づく学校法人のことである。たとえば、私は武蔵野美術大学の教員だが、武蔵野美術大学という私立学校は、学校法人武蔵野美術大学という学校法人が設置している。

話を「公の性質」にもどそう。一条校は公の性質があるから、国公私立しか認めないと書いてある。話を逆にすると、国立と公立と私立の学校だから学校には公の性質があるという解釈ができる。この解釈は日本国憲法の言う「**公の支配**」をめぐる重大な問題から肯定できそうである。日本国憲法第八十九条は「公金その他の公の財産」を「公の支配に属しない慈善、教育、博愛の事業」に対して支出することを禁止している。しかし、日本国は私立学校にも補助金を支出することで教育の機会均等を維持している。それは私立学校とは私立学校法という法律により認められた学校法人によって設置した学校であり、さらに一条校は学校教育法に定められているからである。つまり法の支配、公の支配に属しているという解釈である。こうした法律によって定められた教育を公教育と呼ぶと解釈すると、この教育基本法第六条第一項は公教育について公の性質という言葉で設置者に関する公の支配のあり方を述べているということになる。

この解釈は第18章で新しい教育基本法で追加された第八条の私立学校の規定における「公の性質」の文言について改めて検討するが、本源的な問いに対しては完全には答えとなっていない。本源的な問いとは、つまり、ここにわざわざ記された「公の性質」とは何かという問いである。

ここで再び漢字の成り立ちまで時代を遡る。「**公**」という漢字に込められた意味は古くから現在まで多様であり、第2章の「子」の語源で見た五爵（公侯伯子男）の最高位の「公」から派生した敬称は今でも忠犬ハチ公をはじめ、日常的に使われている。また「公立」の「公」は、地方公共団体つまり都道府県や市町村であるという明治以降の日本で使われた特殊な意味でも使われる。なお日本語の「おおやけ」は大きな家であるから、国家の意味に近づいていく。

公の原義は、甲骨文や金石文の字体とほぼ同じく、今日の「公」の字体はほとんど甲骨文・金石文のまま伝えられている。「公」は「八《はち》」と「厶《し》」である。「厶」は文字を見たとおり囲むこと、囲いこんで自分のものにする、つまり私《わたくし》することである。「私《し》」にもその右部に「厶」が含まれている。「八」は開くことを意味する。数字の「八」でもあるが、左右に別れる形のとおり、別ける、開くというのが原義である。つまり「公」とは、私物されたものをオープンにすること、「公共」に「公開」するという意味である。庭園は一人占めすれば私だけのものだが、これを公開すると公園になる。壮大な国立公園から住宅地の提供公園まで多様だが、開かれているのが公園である。公共交通機関である電車やバスは、確かに国の法律に基づいてルールが定められ、誰にでもオープンになっているから公共交通機関である。同様に公の性格のある学校とは誰にでもオープンであるから公の性質があるのだ。公の性質や公教育という言葉は、こうしたオープンな場としての公の意味を考えることで本来の意味が理解できるのであり、それは日本国憲法第八十九条の「公の支配」だけでなく、同第二十六条の「**教育の機会均等**」というチャンスのオープンさを保障した規定に基づいて理解すべきである。「すべて国民は、法律の定めるところにより、その能力に応じて、ひとしく教育を受ける権利を有する。」という規定で重要なのは、「すべて国民」に「ひとしく」オープンになっている教育の機会の保障である。「法律の定めるところ」つまり法の支配や公の支配というものは、その教育を受ける機会の保障として意味があるのだ。したがって公教育も、法に規定された教育という意味だけでは不十分であり、公に開かれた教育であることではじめて**公教育**と言いうる。

なお、教育における公と私の問題を明確に説明する教育学の理論としては、堀尾輝久の**私事の組織化**という説がある。(4) 親権をもつ親による教育は本来は私事であり、国家や社会に干渉されない私事性の領域である。しかし、自分だけでは十分に子どもを教育できないので、私事である教育を共同して行う必要がでてくる。この私事の組織化、つまり親の義務の共同化として、堀尾は公教育を位置づけるのである。これは、子どもの権利の実現のために親から信託を受けた専門家としての教師や学校の位置を明確にすることのできる理論である。また学校教育のスタートに親の義務を置くことで、上から与えられた学校ではなく、私事である親の義務の共同化としての学校における子どもと親の存在を明確にすることのできる理論である。

ここでもう一度、第一節の学校の語源に戻ろう。今の日本の学校の基本は、孟子が庠序学校を説明したように公の支配のもとにある制度として形成された学校でもあるが、それはすべての国民にひとしく参加する機会が与えられた公の性質のあるもので、それゆえみんなに開かれた教育として「公教育」と呼ぶにふさわしいのである。

第三節　一条校

今日の公教育としての学校教育の根幹にある**学校種別**、**校種**が、学校教育法第一条に定められた**一条校**である。学校種別とは小学校や中学校といったふうに、個別の学校を総称する種別である。法律に定める学校としては、あの小学校もこの小学校も同じ小学校として法律上は同等である。一条校という呼称は教育界での略称であり、一条学校という言い方もあるのだが、ともかく略称を使うほど学校教育法第一条に定める学校種別の列記には意味がある。

まずは、戦後教育改革のなかで一九四七（昭和二二）年に**学校教育法**が制定されたときの規定である。

学校教育法（昭和二十二年三月三十一日法律第二十六号）
第一条　この法律で、学校とは、小学校、中学校、高等学校、大学、盲学校、聾学校、養護学校及び幼稚園とする。

この八つが制定当初の一条校であった。義務教育としての六三制、さらに大学まで数えて六・三・三・四制と言うときは、この「**小学校**、**中学校**、**高等学校**、**大学**」という四つの学校種別を指している。そして障害に応じて**盲学校**、**聾**《ろう》**学校**、**養護学校**を置いて、**幼稚園**を最後に置いて記されている。巻末資料の学校系統図8にこの時期の学校の系統図を掲げた。

この八つの学校種別に対して教育制度の改革のなかで二つの学校種別が加えられる。すなわち、一九六一（昭和三六）年には高等学校と大学二年に相当する段階の五年制（商船は五年半）の**高等専門学校**が加わり、一九九八（平成一〇）年には中学校と高等学校に相当する六年制の**中等教育学校**が加わり、それぞれ翌年度より施行された。そして二〇〇六（平成一八）年には盲学校、聾学校、養護学校が一本化されて**特別支援学校**という一つの学校種別となり、翌二〇〇七（平成一九）年四月から施行された。このときの第一条は次のとおりとなる。

学校教育法（昭和二十二年三月三十一日法律第二十六号）（平成十八年六月二十一日法律第八十号の改正）
第一条　この法律で、学校とは、小学校、中学校、高等学校、中等教育学校、大学、高等専門学校、特別支援学校及び幼稚園とする。

こうした学校種別の増減のあと、二〇〇六（平成一八）年一二月の教育基本法全部改正を受けて、新法に対応して二〇〇七（平成一九）年六月に学校教育法が改正されて、この第一条の順序が次のとおり、幼稚園から始まるほぼ年齢順へと改められた。

学校教育法（昭和二十二年三月三十一日法律第二十六号）（平成十九年六月二十七日法律第九十六号の改正）

第一条　この法律で、学校とは、幼稚園、小学校、中学校、高等学校、中等教育学校、特別支援学校、大学及び高等専門学校とする。

さらに、二〇一五（平成二七）年には新しい一条校が追加され、二〇一六（平成二八）年度より**義務教育学校**が設置された。

学校教育法（昭和二十二年三月三十一日法律第二十六号）（平成二十七年六月二十四日法律第四十六号の改正）

第一条　この法律で、学校とは、幼稚園、小学校、中学校、義務教育学校、高等学校、中等教育学校、特別支援学校、大学及び高等専門学校とする。

この小学校と中学校を一体にした九年間の普通教育としての義務教育を行う義務教育学校も新たな学校種別として加わり、二〇二二（令和四）年度には全国に一七八校が設置されている。巻末資料の学校系統図9に現在の学校の系統図を掲げた。

続けて、先ほど言及した国立、公立、私立について、第二条の現在の規定を見てみよう。

学校教育法（昭和二十二年三月三十一日法律第二十六号）

第二条　学校は、国（国立大学法人法（平成十五年法律第百十二号）第二条第一項に規定する国立大学法人及び独立行政法人国立高等専門学校機構を含む。以下同じ。）、地方公共団体（地方独立行政法人法（平成十五年法律第百十八号）第六十八条第一項に規定する公立大学法人を含む。次項において同じ。）及び私立学校法第三条に規定する学校法人（以下学校法人と称する。）のみが、これを設置することができる。

2　この法律で、国立学校とは、国の設置する学校を、公立学校とは、地方公共団体の設置する学校を、私立学校とは、学校法人の設置する学校をいう。

現在の第二条では、**国立学校**に、二〇〇三（平成一五）年から国が直接設置する場合に加えて、国立大学法人法による国立大学法人と、独立行政法人国立高等専門学校機構という法人の設置する学校という三つのケースが含まれる。現在の国立大学は国立大学法人の設置となっている。**公立学校**にも、地方公共団体つまり都道府県や市町村に加えて地方独立行政法人法による公立大学法人が設置する学校も含まれる。**私立学校**は私立学校法による学校法人が設置する学校である。

法律の規定はこのとおりだが、法律には例外がつきものである。学校教育法制定時から一条校である幼稚園についてはこの第二条の規定によらないことが可能で、現在でも法律条文のあとに付される附則のなかの附則第六条にそのことが引き継がれているので、寺院や教会といった宗教法人立の幼稚園もある。これは幼稚園教育普及のための施策である。また、**特区法**と呼ばれる構造改革特別区域法（平成十四年十二月十八日法律第百八十九号）により株式会社などが設置する学校が特例として認められた。これは規制緩和のための処置とされるが、現在に至るまで株式会社による問題のある学校運営が報道されることも少なくなく、弊害が指摘されていることもまた事実である。

同じ学校教育法に規定されながら、一条校と、一条校以外の学校とは区別される。一条校の動向は第二部各章で詳細に分析するのでここでは省略して、一条校以外の学校を述べたい。明治期の法令から、学校に類する教育を行うものを**各種学校**と呼び、制定時の学校教育法第八十三条、現在の学校教育法第百三十四条で規定されている。また一九七五（昭和五〇）年には従来の各種学校のうち一定の条件を満たすものを**専修学校**として規定し、現在は第百二十四条で規定されている。この専修学校のうち、中学校卒業者などが入学する高等課程を置く場合に**高等専修学校**と称し、高等学校卒業者などが入学する専門課程を置く場合に**専門学校**と称することができる。

各年度の文部省・文部科学省の『学校基本調査』の数値を見ると、専修学校は法改正の翌年の一九七六（昭和五一）年にスタートした段階では八九三校の生徒数一三万人であったが、二〇二二（令和四）年現在では三〇五一校の六三万五五七四人へと大きく増加している。なかでも専門課程をもつ二七二一校の五八万一五二二人がその大半を占めている。このことは高等学校進学後の進路として専門学校進学が近年では二割近くを占めるなど、一条校以外の専門教育への社会的ニーズの定着を示している。

一方で各種学校は、一九五五（昭和三〇）年に七三〇五校の生徒数九五万人であったが、二〇二二（令和四）年現在で一〇四六校の生徒数約一〇万人になった。専修学校が職業人養成のための機関として定着するなか、それに移行せずに多様な教育を模索した各種学校が減少している状態である。ちなみに私の勤務する武蔵野美術大学は、一九二九（昭和四）年創立の帝国美術学校の時代は各種学校であり、戦後の造型美術学園や武蔵野美術学校も各種学校であった。戦後の制度のきびしい時代に芸術などの分野で各種学校が果たした役割は小さくないと考えられるが、この各種学校である武蔵野美術学園が二〇一七（平成二九）年秋から学生募集を停止したように、各種学校への社会的ニーズの低下が顕著になっている。

一条校を現在の日本の学校システムの根幹とすると、同じ学校教育法のなかに各種学校や専修学校という別の学校種別が存在することになる。この各種学校と専修学校は教育基本法第六条第一項や学校教育法第二条の規定の対象とならないので、私人や様々な企業や団体も設置できる。学校教育法からすると、一条校を最も狭義の学校とすると、各種学校と専修学校が広義の学校教育法の規定する学校となる。

しかしこれはあくまでも、文部科学省が所管している学校の範囲である。同じ日本国の政府でも、文部科学省以外の省庁が学校教育法以外の法令によって所管するものが少なくない。第19章でも述べるが、**保育所**は、一条校としての幼稚園と同様に、幼児の保育を担う機関である。しかし保育所は厚生労働省が児童福祉法などに基づいて所管する福祉施設として位置づけられる。近年では長い歴史を持つ幼保一元化の動きが進み、この関係に大きな変化が生じている。二〇二二（令和四）年現在では、幼稚園は九一一一園で幼児数約九二万人と減少傾向にあるが、新しい**幼保連携型認定こども園**は六六五七園で幼児数約八二万人と増加している。また、防衛大学校や防衛医科大学校といった学校は一条校としての大学に類似するが、防衛省所管の自衛官養成の学校であり、このほか省庁が公務員の研修や専門家養成のために設置する学校も少なくない。

また、学習塾やカルチャーセンターなど、直接に依拠する法令や監督官庁なしで運営されている教育の組織も決して少なくない。個人経営や会社組織など規模も目的も様々である。こうしたものは公式の教育統計には現れにくいが、生涯学習の観点からは大きな役割を果たしている。

ここまでは所管の相違など日本国の制度の観点から述べたが、グローバル化する時代においては、海外在留の日本人のための日本人学校や、日本国内に外国の機関や有志が設立する外国人学校などもある。これらをめぐっては国際関係をめぐる問題、法令上の適用をめぐって摩擦が生じることも少なくない。さらに留学を含む国際的な交流が進むなかでは、外国の法令に基づく外国にある学校と制度についても知っておくべき時代となっている。

ここまで、学校とは何かという問いに対して、語源としての問題から現代の制度に至るまでの概観を行った。もちろん、本章の記述は、あえて二〇〇〇年ほど前と現代を突然に往復して論じるという方法を採った。この飛ばした期間の古代から近代に至る学校の歩みについては学校と教育の歴史として、これから数章の記述へとつなげたい。

（1）小林勝人訳注『孟子　上』岩波文庫、一九六八年、一九三〜二〇〇頁。引用にあたって句読点と訓注を改めた。

（2）趙岐注「孟子注疏」『十三経注疏　附校勘記　下冊』中華書局、一九八〇年、二七〇二頁。趙岐等『四部要籍注疏叢刊　孟子　上』中華書局、一九九八年、四一頁。

（3）朱熹「孟子集註」『四書五経　上冊』古籍出版、一九八八年、三六〜三七頁。趙岐等『四部要籍注疏叢刊　孟子　上』中華書局、一九九八年、四六七頁。

（4）堀尾輝久『現代教育の思想と構造』岩波書店、一九七一年。

第8章　学校のある古代

ここから数章は、日本の古代からの教育の歴史を概観する。そして、第6章と第7章で論じた教育や学校の定義に留意して、どんな教育や学校があったのかを実際の歴史のなかで確認していきたい。

教育の歴史を語るということは、第1章で見た教育学の分野で言えば、教育史学という分野に依拠することになる。日本の教育史学は、明治維新後に国学者により開始されて一八七七（明治一〇）年に『日本教育史略』が刊行され(1)、その後は百数十年間にわたり欧米の歴史学説、教育学説を反映して教育学の代表的な学問分野として展開している(2)。ここでは第6章で見た海後宗臣《かいごときおみ》の教育編成論を意識して、陶冶という教育つまり学校が成立したかどうかに注目して考えていきたい。まずは、学校のない時代から貴族のための学校が限定的に成立した日本古代の教育についてである。

第一節　集団のなかの教育

子どもは大人になるまでに、いろいろな儀礼を経験する。現在でも七五三の祝いは廃れていないし、入学式や卒業式といった学校行事としての儀礼も盛んである。

こうした行事を総称して、**通過儀礼** rite of passage というのは、ヘネップ（Arnold van Gennep，一八七三～一九五七）が提唱した概念であった(3)。宗教学や文化人類学で定着して、今日では冠婚葬祭を含む広義の儀礼を表す言葉となった。この言葉は、人間が年齢、身分、状態などの様々な集団の間を移行していくための一連の儀式を体系として捉えるための概念であり、教育を考えるためにも大切なものである。

学校教育が子ども時代に大きな位置を占めている日本では、まず学校を例に話したほうがわかりやすい。学校は教職員と学生、生徒、児童などの学習者によって形成される集団である。ここに学習者として入るためには、学力等の試験や年齢や以前の学校卒業履歴の審査などの実質的な関門がある。入学してからも教育課程に従って出席や成績評価などによる学年の進級などの様々な関門があり、最後に教育課程全体の修了が審査される関門をへて卒業することになる。これが学校に入って出ていくという学習者の通過なのだが、その関門には現在も儀式が伴っている。入学式と卒業式、さらには始業式や終業式など今日の学校にも通過儀礼が満載である。法令の話をすれば、小学校では学校教育法施行規則第五十八条に基づいて校長が小学校の全課程を修了したことを認める卒業証書を授与することになっているが、子どもや保護者にとってはその卒業証書が渡される卒業式に出席することのほうに大きな意味を感じている。二〇一一（平成二三）年三月一一日の東日本大震災のため、通常の形式で卒業式ができなかった学校は私の勤める武蔵野美術大学を含めて多かったが、その年度の卒業生は卒業式ができなかったという強い記憶を震災とともに持ち続けている。このように今日の学校教育でも、本来的な教育課程の開始や終了が、それを象徴する通過儀礼によって心象に刻印されるのである。

学校が成立する前の社会では、集団のなかの教育、海後宗臣の形成という教育が機能する。また通過儀礼が大きな意味を持って存在する。儀礼は様々な道具立てが必要で、参観する人びとにとっては文字どおりのメディアであり、海後宗臣の教化という教育にあたる。誕生儀礼、成人式、婚姻儀礼、葬送儀礼などが人生の節目に存在し、特に、大人の集団や特定の資格が必要な集団に入るための入会式・入社式と訳されるイニシエーション initiation は年齢や資格等を判定する教育的な機能も含めて大きな意味を持ってくる。

儀礼のための道具がメディアと言えるように洗練される段階になるまでは、人間の身体自体が儀式や儀式を通過したことを証明するメディアとして使われる。髪型は、文化や時代により多様だが、性別や年齢、職業や地位などを示すために使われて現在に至る。三世紀の日本の様子を伝える『三国志』の「魏志倭人伝」には「男子大小、皆黥面文身」[4]（男子は大小となく、皆黥面《げいめん》文身《ぶんしん》す）とあるから、黥面という顔面の入れ墨や文身という身体の入れ墨を男性が全員していることになる。つまり男子の通過儀礼として入れ墨の風習が存在していたのである。

儒教が礼を重んじる話題は何度か出たが、農業や様々な知識技術を伝承する教育のためにも高齢者への尊敬が重視された。郷飲酒《きょういんしゅ》は『儀礼《ぎらい》』や『礼記《らいき》』に細かい作法が定められていて、高齢者への尊敬を象徴する儀礼である。[5]出される食事も六〇歳は豆《とう》三つ、七〇歳は豆四つ、八〇歳は豆五つ、九〇歳は豆六つと年齢により増加する。豆とは種子の個数ではなく、料理の皿の数である。こうした儀式を「所以明養老也」（養老を明らかにする所以《ゆえん》なり）と『礼記』が記すように、郷飲酒の儀式の所作や序列を示す道具が儒教における長幼の序や養老といった道徳教育の生きたメディアとなっていたことがわかる。

第二節　貴族の位階

律令制度が整うまでの古代日本は、氏《うじ》という集団によって生活や教育が成り立っていた。氏は同一の神を祖先とする大きな同族集団であり、氏上《うじのかみ》に率いられて、大和朝廷にたいして氏の単位での職掌を受け継いでいく。さらに五世紀後半からは臣《おみ》や連《むらじ》などの姓《かばね》が様々な氏族に与えられて氏姓制度が広がっていくが、与えられる対象は個人ではなく氏という同族集団に対してである。たとえば私ども高橋氏は、磐鹿六獦命《いわがむつかりのみこと》を氏神として、膳《かしわで》を氏として臣の姓をもらった膳臣《かしわでのおみ》の一族が、朝臣《あそん》の姓をもらって高橋朝臣を名乗り、朝廷の食膳を職掌としたものとされる。[6]氏姓制度はとっくに崩れているためだが、姓と聞かれて朝臣と言わずに氏の高橋を言ったり、氏神として近所の神社に参拝したりするのは実は誤っていることになる。

私は祖先を見習って教職課程研究室ではよく料理係をしているが、古代でも氏全員が同じ技能を持つわけではないから、一人の人物をどう位置づけるかが問題になる。六四五（大化元）年の大化の改新を経て、七〇一（大宝元）年の大宝律令や養老律令により中国の唐を模範にした**律令制度**が整えられると、氏という集団ではなく、一人の人物に官位つまり官職と位階を与える制度が確立していく。これが、氏という集団内部の教育だけでなく、制度としての学校が氏を超えて成立する前提となっていく。

古代の貴族にとっては、律令制の国家機構のなかの自分自身の位置づけを表示するものが官位であり、これを上昇していくことに意味が見いだされることになる。**官職**は、官衙《かんが》ごとに「かみ」「すけ」「じょう」「さかん」と呼ばれる四ランクの官職がある。この四等官の漢字表記は官衙ごとに異なり、各地方の国に置かれた国司では、守《かみ》、介《すけ》、掾《じょう》、目《さかん》と書いた。この官職の任命方式にもランクがあり、天皇が勅命で行う勅任、太政官が天皇に奏聞《そうもん》して行う奏任、太政官が行う判任がある。さらに官位相当制として、この官職に就くべき人物を次に説明する位階によって判定することになる。

人物を数字によるランクで示す発想は、三国の魏の陳羣《ちんぐん》（？〜二三六）が考案した、二二〇年の**九品官人法**《きゅうひんかんじんほう》または九品中正法《ちゅうせいほう》とよぶ制度が端緒をなす[7]。この九品官人法とは、人物評価を一品《いっぴん》から九品の九ランクにわけて、中正という地方の官吏が推薦する官吏登用の制度である。推薦された品を郷品《きょうひん》と言い、それより四品下がった官品から官吏の履歴をスタートしていく。すでに崩壊しつつあって同年に滅亡する後漢から新たな魏への人材の移行や推薦を容易にした制度である。これが中国社会に変化しつつ長く定着していき、隋や唐を通じて日本にもたらされる。日本では聖徳太子の有名な冠位十二階をはじめ、人物ごとのランクを示そうとする試みが行われる。そして制度として確定したのが、律令制の**位階**である。養老律令の位階を図示すると、表3のようになる。

正		従		
正一位		従一位		公卿《くぎょう》
正二位		従二位		
正三位		従三位		
正四位上	正四位下	従四位上	従四位下	殿上人《てんじょうびと》
正五位上	正五位下	従五位上	従五位下	
正六位上	正六位下	従六位上	従六位下	地下《じげ》
正七位上	正七位下	従七位上	従七位下	
正八位上	正八位下	従八位上	従八位下	
大初位上	大初位下	少初位上	少初位下	

表３　位階（養老律令の官位令による）

位階は正一位《しょういちい》を最高ランクとして少初位下《しょうそいのげ》まで三〇ランクがある。一位から三位までは正《しょう》と従《じゅ》に分かれて合計六つあり、これが公卿《くぎょう》である。公は太政大臣、左大臣、右大臣で、卿は大納言、中納言、参議で、今日で言えば閣議を行い中央の政策を定める大臣たちである。四位から八位までは正従に上下をつけて四ランクに細分される。四位と五位は殿上人《てんじょうびと》と呼ばれ、天皇と同じ清涼殿に登ることを許された人びとである。昇殿できないのが、六位以下の地下《じげ》である。最下位の初位《そい》は、大少《だいしょう》と上下で四つに分かれている。

この位階が人物のランクづけであり、官職に直接に結びつくほか、子孫の大学寮入学資格にまでかかわってくる。律令には勤務評定のための考課令《こうかりょう》もあり、業績や人物能力により昇格することになる。なお親王には位階にあたる品階が一品《いっぽん》から四品《しほん》まである。

また位階のほかに、武官のための**勲位**がある。勲位は一等から十二等まであり、勲一等が正三位に相当する。勤務評定は軍防令《ぐんぼうりょう》にあり、「転」と呼ぶ計算により、初期は一転で一ランクずつ、最後は三転でやっと一ランク勲位が上がっていく。注釈書である『令義解《りょうのぎげ》』では何を一転とするかの計算例を説明している。

> 元年行軍、十級為一転。二年行軍、五級為一転。(8)（元年の行軍は、十級を一転となせ。二年の行軍は、五級を一転となせ。）

軍事行動の年数と級の掛け算の答えが一〇になると一転と見なすという計算だとわかる。この級は首級の意味であり、軍功の証拠としての敵の首が必要となる。勲位も特権であるから、軍事動員された民衆にとって軍功があれば租税を免除されるために勲位は重宝であったろう。しかし、どうしても勲位は殺伐とした空気を醸すため怨霊《おんりょう》を怖がる貴族からは敬遠され、平安初期には勲位は廃れて武官も文官同様に位階に一本化されていった。

貴族にとって位階を上昇することは大きな意味を持っている。今でも小さな祠《ほこら》に「正一位稲荷大権現」という祭礼ののぼりを見るが、伏見稲荷大社は正一位の神階を受けているから、根拠のないことではない。人間以外も位階でランクづけされたのだ。

律令制度が崩壊した鎌倉時代に成立する『平家物語』には、位階について、古代の制度を懐かしむ挿話がある。これは位階をめぐる感性をよく示しているので、引用しておく。

延喜御門《えんぎのみかど》、神泉苑《しんせんえん》に行幸あって、池のみぎはに鷺《さぎ》のゐたりけるを、六位を召して、「あの鷺をとってまゐらせよ」と仰せければ、いかでかとらんと思ひけれども、綸言《りんげん》なればあゆみ向《むか》ふ。鷺はねづくろひしてた〻んとす。「宣《せん》旨《じ》ぞ」と仰すれば、ひらんで飛《とび》さらず。これをとって参りたり。「なんぢが宣旨に従って参りたるこそ神妙なれ。やがて五位になせ」とて、鷺を五位にぞなされける。今日より後は、鷺のなかの王たるべしといふ札をあそばいて、頸《くび》に懸けてはなせ給《たまふ》。(9)

「延喜御門」とは延喜の治(九〇一〜九二三)と呼ばれる古代律令国家制度の立て直しを行った醍醐天皇である。彼が神泉苑の池の汀《みぎわ》に鷺を見つけて「六位」に「取って参れ」と難題を言いつける。「六位」とは、養老律令の後にできた官職であり、蔵人所《くろうどどころ》に勤める六位蔵人のことである。六位だから先の説明のとおり地下であって天皇の近くには行けないはずであるが、天皇に近侍する六位蔵人は例外である。そんな彼が難題を果たすために略式命令を示す「宣旨」という言葉で、天皇の命令だぞと示すと、なんと鷺が平伏して、そのまま醍醐天皇に謁見したという筋である。この神妙な鷺に対して行った人事考課は、「五位になせ」との叙位である。無官無位の鷺が六位蔵人を飛び越して、五位の殿上人という大出世である。まさに鷺のなかの王様ということであろう。この説話を聞くと、灰色で頭に冠羽のあるゴイサギを見かけるたびに、「宣旨ぞ」と呼びかけて反応を確かめたくなるはずである。

ここまで位階に固執する話は、現代の私たちに異世界の神話とも思える。しかし、この官職や位階は儀礼上の制度としては武士の時代である中世や近世にも存在し続けた。近代に至ると王政復古でもある明治維新によって公式の制度として再発足する。一八六九（明治二）年には三〇ランクあった位階を整理して、一位から八位までの正従のみの合計一六ランクで復活して、勅任官、奏任官、判任官などの区別も官吏任用のために復活した。祟《たた》りを畏《おそ》れる平安貴族から敬遠された勲位だが、一八七五（明治八）年には復活して勲一等から勲八等までの勲等を明記した勲位ができ、これによって叙勲された軍人は、西洋の要人と肩を並べて西洋流の勲章を佩用《はいよう》して儀礼に出られるようになった。一八八一（明治一四）年の褒章条例では、勲等のない藍綬《らんじゅ》褒章などの褒章が定められた。さらに日本には存在しなかった古代中国の公侯伯子男の五爵が一八八四（明治一七）年の華族令で導入された。これは中国趣味であるというよりは西洋の貴族の真似である。勲位は武官だけではなく文官にも、さらに民間にも栄典として与えられた。また一九三七（昭和一二）年には文化勲章令（昭和十二年二月十一日勅令第九号）が定められ、文化勲章が授与されるようになり、現在に至った。

戦後は日本国憲法が第十四条に法の下の平等を定め、貴族制度を廃止し、栄典は特権を伴わないものであることを定めた。一九六三（昭和三八）年に叙位叙勲の復活を閣議決定し、翌年から春と秋の叙勲を行っているが、位階の叙位は生存者には行っていない。その後、栄典制度の見直しが行われ、二〇〇三（平成一五）年秋の叙勲からは名称から勲等を削除して、勲位としての性格を薄めて現在に至っている。歴史的には、律令国家の貴族のための制度が変容しつつも、現在まで政治家や公務員をはじめ、民間人も対象とした位階と勲位の制度が続いていることになる。

第三節　大学寮の貴族教育

中国で孟子の頃の理想論に過ぎなかった学校は、漢代には国家による儒学の権威が認められることで制度として確立していく(10)。前漢では紀元前一三六年に**五経博士**《ごきょうはかせ》を置いて、『詩』『書』『易』『礼』『春秋』という五つの経典ごとに博士に教育研究を行わせた。後漢では光武帝（在位二五〜五七）が紀元後二九年に首都洛陽に**太学**《たいがく》を置いた。太学は、大学を意味する。五経博士も経典ごとに異本が続出して光武帝の時代に一四人も任じられる状態となり、様々な解釈が唱えられる。こうして七九年には白虎観に儒者を集めて諸概念の異説を検討して、先に見た五爵の「爵」をはじめとして、制度や道徳に関する概念の解釈を確定した。これを歴史家である班固《はんこ》（三二〜九二）がまとめたものが『白《びゃっ》虎通義《こつうぎ》』として伝えられている。「はじめに」でも言及したが、この書は五経のほか、緯書《いしょ》と呼ばれる当時流行した偽書《ぎしょ》と呼べる書物までも引用しているので、現在からはわかりにくい書である。

漢や魏の時代も人物や能力によって官吏登用を推薦する制度があり、魏の九品官人法は地方の中正という役職者による推薦制度として九品中正法とも呼ばれる。こうした官人の推挙制度を、儒教の学力による試験制度としたのが隋の時代である。煬帝《ようだい》は六〇八年に進士科を置いて官吏登用の試験を行い、**科挙**が始まった。儒教の古典の知識に基づいて専門的な文章表現能力を試す科挙は中国では形を変えながらも清の時代まで続くことになる。

日本では、このようにすでに確立していた中国の学問と制度を移入することが、律令国家を形成する朝廷の課題となった。日本における大学の成立の年代は諸説あったが、鬼室集斯《きしつしゅうし》が学識頭《ふんやのつかさのかみ》となった六七〇（天智九）年頃を成立年とする久木幸男の説が現在の通説である(11)。

六四五年の大化の改新の指導者である中大兄皇子《なかのおおえのおうじ》（六二六～六七一）は、天智天皇（称制六六一～在位六六八～六七一）となるが、当時は朝鮮半島では高句麗《こうくり》、新羅《しらぎ》、百済《くだら》の三国の戦争に唐と日本が介入する極東の戦乱の時代であった。六六三（天智二）年の白村江《はくすきのえ》（「はくそんこう」とも読む）の戦いでは、唐と新羅の連合軍に対して、百済と日本の連合軍が敗北する。このことで、百済から多くの亡命者が日本に渡来してくるが、そのなかに百済の貴族の鬼室集斯がいた。『日本書紀』の記述では、六六五（天智四）年二月に百済の地位にあてはめて小錦下《しょうきんげ》の冠位をもらい、六六九（天智八）年に男女七百余人とともに近江国蒲生郡《がもうのこおり》に移住し、その二年後の六七一（天智一〇）年一月に学職頭たる鬼室集斯に小錦下が再び与えられている。この月には「施行冠位法度之事」(12)（冠位と法度の事を施行す）と記され、「以小錦下、授鬼室集斯」（小錦下を以て、鬼室集斯に授く）とあり、その鬼室集斯の名前の下に「学識頭」と割注がある。すでに学識頭であった鬼室集斯に冠位制度の変更があったので再び小錦下という冠位を与えたことになる。念のために言うと、律令制度が確定する前だから、大学頭《だいがくのかみ》にあたる官職が学職頭、位階に相当するのが当時の冠位である。鬼室集斯に注目すると、六六九年に百済亡命者の一団を率いて蒲生郡に行き、大津の都に置かれた学識つまり大学寮の長官として翌六七〇年に戻ってきて、六七一年には学識頭の官職で冠位の叙位があったということになる。

明治の『日本教育史略』や吉田熊次の説など諸説の誤読を指摘して確定したのが、久木幸男説である。中大兄皇子が権力を執る六六一年の翌年から天智称制の元年と数えて、正式の即位は六六八年という誤読しやすい点をはじめ、その学説の全容を記述するとさらに複雑となる。あえてここで紙幅を使ったのは、日本の学校教育の成立のためには、律令制国家にむけての天智天皇の強力な制度的イニシアティブと、百済滅亡による知識人の渡来という国際的な人事交流があって初めて成立したということを強調したいからである。

中国の太学をモデルとして**大学寮**と称した日本の古代の貴族のための学校は、養老律令の規定では、次のようになる。大学寮は、文官の人事を所管する式部省の所轄に属して、事務官としては頭《かみ》、助《すけ》、允《じょう》、属《さかん》の四等官がおり、教官としては博士《はかせ》一人、助教《じょきょう》二人、中国の漢音での音読を教える音博士二人、書き方を教える書博士二人、数学を教える算博士二人がおり、庶務のため使部《つかいべ》二〇人、直丁《じきちょう》二人がいる。学生《がくしょう》は四〇〇人おり、他に算学生や書学生もいる。また国ごとに**国学**が置かれて地方の官吏の養成機関となった。国博士《くにはかせ》と医師《いし》が一人、学生は大国《だいこく》五〇人、上国《じょうこく》四〇人、中国《ちゅうごく》三〇人、下国《げこく》二〇人である。大国、上国、中国、下国とは国の規模である。医生《いしょう》も各四〇人、三二人、二四人、一六人いる。中央の大学寮には医生がいないが、典薬寮で医師養成がなされている。

博士《はかせ》を今は漢音で「はくし」と読み、むかしも「はくじ」などの読みもあるが、『日本書紀』の訓読では「はかせ」が通常である。古い言葉は残りやすいもので、古代も漢音に統一しようとしたが、呉音や慣用音は定着すると改めにくく、慣用音の「はかせ」が現代まで通用している。古代同様に明治期にも漢字は漢音に統一しようとしたので博士を「はくし」と呼ぶことが増えて、大学院博士課程は「はくしかてい」と呼ぶべきだとされるが、実際には大学関係者も「はかせかてい」と言っている。学生も呉音で「がくしょう」と言う。残念なことに現代では「がくせい」の漢音だけが通用している。

この養老律令の学令《がくりょう》の大学生条を見てみよう。律令は第何条とは書いていないから、冒頭の言葉を見出しのように考えて何々条と言う慣例である。

凡大学生、取五位以上子孫、及東西史部子為之。若八位以上子、情願者聴。国学生、取郡司子弟為之。大学生式部補、国学生国司補。並取年十三以上、十六以下、聡令者為之。(13)

（凡《およ》そ大学生《だいがくしょう》は、五位以上の子孫及び東西《やまとかふち》の史部《ふひとべ》の子を取りて為せ。若《も》し八位以上の子、情に願はば聴《ゆる》せ。国学生《こくがくしょう》は、郡司の子弟を取りて為せ。大学生は式部補《あ》て、国学生は国司補《あ》てよ。並びに年十三以上、十六以下にして、聡令《そうれい》ならむ者を取りて為せ。）

今日で言うと学校教育法第九十条に定めた大学入学資格に相当する規定である。今日もその条項は学校教育法施行規則その他の条文と照合しないと正確な入学資格の表示にならないので、大変である。この学令大学生条も同様で複雑だが、当時の入学システムが第二節で述べた位階などと直結していることを示すものとして注目できる。

大学寮の入学資格は、親や祖父の位階が五位以上の場合と東西史部の子は本来入学するものとして、優先的な入学枠が設定されている。「五位以上子孫」というから公卿と殿上人の子と孫である。親の位階が子や孫へ入学の特権を与えるのであり、律令制国家の位階のシステムが個人の栄達だけではなく子孫の特権までも保証している。ちなみに上級中級の貴族たちはさらに蔭位《おんい》の特権もあるので、この特権さえ使いたがらないという贅沢《ぜいたく》さである。入学の特権は上級貴族だけでなく、余り聞き慣れない東西史部の子にも認められている。氏族ごとに朝廷の役割を担うのは位階制度以前の氏族制度の社会のものだが、文書記録の仕事をする史部《ふひとべ》の子は上級の貴族並みの優遇がなされているのだ。これは大和国や河内国に住む史部の氏族は、朝鮮などからの渡来人の文化を受け継いでおり、彼らを下級の官吏に登用するための施策と考えられる。初代学長と言える鬼室集斯が百済国からの亡命者であったように、畿内の渡来人の氏族が氏族内部の教育で保持しているリテラシーへの期待が読み取れる。

続いて、地下《じげ》に相当する六位から八位の下級貴族の子は、入学願書を提出して試験成績によって入学が聴許される。公卿と殿上人の子孫は優先的だが、地下の子には関門がある。しかしこの階層には大学寮を通過することでの栄達の可能性があるから努力して入学する価値がある。最下級の初位《そい》や一般民衆には大学寮の入学資格が設定されていないことになるが、実際にはそうした人たちも入学するケースがあった。

地方の国学については郡司の子弟の優先入学枠を規定しているだけであるが、それでは人数が少なすぎるので、それ以外の地方有力者の子どもたちも入学することになる。

入学者を認めるのは中央であれば大学寮を所管する式部省、地方であれば国学を所管する国司であり、入学年齢は、一三歳以上、一六歳以下で、「聡令」なる者を判定する学力による試験を行うということになる。貴族の子弟は二一歳で出仕することになるから、それが修業年限にあたる。

大学寮の学科は、文学を学ぶ文章道《もんじょうどう》でのちに紀伝道《きでんどう》と称されるものを筆頭として、儒学を学ぶ明経道《みょうぎょうどう》、法律を学ぶ明法道《みょうぼうどう》、数学を学ぶ算道《さんどう》がある。養老律令には、使用するテキストは、鄭玄《じょうげん》注の『礼記』や杜預《どよ》注の『春秋左氏伝』など本書で何度も引用した中国古典の古註が指定されている。大学寮の試験では、講義が終わると一〇〇〇文字ごとに三箇所の文字を伏せて質問する暗記力を試す問題や、大義と言って意味を問う応用的な問題が出される。学校儀式としては年二回、儒教で孔子と弟子を祭る釈奠《せきてん》が行われるほか、朝廷の儀式を参観する規定まであるのは貴族を目指す大学生に対して儀式を通じた教育を行うためであろう。

官吏の登用は、中国の科挙を移入した**貢挙**《こうきょ》（「くこ」とも読む）の制度で行う。貢挙では、寮試という大学寮の卒業試験に合格した者は挙人《きょじん》となり、貢人《こうじん》という国学卒業者などとともに、省試という式部省による任官試験を受ける。試験も中国をまねて秀才、明経、進士、明法という試験の種類がある。筆頭の秀才は策という記述式論文が二問出される応用力中心の難関であり、七〇四（慶雲元）年からの二三〇年間でも六五名しか合格者が出ていない。これほど難関だったから、二一世紀でも学力優秀な子どもを秀才だと言って褒めるのである。

こうした大学寮だが、平家政権下の一一七七（治承元）年には地震で建物が崩壊して消滅する。

さて、栄達の機会としては、公卿や殿上人の子孫にとってあまり魅力的でなかったのは、彼らには**蔭位**《おんい》という制度があって、五位以上の子孫が二一歳になると官職と位階をもらえる特権があるからである。蔭位は文字どおり、親のお蔭という制度である。表3の位階の表で比べるとわかりやすいが、正四位の嫡子は蔭位で正七位下がもらえ、正五位の嫡子は蔭位で正八位下がもらえる。貢挙の最難関である秀才で、最高の成績である「上上」をもらっても正八位上である。そして「上上」という成績は歴史上存在しない。古代の秀才と言えば、誰でも知っているのが**菅原道真**《すがわらのみちざね》（八四五〜九〇三）である。祖父の代から文章博士《もんじょうはかせ》である学問の家に生まれた菅原道真は、大学院生に当たる文章得《もんじょうとく》業生《ごうしょう》になってから、八七〇（貞観一二）年にみごと秀才に合格するが、残念ながら成績は「中上」である。これでは大初位下《だいそいのげ》しかもらえないから、公卿まで上り詰めた祖父や父の蔭位のほうが有効である。もちろん、貴族社会における文章博士の権威と実力があったからこそ、右大臣や従二位まで上り詰めたのであり、受験することに意義があったのだろう。大宰権帥《だざいのごんのそち》に左遷されて失意のうちに九州で死去したので、怨霊となったとして天神と習合して祭られるようになり、学問の神様、天神様として今に至っている。こうして結局、大学寮は上流の貴族には魅力がなかったのだが、久木幸男が明らかにしたように、合格者を優遇する改革なども行われている。[14]

　上流貴族には魅力のない大学寮は、平安の貴族文学でも登場する。清少納言は、『枕草子』で「博士の才《ざえ》あるは、めでたしといふもおろかなり。」と褒めたかと思うと、「見るにことなることなき物の文字にてかきてことぐ〵しき物」つまり漢字のイメージが実態に合っていないものとして、蜘蛛《くも》、胡桃《くるみ》の次に、「文章博士。得業の生。」を挙げて貶《けな》している。[15]紫式部の『源氏物語』では、光源氏が息子の夕霧が一二歳で元服したときに、蔭位で四位にするべきだという周囲の考えに対して、「大学の道にしばし習はさむ」と大学生として学ばせる道を選んだ。彼は「たはぶれ遊びを好みて、心のまゝなる官爵にのぼり」というだけでは栄枯盛衰が避けられないとして、「才《ざえ》をもととしてこそ、大和魂《やまとだましひ》の世に用ゐらるゝ方も強う侍《はべ》らめ。」と後世の大和魂の出典の一つとなる言葉を述べて学問の必要を論じたのである。もちろん、かわいい子どもに旅をさせるこの発想は、自分がいるから「せまりたる大学の衆」（困窮した大学生）とはならないという文脈で語られている。[16]言うまでもなく才気あふれる文学者が必ずしも現実には合致しない理想的な教養論として描いているのである。

第四節　別曹と貴族教育の広がり

別曹《べっそう》は、平安時代の有力氏族が一族の大学生用に建てた寄宿舎であり、大学寮の付属機関として認定されたものである。今の言葉では大学寮を学生寮と理解しがちだが、大学寮の寮はあくまでも機関という意味で、大学生のための寄宿舎には文章院や明経道院という直曹《じきそう》があって、これに対して氏が増設したものを別曹と言う。有力な氏でも公卿や殿上人になれるのは一握りであるから、親の官位が低くても大学寮に進むことでキャリアを形成することが必要な氏の若者が多くいる。そのために、氏の長者が大学宿舎兼予備校として設置して氏全体の利益をはかるのである。また別曹は氏寺管理など氏の共同事務所としての機能も持った。平安時代末に没落するが、藤原氏の勧学院は一三世紀まで続いた。一〇世紀後半には別曹から学生を諸国の掾《じょう》に推薦できる院挙《いんのこ》または三院年挙と呼ばれる特権も獲得している。

権勢を誇った藤原氏では、八二一（弘仁一二）年に藤原冬嗣《ふじわらのふゆつぐ》（七七五～八二六）が設置した**勧学院**があり、八七二（貞観一四）年までに別曹として公認された。皇族出身の源氏や平氏や在原氏などを王氏というが、八八一（元慶五）年に平城天皇の孫の在原行平《ありわらのゆきひら》（八一八～八九三）が**奨学院**を設立して、九〇〇（昌泰三）年に別曹となっている。また源平藤橘《げんぺいとうきつ》と並び称されても有力者が少ない橘氏も、承和末年、八四五年頃に嵯峨天皇の皇后の橘嘉智子《かちこ》（七八六～八五〇）と弟の氏公《うじきみ》（七八三～八四八）が**学館院**を設立して、九六四（康保元）年に別曹と認められた。なお、このほかに延暦年中（七八二～八〇六）に和気広世《わけのひろよ》（生没年不詳）が設置した弘文院を含めることがあるが、こちらは正式の別曹認定は不明であり図書館のような施設と考えられる。

「勧学院の雀、**蒙求**《もうぎゅう》をさえずる」ということわざは、「門前の小僧、習わぬ経を読む」と同義のものである。さすがに雀に九官鳥の真似は無理だろうと思うが、勧学院には大学寮通学中の若者のほか、勧学院小学生と言われる年少の児童もいて、準備教育を受けていた。『蒙求』は、唐の李瀚《りかん》が編纂《へんさん》した歴史説話から四文字ずつ並べる初歩の学習テキストである。「王戎簡要《おうじゅうかんよう》、斐楷清通《ひかいせいとう》、孔明臥龍《こうめいがりょう》、呂望非熊《りょぼうひゆう》」と続く。引用した四句は、晋の王戎や斐楷の名文を褒め、今日でも有名な蜀の諸葛孔明や周の太公望の登用を述べるという内容であるが、さらに次々と重複しないよう配列された漢字により文字と歴史が学べる。これを漢音で発音練習をするのだから、たしかにチュンチュンと子どもの声が聞こえそうである。このように別曹は進学のための予備校の役割も担った。

古代の学校では、**綜芸種智院**《しゅげいしゅちいん》が有名である。八二八（天長五）年頃、**空海**（七七四〜八三五）が藤原三守《ふじわらのみもり》（七八五〜八四〇）から邸宅の寄進を受けて東寺の近くに建てた学校である。同年の「綜芸種智院式幷序《しきならびにじょ》」では空海の仏教と儒教に基づく総合的な教養観が示されている。ここでは民衆の入学が認められており、官吏登用のルートとなったと考えられるが、二〇年足らずで廃絶した。

また古代の図書館としては、**芸亭**《うんてい》が有名である。**石上宅嗣**《いそのかみのやかつぐ》（七二九〜七八一）が宝亀年間（七七〇〜七八〇）に設立した図書館である。旧宅を阿閦寺《あしゅくじ》という寺院として、そこに外典之院《げてんのいん》、つまり仏教以外の典籍用の建物として芸亭院を設けて、石上宅嗣が好学の士で閲覧を希望するものに自由に許したものである。なお芸亭の芸《うん》は草叢《くさむら》や除草を意味する芸であり、常用漢字で藝術の藝に当てるときは芸《げい》と読む。

菅原氏は**山陰亭**または**菅家**《かんけ》**廊下**と呼ばれた私塾を設けた。私邸の南西すみの小さな書斎が山陰亭で、あふれた学生が座る場所が菅家廊下である。菅原清公《すがわらのきよきみ》（七七〇〜八四二）、菅原是善《すがわらのこれよし》（八一二〜八八〇）、菅原道真と三代にわたり文章博士となった。ここに別曹などの優遇にあずかれない若者が学びに来たもので、一二世紀まで存続した。

第五節　民衆の文字学習

学校が貴族に独占されるなか、古代の民衆は文字を知らなかったようなイメージがある。養老律令の戸令《こりょう》に夫から妻への離婚手続きを示した「七出《しちしゅつ》条」には、**画指**《かくし》の規定がある。夫が書類を記して親族近親者が署名して、「若不解書、画指為記。」[17]（若し書を解せざれば、指を画して記となせ。）とある。これは人差し指をかたどったり、その先端と関節二箇所の位置を点で記すものであるから、確かにこうして書いた文書は本人が文字を書けないことを意味している。しかしよく考えてみると、本人も親族たちも本来は署名できることが前提であり、画指をするときにも周囲に文字を書ける人が助けなくてはいけない。つまり、律令制度は民衆のリテラシー、読み書きの能力を前提にして存在しているのである。民衆は解《げ》と呼ばれる文書も提出することができたから、国司を弾劾したことで有名な九八八（永延二）年の「尾張国郡司《おわりのくにぐんじ》百姓《ひゃくしょう》等《ら》解文《げぶみ》」という文章まで伝わるのである。もちろん下級の官吏としての郡司は先に見たように国学入学資格のある階層であるが、様々な人びとが律令制度を使って文章で自己主張ができたことを示している。

それではどのぐらいの民衆がリテラシーを持っていたのであろうか。久木幸男の推計を紹介したい。[18] **班田収授の法**は七世紀末から九世紀初めまで、律令制度の基本をなす田地の配分として六年に一度、実際に行われていた。この実施のためには短期間に膨大な書類作成事務が発生するために書生を雇わなければならない。八世紀末から九世紀初めの全国の人口は五六〇万で、うち成人男性が一三二万人いるが、必要な各地の郷長や書生は合計五万七八二〇人にのぼる。つまり、成人男性のうち四・四パーセントは書類作成のために動員されるのである。彼らに必要なリテラシーは、貢挙で出題される高度な文章表現能力ではないが、かなりの漢字を知って公文書を正確に書き込む能力であり、高度に実用的な読み書き技術である。識字率四・四パーセントというのは低く思えるかもしれないが、単純な読み書きだけであればこれを上回る識字率があったと考えられる。文字を知っている民衆は、自ら報酬や位階制度の末端に組み込まれることで租税の免除対象となる特権を受けたのである。

こうした人員を数十人の定員しかない地方の国学だけで輩出することは不可能であり、民衆が自ら文字を学んで伝えていたことになる。東西史部をはじめとした渡来人の子孫はリテラシーを氏族の職能として伝授してきたし、それ以外の人びとも学校以外の形態で文字を学んでいたことになる。

このように古代の教育の様子を見てきたが、文書による支配を徹底した律令国家は、支配する貴族たちのために学校を設けて教育することが当然に必要となったし、同時に支配される人びとにもまたリテラシーを求めたのである。文字を知らない民衆も生きていける時代ではあったが、下級の貴族や上昇を求める民衆には文字を学ぶことが生きるために利益になることが明白な時代であった。ここに学校のある時代としての日本古代社会が存立したのである。

(1) 高橋陽一「日本教育史学の成立と国学　日本教育史略、文芸類纂、古事類苑、日本教育史の関係」『明治聖徳記念学会紀要』復刊第四七号、二〇一〇年一一月。
(2) 教育史学の動向については、教育史学会編『教育史研究の最前線』日本図書センター、二〇〇七年。
(3) アルノルト・ファン・ヘネップ、綾部恒雄ほか訳『通過儀礼』弘文堂、一九九五年（原著一九〇九年）。
(4) 裴松之注・陳寿『三国志三　魏書三』中華書局、一九五九年、八五五頁。
(5) 鄭玄注「儀礼注疏」『十三経注疏　附校勘記　上冊』中華書局、一九八〇年、九八〇〜九八二頁。鄭玄注「礼記正義」『十三経注疏　附校勘記　下冊』中華書局、一九八〇年、一六八二〜一六八六頁。
(6) 伴信友『高橋氏文考注』大岡山書店、一九三一年。

（7）宮崎市定『九品官人法の研究』同朋社、一九五六年。
（8）『令義解　国史大系第一二巻』経済雑誌社、一九〇〇年、一七八頁。
（9）梶原正昭ほか校注『平家物語　上　新日本古典文学大系四四』岩波書店、一九九一年、二八一〜二八二頁。かなを一部改めた。
（10）狩野直喜『両漢学術考』筑摩書房、一九六四年。
（11）久木幸男『日本古代学校の研究』玉川大学出版部、一九九〇年。以下の大学寮と学校制度の沿革の記述は、主に同書に基づく。
（12）黒板勝美編『日本書紀　後篇　増補新訂国史大系第一部二』吉川弘文館、一九六二年、二九八頁。
（13）井上光貞ほか校注『律令　日本思想大系新装版三』岩波書店、一九九四年、二六二頁。句読点と訓読を改めた。
（14）久木幸男、前掲書、一三〇頁。
（15）清少納言、渡辺実校注『枕草子　新日本古典文学大系二五』岩波書店、一九九一年、一一四頁、一九七頁。
（16）紫式部、柳井滋ほか校注『源氏物語　二　新日本古典文学大系二〇』岩波書店、一九九四年、二八一〜二八二頁。
（17）井上光貞ほか校注、前掲書、二三四頁。
（18）久木幸男、前掲書、四二七〜四三〇頁。

第9章　学校のない中世

貴族の時代の次に、武士の時代である中世と近世がおとずれる。鎌倉時代と室町時代という中世は、学校の存在という点では、江戸時代の近世とは大きな対照をなしている。同じ武士の時代でありながら、中世は学校のない時代であり、近世は学校のある時代なのである。中世も例外として寺院に関連して学校や図書館が登場するが、歴史につきものの例外を意識しつつも、古代や近世と比べて「学校のない時代」と言うのがふさわしい。

鎌倉時代の始まりと言えば、私の子どもの頃は源頼朝が朝廷より征夷大将軍に任じられた一一九二（建久三）年で覚えさせられていたが、現在では諸国に守護地頭を置いた一一八五（文治元）年が初等中等教育でも教えられる。この年が壇の浦の戦いで平家が滅亡した年でもあるからわかりやすいのだが、このほか一一八〇（治承四）年の頼朝の鎌倉入りや一一八三（寿永二）年の頼朝の東国支配権の公認など、時代区分論の異説を唱える学説は枚挙にいとまがない。この問題も、武士たちの政権の内実をどう見るか、すなわち朝廷からの官職に大義名分を見るか、支配権の実質の確立に見るかという点であり、決して本章の本題と無縁ではない。

第一節　武士の教育

貴族が律令制度のなかで学校制度を確立した時代が終わり、中世の武士の時代が到来する。貴族のための大学寮は一一七七（治承元）年に崩壊し、以後も博士などの官職は残るが、家ごとに伝承される家学《かがく》として子孫や限られた門人に伝えられるにとどまった。武士たちは、中世には自分たちのための学校をつくろうとはしなかった[1]。武士は、領地の経営も、言わば本業である軍事も、家を単位とした。この家は、血縁集団のうちに一族郎党を抱え込んだ大きな単位であり、さらに家と家の間にも主従の関係がある。

古代律令制国家は、班田収授の法をはじめ、戸籍など膨大な文書を作成しながら中央と地方のネットワークで民衆を管理した。中央集権的な国家として、中央から地方まで制度的に支配して中央から支配者を送り込むスタイルであり、儒教的な国家論で言えば郡県制《ぐんけんせい》の国家である。この郡県制に対して、中世は封建制であり、地方の支配者は所領を子孫に相続することを中央の国家に保証されている。彼らは家の永続を中心に考えて所領を守ることに一所懸命となればよいわけで、武士の教育とは、家の世代交代のための教育なのである。中世の武士は、のちの江戸時代の学校をつくった武士たちと大きく異なって、支配地に住み続ける**在地領主**であった。支配する農村に堀や土塁を築いた家に住んで、武芸に励みつつ、質素な自給自足の生活を送る。支配するべき民衆は、目の前にいるのだから、文書による管理を行う必要は低い。地方に分散した武士の家ごとに教育が完結していくのであり、遠くの学校に子どもや青年を送り出す必要がない。この支配者としての中世の武士の生活スタイルこそが、リテラシーを必要とした古代の貴族とも近世の武士とも異なって、自らの学校の必要を感じない教育のあり方をつくりあげた。

中世の武士の教育の第一の特徴は、弓矢を取る身として、武芸の修練をつむことである。家が永続するためにも、先祖や親への孝、領地を保証する主君への忠が大切になる。儒教の徳目である忠や孝が、この時代にも適合するのである。武士の最も華々しい舞台は、戦場である。それを最も劇的に書いた軍記物では、忠孝が華々しくうたいあげられる。

『平家物語』の「宇治川先陣」では、先頭を切って敵陣に乗り込んだ源氏方の佐々木高綱《ささきたかつな》(?〜一二一四)が大声で名乗りをあげる。「宇多《うだ》ノ天皇より九代《くだい》の後胤《こういん》、佐々木三郎秀義《ささきさぶろうひでよし》が四男、佐々木四郎高綱、宇治川の先陣ぞや。われと思はん人々は、高綱にくめや」[2]。彼は自分自身の前に、自分の祖先が宇多天皇であるから源氏の末流であり、天皇から九代も下った子孫の佐々木三郎秀義が自分の父親であることを述べ、敵陣の前で長々と家系図を説明しているのである。

こういった名乗りが中世の軍記物では随所に登場する。ところで、私の子どもの頃から現在まで、戦闘シーンが中心の変身ヒーロー物のテレビドラマやアニメーションの多くは、ほぼお決まりのように変身または戦闘の直前に、一定の長さでこの名乗りのような様式美を演じるシーンがある。私は子ども心に、なぜあの無駄な時間に敵は攻撃しないのかと疑問であった。しかしこの悠長なシーンは、一九七〇年代に子ども向けに始まったのではなく、平安末期の武士の勃興期から数百年の間繰り返されていた、言わば日本の戦士の伝統文化なのである。残念ながら現代の正義のヒーローは家系図を説明しないが、中世の武士が戦闘シーンで家系を述べるのは、先祖や親を顕彰して主君のために闘い、忠と孝のための正義の戦いを示す必要があるからである。

中世の武士の教育の第二の特徴は、貴族文化への憧れである。鎌倉の武士には難しい文書が読めない者もいるが、鎌倉に幕府を置くようになると、様々な行政や裁判業務のために文書を扱った仕事が武士にも確かに増えてくる。そうなると、京都から行政に手慣れた大学寮教官の末裔《まつえい》などの貴族を呼び寄せるようになる。さらに武士は源氏や平氏という王氏や藤原氏の末裔たることを自負したし、名誉職として朝廷から有名無実となった官職や位階を受けることにもこだわった。京都に幕府を置いた室町時代には貴族との同質化が進んでいく。好学の武士は貴族たちが家ごとに家学として伝えた学術や芸能を自分たちにも伝授することを求めるようになってくる。

『平家物語』の「敦盛最期」は一の谷の戦いの有名な悲劇だが、平家の敗残兵を追討する関東武士が平家の若武者を捕縛して、「物そのものでは候はねども、武蔵国住人《むさしのくにのじゅうにん》、熊谷次郎直実《くまがいのじろうなおざね》」と短い名乗りをする。わざわざ言うほどの者ではないがと断ったうえで現在の埼玉県熊谷市の在地領主だと言うのである。この場面で熊谷直実（一一四一

〜一二〇八）の土着の武士としてのプライドを堂々と示している。これに対して「さては、なんぢにあふては、なのるまじひぞ」という高飛車に言う平敦盛《たいらのあつもり》（一一六九〜八四）は、伊勢平氏から成り上がって貴族化した家族の一員として、数え年一六歳で従五位下たるプライドを示しており、戦場にまで横笛を持ってくる優雅さなのである。

貴族文化への憧れは今世紀でも名前に多く残っている。アニメや漫画の話ばかりで恐縮だが、藤子不二雄の「ドラえもん」の「えもん」は、「衛門」であって、未来でも左衛門や右衛門の役人にちなんだ名前のロボットができているという前時代的設定である。正式の叙位や任官がされなくても、衛門や兵衛《ひょうえ》を僭称《せんしょう》した名前は近世まで多くある。こういう名前は、明治時代には官職名の僭称として禁圧されるが、「教育原理」の受講者名簿を見ると、今でも律令制の四等官にちなんだ「すけ」の名前の男性が少なくない。漢字は養老律令の職員令《しきいんりょう》のとおり、助、祐、介といろいろある。女性に至っては第2章でも述べたように貴族女性にちなんだ「子」も多い。命名者が平安貴族を意識したかどうかは別として、名前は意外と保守的に継承されるものである。

話がそれたが、こうした貴族文化や教養の志向がありながら、古代の班田収授の法に見られる実用的なリテラシーは低く、武士が自ら学校制度を提唱したり、その創立に動いたりはしないのである。

中世の武士の教育の第三の特徴は、仏教への帰依である。鎌倉仏教に象徴されるように、武士たちの緊張感のある心性には、古代の鎮護国家を期待された国家仏教と異なって、個人の救済に重きを置いた浄土信仰や禅宗の新しい仏教が合致した。先ほどの熊谷直実も、源平の戦いの後に、浄土宗の開祖である法然の弟子になった。国家仏教と書いたが、律令国家では僧尼令《そうにりょう》に基づいて、貴族の官職や位階のように僧侶も僧官と僧位が与えられ、勝手に僧侶となる私度僧《しどそう》は禁止されている。本来の仏教からみると疑問を持ってしまう制度だが、中世では僧位僧官を残しつつも、信仰が重んぜられる宗教へと変化する。もちろん個人の信仰と言うよりも家の宗教としてだが。

中世の武士たちには、子どもの頃に寺に**稚児**《ちご》または児《ちご》として入るものが少なくなかった。その意味では、寺院が中世における世俗の教育機関として学校の機能を果たしているという見方もできるが、僧侶と稚児の個人的な子弟関係による教育である。僧侶にも様々な立場があるが、上位にあるのは学僧、学侶《がくりょ》と呼ばれる僧侶たちで、仏教さらには儒教も含めた古典を学び、仏教の儀礼と結びついて経典解釈の能力を試される講会《こうえ》などの経験を積んで上っていく(3)。こうした学識ある僧侶の弟子となって武士が教えを受けるという形である。武士たちは寺院の設立や維持には熱心なので、寺院からのちに見る例外としての学校が生まれる可能性は存在した。

さて、中世の武士たちのライフスタイルのモデルを示してみよう。

まず生まれると、名前がつけられる。これは幼名という家族の内部だけの名前であって、大人になってから名乗るような名前ではない。江戸時代を切り開いた徳川家康だと竹千代という幼名が伝わっている。第3章で見たドゥモースの子捨て的様態には子どもを他人に預けることが含まれるが、上流の武士たちはそうした子育てをする。女性の**乳母**《めのと》や男性の傅《めのと》であるが、これも貴族の子育ての真似である。なお、乳母は実際に母乳を与える人と区別されることも多く、主人の家に住み込んでいることも、子どもを傅と乳母の家に預けることもある。

幼児期には、様々な儀礼がある。それらが近世になると年齢が定まり、今日は七五三と呼ばれて継承されている。三歳の男女の髪置《くしおき》という頭髪を伸ばし始める儀礼、五歳の男子の袴着《はかまぎ》という儀礼、五〜七歳の頃の帯直しまたは帯解《おびとき》という着衣の紐を大人と同じく帯にする儀礼などがある。今日の七五三の特色は神社参詣や記念撮影にあるが、これらの儀礼の中心は、身体の成長に伴う頭髪や服装の変更にある。

平安時代の貴族の儀礼をまねた**元服**でも同様に頭髪や服装に力点がある。一一歳から一五歳頃に行うが、きちんと髷《まげ》が結えるように髪型を変化させる理髪や、その頭髪に烏帽子《えぼし》をかぶせる加冠が行われる。実際の結髪《けっぱつ》の仕方は時代や階層で異なっている。屋内でも屋外でもきちんと冠をかぶって人前に出るのが成人男性の身体表現であった。誠に残念なことに現代では屋内でかぶるべきでない西洋の帽子をかぶったまま、公式の室内儀礼の場に現れる教職課程の学生に出会うことがある。私はあまり身体表現については関心がないのだが、さすがに教師になってそのまま黙って教壇に立つと大変な失礼であるから、学校の外に出る教育実習や介護等体験のオリエンテーションで着帽の学生がいると「それは烏帽子ですか」と服飾儀礼について詰問することにしている。なお、男の軍装や職業用の制帽、女のトーク帽ほかの儀礼用の帽子など帽子に関する着脱の儀礼は今も昔も多様であるが、日差しや寒さを防ぐ屋外用の帽子は室内で対面するときは外しておくのがよい。

元服で青年に冠をつけるのが**烏帽子親**《えぼしおや》である。一族の有力者や主君にこれを行ってもらうことが名誉となる。そして多くは烏帽子親が幼名に代えて実名を定める。この名は中国流には諱《き》（慣用は「い」）あるいは「いみな」と言い、家代々の通り字や主君の一字を偏諱《へんき》あるいは「かたいみな」としてもらうことが名誉である。同じ儒教文化の本国の中国では孔子だと諱は丘《きゅう》で、字《あざな》は仲尼《ちゅうじ》と二つの名前を持つが、親の名や主君の名に用いる文字を避けることが孝や忠の表現であった。子どもは不肖であり、親と違うということが謙譲の美徳である。これに対して日本では親や主君の名前から一文字もらうことで忠孝を示した。徳川家康が幼名の竹千代から元信、のち元康を名としたのは、今川義元の「元」からとされるし、今川家が没落すると、源 義家《みなもとのよしいえ》など源氏を意識させる「家」に改めて家康と改名する。鎌倉時代の源氏の将軍は、清和天皇《せいわてんのう》からの清和源氏《せいわげんじ》の家系であり、源 義朝《みなもとのよしとも》の子の頼朝は父の「朝」と源氏に多い「頼」と二つの文字を持っているが、頼家、実朝と早く途絶えて「朝」はつながらなかった。室町時代の足利氏は、同じく清和源氏の足利貞氏の子の尊氏の「氏」よりも、二代義詮《よしあきら》、三代義満と、一五代義昭まで「義」の文字を継承するが、この「義」も有名な八幡太郎《はちまんたろう》といわれた源義家をはじめ、清和源氏さらに足利氏に継承された字である。近世になるが、家康の子孫の将軍は、二代秀忠は豊臣秀吉の臣下としての「秀」の偏諱をもらい、最初から後継者とは決まっていなかった五代綱吉、八代吉宗、一五代慶喜と「家」でない名もあるのだが、三代家光からの多くは「家」の字を継承していた。

この元服の後は、武士は戦場に出る。初陣である。本来の律令制の原則では叙任は数え年二一歳であるが、上流の貴族は蔭位による叙位のため大人になるのを早くしたので、先に見た平敦盛は数え年一六歳で戦死した。第5章で見た児童の権利に関する条約を知っている視点からは未成年の少年兵であり、熊谷次郎直実が我が子小次郎と比べて首を取るのを躊躇《ちゅうちょ》したのは現代の感覚と近いものを感じる。なお、太郎や次郎や三郎や小次郎という通り名は、家族の出生順の名前で、子どもも大人も用いる。

朝廷から官職に叙任されないのに「左衛門」などと僭称するのも名前である。もちろんこのほか、仏教で受戒すれば法名《ほうみょう》、戒名《かいみょう》もあるし、近世では盛んな何々「屋」などの屋号《やごう》や何々「斎」などの文人の書屋《しょおく》の号、さらにあだ名まで膨大な名前を一人の人間が持っている。大変なことだと思うが、もっとも二一世紀の人間も膨大なIDやハンドルネームを使っているから同じかもしれない。

第二節　中世の例外的な学校

後に見る教育基本法第二条第五号に規定するとおり「郷土」を愛することは大切なのだろうが、町おこし村おこしでもあまり針小棒大なのはよろしくない。現在でも栃木県足利市の市内の案内や宣伝物には**足利学校**が「日本で最も古い学校」「最古の学校」といったものが目につく。第8章で書いた鬼室集斯《きしつしゅうし》の学識頭《ふんやのつかさのかみ》就任より前に、下野《しもつけ》国足利荘に学校があったという記録はどこにもない。

こういった古代や中世の発祥説話は異説が多い世界だが、足利学校には国学遺制説、小野篁《おののたかむら》創建説、足利義兼《あしかがよしかね》創建説などがある。しかし国学設置は大宝律令以後だから鬼室集斯よりも後だし、有名な小野篁（八〇二〜八五二）も時代が下る。足利義兼（?〜一一九九）も時代が下るのだが、実はさらに下って、室町時代の成立というのが穏当で

あろう。(4)

足利義兼が開いたのは、一一九六(建久七)年に開いた持仏堂、現在の鑁阿寺《ばんなじ》という氏寺である。前節のとおり、武士たちの生活パターンを考えると、この寺の僧侶に師事した足利氏の子弟は多いだろう。そうした寺院の教育的機能は各地の寺院で見られた現象である。この地の清和源氏の足利氏から、足利尊氏が出て室町幕府を開いたことは誰もが知るとおりである。ただ足利学校ができるのは、一四三二(永享四)年に関東管領の上杉憲実《うえすぎのりざね》(一四一〇〜六六)がこの足利荘を管理してからである。一四三九(永享一一)年に憲実が宋の典籍を寄付し、僧侶の快元を庠主《しょうしゅ》つまり校長として招いた。これ以前の歴史があるとするると、それを復興または再興したということになる。そして戦国時代には学生が集まり、儒教とりわけ『易経』や医学などが講ぜられ、一六世紀にはキリスト教宣教師が「坂東の大学」と呼んだことが伝わる。江戸時代には僧侶の管理のもとで貴重な蔵書の保管が続けられ、明治期には学校跡とされる場所に町立(のち市立)足利学校遺蹟図書館が開かれて現在に至っている。また学校施設などの復元も行われていて観光施設として活用されている。

足利学校が中世の後期、とりわけ戦国時代に至って例外的に学校の性格を持った施設となったことは事実であるが、全体としては寺院の教育を基盤として、僧俗様々な若者の陶冶という形に発展したものであることが理解できる。

金沢文庫は鎌倉時代の貴重な図書を現代に伝えるものとして注目できる。現在の横浜市金沢区、金沢文庫駅、神奈川県金沢文庫は「かなざわ」と読まれているが、鎌倉時代の執権北条氏の一族である金沢氏による武蔵国金沢荘の文庫であるから、「かねざわ」あるいは「かねさわ」と読むのがよいだろう。京都から鎌倉に来た公家たちに学問を学んだ北条実時(一二二四〜七六)は、金沢に持仏堂を建て、一二七五(建治元)年に幕府の公職をしりぞいて金沢の別邸に移り住んだ頃に、この文庫を建てたものと考えられる。金沢氏の子孫が蔵書を増やして三万冊を超え、持仏堂は現在も続く称名寺《しょうみょうじ》として発展した。鎌倉幕府の滅亡により文庫は衰えたが、称名寺は残り、散逸を逃れた「金沢文庫本」が現在も保存されている。こちらは学校ではなく図書館であるが、そこで学ぶ僧侶や武士などの好学の者もいて、「金沢学校」という別名が記された文書も残っている。有力武士による仏教の信仰と結びついた教育の動きとして理解でき、寺院によって貴重な文化財が伝えられた事例である。

「学校」として中世で語られる例外はこの二例である。制度としての学校は実態のない大学寮の官職や家学にとどまる。このように考えると、中世の例外的な学校も、全体としては武士たちの生活スタイルにおける仏教への帰依や寺院の持つ一般信徒への教育的機能のなかで理解することができる。そして好学の武士や僧侶、若者たちの存在という好条件が重なって、例外的に二つの学校が成立した。もちろん、大多数の武士たちにとって、学校は不要で、寺院で僧侶によって、家で父母や乳母や傅によって、教育を受けて、文化を身につけることができた。農民や町民もまた、家庭や村落や同業団体のなかで教育を受けて一人前になっていく。学校がないことと教育があることの両方が相まって、この時代の人間の成長を担っていたのである。

日本の中世が学校のない時代だとすると、西洋世界の中世は趣を異にしている。領主が土地を支配するという点では同じような封建制の時代であり、また、仏教の僧侶と同様にカトリックの聖職者がその権威をもって学問を継承したことも同様である。日本では寺院での教育は学校という組織には簡単には移行しなかったが、西洋中世では、聖職者たちの教育や、さらに医師や法律家の教育のために、一二世紀前後からボローニャやパリをはじめ、各地で大学が皇帝や法皇の特許によって成立したのである。大学の歴史は改めて第26章で述べるが、ここで成立した大学もまた、学問の同業団体の教育という中世的な性格を持ったものであった。

日本では、戦国時代が終わりを告げて、中央集権的な形態での統治が武士たちの生活スタイルに及ぶと、彼らが学校を作り始める。そのことは次の章で述べていく。

（1）中世の武士の時代の文化と生活から教育を論じて学校の欠落を検討した視点は、教育史学では早くから確立した。こうした教育史学の叙述として戦前では、春山作樹「町人興起以前の本邦教化の発展」（一九一九年）『日本教育史論』国土社、一九七九年。海後宗臣「武家教育の構成」『日本教育小史　ラヂオ新書一八』日本出版放送協会、一九四〇年。海後宗臣ほか「中世」『日本教育史』目黒書店、一九三八年などがある。

（2）梶尾正昭ほか校注『平家物語　下　新日本古典文学大系四五』岩波書店、一九九三年。以下『平家物語』は同書より。

（3）学僧の教育については、堀一郎『学僧と学僧教育　堀一郎著作集第三巻』未来社、一九七八年。高山有紀『中世興福寺維摩会の研究』勉誠社、一九九七年。

（4）須永弘編『足利学校年譜』足利学校遺蹟図書館、一九三八年。川瀬一馬『足利学校の研究』講談社、一九四八年。

第10章　学校のある近世

武士が権力を持った時代でありながら、中世と近世は、学校について対照的である。江戸時代は、武士の藩校や庶民の手習塾、多様な私塾など、全国に学校のある時代となる。江戸時代を日本の近代化の過程として捉える研究がアメリカのパッシンやドーアにより行われた[1]。彼らは日本の研究者たちの調査によると、日本人は近世後期には四割やそれ以上の高い識字率を示していたことなどに注目して、日本の近代教育の前提としての江戸時代の教育の普及を評価した。江戸時代を「教育爆発」の時代と言うことがあるが、昔から学校以外の教化や形成の多様な教育は機能していたのだから、「学校爆発」と言うべきだろうか。

第一節　リテラシーが求められる生活

中世から近世へ、室町時代・戦国時代から安土桃山時代・江戸時代への移行と言えば、豊臣秀吉による刀狩りや戦争による紛争解決を禁じた惣無《そうぶ》事令《じれい》といったキーワードが思い浮かぶ。教育の歴史においても重要なのが、**兵農分離**である。農民の武装が解除されたと言うだけではなく、在地領主だった武士たちが農村から都市へと移り住み、武士が集住する城下町の形成が促進されていく。江戸時代もまた領地の支配権の相続が主君によって保証された封建制なのだが、武士たちは支配する領地ではなく、主君のもとで生活するのである。大名たちの主君は、江戸時代も征夷大将軍である。大名たちは天下の城下町たる江戸へと参勤交代して詰めるわけだから、江戸には直接に将軍に仕える旗本や御家人のほか、大名たちの家臣も多数が江戸詰《えどづめ》として生活することになる。つまり封建制でありながら、武士たちの生活は郡県制または集権制に近いのである。

支配する武士と支配される農民が地理的に分かれて住んでいる矛盾を解決するため、時代劇に必ず悪役として登場するお代官様、つまり城から派遣された代理の官吏という集権的な役人が置かれることもあるが、基本は農民の代表である名主・庄屋などの村役人のもとに自治的に管理する**村請制**《むらうけせい》である。江戸時代は、押し付け的な封建制の説明として連帯責任と相互監視の五人組制度が挙げられる。しかし冷静に考えると、これは中世にはない近世的な特徴である。年貢の納入の責任や規範を村や五人組に求める点がまさに村請制なのである。時期と地域によって違いがあるが、「五人組帳」の前書《まえがき》には農民の守るべき事柄を記してあり、それを守ることを誓約した者が連名連印するのである。つまり農民はルールを文書として理解し、かつ署名ができるというリテラシーを持つことを前提につくられた制度なのだ。もちろん村民全員に読み書き能力があるわけではないだろうが、こうした文書類の署名は、地域の識字率がわかる貴重な歴史史料となっている。

このように、兵農分離の後は、城下町の武士は農村を文書によって支配する。武士が農村にいないので、農村では村請制により村役人が年貢までも管理する。城下町と農村の間、武士と村役人の間には、年貢皆済目録《ねんぐかいさいもくろく》など租税の重要文書から法度や触れ書きなど膨大な文書が往復していく。さらに商品経済が発展すると商人と渡り合う交渉の場面で文書のやりとりも求められる。農民にとって、文書を読み取り作成する能力は生きる力そのものだったのだ。

江戸時代の農民にどのくらいのリテラシーがあったかについては、多くの研究が蓄積されている。とりわけ木村政伸、八鍬友広《やくわともひろ》、川村肇らの研究を踏まえて、アメリカのルビンジャーが近世の識字率を二割とする低めの数値を強調して、注目を集めた[2]。これは江戸時代に子ども時代を過ごして明治期に成人になった人びとの調査から再検討した数値として、従来の「教育爆発」というイメージが過大だったのではないかという提起ともつながる。

一方、大戸安弘による現在の神奈川県川崎市の一部である王禅寺《おうぜんじ》村を対象とした研究論文がある。(3) 一七九二(寛政四)年と一八一三(文化一〇)年に起きた村方騒動を読み解いて、この背景に年貢の割り付けの前提となる名主の台帳と、この地域の特例として農民それぞれが持つ「年貢手帳」の書き換えをめぐる紛争を解明したものである。農村の騒動と言うと、生活に困った農民が一揆を起こすというイメージだが、大戸が描き出したように、農民が読解能力や計算能力を持っているために利害が見えてきて文書の書き換えをめぐって紛議が起こる。こうした高度なリテラシーを前提にした村方騒動も存在したのである。識字率をどう見るかをめぐっては、これからも地域の特色を前提にして様々な研究が進められるだろうが、いずれにせよ生きていくためのリテラシーを、少なくない農民が有していたと考えられる。

次に少し気の抜けた話になるが、江戸時代の平和な閑暇が学校成立の前提となったことも強調しておきたい。第7章で述べたとおり、古代ギリシャやローマで、閑暇が学校の語源となったことと通じる。武士たちの仕事は、領地や家禄が保証されながらも、役職が少ないために、暇な人が発生する。役職をもらうのは一家に一人だから、出仕前の若者や早めに退任する隠居が出てくる。さらに、役職をもらっても毎日の仕事ではない。激務の老中や町奉行でも実は**月番制**として月ごとの輪番制があって、当番でない月は閑暇がある。北町奉行と南町奉行が月番交代で仕事をしていたことは有名だが、年間の半分は公式には仕事をしていないのである。参勤交代で江戸に詰めている藩主と家臣は、江戸城に軍事行進を模して登城することが、平和なお勤めである。笑い話のようだが、老中だけは江戸城に登城するときに行列が走る。忙しいから走るのではなく、本当に急用のときに気づかれて騒ぎにならないように、駆け足で登城する。閑暇を感じさせる話である。

第3章で見た「子返しの図」に月番名主の改印《あらためいん》が押されているので許可年月がわかることを記した。江戸の町は町奉行が支配しているのだが、実際の行政は町民の代表の町名主が請け負っているのであり、浮世絵版画の規制までも彼らが月ごとの輪番制で行っているのだ。近代の日本では内務省が出版統制をしたり、戦後の日本国憲法で検閲が禁止された現代でも映画などは映画倫理委員会（映倫）が自主規制をしているのだが、これらは専門の官吏や業界の専門家の存在によって成立する業務である。これを町名主が月番で行っていた近世は、画像理解も含めての高度なリテラシーを町人の代表が持っていたということになる。そしてこうした高度な自治業務までもが、月番制だったのである。

ここまでの話をまとめよう。近世は兵農分離の時代であり、武士は城下町に集住して、農村は村請制で村役人らが管理する。このために武士にも農民にも文字が必要となる。また生活が保証された武士には教養を身につける閑暇が保証されているという構造であり、ここから全国の様々な階層にとって学校が必要となる時代が展開していくのである。

第二節　武士の学校

幕府が江戸に旗本をはじめとした武士のために設けたのが、**昌平坂学問所**《しょうへいざかがくもんじょ》である。昌平黌《しょうへいこう》とも言う。徳川家康に重用された朱子学者の**林羅山**《はやしらざん》（一五八三〜一六五七）が、一六三〇（寛永七）年に三代将軍の徳川家光からもらった上野の忍岡《しのぶがおか》の土地に家塾を開いたことが昌平坂学問所の淵源である。林羅山の三男の林鵞峰《がほう》（一六一八〜八〇）が継いで家塾を発展させ、五代将軍の徳川綱吉のときには一六九一（元禄四）年に神田湯島に移転させて、孔子を祭る釈奠《せきてん》を行う聖堂を建設した。

老中松平定信のもと、一七九〇（寛政二）年には有名な**寛政異学の禁**が行われる。これは宋の朱子学を正しいとする学問統制であるが、あくまでも昌平坂学問所の講義や教官登用の基準であって、他の流派が禁じられたわけではない。本書ではこれまで中国の古典を読み解くときに、後漢の鄭玄《じょうげん》（一二七〜二〇〇）や魏や晋の学者の注釈書を本文や注で扱っているが、これらが古註である。古註は古代の律令の学令《がくりょう》では大学寮の教科書として採用された、言わば古代の正統のテキストである。これに対して昌平坂学問所では宋の**朱熹**《しゅき》（一一三〇〜一二〇〇）を孔子並みに朱子と尊称して、朱熹の四書五経の注釈が重んじられた。その注釈を新註と言い、これに基づくのが**朱子学派**である。江戸時代でも古註を重んじる者を**古学派**と言い、本書のように古註も新註も活用するのは**折衷学派**と言う。このほか明の**王陽明**《おうようめい》（一四七二〜一五二八）の解釈を重んじる**陽明学派**もいる。朱熹や王陽明はもちろん清朝で盛んになる考証学の様々な学派のテキストも中国から輸入され、日本でも刊行され、それに基づく多様な儒学がその後も盛んである。

昌平坂学問所は、旗本の子弟のほか、諸藩の家臣の子弟も入学できる武士の学校であるが、この「寛政異学の禁」により、四書五経の朱子の新註が正解の基準であるからオープンな試験も可能になる。これを受けて、一七九二（寛政四）年に学問吟味が始まり、翌年には一五歳以下を対象とした素読吟味《そどくぎんみ》が始まる。素読とはテキストをそのまま訓読することである。もちろん朱熹が日本語訳をつくるわけはないので、語句の句読点や読みは当然に解釈によって左右されるものである。こうした試験には科挙のような幕臣登用の特典はないが、言わば公開模擬試験として褒美を与えられ、江戸の朱子学派の学習を促進する効果があったのである。

林家初代林羅山は民部卿の官職と法印という律令制の最上の僧位をもらい、第二代の林鵞峰は「弘文院学士」の号を受けた。この弘文院とは和気氏の弘文院をさすのではなく中国流の称号である。しかし、その後の昌平坂学問所の長となった林家当主は、大学頭《だいがくのかみ》の官職を受けて林大学頭と呼ばれた。古註をテキストとして重んじる大学寮を、新註を用いる昌平坂学問所は否定するべきなのだが、鬼室集斯《きしつしゅうし》以来の大学寮の伝統が最も落ち着きのよいものだったのだろう。ちなみに、江戸の権力者である征夷大将軍は、源氏の棟梁として大学寮の別曹の奨学院別当《しょうがくいんべっとう》と離宮の淳《じゅん》和《な》院別当《いんべっとう》を称するしきたりである。もはや実質を伴わない官職とは言っても、林家が大学寮の頭で、将軍がその別曹の長になってしまうわけで、不思議なものである。

なお、『群書類従』などの史料編纂で知られる**和学講談所**は、一七九三（寛政五）年に国学者の**塙保己一**《はなわほきいち》（一七四六～一八二一）が幕府の許可により建てたもので、塙保己一は林大学頭の下に置かれた。明治維新を迎えて昌平坂学問所は維新政府に接収され、第11章で見る大学校となった。湯島聖堂は現在は聖堂が復興されて、ＪＲ中央線の御茶ノ水駅の北側で観覧することができる。

このほか、幕府関係の教育機関としては、一七二二（享保七）年に設けられた**小石川養生所**は無料で治療を行うための幕府の福祉的な医療機関として置かれ、一七六五（明和二）年に幕府の奥医師である多紀元孝《たきもとたか》（一六九五～一七七六）が建てた私塾の躋寿館《せいじゅかん》は一七九一（寛政三）年に幕府直轄の**医学館**となり、のちに小石川養生所もここに併せられた。維新後は医学所となり、現在の東京大学医学部につながる。また小石川の施設は現在は東京大学大学院理学系研究科附属植物園となっている。

さらに幕末には西洋の学問の翻訳や教育のために幕府は一八五三（嘉永六）年に洋学所を置き、一八五六（安政三）年には**蕃書調所**《ばんしょしらべしょ》として、洋学教育を行った。一八六二（文久二）年には洋書調所、翌年には開成所と改称する。蕃書調所も維新政府に接収されて開成学校となり、現在の東京大学へとつながる。

こうした幕府の学問所は、基本的には旗本や御家人という幕臣のための学校であるから、大名の家臣の子弟のためには別の学校が必要となる。これを**藩校**《はんこう》と言う。ほとんどの藩に設立されたものと考えられるが、儒学を中心に規模や内容は様々であり、少年期からの初歩の教育のほか、青年に儒学はもちろん、洋学や国学、医学を教えた事例もある。二〇〇六（平成一八）年に刊行された大石学編『近世藩制・藩校大事典』（吉川弘文館）は、地域史研究の成果を網羅することで、江戸時代の五四〇藩について藩校二五五校を明らかにした。

家臣たちは領地の城下町と江戸の両方に居住するから、藩校は二箇所に学校が必要になってくる。徳川御三家の一つで、権中納言《ごんちゅうなごん》の官職と従三位《じゅさんみ》の位階を受ける水戸の徳川家は、徳川光圀《とくがわみつくに》（一六二八～一七〇〇）が『大日本史』編《へん》纂《さん》を始めたことで有名だが、このための史局は一六五七（明暦三）年に江戸駒込に置いている。徳川斉昭《とくがわなりあき》（一八〇〇～六〇）が一八四一（天保一二）年に開いた弘道館《こうどうかん》は水戸に置かれるが、江戸にも江戸弘道館が置かれた。このような学校と文化事業が、水戸学と呼ばれる独自の学問潮流を形成して幕末に至る思想に大きな影響を与えた。近世の藩校の敷地や組織が、近代以後の学校に連続する例は多い。たとえば広島県福山市の福山藩では、福山の藩校の誠之館《せいしかん》が現在の広島県立福山誠之館高等学校につながり、江戸藩邸も現在の文京区立誠之小学校につながって、東西の学校に名前が受け継がれているのである。

また各藩が**郷学校**《ごうがっこう》、郷校《ごうこう》、郷学《ごうがく》として、城下町以外の武士が集住する町に武士のための藩校の分校を設けることがある。この郷学校は対象を広げて、民衆のための学問所となるものも少なくない。昌平坂学問所も、幕府直轄領の甲斐国（山梨県）は旗本が甲府勤番として多数詰めているので、寛政年間（一七八九～一八〇一）に甲府学問所・徽典館《きてんかん》を分校として設けている。これは現在の山梨大学の前身である。

第三節　手習塾と私塾

農民や庶民の男女の子どもたちに読み書きを教えた者を手習師匠《てならいししょう》と言い、これを学校としては**手習塾**、手習所と言う。近年でも**寺子屋**《てらこや》と言うことも多いが、これは明治になってから一般化した名称である。一七四六（延享三）年初演の人形浄瑠璃で、歌舞伎でも演じられた『菅原伝授手習鑑《すがわらでんじゅてならいかがみ》』には、「寺子屋の段」があって「寺子屋」という言葉は今も親しまれている。「寺子屋」とは「寺子」の「屋」であり、第9章で見た稚児として寺院で学ぶ子ども、つまり寺子のいるところという意味である。つまりは、この芝居は、近世の「手習」を、中世の「寺子」に託して、登場人物を古代の菅原道真たちとして演じるという、歌舞伎におきまりの時代を超越した楽しい設定である。なお、「寺」の「小屋」だと思って「寺小屋」と書くのは誤りである。江戸時代の手習師匠は僧侶がつとめることもあるが、町や村の知識人である村役人や町役人、隠居や浪人など様々な人びとがつとめたのであり、教育内容も中世の寺院教育での稚児への教育と異なって世俗的であった。

教育内容は、読み書きが中心で、算盤《そろばん》を教えるのは例外的である。これまた明治以降に言われた英国流の3R's（writing, reading, arithmetic）つまり読み書き計算という観念からの類推で算盤もありそうだが、基本は文字の読み書きのリテラシー教育である。六歳から一〇歳ぐらいで入門して、数年間、手習師匠の家の一室に通って、数人から数十人、巨大な手習塾では一〇〇人以上の子どもが集団で学ぶ。手習いが中心であるから、まず「書き」から入る。「読み」は文章を読み上げて内容を理解するのだから次の段階である。高度な場合は四書五経まで進むだろうが、普通なら手本についての初歩の読み書きの指導である。

手本となるのが、**往来物**《おうらいもの》である。往来物とは、本来は往来する手紙を読み書きの手本としてまとめたものという意味である。代表的な『庭訓往来《ていきんおうらい》』の冒頭を示す。

庭訓往来
春始御悦向貴方先祝申候訖。（春の始めの御悦《おんよろこ》び、貴方《きほう》に向《むか》て先づ祝《いわ》ひ申《まう》し候《さうら》ひ訖《をはん》ぬ。）
富貴万福猶以幸甚々々。（富貴《ふうき》万福《ばんぷく》、猶《な》ほ以《もつ》て幸甚《かうじん》幸甚。）

図9に示した文字のスタイルを、御家流《おいえりゅう》と言う。近世の武士も町人も含めて公文書に書くための標準的な漢字の崩し方である。これは鎌倉時代末期、京都の青蓮院門跡《しょうれんいんもんぜき》だった尊円入道親王《そんえんにゅうどうしんのう》（一二九八〜一三五六）の筆法で、これ

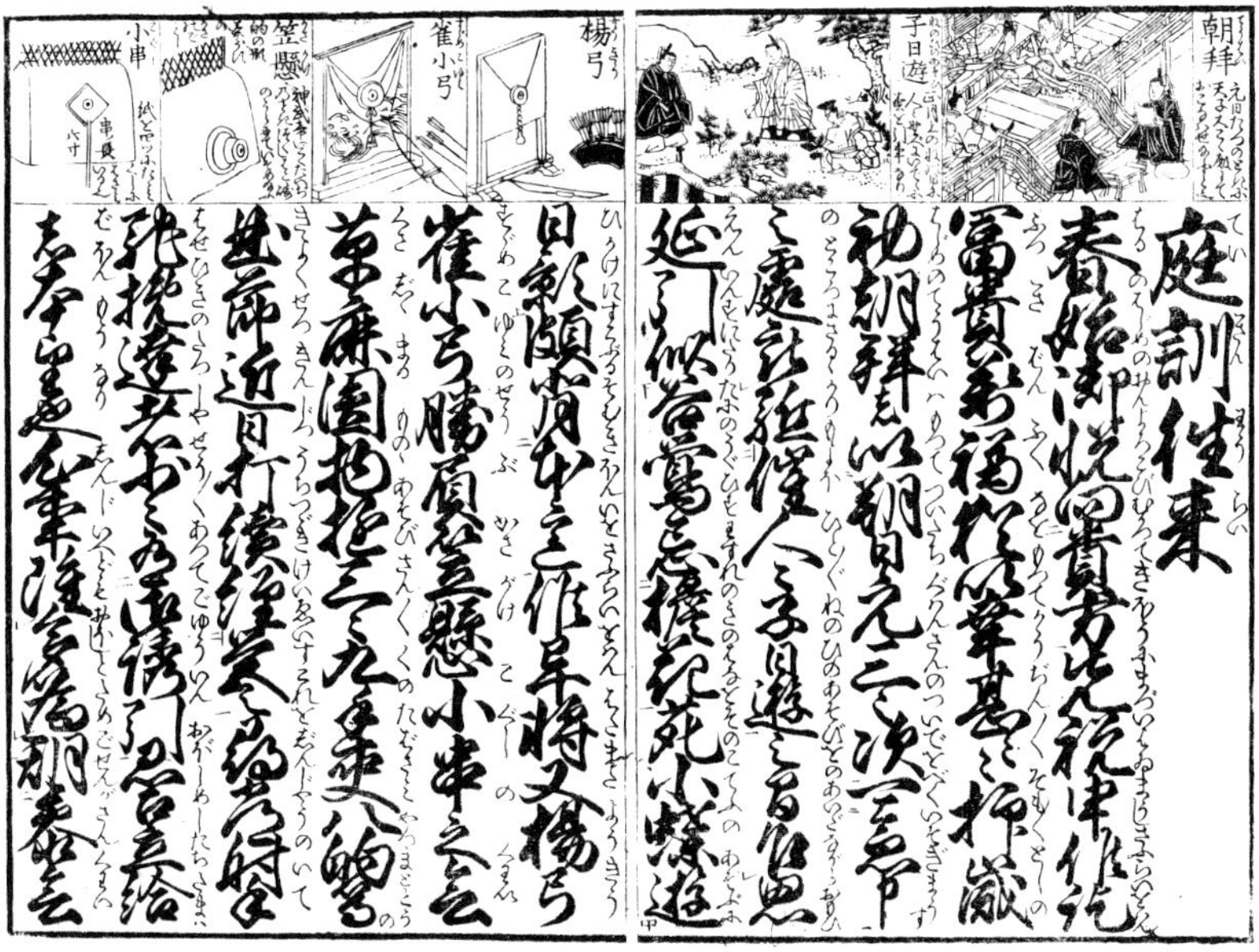

図9 『庭訓往来』1881（文化8）年、家鴨文庫蔵。

が江戸時代に広められて、幕府の触れから農民の日記まで、公式に記す文書は類似する書体になる。それが全国的な手習いの影響力なのである。この鎌倉時代の京都の寺院で皇族が始めた筆法が尊重されたように、やはり古いものに権威があった。

『庭訓往来』の筆者は不明だが、内容は室町時代の貴族文化に親しむ武士の生活がテーマの往復書簡集である。文体も漢文ではなく日本語としての候文《そうろうぶん》であるが、江戸時代の仮名が多く交じる候文ではなく、一気に漢字がつながる中世の文体である。つまり、内容も文体も、江戸時代の武士にも町人にも農民にも古すぎて実用性がないのだ。それでも、古いものには権威がある。

貶《けな》してばかりで申し訳ないが、図9に見るように、実は江戸時代にはこれが絵入りの出版物にもなっており、子どもたちの関心を引きつける工夫がある。まあ、その絵も貴族趣味ではあるが。

さすがに実用性の矛盾は手習師匠も感じたようで、基本的な熟語、地名や地方の産物などを並べた語彙集の形態のテキストもつくられている。これも教育史では往来物と総称する(4)。教育史家の石川謙《いしかわけん》と子息の石川松太郎の二代にわたる貴重な往来物コレクションは謙堂文庫《けんどうぶんこ》に納められ、現在では東京書籍が経営する東書文庫に保管されている。なお、往来物には地域の農民一揆の訴状を収録したものまである(5)。

手習師匠は、子どもたちが成人してからも尊敬される村や町の教養人である。こうした手習塾は町々村々にあった。武蔵野美術大学のキャンパスは、小平市小川町《おがわちょう》、つまり近世に青梅街道に沿って開発された小川村にある。その北には小川寺《しょうせんじ》の墓地があり、手習師匠の墓がある。少し歩くと手習師匠の子孫がつくった「寺子屋公園」もある。手習師匠の墓は、弟子たちが記念して「筆子中《ふでこちゅう》」つまり筆を習った子どもたち一同として、文字を墓石に記すことが多い。筆子塚とも言うが、筆子の墓ではなく、筆子が師匠のために建てた墓である。石川謙を記念した第二一回石川謙賞は、千葉県の筆子塚を一つ一つ現地で確認した川崎喜久男に贈られた(6)。こうした地道な研究が、日本の教育史研究を支えている。

江戸時代に最も普及した教育は都市や農村の子どもたちを対象とした手習塾だが、知識人たちも様々な影響を大人たちに与えていく。**貝原益軒**《かいばらえきけん》(一六三〇〜一七一四)という筑前国(福岡県)の黒田藩の朱子学者は、啓蒙書や教訓書を多く著し、とくに一七一〇(宝永七)年の貝原益軒の『和俗童子訓《わぞくどうじくん》』は江戸初期の教育書として注目されている。また、**石田梅岩**《いしだばいがん》(一六八五〜一七四四)は、商業活動の重要性を主張して人生観を**石門心学**《せきもん》として大成して京都車屋町で講じたが、その弟子たちが各地に心学講社を興して都市部を中心に石門心学を講義して普及した(7)。

学者の私宅に入門者たちが集まるようになると、**私塾**《しじゅく》、家塾が形成されるようになる。書斎で教えるものもあれば、遠隔地からの遊学者のために宿泊施設などが整備されたものまで様々であった。

伊藤仁斎《いとうじんさい》(一六二七〜一七〇五)は、古学派の儒学者であるが、京都東堀川に**古義堂**《こぎどう》を開き、子孫が明治期までその私塾を続けた。地名から、古義堂は堀川塾、伊藤仁斎の門下は堀川学派とも呼ばれる。「孝」を強調して、『翁問答《おきなもんどう》』

を著した**中江藤樹**《なかえとうじゅ》（一六〇八～四八）は近江国（滋賀県）に**藤樹書院**《とうじゅしょいん》を開いた。藤樹書院の中江藤樹は後世に近江聖人と呼ばれた。豊後国《ぶんご》（大分県）日田《ひた》の**広瀬淡窓**《ひろせたんそう》（一七八二～一八五六）は、**咸宜園**《かんぎえん》を開いて全国から門弟が集まった。咸宜園は儒学者、広瀬淡窓の私塾であるが、身分、年齢、学歴の三つによらない「三奪《さんだつ》の法」と進級制度で独自の教育課程を整備した。長門国《ながと》（山口県）萩の**吉田松陰**《よしだしょういん》（一八三〇～五九）は**松下村塾**《しょうかそんじゅく》で水戸学の影響下に儒学を講じた。吉田松陰の松下村塾は小さな私塾だが高杉晋作、伊藤博文ら明治維新の志士を輩出した。

洋学では、**シーボルト**（Philipp Franz von Siebold, 一七九六～一八六六）が肥前国（長崎県）長崎の**鳴滝塾**《なるたきじゅく》でオランダ医学を教育したが、一八二八（文政一一）年にシーボルト事件が起きて断絶する。**緒方洪庵**《おがたこうあん》（一八一〇～六三）が大坂船《せん》場《ば》過書町《かしょまち》で開いた**適塾**《てきじゅく》も蘭学塾としてオランダ語の翻訳などを教えた。緒方洪庵の適塾からは福沢諭吉らを輩出した。

このように列記していくと、近世の文化人たちで活躍の場が公式の藩校だけでなかったものは、門弟を受け入れて私塾を開いたものが多い。江戸時代に盛んとなる書籍出版とともに、こうした私塾が青年や成人の向学心と学術の広がりを支えていたのである。

国学者もまた同様であるが、儒学のような権威とも、洋学のような医学や外交の現実的なニーズとも異なる位置にあった新興の学問として新しいスタイルを採る場合があった。『古事記伝』で知られる**本居宣長**《もとおりのりなが》（一七三〇～一八〇一）が伊勢国（三重県）松坂にある**鈴屋**《すずのや》という小さな書屋《しょおく》で弟子に教えたことは他の学問分野の知識人と同様であるが、全国に門弟がいた。居住地記録が残る鈴屋の門人四八九人のうち、伊勢国は二〇〇人で半分に満たない。尾張（愛知県）八七人、京都を含む山城（京都府）二一人、遠江《とおとうみ》（静岡県）一九人、遠くは石見《いわみ》（島根県）一九人と続いていく[8]。

本書を武蔵野美術大学通信教育課程のテキストとして読んでいる社会人学生は、この謎を理解できるはずである。

遠隔地の門人たちは本居宣長の書籍などを読んで通信教育で学んでいたのである。宣長が門人の文書に添削したものが伝えられている。今日では「学習質問票」と言って教科書などについて教員に自由に質問する制度が日本の大学通信教育では定着しているが、宣長も行っていて、その主要な質疑応答は『鈴屋答問録《すずのやとうもんろく》』として刊行されている。もちろん近代の郵便制度はないから、飛脚制度を活用した通信教育である。また今日の地方スクーリングのように近隣に訪問することもある。宣長自身も同様の学習経歴を持つ。『冠辞考《かんじこう》』などの著書を読んで尊敬していた国学者の賀《か》茂真淵《ものまぶち》（一六九七〜一七六九）が、一七六三（宝暦一三）年、旅行の途中に松坂に立ち寄ったので生涯に一度だけの面談で教えを受け、翌一七六四（明和元）年に江戸にいる真淵に入門の誓紙を送って門人となった。この逸話は「松坂の一夜」として近代の国定教科書などでも師弟関係の美談として語られた。日本国が大学などの通信教育を公式に認めたのは一九四七（昭和二二）年の学校教育法からであるが、江戸時代から私塾による通信教育によって高度な学問が伝えられていたことは明記しておきたい。

このほか、江戸時代の学び方は枚挙にいとまがない。中世の学問の中心と言える寺院も僧侶以外の教育の機能は低下しても、有名な寺院は**学林《がくりん》**または檀林《だんりん》と呼ばれて僧侶教育のための学校として特化していく。キリシタン禁圧を契機として、檀那寺《だんなでら》を定めて家々が檀家として登録される寺請《てらうけ》制度、檀家制度は、近世の仏教の信仰を形骸化させたものと見られるが、学校以外の教育としては、仏教の経典や教義を僧侶が信徒に語る説経《せっきょう》は盛んだし、それは江戸時代の民衆娯楽としての落語の起源にもなっている。しかし、この宗教への多様な関心が、宗教を中心とする民衆のための学校へは向かわず、学林は僧侶のみが入門し、子どもたちの教育は「寺子屋」という名称とは違って世俗的な手習塾が担った。寺院や神社の参拝や祭礼の見物、物見遊山など庶民が楽しんだツーリズムも重要な近世の文化であり、広い意味における教育、海後宗臣の言葉では教化という教育であることは言うまでもない。

農民は手習塾での読み書きのほかは、家ごとに農業技術を実地で学ぶわけだが、村ごとの結婚前の若者たちの集団は村の祭礼の大切な担い手となる。いつの時代も若者のパワーは迷惑を与えるものだから、自ら若者条目などのルールを文書で定めるケースもあり、村落のルールを相互に教育していく。これらは**若者組**や娘組などと呼ばれ、男女ごとに形成される。[9] 若者宿と呼ばれる施設を持つケースもある。海後宗臣の言う形成、集団のなかの教育である。これが近代では男女別の青年団へと行政的に組織化されていく。

町民でも家ごとに町人や職人としての訓練を受けていくが、手習塾で最低限の読み書きができるようになると、商人の男子は一〇歳前後から丁稚《でっち》または小僧《こぞう》と呼ばれる住み込みの年季奉公で修業をすることが一般的である。実地に商業を学ぶほか、算盤などの技術も現場で学んでいく。修業を積んで手代や番頭に進み、暖簾分《のれんわけ》で同じ屋号を受けたり、実家を継いだりしていくのである。中世の武家の家訓は倫理と統治ルールが混ざったものだが、江戸時代の町民も家や個人の倫理と商業の倫理が含まれる家訓を定めるものが見られる。[10] 商人の女性ももちろん働いているのだが、余裕がある場合は子どものうちから三味線、琴、裁縫などを習ったり、江戸では行儀見習として武家へ女中奉公をすることなどが好まれた。なお、「丁稚」「女中」は現在では差別用語と考えられているので注意されたい。

このように見ると、江戸時代は海後宗臣の言う陶冶が社会の各階層にわたって学校が盛んになるとともに行われ、見物や出版などの教化も、家や集団単位の形成も盛んな時代であったことがわかる。太平の世の閑暇を生かした多様な学びとともに、生きるために必要とされたリテラシーが、中世と対照的に学校が全国に広がる近世の教育を特徴づけたのである。

（1）ハーバート・パッシン、国弘正雄訳『日本近代化と教育』サイマル出版会、一九六九年（原著一九六五年）。R・P・ドーア、松居弘道訳『江戸時代の教育』岩波書店、一九七〇年（原著一九六五年）。

（2）リチャード・ルビンジャー、川村肇訳『日本人のリテラシー　一六〇〇年―一九〇〇年』柏書房、二〇〇八年（原著二〇〇七年）。これを踏まえたものとしては、八鍬友広「明治期日本における識字と学校」松塚俊三・八鍬友広編『識字と読書　リテラシーの比較社会史』昭和堂、二〇一〇年。なお、民衆の識字などを論じた代表的な研究としては次のとおり。梅村佳代『日本近世民衆教育史研究』梓出版社、一九九一年。川村肇『在村知識人の儒学』思文閣出版、一九九六年。八鍬友広『近世民衆の教育と政治参加』校倉書房、二〇〇一年。木村政伸『近世地域教育史の研究』思文閣出版、二〇〇六年。鈴木理恵『近世近代移行期の地域文化人』塙書房、二〇一二年。

（3）大戸安弘「武蔵国増上寺領王禅寺村における識字状況―寛政期・文化期村方騒動を通してみた」『日本教育史学会紀要』第三巻、二〇一二年一二月。

（4）石川松太郎『往来物の成立と展開』雄松堂出版、一九八八年。

（5）八鍬友広『闘いを記憶する百姓たち　江戸時代の裁判学習帳』吉川弘文館、二〇一七年。農村での儒学学習が農民の主体形成に寄与したとする研究としては、川村肇『在村知識人の儒学』思文閣出版、一九九六年。

（6）川崎喜久男『筆子塚研究』多賀出版、一九九二年。千葉県に続いて、さらに川崎喜久男は『茨城県の筆子塚』多賀出版、二〇〇八年も発表している。

（7）石門心学の教育の実態を解明した近年の研究としては、高野秀晴『教化に臨む近世学問―石門心学の立場』ぺりかん社、二〇一五年。

（8）鈴木淳ほか『本居宣長と鈴屋社中　「授業門人姓名録」の総合的研究』錦正社、一九八四年。

（9）下村虎六郎編『若者制度の研究』大日本聯合青年団、一九三六年。

（10）入江宏『近世庶民家訓の研究　「家」の経営と教育』多賀出版、一九九六年。

第11章　明治維新と学制の理念

明治維新は王政復古でもある。すこし経緯をたどってみよう。一八六六（慶応二）年一二月二五日に孝明天皇が急死し、翌一八六七（慶応三）年一月九日に親王睦仁《しんのうむつひと》が践祚《せんそ》して天皇となった。一〇月一四日に徳川慶喜が大政奉還を表明し、一二月九日に朝廷の天皇の学習場所である御学問所《おがくもんじょ》で新政府樹立が打ち出されるが、この声明に「王政復古」の文字があるから、王政復古の大号令と呼ばれた。翌一八六八（慶応四）年九月七日の夜、天皇睦仁が宮中の賢所《かしこどころ》にいて、大学寮の紀伝道を受け継ぐ菅原氏の子孫の貴族が提出した案から新しい元号が選ばれて、翌八日から『易経《えききょう》』を出典とする「明治」となった。これより一代で一つの元号だけを用いる一世一元となるので、天皇睦仁は没後に明治天皇と諡号《しごう》される。「維新」も『詩経』や『書経』を出典とする言葉なのだが、下って一八七〇（明治三）年一月三日の大教宣布《たいきょうせんぷ》の詔書に「百度維新、宜明治教以宣揚惟神之道也」（百度維新《ひゃくどいしん》す、宜《よろ》しく治教を明らかにして惟神《かんながら》の道を宣揚《せんよう》すべきなり）と書かれて、この文章の中でようやく明治維新という四字熟語にたどり着く。百度維新とは百もの制度が維《こ》れ新たなりという前向きの大改革なのだが、これがまるで第8章の古代教育史の復習のような文脈で言われるわけである。

本章では、明治維新後の学制と教育令を経る二〇年ほどの時期を見て、近代学校の定着の過程とその理念を考えたい。ここで定着した学校が、続く大日本帝国憲法と教育勅語の時代の前提となるのである。なお、本章から第13章にかけては教育の理念を中心に述べて、とりわけ複線型や単線型と呼ばれる論点なども概説するが、明治以降の学校制度はダイレクトに二一世紀の教育制度の前提をなしているので、学校種別や段階ごとの教育制度や実態については、本書の後半、第二部でも述べることとする。

第一節　大学校と大教院

一八六八（慶応四）年に江戸城は幕府から維新政府に明け渡され、江戸は東京（東京とも書く）と改称される。当時は「とうけい」と発音したが、のちに「とうきょう」と言う。政府の推奨する漢音が慣習的な呉音に負けた一例でもある。幕府の学問所も維新政府に接収される。昌平坂学問所は昌平学校と呼ばれ、翌一八六九（明治二）年七月に大学校となり、旧幕府の開成所や医学所も、開成学校や医学校という分局つまり大学校の分校とされる。大学校は、さらに一二月に大学と改称した。分局も神田昌平坂にある大学からの方角によって、洋学の開成学校は大学南校（神田錦町）、医学校は大学東校（下谷）と名付けられた。

この**大学校・大学**は一校しかないのだから、固有名詞である。また学校であるとともに教育行政を行う官庁でもあり、大学規則や中小学校規則を制定した。昌平坂学問所にいたのは朱子学の儒学者であり、開成所・南校や医学所・東校には洋学者がいる。王政復古の政府はさらにバランスよく国学者も教員に登用する。儒学と国学は対象とする古典が異なるから棲み分けられるはずだが、維新の熱気はそれでは収まらない。王朝交替を認めた『孟子』は危険な革命思想だとして、教科書から外すことを国学者は主張する[1]。四書五経を否定されて儒学者が黙っているわけはなく大論争になって授業どころではなくなり、ついに一八七〇（明治三）年七月に大学はしばらく休校となった。

学制が出されるまでの維新後の数年間は教育行政の方針が定まらないために全国的な学校設立の動きは顕著ではないが、それでも近世の藩によって設立された郷学校が民衆の教育機関として拡充されたり、京都では町の組み合わせ（町組《ちょうぐみ》・番組）ごとに**番組《ばんぐみ》小学校《しょうがっこう》**が六四校も設置されるといった先駆的な例が見られた。番組小学校は総称であって、それぞれ上京第一番組小学校（のち乾隆小学校）などと名前を持つ。

一八七一（明治四）年七月には休校していた大学を廃止して、新たに**文部省**を設置した。つまり教育機関兼行政機関の大学が、行政機関のみの文部省となったのである。この文部省が、今日の文部科学省に至る日本の文教行政の中心となるのだが、その名前は七五八（天平宝字二）年から短期間だけ大学寮を所管していた式部省を文部省と呼んだことが前例である。大学校休校後も分校である医学所を受け継いだ大学東校と、開成所を受け継いだ大学南校は継続していたが、幾度かの制度改変の後、これらの教育機関が一八七七（明治一〇）年に東京大学となった。つまり、洋学のみが高等教育で生き残り、こうした官庁や在野で活動する洋学者たちは明六社《めいろくしゃ》をはじめとした知識人のネットワークを形成した。彼らが海外の文献や教科書を翻訳したことによって明治維新に影響を与え、明治初期の教育は海外からの翻訳された知識により教育内容が方向づけられることになる。

維新期の混乱は、宗教行政や社会教育の分野ではさらに大きい。寺請《てらうけ》制度で行政の一端となっていた仏教寺院は、王政復古で律令制時代の僧官僧位を僧侶が受けた鎮護国家の時代に戻るかと思われたが、政府はさらに遡って仏教が国家や神道と関係を持つ以前にまで戻そうとした。徳川幕府を支えた仏教と神道が一体となった神仏混淆《しんぶつこんこう》の秩序に対して、一八六八（明治元）年三月に太政官《だじょうかん》は神仏判然令を出して神仏の分離を求め、閏《うるう》四月には古代にならって神祇官《じんぎかん》を再興した。こうした動きを仏教否定の動きと理解した一部の地方では、寺院と神社の分離から寺院の破壊へ進む廃仏毀釈《はいぶつきしゃく》と呼ばれる動きが過激になったため、政府の方針は廃仏毀釈ではないという布達を出すほどであった。さらに一八六九（明治二）年七月には**宣教使**《せんきょうし》を置いて、神道のもとに天皇と明治政府の正統性を説く準備を始める。本章の冒頭で記した一八七〇（明治三）年一月の大教宣布の詔《みことのり》へと至り、祭政一致の立場から神話を規範とする惟神《かんながら》の道を政府の宣教使が説くに至るのである。

ここまでの動きは、王政復古としての明治維新の性格を如実に示しているが、実際にはこの方針を民衆に伝える神道家や国学者の人材が欠けており、実行力がなかった。神道は祭礼などで民衆の生活に根づいているが、それがそのまま王政復古の精神にはつながりにくいのである。政府の方針は、説経や儀礼で民衆に強い影響を与えている仏教を除外した現実離れした政策と言える。さらに実際には一八七一（明治四）年一月の上知令《じょうちれい》によって寺院や神社の境内を除いて、それ以外の社寺の土地は政府に収納されることになり、都市でも農村でも大変な打撃を受けた。今日でも寺院や神社に隣接して公園などの公共施設があるが、起源を尋ねるとこのときの上知に至ることが多い。なお上知は上地《じょうち》とも記し、「あげち」とも読む。現在は博物館が立ち並ぶ上野公園も、徳川家の菩提寺である寛永寺と関連する寺院神社の土地を召し上げて成立したものである。

　こうして神祇官も一八七一（明治四）年八月には神祇省に格下げとなるが、維新の主導力となった長州藩に影響の大きい西本願寺を中心とした真宗各派の政府への働きかけにより、一八七二（明治五）年三月には神祇省が**教部省**になって神道も仏教も扱うこととなり、神官や僧侶を**教導職**に任命して「**三条教則**」に基づいて民衆に説教することになった。つまり宗教者が政府公認の教育者となって民衆を導くというシステムである。三条教則とは、「敬神愛国ノ旨ヲ体スヘキ事」「天理人道ヲ明ラカニスヘキ事」「皇上《こうじょう》ヲ奉戴《ほうたい》シ朝旨ヲ遵守《じゅんしゅ》セシムヘキ事」という説教の方針である。神を敬い、国を愛し、天地や人の道理を明らかにして、天皇を仰いで維新政府の方針に従うという宗教的で国家的な秩序を宗教者たちに徹底したのである。神道と仏教の教導職は合同のセンターとしては**大教院**を東京芝の金地院《こんちいん》に置き、のちに増上寺《ぞうじょうじ》に移した。さらに府県ごとに中教院を置き、さらに各神社仏閣を小教院と称した。

　私たちは「せっきょう」を「説教」と書くが、近世までは仏教の経典を説明するのだから「説経」と書くのが普通であった。しかしこの大教院で三条教則に基づいて説くので、「説経」を「説教」という書き方に統一した。だから、現在の私たちも「お説教」と言うのである。一八七三（明治六）年に大教院ではさらに細かく兼題つまり説教のためのタイトルとして十一兼題や十七兼題を定めた[2]。十一兼題には「大祓《おおはらえ》」という神道儀式や、「天神造化」といった神

図10　「教草」学制の意義を語る説教、家鴨文庫蔵。

道教理を僧侶に説明させる無理難題もある。私たちが明治維新の特色を示す四字熟語として「富国強兵」や「文明開化」を知っているのも、十七兼題に掲げられて定着したからである。

　こうした大教院を頂点とした神仏の教導職の説教は、近代の社会教育の最初をなす動向となり、「不可《ふか》不教《ふきょう》」や「不可不学《ふかふがく》」を兼題にした。つまり二重否定の強調で、「教えなくてはならない」「学ばなくてはならない」という意味で、同時に進む学制の学校の意義を伝えたり、「権利義務」や「国法民法」を兼題に新しい社会のあり方を伝える役割を果たした。

　図10は、一八七二（明治五）年の学制の意義を説く説教の様子を描いた錦絵である。教えている教導職は僧侶の姿ではないので、神官あるいはこの時期に教導職に登用された講釈師や落語家であろう。話者の散切《ざんぎ》り頭に対して、男女別に座った聴衆が近世のままの着衣や髪型に描かれているのが目につく。

　王政復古と祭政一致の延長線上に、天皇の権威や神道の優位のもとに仏教を動員したことが実態であり、寺院で神道教義や儀式を学ぶような矛盾に直面すると不満が起きてくる。こうして一八七五（明治八）年には推進していたはずの真宗から大教院の中止運動が起きて、神仏合同布教が差し止められ、一一月には信教自由の口達書《くたつしょ》が出されて、各宗派で宗教者教育と信徒への布教を行う形へと戻った。

このように見ると数年間の大教院の活動は、維新後の茶番劇のように見えるが、近代教育の開始段階で、仏教や神道の宗教者たちが合同で天皇を頂点とする維新政府による新しい秩序を説いたことに大きな意味がある。近代の人材養成としての教育が、同時に幕藩体制に代わる王政復古の新しい秩序を教え込むための教化としてスタートするのである。大教院は解散となるが、ここを起点に神仏各派は宗教者養成のための学校づくりを始めるとともに、維新政府の下での信者の教化を進めていく。こうした既存の様々な宗教教育を横断して、各教団が共通に社会の秩序を教化するシステムを、私は第6章で言及したように「共通教化」と呼んでいる。この一八七二（明治五）年に成立した共通教化が、多様な宗教と思想を、天皇を頂点とする国家の秩序につつみこんで、新しい学校教育と文化のシステムをも支えていくのである。

第二節　学制布告書の理念

一八七一（明治四）年の文部省の成立により、文部省でのアメリカやヨーロッパの教育事情と制度の検討が進み、一八七二（明治五）年に**学制**が出される。もちろん欧米の教育事情は江戸幕府も維新政府の大学校・大学も知っていたのだが、ここではダイレクトに新しい西洋近代の学校として、つまり**近代学校**として、日本の制度に全面的に導入しようとしたことが画期的である。学制という言葉は、学校制度という意味でその後も使われるのだが、この学制は、日本の学校制度をまとめた法令として打ち出されるのである。

さて近代学校とは何かと言うと、文字どおり、近代以前とは異なる近代の学校ということだが、そこには西洋近代に形成された教育理念や教育制度、教育方法など様々な近代教育の特徴を指摘することができる。近代学校の理念は、近代以前の学校への攻撃とも言える激しい否定的な言辞により述べられるときがある。ここでは復古と言うよりも維新と言うべき新しい価値観への転換が顕著に出ている。維新政府の頂点にある太政官の名義で、民衆に伝える布告という形式でもって出されたのが、**学制布告書**《がくせいふこくしょ》である。この太政官布告にはタイトルがないから、当時もその後も現在に至るまで多くの名前がある。それが**学制序文**や**学事奨励に関する被仰出書**《おおせいだされしょ》である。序文というのは学制本体の最初に付されて普及したからわかるのだが、学制本体は別に文部省が出すのだから太政官布告のネーミングとして無理がある。学事奨励に関する被仰出書というネーミングは文書の性格を示してはいるが、長すぎて「被仰出書」とだけ省略されることがあり、「太政官がおっしゃったこと」では意味不明となる。

ここでこの学制布告書を見るが、テキストとしては広く普及した松浦鎮次郎《まつうらしげじろう》編『明治以降教育制度発達史』収録のものを用いる。この時代はまだ政府の法令の公布を一元化する『官報』制度ができておらず、『太政官日誌』や御用新聞をはじめ様々なメディアが伝えているため代表的なテキストを確定しにくい。念のために言うが、御用新聞とは本来は公式に政府官庁の「御用」を名乗って公式発表する新聞であったのだが、二〇世紀以降のマスコミ業界で政府の意向を反映した新聞という悪口に変化した。当時の法令の本文は、後に政府が編纂した各年版の『法令全書』を用いるのが一般的だが、松浦が収録した右訓左訓つきのテキストは、民衆に訴えかけようとした学制布告文の性格を示しているので、ここから収録する。なお、私たちの見慣れたふりがなや、活字のサイズを語源とするルビというものは、右側に小さく読み方を書くものであるが、ここに紹介するテキストでは右側が読み方を示す「右訓《うくん》」であり、左側が意味を示す「左訓《さくん》」である。これはひらがなさえ読めれば、どんな文章の読みも意味もわかるという、江戸時代の初学者や民衆のための印刷物で使われた親切な方式である。なお、引用に当たっては他の史料同様に変体仮名や異体字を常用のものに変換して読点を加え、漢文注釈書で多用される本文一行に二行で書き込む割注は、二行に分けずに〈 〉で示した。

学制布告書（学制序文・学事奨励に関する被仰出書）（明治五年八月二日太政官布告第二百十四号）

人々自《みづか》ら其身を立て其産《さん》《しんだい》を治《をさ》め其業《げふ》《とせひ》を昌《さかん》にして以て其生《せい》《いつしやう》を遂《とぐ》るゆゑんのものは他《た》なし。身を脩《をさ》め智《ち》《ちへ》を開《ひら》き才《さい》芸《げい》《きりやうわざ》を長《ちやう》《ます》するによるなり。而て其身を脩め智を開き才芸を長ずるは学《がく》《がくもん》にあらざれば能《あた》はず。是れ学《がく》校《かう》《がくもんじよ》の設《もうけ》あるゆゑんにして日《にち》用常行《ようじやうこう》言《げん》語《ぎよ》書《しよ》算《さん》《ひびのみのおこないことばづかひてならいそろばん》を初《はじ》め士官《しくわん》農《のう》商《しやう》百工《ひやくこう》技芸《ぎげい》《やくにんひやくしやうあきんどしよくにんげいにん》及び法律政治天文《ほうりつせいぢてんもん》《おきて》医《い》療《れう》《やまひいやす》等に至る迄凡人の営《いとな》むところの事学《がくもん》あらさるはなし。人能く其才のあるところに応《おう》《まかせ》し勉《べん》励《れい》《つとめはげみ》して之に従《じう》事《じ》《よりしたがひ》ししかして後初て生を治め産を興《おこ》し業を昌にするを得べし。されは学問《がくもん》は身を立るの財本《ざいほん》《もとで》ともいふべきものにして人たるもの誰《たれ》か学はずして可ならんや。夫《か》の道路《どうろ》《みち》に迷《まよ》ひ飢《き》餓《が》《くひものなき》に陥《おちひ》り家を破り身を喪《うしなふ》《なくする》の徒《と》《ともがら》の如きは畢竟《ひつきやう》不学《ふがく》《つまりがくもんせぬ》よりしてかゝる過《あやま》ちを生ずるなり。従来《じうらい》《もとから》学校の設ありてより年を歴《ふ》ること久しといへども或は其道を得ざるよりして人其方向《はうこう》《めあて》を誤《あやま》《まちがひ》り学問は士人《しじん》《さむらひ》以上の事とし農工商及婦女子《ふじよし》《をんなこども》に至つては之を度外《どぐわい》《のけもの》におき学問の何物《なにもの》たるを弁《べん》ぜず又士人以上の稀《まれ》に学ふ者も動《やや》もすれは国家《こくか》《くに》の為にすと唱《とな》へ身を立るの基《もとゐ》たるを知《しら》すして或は詞《し》章《しよう》記《き》誦《しよう》《ことばのあやそらよみ》の末に趨《はし》り空《くう》理《り》虚《きよ》談《だん》《むだりくつそらばなし》の途《と》に陥《おちい》《はまり》り其論高尚《ろんかうしやう》《りつぱ》に似たりといへども之を身に行《おこな》ひ事に施《ほどこ》すこと能《あたは》ざるもの少からず。是すなはち沿襲《えんしう》《しきたり》の習《しう》弊《へい》《わるきくせ》にして文《ぶん》明《めい》《ひらけかた》普《あま》ねからず才芸の長ぜずして貧乏《びんぼう》破《は》産《さん》喪《さう》家《か》《まづししんだいくづしいへをなくす》の徒《と》《ともがら》多きゆゑんなり。是故に人たるものは学はずんはあるべからず。之を学ふに宜しく其旨を誤るべからず。之に依て今般文部省《もんぶしやう》に於て学《がく》制《せい》《がくもんのしかた》を定め追々教則《きやうそく》《をしへかた》をも改正《かいせい》し布告に及ぶべきにつき自今以後《じこんいご》《いまよりのち》一般《いつぱん》《いちどう》の人民《ひとびと》〈華士族卒農工商及婦女子〉必す邑《むら》に不学の戸なく家に不学の人なからしめん事を期《き》《まつ》す。人の父兄《ふけい》《ちちあに》たるもの宜しく此意を体認《たいにん》《こころえ》し其愛育《あいいく》《かわいがる》の情《じやう》《こころ》を厚《あつ》くし其子弟をして必ず学に従事せしめざるべからざるものなり〈高上の学に至ては其人の材能に任かすといへども幼童の子弟は男女の別なく小学に従事せざるものは其父兄の越度たるべき事〉。

但従来沿襲《じうらいえんしう》《これまでしきたり》の弊《へい》《くせ》学問は士人以上の事とし国家の為にすと唱ふるを以て学費《がくひ》《けいこいりよう》及其衣食《いしよく》《きものくひもの》の用に至る迄多く官《くわん》《やくしよ》に依頼《いらい》《よりもたれ》し之を給《きふ》《くださる》するに非されば学《まなば》ざる事と思ひ一生を自棄《じき》《じぶんからすて》するもの少からず。是皆惑《まど》へるの甚《はなはだ》しきもの也。自今以後《いまからのち》此等の弊《へい》を改め一般《いちどう》の人民他事《たじ》《ほかのこと》を抛《なけう》《すてをき》ち自ら奮《ふるつ》《はげみ》て必ず学《がくもん》に従事《じうじ》《よりしたがい》せしむべき様心得へき事。

右之通被〔闕字〕仰出候条地方官ニ於テ辺隅小民ニ至ル迄不洩様便宜解釈ヲ加ヘ精細申諭文部省規則ニ随ヒ学問普及致候様方法ヲ設可施行事。

明治五年壬申七月　　太政官

最初の行にある産という文字は、右訓は「さん」と読ませ、左訓は「しんだい」〔身代〕と説明するなど、最後の二行以外は、すべて右訓左訓が難しい箇所に振られている。二一世紀の人たちにも漢字の旧かなづかいでのふりがなという読みにくさ以外は、意外と意味が読み取りやすい。なお、古典文法の旧かなづかいと異なるふりがなが多い。ただ、訓読としても意味としても取りにくいのが、右訓左訓のない最後の二行である。これは取り扱いと法令上の位置づけを書いているから、民衆に伝えなくても、伝える側の役人が理解できればよいということだろう。この近世風の候文《そうろうぶん》を読み下すと、「右の通り、仰《おほ》せ出《いだ》され候条《さうらふでう》、地方官に於て辺隅小民《へんぐうせうみん》に至る迄《まで》、洩《も》らさぬ様《やう》便宜解釈を加へ精細《せいさい》申し諭《さと》し文部省規則に随《したが》ひ学問普及致《いた》し候ふ様《やう》方法を設け施行《しこう》すべき事。」となる。引用で〔闕字〕と書いた箇所は、原文では「被」と「仰出」の間が一文字分の空白である。これは闕字《けつじ》という古代からの文章表現の儀礼で、一文字あけることで次の文字、ここでは「仰出」という言葉に尊敬を示している。具体的には太政官が「おっしゃった」という尊敬の表現であり、尊敬の表現は「被」と闕字と「仰」の三つも出てくる。ところが最後にあるように出したのは太政官なのだから、自分自身への敬語であり、「オレ様は」というような表現なのである。もちろん、こういう自称敬語は背後に太政官よりも上位の天皇の意志を予感させる表現でもあるのだが、天皇自身による詔勅でも宣《せん》旨《じ》でもないのだから、やはり今から見ると違和感がある。なお、この「被仰出」といった表現は、近世の武家が支配する領民に伝える表現としては多用されており、近代からは用いられなくなる。太政官時代における前近代的な名残を感じさせるのが、この「被仰出書」ということになる。

ここで「辺隅小民に至る迄」と地方の民衆をさげすんだ表現に続いて、日本中の民衆に対して「便宜解釈ヲ加ヘ精細申論」とある。この布告が理解できるように適宜解釈を加えて詳しく教え諭すということは、本当に実施された。そのためにつくられたのが各地方の役人らによる「就学告諭」と呼ばれる様々な形で学制の学校に就学するべきことを説明した文書類である。荒井明夫たちの研究者グループは、日本各地の公文書として残っているこの就学告諭を探し出すことに努めて、学制から一〇年間を対象に調査して約四〇〇点もの地方への説明の文書を明らかにした(3)。

なおこれは八月二日の太政官布告だが、引用した本文の最後の日付は七月となっている。こういう齟齬《そご》は印刷や発行に時間のかかるこの時代には多い。

先に最後の部分を説明したが、肝心の本文を最初から見てみよう。この学制布告書の趣旨は、学校に行くことの意味を説明したものであり、それを明治維新の過程で太政官が述べた歴史的に意義のある文書である。学問が役に立つもので、そのための学校への就学であることが強調されている。これがあらゆる職業や学問の分野に通用すると数行述べたうえで、簡潔に「学問は身を立《たつ》るの財本」とまとめるわけである。この時期の学問論は、学問の有用性を強調することに力点がある。明六社の在野の会員としてこの時期の学問論をリードした慶應義塾創立者の**福沢諭吉**（一八三四～一九〇一）は、「天は人の上に人を造らず人の下に人を造らずと云へり」という名言で有名な『学問のすゝめ』（一八七二年初編～一八七六年第一七編）を著したが、この明治初年のベストセラーの学問論もまた西洋の学問を実際に役に立つ**実学**として推奨する考え方である。

有用な学問ということは、「生きる力」という学問論が定着した二一世紀でも穏当な常識に思えるのだが、実は攻撃的な側面を持っている。「学問は身を立るの財本」と述べた次に、第一の攻撃対象として不遇な民衆が登場する。「夫の道路に迷ひ飢餓に陥り家を破り身を喪の徒の如きは畢竟不学よりしてかゝる過ちを生ずるなり。」と記し、不遇な民衆は不学による自業自得だと説くのである。破産や喪家の話題はその後の箇所にも出てくる。もちろん飢餓や貧困の解決として教育の重要性を説くことは、すでに第5章の子どもの権利でも見たとおりの二一世紀の常識なのだが、それにもかかわらずこの文章に違和感を抱くのは、飢餓や貧困に陥った民衆自身の自己責任としての「不学」の「過ち」が攻撃されているからである。飢餓や貧困からの脱却として積極的に学問の必要を語れば共感できるが、飢餓や貧困に苦しむ人びとを指さして学問をしなかったからだと言われても共鳴しにくい。そもそも孟子も言うように衣食足りて礼節を知り、学問を学ぶ余裕ができるわけだから、衣食の足りない人に学校教育の機会がないと言われても自己責任では解決できない。そんなことは当時の人のほうがずっと眼前の事実として知っていたはずだが、それでも太政官は実学の論理をもって不遇な民衆を例示することで学校教育の意義を強調する。「あなたのためだから」と脅迫的に言うだけの力が、太政官の学制布告書にあったのである。

第二の攻撃対象は、武士中心の儒学の学校である。ここに学制布告書に維新の側面が反映している。「従来学校の設ありてより年を歴《ふ》ること久し」と古代や近世の学校制度の存在を認めた上で、「其道を得ざるよりして人其方向を誤り」とばっさり切り捨てる。つまり学校制度はあったが教育理念や教育方法などが間違っていたという否定である。

武士たちの学問は「国家の為にすと唱へ」て、「身を立るの基」つまり前述の「身を立るの財本」であるという実学の精神を理解できていなかったと否定する。さらにその方法や内容は、「詞章記誦」の方法による「空理虚談」の無内容なものだと攻撃する。この漢字の左訓の説明である「ことばのあや」「そらよみ」「むだりくつ」「そらばなし」という表現はさらに手厳しい。こうして過去の学校教育の歴史は「沿襲の習弊」、左訓では「しきたり」の「わるきくせ」として断罪される。私は国学のみならず古註新註の儒学の意義を高く評価する立場なので、この文章を読むたびに文部省や明六社の洋学者たちが勝ち誇って凱歌を挙げている様子に気分が悪くなるのだが、大学校・大学の紛議で共倒れした当時の国学者や漢学者は、ここまで言われても押し黙って洋学者の下働きをするしかなかったのである。

かくして不遇な民衆と前時代の支配者を攻撃したうえで、文章は「文部省」の「学制」に基づいて学ぶように勧める。実学一般や学校一般を述べたのではなく、この七月付の太政官の布告のあとに、八月に文部省が布達する学制に定められた学校への就学を求めるものである。そして「必す邑《いふ》に不学《ふがく》の戸《こ》なく家に不学の人なからしめん事を期す。」と、この学制布告書の最も有名な言葉が登場する。この二重否定を二回も重ねた最大限の強調表現は、村でも家でも全員が学ぶという意味になる。**国民皆学**の思想と言える。大教院が兼題にした「権利義務」や「国法民法」を本家の洋学者は熟知しているから、第4章で見た親権の規定からも次の表現は適正である。「人の父兄たるもの宜しく此意を体認し其愛育の情を厚くし其子弟をして必ず学に従事せしめざるべからざるものなり。」と言う。「父兄」と「子弟」が男ばかりで気になるが、「男女の別なく」は次の割注で出てくる。子どもの就学は親がさせるべきものという表現である。ただ、こうした親権における親の教育義務から導かれる義務教育の発想は、ここではまだ鮮明ではない。割注に「幼童の子弟は男女の別なく小学に従事せざるものは其父兄の越度《おちど》たるべき事」と書いたように、すでに知られていた「義務」ではなく、近世風の越度、落度、つまりミステークとして書かれているだけである。

学制布告書が実学による国民皆学の思想を、積極的または攻撃的に宣言しながらも、いまだ義務教育の思想へと至っていないことは、「但」で始まる長い但書きでも明白になる。ここでは古代の大学寮や近世の藩校などで学費が様々な形で補助されていた歴史的事実を、「沿襲の弊」「惑へるの甚しきもの」と否定して、後半で「他事を抛ち自ら奮て必ず学に従事せしむべき様心得へき事。」とする。激しい前半に対して、後半がきわめて婉曲《えんきょく》である。つまりここまで述べたように自分のための実学だから、学費が自己負担であっても他の負担よりも最優先で子どもを就学させなさいと述べているのである。今でも大学の授業料は自己負担なので、大学の教員が何を批判しているのかと皮肉を言われそうだが、ここで言う自己負担は、ゼロからのスタートだからさらに大きいものである。学校校舎を建て、学校教員を雇い、そして学校教育が始まる。トータルな負担を村や親が担うということである。逆に言えば、そうした学校ができなければ、国民皆学にはならないのである。

こうした様々な矛盾をかかえながらも、学制布告書の考え方は日本の各地方に就学告諭などの形で普及していった。

第三節　学制による学校

学制布告書に続いて、一八七二（明治五）年八月に**学制**が出された。[4] この学制だけでは不十分なので、翌年に「学制二編」や「学制二編追加」も出されることになった。

学制（明治五年八月三日文部省布達第十三号別冊）

　大小中学校ノ事

第一章　全国ノ学政ハ之ヲ文部一省ニ統フ

第二章　全国ヲ大分シテ之ヲ大学区ト称シ毎区大学校一所ヲ置ク

こうして第百九章まで続く。この「章」は今日の「条」である。第一章で言う文部省のみですべての学校政策を「統《すぶ》フ」つまり統括するという方針は、現在の文部科学省に至るまで近現代日本の教育政策の枠組みを形成している。第二章以下は、きわめて機械的な計算による学区制度である。第一章は学区として、全国を八つの大学区に分けて八つの**大学校**を設置するという。さらに大学区は三二の中学区に区分して一つの**中学校**を置く。その中学区を二一〇の小学区に分けて一つの**小学校**を置く。これは掛け算である。第六章には「全国ニテ五万三千七百六十所」と答えが書いてある。つまり五万三七六〇校の小学校をつくるという制度である。

この学制の制度図は、巻末資料の学校系統図1を見てほしい。八年間の尋常小学と六年間の中学校と大学へと続く。この明治維新の学制は、中心となる大学、中学校、小学校とはしごのように並ぶ、アメリカ合衆国を典型例とする単線型という単純明瞭な学校システムとなっている。並行して師範学校など様々な学校も列記されている。

では、実際はどうだったか。学制どおりであれば、大学が日本各地に八つできるはずだが、実際にはやっと第一大学区に東京大学ができたのが一八七七（明治一〇）年のことだった。中学校は同年に全国三八九校であるから、学制が計算する二五六校より多いが、今日からすると大変な少なさである。

小学校の校数を見ると、学制翌年の一八七三（明治六）年に一万二五五八校（史料による差異あり）、一八七四年に二万一七校、一八七五年に二万四三〇三校である。学制は五万三七六〇校と指定したのだから、半分も達成されていないように見える。なお学制は小学校として「尋常小学」を置くもので、他に略式の「村落小学」などがある。一八七五（明治八）年に達成した小学校数二万余りという数字を、日本はその後百数十年のあいだ守り続ける。近年は二万を下回ってきたが、三万を上回った年はない。二〇二二（令和四）年五月現在では一万九一六一校である。学校の新設や廃止、統合などはどの地域でも毎年のようにあるし、人口や学校規模の減少と増大も大きいのだが、この小学校数が約二万校という数字は今後も変化しそうもない。今後のためにも覚えておいて損のない数字である。

さて、学制布告書は江戸時代までの学校教育の蓄積に対して否定的であったが、第10章で見たとおり江戸時代の学校教育の普及は重要な前提である。政府の太政官の布告を読んだ地方のリーダーたちもそのことはわかっていたはずである。学校の校舎を近代学校にあった独自の設計をして建設する、**学校建築**という分野が成立する。文明開化の最先端の学校にふさわしい西洋風の校舎が注目を集め、建築史上は擬洋風建築と呼ばれる工法で、一八七六（明治九）年に開智学校（長野県松本市）の校舎が竣工した。ただ、こうした今日も文化財として伝えられる学制期の西洋風学校建築はきわめて少数である。多くの学校校舎は、神仏分離と上知令によって逼迫《ひっぱく》する寺院や、既存の藩校、郷校、私塾、手習塾を転用して成り立っていく。東京府でも、多くはこうした転用によって校舎がまかなわれ、四割は寺院の借用であった(5)。また学校の運営のために、授業料のほか、町村によって学校の資本金が集められていく。これも突然に金額が割り振られても負担する住民は困るので、出資したことにして同時に本人が借り受けた形とする。そして利子などの形で学校に分割して納付することにした史料が多く残っている(6)。また、明治期の地方の騒動で租税や負担増加に反対して、学校が打ち壊しなどの対象となった地域があることも事実である。

学校教員については、学制によって一八七二（明治五）年に東京に**師範学校**が置かれ、さらに各府県にも師範学校が広がっていく。西洋流の教授法で教える能力がある教員の養成は長い時間がかかるので、実際には、江戸時代の師匠たちが教壇に立ったり、速成の資格が付与されたりすることが進んでいく。また、東京女子師範学校の附属幼稚園が一八七六（明治九）年に設置され、ここを拠点に今日の幼稚園教諭に相当する幼稚園保姆《ほぼ》が養成されて、地方にも**幼稚園**が徐々に普及していく(7)。

このような事情によっても、学制布告書が打ち出した理念が、複雑な経緯で普及していったことが理解できる。それでも学制が出された翌一八七三（明治六）年に最初の就学率統計がとられ、**就学率**は全体で二八パーセント、男子三九パーセント、女子一五パーセントに及んでいる。もちろんこれは就学率であって、全員が毎日出席したわけでも、卒業したわけでもない。しかし、すぐにこれだけの学校への就学率が現れたことは、江戸時代の手習塾の普及や識字率の状態を感じさせるものである。また、男女の差が大きいことも注目されるが、これ以後、明治期を通じて男女とも九割を大きく超える就学率へと上昇していく。

第四節　近代学校としての教育

学制による学校は新しい西洋近代の学校の特徴を意識的に導入しようとしたものであり、この教育理念を学制布告書で唱え、学制で制度化しようとした。

この時期はまだ児童全員に教科書が行き渡る状態ではないから、実際には教員が師範学校などで学んだ内容やテキストを子どもたちに口述や掛図で教える。当時の小学校である尋常小学は、上等四年、下等四年の合計八年の**修業年限**であるが、義務教育としての制度の確立以前であるから実際に八年間すべてを修了する就学者は少数である。一年間は半年ごとの「級」に分かれ、第八級、第七級と進級につれて数が小さくなる。現在の小学校一年生の前半に相当する尋常小学の下等小学の第八級の教科は、**小学教則**（明治五年九月八日文部省布達番外）から抜粋すると次のようになる。

第八級　六ケ月　一日五字《じ》一週三十字ノ課程日曜日ヲ除ク以下之ニ倣へ

綴字《カナヅカヒ》　一週六字即一日一字

習字《テナラヒ》　一週六字即一日一字

単語読方《コトバノヨミカタ》一週六字即一日一字
洋法算術《サンヨウ》一週六字即一日一字
修身口授《ギョウギノサトシ》一週二字即二日置キニ一字
単語暗誦《コトバノソラヨミ》一週四字

フリガナは原文によるが、右訓で意味を示す表記である。「一週三十字」という「字」は時間のことである。西洋流に一週間で規定して日曜日を除き、六日で各五時間の授業である。教科は読み書きと西洋流の算術に加えて、修身が含まれている。

手習塾と同様に読み書きが基本となり、このテキストとして学制にふさわしい新しい西洋からの教育内容が盛り込まれていくことになる。

この学制と同じ時期に社会教育の分野では大教院のもとで教導職が神道の理念に基づいて王政復古の精神を説教しているのだが、学校での修身はこれとは全く異質のものであった。のちにフランス法による民法案作成で活躍する箕《み》作麟祥《つくりりんしょう》の名前は第4章でも登場したが、この時期に明六社に集う洋学者として活躍している彼は、フランスの道徳書を翻訳した『泰西勧善訓蒙《たいせいかんぜんくんもう》』（一八七一年初編）を刊行しており、こうした**翻訳教科書**が学制期の教育内容となる。

図11の写真は、『万国史略』とその版木による現在の試し刷りである。[8] 洋学者の大槻玄沢《おおつきげんたく》（一七五七〜一八二七）の孫であり、のちに辞典『言海』の編纂で有名になる大槻文彦（一八四七〜一九二八）は、この頃文部省で教科書編纂に当たっており、彼の『万国史略』は一八七四（明治七）年に師範学校編輯《へんしゅう》で文部省から刊行される。これは西洋の図書からの情報をもとに作成した教科書だが、このように西洋の知識を伝えるためにも、江戸時代からの木版印刷の技術が活用されたので、版木が残るのである。

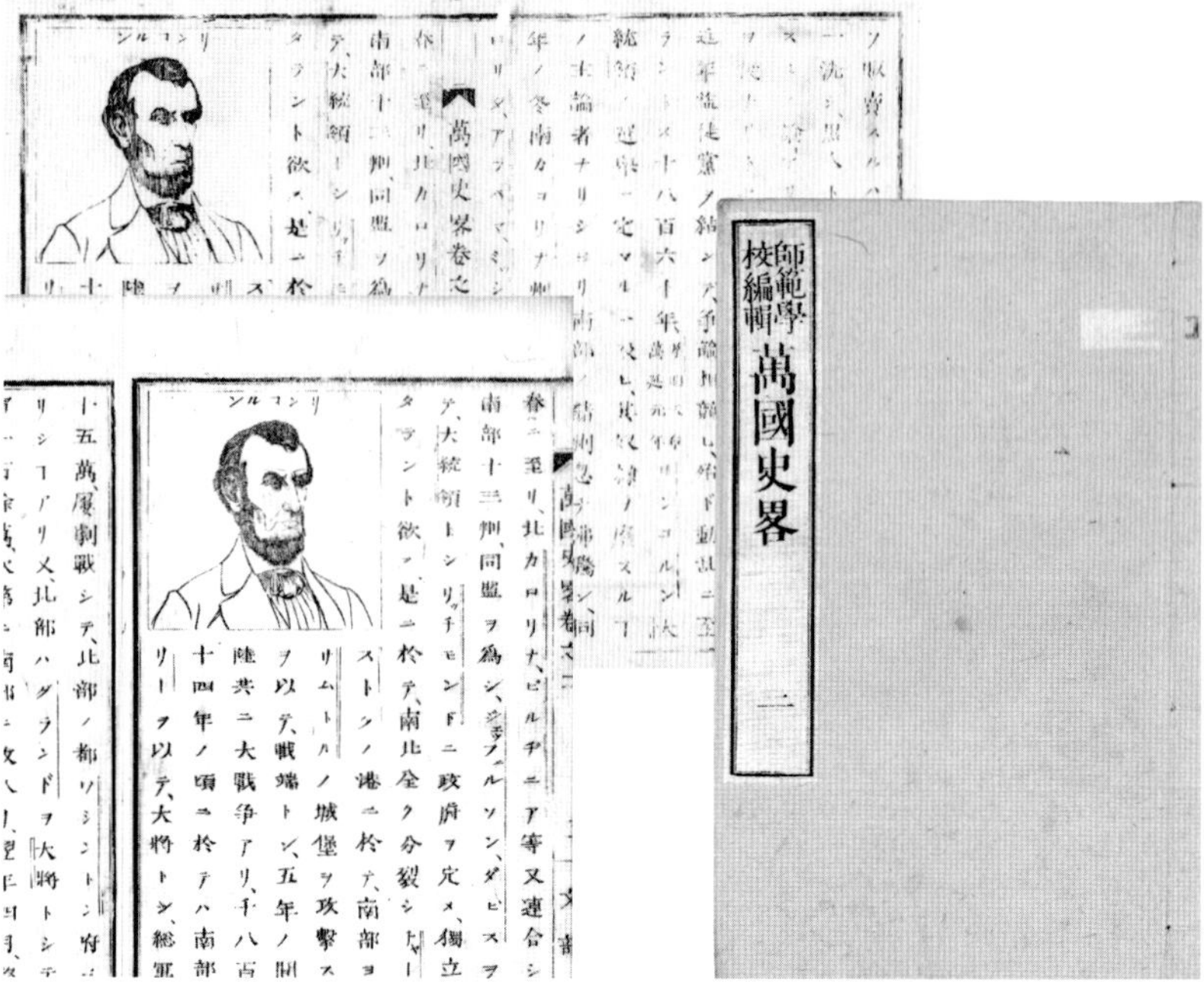

図11 『万国史略』（左と右）。上は版木による現在の試し刷り、家鴨文庫蔵。

明治政府が海外の技術を移入するために高給の待遇で招聘《しょうへい》した西洋の専門家を**御雇《おやとい》外国人**と言う。一八七一（明治四）年に大学南校の外国人教師となったアメリカ人スコット（Marion McCarrell Scott, 一八四三～一九二二）も、一八七二（明治五）年に学制によって学校の教員になる若者を教えるために創設された師範学校で、新しい教授法を伝える中心となった。この東京の**師範学校**で学んだ若者たちがさらに各府県の教員となって、日本の教員養成の中心的役割を果たすのである。さらに師範学校は各府県に置かれて、教員養成が全国に広がっていく。

御雇外国人スコットが伝えた近代学校の教授法は、**一斉教授法**である。学制では半年ごとの級による子どもたちの集団ができる。一斉教授法とは、一人の教師が一定の集団になった子どもたちに対して、同一の内容を同一の時間に教授する方法である。これは現在の教室では当たり前のことだし、古代の大学寮をはじめ青年や大人への講義では当たり前のことである。しかし近世の手習塾をはじめとして、子ど

図12　一斉教授の図　『師範学校小学教授法』1874（明治7）年、家鴨文庫蔵。

ものための教育では当たり前ではなく、教師は様々な年齢と学習段階の子どもに分け入って一人ひとり教えて回った。丁寧だが非能率的な方法である。一斉教授法を成立させるために、学制では半年の級を基準にして同じ学習段階の子どもを集める等級制が必要となる。こうして子どもの集団に教師が一斉に教えることになったのである。

図12は師範学校の一斉教授の様子である[9]。教師が示す単語図の掛図《かけず》に附属小学校の児童が注目して、教師が説明し、児童に音読をさせている。もちろん師範学校の恵まれた教室を前提にした模式図であるから、机と椅子が整備され、教師は洋服を着込み、児童も袴やズボンを上品に着ている。こうしたモデルが教室も机や椅子もままならない地方へも新しい方法として浸透していくのである。

師範学校では、一斉教授法が教師になるために不可欠の技術であったので、子どもたちを一斉教授で訓練するために、**教場指令法**も導入された[10]。教師の号令によって、子どもたちが移動したり、教科書を開いたり

等　級	在籍数	及第	落第	当病	抹消	及第率
下等八級	14	5	5	4	2	36%
下等七級	14	11	3			79%
下等六級	10	2	8			20%
下等五級	10	4	5	1		40%
下等四級	3	3				100%
下等三級	1	1				100%
下等二級	0					
下等一級	0					
合　計	52	26	21	5	2	50%

表4　1877（明治10）年３月の試験結果

する技術である。一九世紀後半のアメリカで軍隊の号令をモデルに開発され、「1」「2」といった数字の号令で教室の子どもたちが一斉に動くようになった。こういう話は別世界のように思う人がいるかもしれないが、現代の初等中等教育でも時間ごとの一斉教授の開始は「起立」「礼」「着席」と号令をかける教場指令法が一般的である。あの光景は、社会教育や大学教育では見ないが、初等教育や中等教育では二一世紀でも普通である。一斉教授法で子どもたちをまとめることが大変だから、今も昔も教場指令法とセットにされるのである。

　学制の半年の**級**は試験により進級するための関門としても機能する。この級は、今日の学級ではなく、修業年限八年を半年ごとの一六に区分した進級の段階である。学制期の小学生は試験が大変なハードルとなり、次の級に進めない子どもが多くいた。試験の日には保護者もやってくるし、町村の役職者も並ぶ儀式のような空間となる。後にほとんどの子どもが小学校に就学する時代になり、一年間の**学年**をほぼ自動的に進級できる時代へと動き、私たちが「一年生」や「二年生」という言葉で年齢と学習段階を同時に表せる現代の状態へと進むのである。

　表4によって、今の千葉県習志野市にあった小学校の文書から厳しい試験の時代の様子を見てみよう[11]。全校児童五二人の小さな学校であるが、児童の多くは下等五級までに集中している。学制が始まって五年だから上等まで進む子どもがいてよいのだが、まだ下等二級以上には子どもがいない。ここで及第した人たちは次の級へと進めるのだろう

が、及第率は五割であるから、子どもたちの半分はあと半年努力して次の試験を目指すことになるのである。

学制布告文に見られた就学しない者への過酷な表現の意味も、この学制での進級試験の状態から理解できる。児童が実学の能力をつける意義は大きいが、就学した児童を過酷な試験が待ち受けるかたちで、日本の近代学校はスタートしたのである。

第五節　自由教育令と改正教育令

明治一桁《ひとけた》の時代が維新と復古をめぐって教育が揺れ動いた時期だとすると、その次は新しい国家と社会を確立するために教育のあり方を固めていく時期である。この時期は自由民権運動とその取り締まりを通じて、大日本帝国憲法を掲げる国家制度が固められていく。

アメリカの教育制度を視察した文部大輔《たいふ》の田中不二麻呂《たなかふじまろ》（一八四五〜一九〇九）は、学制を改めた新しい教育制度を構想し、次の時期のリーダーとなる伊藤博文が参議兼内務卿として協力して、学制を廃止して一八七九（明治一二）年に教育令の制定に動いた。**教育令**（明治十二年九月二十九日太政官布告第四十号）は、その特徴から**自由教育令**と呼ばれている。その自由主義的な特徴は、機械的に学区を定めていた学制に対して、公立小学校は町村が設立するものとして地方自治の発想を盛り込んだ。さらに学制の学区ごとの学区取締を廃止して、町村の学事をまとめる**学務委員**を置いて、その学務委員を町村の住民が選挙するのである。この公選制の制度は、日本の歴史では、ずっと後になって教育委員公選制が戦後教育改革で数年間導入される時期までは例を見ない。この学務委員の制度自体は戦後の教育委員へとつながっていくことになる。学区取締や学務委員は、学校の運営だけではなく、住民に子どもを学校に行かせるための**就学督促**が大きな役割となる。

学制の八年間の尋常小学に対して、自由教育令は八年以下四年以上を**修業年限**とする小学校を制度の中心に据えた。この四年制の小学校の授業期間が毎年四箇月以上となっているのは少ない気がする。六歳から一四歳までの学齢期間に児童が普通教育を受けるのが合計一六箇月というのも同様に少ない気がする。ただ、この前年一八七八（明治一一）年の就学率は四一・二六パーセント、当年が四一・一六パーセントと微減であるから、全体として実現可能な就学年限と就学日数を定めようとした発想は理解できる。

この自由教育令に対して、学校の設置や就学督促が進まないので、もっと政府の干渉を行うべきだとの批判が起こり、自由主義的な政治の後退が見えるなかで、一年余りで教育令の改正が行われる。一八八〇（明治一三）年に、教育令のほぼ全部にわたって改正する布告（明治十三年十二月二十八日太政官布告第五十九号）が出される。これが**改正教育令**と呼ばれた。なお教育令は、五年後にも大幅に改正する布告（明治十八年八月十二日太政官布告第二十三号）が出されている（第三次教育令）。そもそも法令は改正されることが宿命なのだから、この改正教育令も前記の自由教育令も各時期の教育令を特徴づける教育令の通称であることを理解しておいてほしい。

改正教育令は、尋常小学校の修業年限を八年以下三年以上として下限を引き下げ、一年間の授業日数は三二週間つまり八箇月と倍に引き上げた。今日の小中高等学校は年間三五週の授業が通常であるから、現代に近い授業日数である。また父母後見人が小学校三年間の課程で児童を就学させる日数を毎年一六週間とした。これは、年あたりは自由教育令と同じだが、合計日数を引き下げている。

ここまでの記述だと、現実にあわせた制度改革と読めるが、この改正教育令が就学に行政が強く関与する干渉主義と当時から受け止められたのは、学校教育の管理を強めて就学督促を進める方向を打ち出したからである。公選制であった学務委員については、民衆が選挙するのは定員の二倍から三倍の候補者までとした。さらにこの候補者のうちから府知事県令が選任するという二段階として、町村への府県の統制を強めた。学務委員制度は、その後も地域の教育を担う役割を果たし、地方自治制度が揺れ動く明治期では、村々の代表となる戸長と学務委員の位置づけをめぐって様々な動きが生まれた(12)。

また小学校の教科は、自由教育令の第三条では、「小学校ハ普通ノ教育ヲ児童ニ授クル所ニシテ其学科ヲ読書習字算術地理歴史脩身《しゅうしん》等ノ初歩トス」としたが、改正教育令第三条は「小学校ハ普通ノ教育ヲ児童ニ授クル所ニシテ其学科ヲ修身読書習字算術地理歴史等ノ初歩トス」と改めた。どこが改まったのかわかりにくいが、学科（今日の教科）の配列が違うのである。つまり改正教育令では、**修身**が最初になったのである。この筆頭教科としての修身の位置づけは、戦前戦中を通じて変化しない。そして学制期の翻訳教科書において西洋と共通する道徳を伝える教科であったものが、日本の秩序を児童に教え込むための教科へと変化していくのである。

ここまで、一八七二（明治五）年の学制とその後の動きを見た。それは西洋の教育理念と教育内容、一斉教授などの教育方法を取り入れて近代学校を定着させようとする維新の動きである。この近代的な学制と同じ時期に、王政復古の流れがあり、大教院では僧侶も含めて三条教則により天皇を頂点とする秩序を説いていた。この一〇年余りの教育の揺れと制度化の流れは、その後の近代の日本の教育の端緒としての方向性を示している。続いて次章に、大日本帝国憲法とともに戦前の日本の社会のあり方をも規定した教育勅語を見てみよう。

（1）高橋陽一「日本書紀一書の残賊の神勅　孟子と国学をめぐる解釈史」『日本教育史学会紀要』第三巻、二〇一二年一二月。

（2）「十一兼題」は、一八七三（明治六）年二月に示されて、教導職は講義録の作成を求められた。神徳皇恩の説、人魂不死の説、天神造化の説、顕幽分界の説、愛国の説、神祭の説、鎮魂の説、君臣の説、父子の説、夫婦の説、大祓の説であり、神道説の色合いが濃厚だった。また同年一二月二八日に出された「十七兼題」は、皇国国体、道不可変、制可随時、皇政一

新、人異畜獣、不可不学、不可不教、万国交際、国法民法、律法沿革、租税賦役、富国強兵、産物製物、文明開化、政体各種、役心役形、権利義務である。

（3）川村肇・荒井明夫編『就学告諭と近代教育の形成　勧奨の論理と学校創設』東京大学出版会、二〇一六年。荒井明夫編『近代日本黎明期における「就学告諭」の研究』東信堂、二〇〇八年。

（4）湯川嘉津美「学制布告書の再検討」『日本教育史研究』第三二号、二〇一三年八月をはじめ、学制期の法令類をめぐる再検証が進んでいる。松浦鎮次郎編『明治以降教育制度発達史』により学制を「第十三号別冊」とする説について、湯川は「第十四号」として、竹中暉雄との論争がある（竹中暉雄『明治五年「学制」通説の再検討』ナカニシヤ出版、二〇一三年ほか）。

（5）高橋陽一「宣教使・大教院と民衆教化」東京都教育研究所『東京都教育史　通史編一』一九九四年。

（6）津田沼村（今日の千葉県習志野市）の当時の例は、高橋陽一「教育と宗教」『習志野市史　通史編一』習志野市、一九九五年、七一五〜七三九頁。

（7）湯川嘉津美『日本幼稚園成立史の研究』風間書房、二〇〇一年。

（8）写真は、師範学校編輯『万国史略　巻二』文部省、一八七四年、六〇丁ウ（袋とじの和本の六〇枚目の裏を意味する）に掲載されたリンカーンの肖像画のある箇所について、版木で試し刷りしたものと当時の刊本の該当ページ。家鴨文庫蔵。

（9）田中義廉・諸葛信澄閲、土方幸勝輯録『師範学校小学教授法』土方氏蔵版、一八七四年。

（10）杉村美佳『明治初期における一斉教授法受容過程の研究』風間書房、二〇一〇年。

（11）前掲書『習志野市史』七二一頁。

（12）河田敦子『近代日本地方教育行政制度の形成過程　教育制度と地方制度の構造的連関』風間書房、二〇一一年。

第12章　教育勅語の成立とその理念

明治維新後の学制の教育理念は、維新にふさわしく実学を押し出した国民皆学の思想であった。それは自己負担や厳しい学力競争を伴うので、その結果として学校の階梯を上っていく単純明快な**単線型**の学校システムであった。しかし、維新と復古の乖離《かいり》のなかで教育理念は揺れており、社会と教育の制度が整えられていくなかで、戦前の日本に共通する教育のあり方が形成されていく。一つは進路や性別によって中等教育段階で学校系統が分かれる**複線型**の学校システムになっていくが、それは複線型の典型としてのヨーロッパほどではなくても社会の階層の固定につながるものであった。もう一つは実際に階層と思考が異なる多様な人びとを大日本帝国憲法と教育勅語により一つに統合することである。ここで確立した教育理念が、戦後教育改革に至るまで持続される。

この章では、教育勅語に至る教育制度などを確認しながら、教育勅語の描いた**道徳教育**の理念を読み取っていきたい。二〇一八（平成三〇）年度から小学校で、二〇一九（平成三一）年度から中学校で、「**特別の教科　道徳**」または**道徳科**と略称される、学校教育法施行規則で**特別の教科である道徳**として定める授業が始まった。このことにより、小学校や中学校では、**学校の教育活動全体を通じて行う道徳教育**と週一時間で実施される特別の教科である道徳の二本立ての道徳教育が実施される。この変化が教育行政においても、教育現場においても、**多様な価値観**を前提とした慎重な配慮が必要な課題とされるのは、この章や第13章で述べるように、教育勅語による一律の価値観に基づく道徳教育が、学校儀式をはじめとした学校の教育活動全体と筆頭教科である**修身**の授業という二本立てで徹底されていった歴史があるからである。教育用語として**教科**と**科目**という言葉をほぼ同義に使いつつ、高等学校の芸術科という教科に音楽科と美術科と工芸科と書道科という四科目があると整理するように、教科は科目をまとめる大きな概念として使用する。教科や科目では、児童や生徒の学習活動を教師が評価して成績を評定するために、一律の価値判断に基づきやすい。修身科の授業は教育勅語を教え込むものになっていたために、戦後教育改革では修身科は廃止され、一九五八（昭和三三）年に特設された道徳つまり**道徳の時間**でも成績評価は行わないことになった。新たな特別の教科である道徳は、教師が生徒の学習活動の評価は行っても、一律の数字や段階による評価が禁止されているために**特別の教科**という新しい言い方がなされているのである。[1] このように、今日のリアルな学校教育の課題や問題を考えるためにも、実は過去の歴史を知らないと意味が分からないということが、教育をめぐっては数多く存在する。

第一節　教育勅語までの教育理念と教育制度

学制が教育令へと変わる頃、政府の内部で教育理念をめぐる議論があった。[2] 天皇睦仁《むつひと》の周辺には側近として天皇の家庭教師と言える侍講《じこう》や侍補《じほ》がおり、熊本藩出身の儒者である**元田《もとだ》永孚《ながざね》**（一八一八～九一）が力を持っていた。元田永孚は、肥後実学党と呼ばれた開明的な儒者である横井《よこい》小楠《しょうなん》（一八〇九～六九）の門下であるが、この時期には朱子学を背景にして儒学の立場から発言している。彼は、一八七九（明治一二）年八月頃に「**教学聖旨**《きょうがくせいし》」と呼ばれることになる文書を起草した。タイトルを「聖旨」と題して「教学大旨」と「小学条目二件」で構成されたこの教学聖旨は、明治維新以後の教育を「智識才芸」のみを尊重したものだと批判して、「仁義忠孝」という儒教流の徳目の重視を主張したものである。これは天皇の権威を背景にした聖旨というかたちで、参議兼内務卿の**伊藤博文**（一八四一～一九〇九）や参議兼文部卿の寺島宗則《てらしまむねのり》（一八三二～九三）らに示された。

これに対して伊藤博文は九月に「**教育議**」を記して明治天皇に提出した。長州藩出身の伊藤博文は、吉田松陰の松下村塾に学んでイギリスに留学した経歴を持つ明治維新の功労者であり、明治維新を西洋モデルの近代化のなかで推し進めようとしていた。彼は**井上毅**《いのうえこわし》（一八四三〜九五）にこの教育議を起草させている。井上毅も元田永孚同様に熊本藩出身で横井小楠の影響も受けているが、フランスやドイツの学問を学んで渡欧の経験もあり、このとき太政官大書記官兼内務大書記官であった。

教学聖旨の洋学的な「智識才芸」への批判に対して、井上は問題を起こす「政談ノ徒」は「漢学生徒ノ種子ニ出《い》ツ」として儒学から発生する政治的混乱を指摘して反論する。さらに元田は「教育議附議」を記すが、議論としては並行線をたどった。第11章で見たとおり、同時期に議論されていた一八七九（明治一二）年の自由教育令は、修身を小学校の教科の最後に置いた。つまり伊藤と井上が押し切った形であるが、翌一八八〇年の改正教育令ではその修身が筆頭となり、さらに元田永孚と井上毅がそのあと一〇年で共同で教育勅語を起草することになる。

この論争で明治天皇の名を借りた元田永孚は、彼の教育理念に基づく教科書を歌人の高崎正風《たかさきまさかぜ》（一八三六〜一九一二）と編集し、宮内省刊行の勅撰修身書として、全七巻の『**幼学綱要**《ようがくこうよう》』を一八八二（明治一五）年に世に送り出した。教学聖旨は古今の忠臣、義士、孝子、節婦の画像を掲げて影響を与えるという方法論を提示していたが、『幼学綱要』ではそのとおりに儒教の徳目である孝行・忠節など二〇項目に従って例話と挿絵が編集されている。同年一二月に地方長官会議に参集した府知事県令に勅諭とともに下賜《かし》が行われ、その後も数年間に四万部ほどが配付された。しかし、内容は難解であって、権威ある下賜品が小学校の修身で活用されるものとはならなかった。また、洋学者のなかからも折衷的な道徳教科書をつくる傾向が現れる。翻訳教科書づくりに活躍した明六社メンバーの西村茂樹（一八二八〜一九〇二）も、一八八〇（明治一三）年に全二巻の『小学修身訓』で日本、中国、西洋の道徳の例話を挙げて和洋漢の道徳を折衷する姿勢を明確にした。彼も文学御用掛などの宮中の役職を兼ねており、『幼学綱要』の続編として西洋、日本、中国の歴史上の女性を題材とした『婦女鑑《ふじょかがみ》』を編集して、同書は一八八七（明治二〇）年に宮内省から刊行された(3)。

ここまでの論争をまとめると、学制の時期に翻訳教科書により西洋から移入していた教育理念、その学制が否定した儒教に基づく教育理念、大教院のもとで教導職が説教した王政復古の教育理念という三つをどういう形で組み合わせるかという問題だと考えてもよい。宮中や政府で行われていた閉ざされた議論に対して、一八八七（明治二〇）年から一八九〇（明治二三）年にかけては、思想家や教育家らによる道徳教育論、学校の修身科のあり方の議論が雑誌や書籍で発表される。これらを総称して、**徳育論争**という。論争の始まりは、一八八七（明治二〇）年一一月に前東京大学綜理《そうり》の加藤弘之《かとうひろゆき》（一八三六～一九一六）が「徳育に付《つき》ての一案」を講演したことによる。加藤は、蕃書調所《ばんしよしらべしよ》、開成所で教えた洋学者であり、明治初期には西洋の政治論を伝える役割を果たした。生物学の進化論を社会に適用した社会進化論や社会ダーウィニズムと呼ばれる主張で知られ、生物界の生存競争のように人間の社会でも生存競争があるという発想は、明治の言論界で定着していく。加藤がつくった優勝劣敗《ゆうしょうれっぱい》という四字熟語は今でも知られている。この考えを学校の道徳教育に適用して、神道、儒教、仏教、キリスト教の四つの考えの修身を置いて児童生徒に選択させるという提案をした。加藤は宗教を「空理」であると軽く見ながらも、宗教家を学校に招いて競争させて自然《しぜん》淘汰《とうた》に任せるという、まさに教育理念あるいは道徳教育の優勝劣敗を説いたのである。これに対して、理学（自然科学）による徳育を主張する前東京大学予備門長の杉浦重剛《すぎうらしげたけ》（一八五五～一九二四）、普通心《コモンセンス》による修身教授や感化を主張する師範学校長を歴任した能勢栄《のせさかえ》（一八五二～九五）など、様々な論客が意見を発表した。こうした論争を通じて、教育理念の標準の不在状況が示され、教育勅語が受容される前提が形成されていく。

また明治一〇年代は、教育の制度のみならず、日本の国家の制度が固められていく時期でもある。一八七四（明治七）年一月の民撰議院設立建白をきっかけに、自由民権運動が展開して、さらにその抑圧が進むなか、政府は伊藤博文を中心に憲法制定へと動いていく。当時参議兼制度取調局長官であった伊藤の主導で、政府の制度も古代以来の太政官から一八八五（明治一八）年に内閣制度へと改められ、伊藤は一二月二二日に日本国の初代内閣総理大臣になる。この第一次伊藤内閣に、初代文部大臣として**森有礼**《もりありのり》（一八四七〜八九）が着任する。森有礼は鹿児島藩の藩校造士館や藩の洋学校の開成所で学んだのち、幕末に藩からの留学生としてイギリスに渡り、西洋の知識を身につけるとともに自らキリスト教を信仰した。維新期には外交官として活躍して、また明六社の設立メンバーでもあった。彼のもとで教育制度の改革が着手され、一八八六（明治一九）年の教育についての勅令類は一括して**諸学校令**と呼ばれる。学制や教育令（自由教育令、改正教育令、第三次教育令）が学校制度を包括したものであったことに対して、これは学校種別ごとにそれぞれ四つの勅令として定めたものである。

帝国大学令（明治十九年三月二日勅令第三号）は、第一条に「帝国大学ハ国家ノ須要《すよう》ニ応スル学術技芸ヲ教授シ及其《およびその》蘊奥《うんのう》ヲ攷究《こうきゅう》スルヲ以テ目的トスル」と教育目的を定めた。つまり、大学は国家が必要とする学問を教育し研究するということで、国家が必要とする官僚や技師などの専門家を養成することになる。これは学校種別に関する勅令だが、その大学は東京大学を改称した**帝国大学**のただ一校のみである。のち一八九七（明治三〇）年になって、帝国大学を東京帝国大学と改めて、京都に京都帝国大学を置き、さらに東北帝国大学、九州帝国大学、北海道帝国大学、大阪帝国大学、最後に一九三九（昭和一四）年の名古屋帝国大学と国内に七校が置かれただけである。植民地では、一九二四（大正一三）年に朝鮮に京城帝国大学、一九二八（昭和三）年に台湾に台北帝国大学を置いて、これを併せても九校である。この閉ざされた大学制度は一九一八（大正七）年の大学令で私立大学なども認められるようになるが、それまでは帝国大学のみが大学教育と卒業者の学士号を制度上で独占する時期が続いていたことになる。

師範学校令（明治十九年四月十日勅令第十三号）は、第一条に「師範学校ハ教員トナルヘキモノヲ養成スル所トス但《ただし》生徒ヲシテ順良信愛威重《じゅんりょうしんあいいちょう》ノ気質ヲ備ヘシムルコトニ注目スヘキモノトス」と規定した。教師を目指す生徒は、目上の者への順良つまり従順さと、教師仲間の信愛つまり友情と、児童生徒に対する威重つまり目下への威厳が求められる。これが教員の**三気質**と呼ばれて重視され、のちには師範タイプと揶揄《やゆ》された教員の気質論である。教師が上下関係の中間にあって秩序を構成している点が注目される。師範学校は小学校教員を養成するために府県ごとに置かれる**尋常師範学校**と中等教員を養成する**高等師範学校**の二種類である。のち一八九七（明治三〇）年になって**師範教育令**となり、尋常師範学校は**師範学校**となる。師範学校や中学校、高等女学校などの教員を送り出す高等師範学校は戦前の長い間、東京高等師範学校（戦後の東京教育大学、筑波大学）、広島高等師範学校（戦後の広島大学）、東京女子高等師範学校（戦後のお茶の水女子大学）、奈良女子高等師範学校（戦後の奈良女子大学）の四校である時代が続いた。

小学校令（明治十九年四月十日勅令第十四号）は、**小学校**を四年の**尋常小学校**と、その卒業後に進む四年の**高等小学校**の二つに分けた。さらに第三条で「児童六年ヨリ十四年ニ至ル八箇年ヲ以テ学齢トシ父母後見人等ハ其学齢児童ヲシテ普通教育ヲ得セシムルノ義務アルモノトス」とした。この義務は第四条で尋常小学校の**修業年限**の四年間を終えるまでとされる。八年間の学校に行く年齢期間つまり**学齢**のうち、尋常小学校の四年の課程を終えるまでは、保護者が子どもを就学させる義務があるという**義務教育**の明確な規定の始まりである。もちろん、学制における国民皆学や、年間就学週数を限定した教育令などの段階でも義務教育は形成されつつあったが、一八八六（明治一九）年でも就学率は全体で四六パーセント（男六二パーセント、女二九パーセント）と半分以下で実態はともなっておらず、日本の義務教育の成立をどの年代に置くかは慎重な考察が必要である。単純明瞭に保護者が子どものために学校に行くことを保障する**就学義務**を規定したこの小学校令は注目に値する。しかし義務教育の制度的確立をどう見るかは、義務教育のもう一つの要件として、就学できる学校の存在が保障されていること、つまり市町村が小学校を必ず置かなくてはならないとする学校の**設置義務**の規定が必要となる。この設置義務は一八八六（明治一九）年の小学校令にはなく、一八九〇（明治二三）年に旧小学校令を廃止して新たに制定された小学校令（明治二十三年十月七日勅令第二百十五号）の第二十五条に「各市町村ニ於テ其市町村内ノ学齢児童ヲ就学セシムルニ足ルヘキ尋常小学校ヲ設置ス」と明記され、さらに小学校令の全部改正（明治三十三年八月二十日勅令第三百四十四号）によって第六条「市町村ハ其ノ区域内ノ学齢児童ヲ就学セシムルニ足ルヘキ尋常小学校ヲ設置スヘシ」として、「設置スヘシ」という設置義務の明確な規定となった。実態としての義務教育がいつ保障されたのかとなると、義務教育の成立時期はきわめて論争的なテーマである。義務教育の制度については第20章で再び論じるのでここまでにとどめるが、このように森有礼の小学校令は何度も改められ、一九〇七（明治四〇）年には義務教育としての尋常小学校が六年間となって、六年間の小学校という今日につながる実態へと進んでいく。[4] この尋常小学校に、義務教育ではない二年または三年制の高等小学校が連続した。さらに一九四一（昭和一六）年には小学校令が国民学校令に改められて制度上は初等科六年と高等科二年がともに義務教育となった。

中学校令（明治十九年四月十日勅令第十五号）は、第一条に「中学校ハ実業ニ就カント欲シ又ハ高等ノ学校ニ入ラント欲スルモノニ須要ナル教育ヲ為ス所トス」とその目的を定めている。つまり目的は、中学校を卒業して実業に就くことと、さらに上級学校へ進学することの二つである。中学校は五年制の**尋常中学校**と、その卒業者が進学する二年制の**高等中学校**に区分されている。この高等中学校が帝国大学へと接続する進学コースである。その後、一八九四（明治二七）年に**高等学校令**が定められ、高等中学校は三年制の**高等学校**となった。一八九九（明治三二）年の中学校令で、尋常中学校は五年制の**中学校**に改められた。一八九九（明治三二）年の**高等女学校令**で女子の学校も四年制の**高等女学校**として位置づけられたが、年限も、**良妻賢母**を規範とする教育内容も男子の中学校と異なっていた。また同年の**実業学校令**により、実業に進む男女のための実業学校が位置づけられた。こうして中等教育は、男子の中学校、女子の高等女学校、男女の実業学校の三つに区分されて拡充される。しかし、進学コースの高等学校は中学校のみと接続して、中等教育の制度上の複線型が明確となるのである。高等学校（当初の高等中学校）と呼ばれる学校は、東京の第一高等学校（当初の第一高等中学校）をはじめとして、戦前昭和期に至っても官立二五校、公立三校、私立四校しかなかった。これに対して、この時期から中学校は各地の教育への要求から設立の努力がなされていく[5]。

これらが初代文部大臣森有礼のもとで立案されて実施された諸学校令である。ここで初等教育の小学校令、中等教育の中学校令、高等教育の帝国大学令、さらに教員養成の師範学校令という近代学校制度の骨格ができあがった。彼の提示した教育理念の特色は、明治維新の新しい教育の制度と世界に開かれた理念を堅持しつつ、近代国家と社会を担う人材の養成を構想したものであった。

この時代は印刷メディアだけでなく、自由民権運動でも象徴的であったように演説を重視する時代であった。森有礼が教員たちに小学校令について演説した内容から[6]、法令に記された以上に、彼が学校を人材の配分のシステムとして位置づけたことがわかる。森有礼は学問への見識を有した人物であったが、小学校は教育の場とされた。教育の場というのは当たり前ではあるが、ここでは、小学校は学問ではない教育の場であり、それ以後の学校が学問を学ぶ場である。この**学問と教育の分離**という構図は、初等教育が学問に基づく真理よりも、国家や社会の秩序のための教育内容を教え込む場となることにつながる。小学校の教育内容が秩序の形成のために制約される問題は、戦後の日本国憲法と教育基本法があらゆる人に学問の自由を保障するまで継続した。また森有礼は中学校を卒業する者を「社会ノ上流」でも「下流」でもない中堅の人物になるとした。こうして多数の国民が小学校までの教育で学問に至らないなか、師範学校から輩出される教員、中学校から輩出される中堅、さらに高等学校へ進学して帝国大学から輩出される官僚や技師といった階層的な国民のあり方が、学校によって形成されることとなる。

こうして学制期の機械的な**単線型**は、中等教育以降の段階から**複線型**の学校システムへと移行していくことになる。明治維新の合理的な側面を継承した森有礼は、彼の見識の高さから教育界の期待を集めながらも、伊勢神宮で不敬行為があったという流言のなか、一八八九（明治二二）年二月一一日に大日本帝国憲法発布（公布）の式典に出向く朝に、自宅で襲撃されて翌一二日に命を失った。

第二節　教育勅語

森有礼の暗殺事件の日、**大日本帝国憲法**が公布された。これは伊藤博文や井上毅らが、君主権の強いドイツのプロイセン憲法をもとに構想したものである。神武天皇以来の万世一系の神話に基づく権威から、天皇を第一条で「大日本帝国ハ万世一系ノ天皇之ヲ統治ス」と明記して統治権者として規定しつつも、第五条では近代国家として帝国議会による協賛による法律の制定を定めた。大日本帝国憲法のもとでは、最も上位になる法令は帝国議会を経た法律である。天皇は命令として第八条の緊急勅令や第九条の勅令を出すことができるが、これは法律よりも下位のものとなる。このため近代において法律を上位とする法令体系が多くの行政分野で整備されたが、教育分野ではすでに勅令として制定されていた諸学校令があり、のちには教育の国費負担を定める法律など若干の例外もあったが、原則として最上位は勅令であった。これを教育における**勅令主義**と称する。教育が天皇の命令によって規定されることは、確かに権威的であるが、帝国議会の協賛による法律の制定なしに行政的な命令としてのみ規定する弱みが存在するのである。

一八九〇（明治二三）年二月の地方長官会議の「徳育涵養ノ義ニ付建議」を契機として、道徳教育を中心に教育理念を示す文書の検討が進む。山県有朋《やまがたありとも》内閣においては天皇の命を受ける形で文部大臣芳川顕正《よしかわあきまさ》が中村正直《なかむらまさなお》（一八三二～九一）に委嘱して、徳育に関する箴言《しんげん》の編纂がなされた。中村正直は昌平坂学問所出身で、その甲府分校である徽《き》典館《てんかん》の学頭もつとめた儒学者だった。しかし、英国に留学して、一八七一（明治四）年にスマイルズ（Samuel Smiles, 一八一二～一九〇四）の翻訳書『西国立志編』を送り出し、「天は自ら助くる者を助く」という言葉とともに日本人に影響を与えた洋学者として高名になった。しかし中村の草案は宗教や哲学の性格が強いと法制局長官の井上毅が批判して、改めて井上毅が草案を作成し、これに元田永孚が協力する形で作り直した。教学聖旨と教育議の論争で出会った二人の共作として起案されたのである。特定宗派や学派の色合いを除去して良心に干渉しないようにするという井上の主張により、勅令でもなく、大臣の副署のある詔書という公式の形式でもなく、天皇個人の意思の表明として副署のない勅語の形式がとられた。これが、一八九〇（明治二三）年一〇月三〇日に天皇睦仁から文部大臣芳川顕正に下付された「**教育ニ関スル勅語**」つまり**教育勅語**である。教育勅語は翌三十一日の『官報』の訓令欄に、謄本《とうほん》配付についての文部省訓令、文部大臣の訓示とあわせて掲載された。(7) 帝国大学や高等学校をはじめとした直轄学校には、天皇の「睦仁」というサインつまり親署《しんちょ》と、「天皇御璽《てんのうぎょじ》」という朱印のある教育勅語が交付された。その後には他の学校にもサインと朱印を「御名御璽《ぎょめいぎょじ》」という文字に置き換えて印刷した教育勅語の謄本が交付された。こののち、許可を得て交付を受ける天皇の写真である「**御真影**《ごしんえい》」とこの謄本が、学校儀式のツールとして定着していく。御真影と呼ばれるものには、民間で複製された図像や写真もあるが、公式には宮内省で学校等に渡されて厳重な管理を求められた。(8) また勅語が出されたことを「渙発《かんぱつ》」の美称で表現することが一般的になった。

それでは二段構成三一五文字からなる教育勅語の本文を見てみよう。主要な解釈の説などは『道徳科教育講義』などに記した。(9) 本文に、読みやすいように原文にはない句読点とふりがなを添えたが、濁点は加えていない。また一文ごとに現代語訳を掲載する。

朕惟《ちんおも》フニ、我《わ》カ皇祖皇宗《くわうそくわうそう》、国《くに》ヲ肇《はじ》ムルコト宏遠《くわうゑん》ニ、徳《とく》ヲ樹《た》ツルコト深厚《しんこう》ナリ。

（天皇である私が思うのは、私の祖先である神々や歴代天皇が、この国を始めたのは宏遠なことであり、道徳を樹立したのは深厚なことである。）

我《わ》カ臣民《しんみん》、克《よ》ク忠《ちゆう》ニ克《よ》ク孝《かう》ニ、億兆心《おくてうこころ》ヲ一《いつ》ニシテ、世世《よよ》厥《そ》ノ美《び》ヲ済《な》セルハ、此《こ》レ我《わ》カ国体《こくたい》ノ精華《せいくわ》ニシテ、教育《けういく》ノ淵源《えんげん》亦実《またじつ》ニ此《ここ》ニ存《そん》ス。

（我が臣民は、よく忠にはげみ、よく孝にはげみ、皆が心を一つにして、代々その美風をつくりあげてきたことは、これは我が国体の華々しいところであり、教育の根源もまた実にここにあるのだ。）


爾《なんぢ》臣民《しんみん》、父母《ふぼ》ニ孝《かう》ニ、兄弟《けいてい》ニ友《いう》ニ、夫婦《ふうふ》相和《あひわ》シ、朋友《ほういう》相信《あひしん》シ、恭倹《きようけん》己《おの》レヲ持《ぢ》シ、博愛《はくあい》衆《しゆう》ニ及《およ》ホシ、学《がく》ヲ修《をさ》メ業《げふ》ヲ習《なら》ヒ、以《もつ》テ智能《ちのう》ヲ啓発《けいはつ》シ徳器《とくき》ヲ成就《じやうじゆ》シ、進《すすん》テ公益《こうえき》ヲ広《ひろ》メ世務《せいむ》ヲ開《ひら》キ、常《つね》ニ国憲《こくけん》ヲ重《おもん》シ国法《こくはふ》ニ遵《したが》ヒ、一旦緩急《いつたんくわんきふ》アレハ義勇公《ぎゆうこう》ニ奉《ほう》シ、以《もつ》テ天壌《てんじやう》無窮《むきゆう》ノ皇運《くわううん》ヲ扶翼《ふよく》スヘシ。

（汝ら臣民は、父母に孝行をつくし、兄弟姉妹は仲良く、夫婦は仲むつまじく、友人は互いに信じあい、恭しく己を保ち、博愛をみんなに施し、学問を修め実業を習い、そうして知能を発達させ道徳性を完成させ、更に進んでは公共の利益を広めて世の中の事業を興し、常に国の憲法を尊重して国の法律に従い、非常事態のときには大義に勇気をふるって国家につくし、そうして天と地とともに無限に続く皇室の運命を翼賛すべきである。）


是《かく》ノ如《ごと》キハ、独《ひと》リ朕《ちん》カ忠良《ちゆうりやう》ノ臣民《しんみん》タルノミナラス、又以《またもつ》テ爾《なんち》祖先《そせん》ノ遺風《ゐふう》ヲ顕彰《けんしやう》スルニ足《た》ラン。

（こうしたことは、ただ天皇である私の忠実で順良な臣民であるだけではなく、またそうして汝らの祖先の遺した美風を顕彰することにもなるであろう。）


斯《こ》ノ道《みち》ハ、実《じつ》ニ我《わ》カ皇祖《くわうそ》皇宗《くわうそう》ノ遺訓《ゐくん》ニシテ、子孫《しそん》臣民《しんみん》ノ倶《とも》ニ遵守《じゆんしゆ》スヘキ所《ところ》、之《これ》ヲ古今《ここん》ニ通《つう》シテ謬《あやま》ラス、之《これ》ヲ中外《ちゆうぐわい》ニ施《ほどこ》シテ悖《もと》ラス。

（ここに示した道徳は、実に私の祖先である神々や歴代天皇の遺した教訓であり、皇孫も臣民もともに守り従うべきところであり、これを現在と過去を通して誤謬《ごびゅう》はなく、これを国の内外に適用しても間違いはない。）

朕爾臣民《ちんなんぢしんみん》ト倶《とも》ニ拳拳服膺《けんけんふくよう》シテ、咸其徳《みなそのとく》ヲ一《いつ》ニセンコトヲ庶幾《こひねが》フ。

（天皇である私は、汝ら臣民とともにしっかりと体得して、みんなでその道徳を一つにすることを期待するものである。）

本文の第一段は「朕惟《ちんおも》フニ」で始まり、天皇の祖先である「皇祖皇宗《こうそこうそう》」の樹立した徳目を示して、それを臣民が遵守《じゅんしゅ》することを求める内容である。第一段の「爾臣民《なんじしんみん》」で始まる箇所から徳目を列記するため、ここで切って全文を三段落だとする見解や、徳目の数を一四と数える見解などが様々に唱えられたが、段落は「顕彰スルニ足ラン」まで続いている。ここで書かれていることは、歴史の事実ではなく一つの神話である。天皇の祖先が皇祖皇宗であり、これが天照大御神《あまてらすおおみかみ》などの神々から含めるにしても、初代神武天皇から数えるにしても、ともに歴史の事実ではなく『古事記』や『日本書紀』に描かれた神話である。これを大日本帝国憲法第一条は「万世一系」と規定し、森有礼の小学校令では学問と教育を分離して秩序として神話が教えられることとなった。井上毅は宗教色を排除しようと努めたが、公式に認められた天皇に関する神話は彼の前提となっていたのである。こうした神々や歴代天皇が「徳ヲ樹ツル」つまり道徳の基盤を形成したというのは、『古事記』や『日本書紀』の神話とも実は相違する。古代の日本人は中国から儒教の古典とともに道徳の概念や律令制度がもたらされたことを知っていたのだが、教育勅語では「忠」や「孝」といった儒教の徳目も皇祖皇宗から始まることになっている。道徳の徳目が列記される箇所では「父母ニ孝ニ」などの儒教起源の徳目にとどまらず、「博愛」などの西洋近代起源の徳目まで登場する。皇祖皇宗は天皇の祖先のはずだが、教育勅語では孔子や孟子、さらにはフランス革命思想家まで含まれるようだ。そんな疑問を差し挟む余地もなく、「一旦緩急《かんきゅう》アレハ《ば》義勇公ニ奉シ」と緊急時の義務つまり兵役の義務で終わって、これらすべてを包括して最後に「天壌《てんじょう》無《む》窮《きゅう》ノ皇運ヲ扶翼《ふよく》スヘ《べ》シ」とまとめる。天壌無窮は『日本書紀』にある天照大御神の神勅である。もっともこの神勅でさえ出典は中国の古典なのだが(10)。

「斯《こ》ノ道ハ」で始まる第二段は、ここまで述べた徳目が「古今ニ通シテ謬《あやま》ラス《ず》」と歴史的にも間違いがなく、「中《ちゅう》外《がい》ニ施《ほどこ》シテ悖《もと》ラス《ず》」として世界のどこでも通用するという、普遍妥当性があると主張する点に特徴がある。徳目の出所としては中国古代や西洋近代から借用してきた徳目が多いのだから、そのとおりにも思える。しかし、「皇運ヲ扶翼スヘ《べ》シ」という第一段の徳目を総括する基本的な命題は、皇室の命運のために尽くすという近代日本の国家オリジナルの要請である。実際には歴史上、南北朝の動乱をはじめとした皇室内部の対立や、天皇と臣下が対立した事件は枚挙にいとまがないし、外国人で日本の天皇のためにすべてを捧げようという奇特な人はなかなかいない。こんな理屈をこねるのは二一世紀の人だけだと思うかもしれないが、実は普遍妥当性を持つ「斯ノ道」という言葉はどの徳目までを含むかを戦時下に至るまで議論した学者たちがいるのだから、その論客である第6章に登場した吉田熊次の知性と想像力は決して捨てたものではない(11)。

全体の登場人物を見ると、天皇睦仁と臣民という組み合わせに対して、「皇祖皇宗」と臣民の「祖先」、さらに天皇の「子孫」と臣民の「子孫」という組み合わせで、過去、現在、未来をつなぐ上下関係の秩序づけが明確である。上下の関係は「忠」であり、世代間の関係は「孝」である。この儒教から借りてきた概念を使って、第6章で見た秩序づけとしての教化が、教育勅語のストーリーの基軸をなしているのである。教育勅語を斜め読みして、大切な道徳が書いてあるという話はよくあるが、教育勅語そのもの一字一句をきちんと読めば、教育勅語の根本は列挙された道徳をまとめて天壌無窮の皇運の扶翼を求めることにあることは明白である。このように考えると、近代に入って思想も階層も様々であり、さらに森有礼の諸学校令以後も複線型の学校によって社会階層の分化が進んでいく国民を天皇のもとの臣民として、過去から未来にわたって一つに統合しようとした教育勅語の意図が見えてくる。

明治維新以来の揺れ動いた日本の教育理念は、この教育勅語によって、皇運の扶翼という最上位の徳目のもとに、学制で地位を失った儒教の古代からの徳目も、学制の翻訳教科書で導入された西洋の近代的な徳目も、位置づけを得たことになる。つまり、教育勅語はこの維新後の二〇年余りの論争と動揺から、教育理念を一つにまとめ上げようとしたものである。これが第13章に見るとおり単純にはまとまらないのだが、それでも変容を遂げながらも持続し、第14章に見る戦後教育改革のなかで否定されるに至る。

まずは次章で教育勅語の「渙発」後の様子を見よう。

（1）高橋陽一・伊東毅著『道徳科教育講義』武蔵野美術大学出版局、二〇一七年。
（2）元田竹彦・海後宗臣編『元田永孚文書』全三巻、元田文書研究会、一九六九〜七〇年。海後宗臣『教育勅語成立史の研究』厚徳社、一九六五年。久木幸男ほか編『日本教育論争史録　第一巻』第一法規、一九八〇年。森川輝紀『教育勅語への道』三元社、一九九〇年。この分野は近年も研究が多く、大間敏行「江藤新平の教育構想「道学二芸ヲ開ク」の展開と帰結」『日本の教育史学』第四九集、二〇〇六年一〇月などがある。
（3）越後純子『近代教育と『婦女鑑』の研究』吉川弘文館、二〇一六年。
（4）柏木敦『日本近代就学慣行成立史研究』学文社、二〇一二年。
（5）米田俊彦『近代日本中学校制度の確立　法制・教育機能・支持基盤の形成』東京大学出版会、一九九二年。米田俊彦『資料にみる中等教育の歴史』東京法令出版、一九九四年。荒井明夫『明治国家と地域教育　府県管理中学校の研究』吉川弘文館、二〇一一年。
（6）大久保利謙編『森有礼全集　第一巻』宣文堂書店、一九七二年。
（7）佐藤秀夫編『続・現代史資料　教育　御真影と教育勅語』第八〜第一〇巻、みすず書房、一九九四〜二〇〇四年。

（8）小野雅章『御真影と学校「奉護」の変容』東京大学出版会、二〇一四年。
（9）前掲書『道徳科教育講義』参照。教育勅語本文については、高橋陽一『くわしすぎる教育勅語』太郎次郎社エディタス、二〇一九年、教育勅語の解釈史などは高橋陽一『共通教化と教育勅語』東京大学出版会、二〇一九年を参照。教育勅語をめぐる近年の動向については、教育史学会編『教育勅語の何が問題か（岩波ブックレット九七四）』岩波書店、二〇一七年、及び岩波書店編『徹底検証　教育勅語と日本社会』岩波書店、二〇一七年に、それぞれ高橋陽一「教育勅語の構造と解釈」及び「教育勅語の構造」として掲載した。
（10）高橋陽一「日本書紀一書の残賊の神勅　孟子と国学をめぐる解釈史」『日本教育史学会紀要』第三巻、二〇一二年一二月。
（11）高橋陽一「『皇国ノ道』概念の機能と矛盾　吉田熊次教育学と教育勅語解釈の転変」『日本教育史研究』第一六号、一九九七年八月。

第13章　教育勅語以後の教育理念の変容

宗教教育を研究していると、「日本は宗教に基づかない道徳教育なんですね」という形で、外国の教育事情を知る他分野の研究者から話題を投げかけられる。もちろん、欧米各国も宗教と道徳教育の関係は多種多様である。現在に至るまでイギリス国教会と国王の権威で統合する連合王国としてのイギリス、イギリスからの宗教上の亡命者であるピューリタンによる建国を起源とする合衆国では、宗教と国家の関係は対照をなす。そのイギリスも大英帝国の伝統にかかわって様々な宗教を持つ移民を抱えて、現在も多様な宗教に基づく人びとの権利保護と国民統合の模索が続いている(1)。

本書でこれまで述べたとおり、日本では神道に分類される神々の信仰と、中国から渡来した儒教と、さらにインドに起源を発する仏教があり、戦国時代に渡来したキリスト教をはじめ様々な宗教が信仰されている。江戸時代はキリスト教を禁圧しつつ、神仏混淆《しんぶつこんこう》による安定性が確保されていたが、これを打ち壊しつつ海外からの思想と制度を導入したのが一八七二（明治五）年の学制なのだから、波乱が生じるのも当然である。儒教は本来、孝を理念とする祖先崇拝の儀礼による宗教であるが、日本では儀礼を仏教にゆだねたので、古来「儒教」ではなく「儒学」として理解されていた。ところが、これを再び教育理念として忠孝の概念を復活させる動きが進んだのである。こうして井上毅と元田永孚が起草した一八九〇（明治二三）年の教育勅語は、近代日本にふさわしい内容と配慮が目指されたはずなのだが、果たして実際にはどう受け止められただろうか。

第一節　教育勅語への抵抗と受容

天皇睦仁自身のサインと「天皇御璽」の朱印のある教育勅語は直轄学校に渡された。第一高等中学校、のちの第一高等学校は帝国大学に接続するエリート養成の機関であるが、ここで一八九一（明治二四）年一月に勅語奉読式が行われた。倫理講堂で教員と学生が数人ずつ前に進み出て教育勅語に向かって敬礼をするのだが、嘱託講師の内村鑑三の拝礼の仕方が不敬であると生徒たちが騒ぎ出して彼の退職に至った。これを**内村鑑三不敬事件**と言う[2]。内村鑑三（一八六一～一九三〇）は、のちに北海道帝国大学となる札幌農学校で学んだ。「少年よ大志をいだけ」の名言で有名となった札幌農学校教頭のクラーク（William Smith Clark，一八二六～八六）はすでに帰国していたが、ここでキリスト教を信仰しはじめ、苦学しながらアメリカに留学した新進の学徒であり、日露戦争の非戦論や無教会主義で著名になるのは後のことである。偶像崇拝を潔しとしない立場から、会釈のように頭を下げたので、血気盛んな生徒が騒いだのである。昭和期に学生思想問題が言われる前は、むしろ生徒が国家の権威を主張する形で、教員や職員にクレームを言う事件が多かった。西洋化に反抗する高等学校生徒の気風は、西洋式の制服を着崩して弊衣破帽《へいいはぼう》にして下駄《げた》をはくバンカラとして、細々と現代に至るまで残っている。

この事件が落ち着いた一八九二（明治二五）年に、帝国大学教授の井上哲次郎は、『教育時論』という教育雑誌の一一月五日号に教育と宗教の関係についての談話を発表した。それは教育と宗教の分離というテーマについて、キリスト教の道徳が教育勅語の道徳と合致しないという議論であり、内村鑑三不敬事件を例に挙げた。教育勅語の公式の解説書である『勅語衍義《ちょくごえんぎ》』を執筆した権威ある井上の論説であるが故に、教育界や宗教界からの反応が大きく、プロテスタントのキリスト教の指導者たちが反論した。これが**教育と宗教の衝突論争**である。この論争で内村鑑三は同誌に翌年三月一五日号に公開状を寄せて、仏教系の偏った情報に依拠していると井上を批判しつつも、教育勅語の儀式に勝る敬礼として儀式ではなく内容としての「勅語の実行」を主張した。こうして教育勅語に不敬があったと攻撃を受けた内村鑑三までもが教育勅語の教育理念を認めるという皮肉な結果となったのだ。

その後も教育勅語や「御真影」の取り扱いなどをめぐって**不敬事件**が続く。小股憲明《おまたのりあき》は明治期の二四一件の不敬事件の史料を集めて分析した。そこでは、不敬事件を防ぐために儀式をマニュアル化して、たとえば一斉に拝礼することで誰も他人が見えず、他人の拝礼にクレームが言えないといった工夫が行われたことなどを紹介している(3)。この不敬事件について、以前は講義で説明すると戦前は大変な時代だったんだという聴講者の感想が多かった。しかし、むしろ二一世紀に入ってから学校儀式で国旗や国歌の取り扱いをめぐる職務命令違反事件で処分される教員が出る時代となってしまった。

学校儀式については、一八九一（明治二四）年に小学校祝日大祭日儀式規程（明治二十四年六月十七日文部省令第四号）により紀元節《きげんせつ》（二月一一日、現在の建国記念の日）、天長節《てんちょうせつ》（明治天皇の誕生日である一一月三日、現在の日本国憲法公布日と重なる文化の日）、元始祭《げんしさい》（一月三日）、神嘗祭《かんなめさい》（一〇月一七日）、新嘗祭《にいなめさい》（一一月二三日、現在の勤労感謝の日）の日に、学校儀式で教育勅語の「奉読」が規定され、校長が教育勅語の謄本などを読み上げることになる。こうした天皇に関係する祭礼に連動する儀式の日は変更があり、一月一日、紀元節、天長節の三大節、さらに一九二七（昭和二）年からは明治節も含めて四大節と呼ばれる日に学校儀式が行われる。また小学校の施設などを定めた一八九一（明治二四）年の小学校設備準則（明治二十四年四月八日文部省令第二号）では、勅語謄本の保管のため、「奉置」する場所が求められ、その後は「御真影」や謄本を火災や盗難から避けるために、教員による宿直や日直の体制が進み、校舎から離れた「**奉安殿**」を設置するようになった。火災などでの謄本の消失は教員の管理責任が問われるだけでなく不敬のそしりを受けるため、教員の自殺事件まで起こった。

教育勅語本文は、修身教科書に掲載され暗唱や暗写などが求められていくことになる。一八九一（明治二四）年の小学校教則大綱（明治二十四年十一月十七日文部省令第十一号）では「修身ハ教育ニ関スル〔闕字〕勅語ノ旨趣ニ基キ児童ノ良心ヲ啓培シテ其徳性ヲ涵養シ人道実践ノ方法ヲ授クルヲ以テ要旨トス」と規定されて、教育勅語が修身科の標準として定められた。一九〇〇（明治三三）年には文部省に修身教科書調査委員会が置かれ、一九〇二（明治三五）年の教科書採択の贈収賄に関する教科書疑獄事件を契機として文部省が直接に教科書を編纂し、それを全国共通の小学校の教科書とする方向へ進む。これを**国定教科書**と言い、教科ごとに切り替えられていった。修身科では一九〇四（明治三七）年度からは文部省著作の『尋常小学修身書』が修身教科書とされ、一九一〇（明治四三）年には第二期の修身教科書が刊行された。

なお、**修身**は、第12章冒頭で述べたように特別の教科である道徳とは異なって、他の教科と同様に成績評価が行われる**教科**である。すでに一八九一（明治二四）年の小学校教則大綱では教科書の理解にとどまらず平常の児童の心性や行為までが対象とされており、小学校の筆頭教科の修身科が、教育理念を体現して児童の人物評価をする形へと進んだのである。

教育勅語の内容の解釈については、文部省の委嘱により井上哲次郎が一八九一（明治二四）年に刊行した『勅語衍義《ちよくごえんぎ》』が師範学校教科書として活用された。その後も解説を行う書籍の刊行が相次ぎ、これらは教育勅語衍義書《きよういくちよくごえんぎしよ》と呼ばれ、小学校の修身教科書も教育勅語の内容や徳目の解説書としての内容を含んでいた。また、教育勅語の改訂や追加を求める意見は決してないわけではなく、一八九五（明治二八）年の文部大臣西園寺公望《さいおんじきんもち》の演説などが知られており、実際には教育勅語を否定することなく新しい内容を盛り込んだ別の勅語や詔書を出して補完することになる。一九〇八（明治四一）年の戊申《ぼしん》詔書、一九二三（大正一二）年の「国民精神作興《さっこう》ニ関スル詔書」、一九三九（昭和一四）年の「青少年学徒ニ賜ハリタル勅語」などである。

第二節　明治後期の教育制度

文明開化がそのまま西洋化であった学制の時代を経て、日本の教育理念を「中外ニ施シテ悖《もと》ラス」と書いても空想的に思えた教育勅語であったが、一八九四（明治二七）年から一八九五年の日清戦争に勝利して台湾を領有し、一九〇四（明治三七）年から一九〇五（明治三八）年の日露戦争に勝利して一九〇六（明治三九）年に南満洲鉄道を設立し、一九一〇（明治四三）年に韓国併合を行うようになると、日本の教育理念は海外に通用するだけの人材を送り出すことに対応していく。また、それは古代から日本にとって学ぶべき儒学の先進国であった中国や朝鮮の人びとを支配下に置いて、支配する日本人の教育と支配される外地の人々の教育という難題を生み出すのである(4)。

これが帝国主義の時代と言われるのである。今日では帝国主義は否定するべき歴史として理解されるが、当時の人びとにとっては推進するべき課題であった。帝国主義はイギリスの海外進出の課題を表す言葉として登場したし、日本でも早稲田大学で教えたキリスト教徒の浮田《うきた》和民《かずたみ》（一八五九～一九四六）は「倫理的帝国主義」という言葉で、日本の教育を踏まえた課題を提起していた(5)。もちろん、帝国主義は美辞麗句では進まないから、日本の近代化を進めた伊藤博文も韓国統監《かんこくとうかん》をつとめて恨みを集め、一九〇九（明治四二）年にハルピン駅頭で韓国の民族運動家の安重根《アンジュングン》に暗殺されるといった皮肉な事件も起こるのである。

幕末維新期の欧米との不平等条約を解消する課題は、国内的には外国人居留地の制限を廃して日本の統治下に外国人が暮らす内地雑居という言葉で表現されて、一八九九（明治三二）年から実施過程に入る。これは外国人による学校設立にも連動しており、同年八月には**私立学校令**（明治三十二年八月三日勅令第三百五十九号）が公布された。私立学校の設立認可などを定めたこの勅令は、私立学校への監督を厳重にして国や府県の管理下に置くという側面だけではなく、キリスト教などの宗教学校をも管理するという側面も持った。井上哲次郎が教育と宗教の衝突として描き出したこの問題は、勅令ではなく同日の文部大臣の訓令（明治三十二年八月三日文部省訓令第十二号）として定められた。この訓令は「一般ノ教育ヲシテ宗教外ニ特立セシムルノ件」というタイトルでも整理されたが、後に至るまで**訓令十二号**と呼ばれ続けた。訓令十二号というものは、どの省でも毎年出している訓令の法令番号であるから、一つのものに特定できない名前なのだが、それでも番号が人口に膾炙《かいしゃ》したほどのインパクトがあったのだ。具体的には教育と宗教の分離を原則として、法令で学科課程に定めのある学校については宗教教育を禁止したのである。これによって宗教を掲げる中学校などは建学の精神による教育を制約されてしまうのである。実際にはこの制限を事実上は骨抜きにできる解釈も出されて、[6]立教学院のようにキリスト教教育を苦心して実施しつつ中学校を継続した例もあったし、専門学校などの法令で学科課程に定めのない学校は宗教者養成も含めて宗教教育が自由にできるものだった。それでも私立学校の中等教育には影響が大きく、キリスト教主義をかかげる同志社や青山学院や明治学院などはあえて中学校を制度上の特典が少ない各種学校へと改組していった。

高等教育のうち大学教育は、一九一八（大正七）年の大学令まで帝国大学が独占したが、一九〇三（明治三六）年に**専門学校令**（明治三十六年三月二十七日勅令第六十一号）が公布され、**専門学校**の制度が確立した。これは第一条に「高等ノ学術技芸ヲ教授スル学校ハ専門学校トス」と定めたものであり、中学校卒業の男性も高等女学校卒業の女性もともに入学資格を有する三年以上の在学期間の学校である。専門学校令の施行とともに千葉、仙台、岡山、金沢、長崎の医学専門学校や東京外国語学校、東京美術学校、東京音楽学校は専門学校となった。なお個別の学校では男女の別があり、たとえば東京音楽学校は以前から男女共学だが、東京美術学校は男子校である。こうした官立（国立）の専門学校のほか、公立や私立も認められ、宗教や女性のための専門学校も認められた。それ以前から実際上の大学教育を行っていた私立学校は、専門学校令により大学の名称を認められた専門学校になるという複雑な構造ができる。

たとえば、福沢諭吉の私塾を一八六八（慶応四）年に名付けた慶應義塾は、一八八九（明治二二）年から大学部を名乗っていたが、一九〇四（明治三七）年に専門学校令により認可されて予科二年と本科三年の大学部を置いた。東京専門学校は一八八二（明治一五）年から専門学校の名称であり、一九〇二（明治三五）年に早稲田大学の名称になっており、一九〇四（明治三七）年に専門学校令による学校として早稲田大学の名称を名乗った。成《なる》瀬《せ》仁蔵《じんぞう》（一八五八～一九一九）が一八九六（明治二九）年に設立した日本女子大学校（現在の日本女子大学）は女子高等教育の先駆けであり、ここも一九〇四（明治三七）年に専門学校令により認可された。女子の高等教育機関で大学を名乗った専門学校では、一九一八（大正七）年認可のキリスト教主義の東京女子大学（旧制専門学校でも東京女子大学）がある。なお、日本女子大学校と東京女子大学はともに一九一八（大正七）年の大学令による大学として認可されず、戦後教育改革まで専門学校令による大学名称の学校であった。

　小学校は、森有礼文部大臣のときの一八八六（明治一九）年の**小学校令**を一八九〇（明治二三）年に廃止して、同じ名称の**小学校令**（明治二十三年十月七日勅令第二百十五号）を公布して第一条に「小学校ハ児童身体ノ発達ニ留意シテ道徳教育及《および》国民教育ノ基礎並《ならびに》其生活上ニ必須ナル普通ノ知識技能ヲ授《さず》クルヲ以《もっ》テ本旨トス」と目的を定めた。筆頭科目としての修身科だけでなく、教育目的にさらに広義の「道徳教育」や「国民教育」を掲げて、同年同月三〇日の教育勅語と小学校教育の教育理念が呼応する形となっている。今日の表現で言うと、**学校の教育活動全体を通じて行う道徳教育**と、修身科という教科と、この二つが教育勅語による教育を徹底することになる。この規定は一九〇〇（明治三三）年の**小学校令**全部改正でも同文であった。また一八九〇（明治二三）年に帝国大学の外国人教師になったドイツ人の御雇外国人ハウスクネヒト（Emil Hausknecht、一八五三～一九二七）によってドイツの**ヘルバルト主義教育学**が移入されて、道徳教育から教育目的を規定して教育課程を構成することが、教育学の基本とされる時代となった。

尋常小学校の教科目（現在の教科・科目）は、一八九〇年の小学校令では修身、読書、作文、習字、算術、体操であり、一九〇〇年の小学校令では読書と作文と習字を併せて国語とした。このほかの図画、唱歌、手工などは任意科目であった。

学制期の半年ごとの厳しい試験は、一八八五（明治一八）年の自由教育令で一年ごとへと移行し、一八九一（明治二四）年には「学級編成等ニ関スル規則」（明治二十四年十一月十七日文部省令第十二号）により同じ年齢の児童が一年間を過ごす**学級**の法令上の位置づけが確定する。就学者数が増えてくると**学年**ごとに学級を編成していくことができた。児童相互の人間関係ができあがる学級こそが、近代学校の一斉教授に最も適合した子どもの集団である。合理的に見える過度の試験はこれを壊すことになり、一九〇〇（明治三三）年の小学校令の頃には以前のような厳しい進級や卒業の試験は行われなくなった。なお、一年ごとの学年は現在も常識ではあるが、小学校低学年では同学年のなかで生まれた月日で差が顕著なものであり、大正期には半年ごとで区切ろうとする実験的試みを行った地域があった[7]。

一八九〇（明治二三）年の小学校令で**尋常小学校**は三年制または四年制、**高等小学校**は二年制または三年制または四年制とずいぶんと幅があり、一九〇〇年の小学校令では尋常小学校を四年制のみとした。この義務教育としての尋常小学校の期間を、一九〇七（明治四〇）年の小学校令改正で**六年制**として翌年度から施行して、義務教育期間の二年延長を行った。一九〇七年の就学率は九七パーセント、男は九九パーセント、女は九六パーセントと小学校に行くのが当たり前の時代が達成されて、さらに義務教育としての初等教育の充実をはかった処置であった。この尋常小学校の六年制が、一〇〇年以上続いていく六年間の小学校の始まりである。その後も高等小学校は存続するが、中等教育へのニーズが高まるなかで、初等教育の延長としての高等小学校の位置づけは低下していく。

前章で少し述べたが、一八九九（明治三二）年には第一条に「男子ニ須要《すよう》ナル高等普通教育」という目的を掲げる**中学校令**（明治三十二年二月七日勅令第二十八号）による男子の**中学校**と、第一条に「女子ニ須要ナル高等普通教育」という目的を掲げる**高等女学校令**（明治三十二年二月八日勅令第三十一号）による女子の**高等女学校**と、第一条に「工業農業商業等ノ事業ニ従事スル者ニ須要ナル教育」という目的を掲げる**実業学校令**（明治三十二年二月七日勅令第二十九号）による男女の**実業学校**という中等教育の制度が整っていった。森有礼の中学校令にある高等中学校は、この五年前に**高等学校令**（明治二十七年六月二十五日勅令第七十五号）により中学校から接続する男子の**高等学校**となり、これは戦前の教育制度では高等教育に区分された。こうして進路や男女による中等教育以後の複線型が定着する。その様子は、巻末資料の学校系統図を見てほしい。実業学校は分野も対象とする内容も多種多様である。工業学校、農業学校、商業学校、商船学校などの名称で各地の実務家を輩出した学校は中等教育段階の学校と言える。これらは現在の工業高校や農業高校の前身校になっているものが少なくない。また**実業補習学校**は一八九〇（明治二三）年の小学校令で登場して、この実業学校令による学校となる。明治末年に七三八六校、大正末年に一万五三〇〇校と小学校並みの数にまで増えていく。それもそのはずで、実際には校舎の新設ではなく既存の小学校との併設が多く、その小学校の卒業者が継続して実業を夜間や農閑期に補習するための学校であった。農村地域ならば、農閑期に授業時間を限定して、高等小学校や尋常小学校の校舎を使って、農業補習学校が開かれるのである。また一九〇三（明治三六）年の実業学校令改正で実業専門学校と区別されたものは、専門学校令にも同時に依拠している。この年の実業専門学校には、現在の北海道大学になる札幌農学校や現在の一橋大学になる東京高等商業学校もある。

今日も使用する概念で整理しておくと、**初等教育**は小学校が該当し、**中等教育**は中学校と高等女学校と実業学校が該当し、**高等教育**は高等学校と大学である。中学校と高等女学校は高等普通教育と規定されているから、広く一般的な内容を教育する**普通教育**となる。高等普通教育というのは、小学校も普通教育だからである。それに対して実業学校や実業補習学校は、実際の職業の訓練となる**職業教育**であり、実業の分野を対象とする**実業教育**である。一方で高等教育段階での学術技芸の教育は**専門教育**である。ただし、どの時代の学校制度でも、行政上も実態上も複雑に絡み合って、明確に区分できないことも多い。大学への進学では、尋常小学校、中学校、高等学校、帝国大学という限られた男子のみが進学できる道筋が確立して、女子教育や実業教育が別系統に進学の機会を奪われる**複線型**の教育システムとなる。

このように明治後期には、六年間の小学校の義務教育の制度と高い就学率の初等教育、職業と性別による複線型の中等教育、帝国大学と専門学校による高等教育が整備されたことになる。

第三節　大正自由教育

明治期に教育制度が整い、就学率の上では義務教育がほぼ達成されたころ、一九一二（明治四五）年七月三〇日に天皇睦仁（諡号《しごう》は明治天皇）が死去して、親王嘉仁《よしひと》（一八七九～一九二六、在位一九一二～二六、諡号は大正天皇）が即位して、元号は大正と定められた。政治史では、日露戦争後の様々な政党や運動の勃興から、大正期を大正デモクラシーという言葉で象徴するが、教育史ではこの時期に世界的な教育の展開と結びついた新しい教育の潮流を**大正自由教育**や**新教育**という言葉で象徴する。

一八七二（明治五）年の学制の時期は一斉教授法により知識や技術を教えることに力点があったが、同時期にペスタロッチ主義によるアメリカの開発主義教授法も導入されており、教室に実物や標本などを持ち込んで行う子どもたちの直観を大切にする実物教授 Object lesson が**庶物指教**《しょぶつしきょう》の名前で理解されていた。庶物を指し示して教えるものだから、庶物指教とはよい翻訳である。明治後期にヘルバルト教育学によって教授法が精密に考えられた時期にも、東京高等師範学校附属小学校訓導の樋口勘次郎《ひぐちかんじろう》（一八七一～一九一七）のように活動主義という言葉で子どもたちの自発活動を重視する教育思潮も存在した。また、一九〇五（明治三八）年に、学校の敷地のなかで農業教育や理科教育、さらに道徳教育にわたる教育に活用する植物の栽培などを実地に行うため、学校園の設置が奨励されて、都市部の公

立小学校にまで広がっていったことは、今日の緑のある学校の校庭にも一致することである。(8)

大正自由教育の特徴は、子どもたちの活動に注目して教育を改革しようとしたことであり、それは**児童中心主義**と呼ばれる。この流れは、第15章で見る西洋の教育思潮に伝統的に流れていたもので、**エレン・ケイ**（Ellen Key, 一八四九〜一九二六）が二〇世紀を「児童の世紀」と呼んだ世界的な新教育の流れのなかで、子ども自身の権利を大人が自覚して教育を改革する流れへと展開したのである。ドイツではヘルバルト教育学を改革する一九世紀末からの新教育の流れがつくられる。これらは近代学校の基本をなした一斉教授法や、知識技術を教えることでも工夫や模索がなされていき、近代学校の課題が達成された段階での反省または批判としても理解できる。教室の子どもたちをさらに小さな集団に区分する**分団式教授** Gruppenunterricht（グルッペンウンターリヒト）は、兵庫県明石女子師範学校附属小学校主事の及川平治《おいかわへいじ》（一八七五〜一九三九）によって実践され、一九一二（大正元）年の著書『分団式動的教育法』で発表された。また教科目を分けるのではなく統合していく**合科《ごうか》教授《きょうじゅ》** Gesamtunterricht（ゲザムトウンターリヒト）が提起され、森岡常蔵《もりおかつねぞう》は早くも一八九七（明治三〇）年に東京高等師範学校附属小学校に合科教授を導入し、木下竹次（一八七二〜一九四六）は一九一八（大正七）年に奈良女子高等師範学校附属小学校に導入して自学主義による合科学習として提起した。これらの合科教授は今日の総合的な学習の時間の歴史的発端となるものである。同じくドイツでは子どもの自発的活動を重んじて知識に留まらず作業を重視する**労作《ろうさく》教育《きょういく》** Arbeitserziehung（アルバイツエルツィーフング）の主張や労作学校づくりが進んだが、北沢種一《きたざわたねいち》（一八八〇〜一九三一）は労作教育を東京女子高等師範学校附属小学校に取り入れた。

こうした大正自由教育の舞台として、高等師範学校や師範学校の附属小学校が次々と登場するが、それは教員になる者の実習校であるとともに、新しい教育の実験を行うモデル校でもある。ただし師範学校附属小学校は中学校や高等女学校などへの進学校として恵まれた児童が集まる場でもあった。このほか、東京高等師範学校教授の篠原助市《しのはらすけいち》

（一八七六〜一九五七）の教育理論をもとに教育を「自然の理性化」として捉えて一九二二（大正一一）年に『自由教育真義』を著した千葉師範学校附属小学校主事の手塚岸衛《てづかきしえ》（一八八〇〜一九三六）なども注目される。

アメリカのプラグマティズム哲学者のデューイ（John Dewey, 一八五九〜一九五二）による進歩主義教育をはじめとしたアメリカの教育改革では、第15章でも見るパーカースト（Helen Parkhurst, 一八八七〜一九七三）によるドルトン・プランやキルパトリック（William Heard Kilpatrick, 一八七一〜一九六五）のプロジェクト・メソッドが日本にも影響を与えた。文部省の官僚として東北帝国大学や京都帝国大学の総長もつとめた沢柳政太郎《さわやなぎまさたろう》（一八六五〜一九二七）が一九一七（大正六）年に創立した私立の**成城小学校**はドルトン・プランをはじめとした新教育を導入した。ここで主事を務めた小原国芳《おばらくによし》（一八八七〜一九七七）は一九二九（昭和四）年に「全人教育」を掲げて**玉川学園**を設立した。大正自由教育を担って小学校令による私立の小学校を発展させて今日では鉄道の駅名になるほどの一大学園を形成した事例は注目に値する。一方で法令による学校ではなく各種学校の道を選んで自由な教育を目指したものとしては、羽仁《はに》もと子が一九二一（大正一〇）年に設立した自由学園や、西村伊作《にしむらいさく》（一八八四〜一九六三）が一九二一（大正一〇）年に設立した文化学院も注目できる。一九二四（大正一三）年にできて戦前昭和期に解散した学校であるが、東京府池袋などに校舎を持った「児童の村小学校」は、父母と職員と児童の自由を確認して、児童が教師を選択するといった自由主義教育を推進して、野口援太郎《のぐちえんたろう》（一八六八〜一九四一）や野村芳兵衛《のむらよしべえ》（一八九六〜一九八六）といった教師が活躍した。

国語教育では読本を読んで大人を見習った作文を書く明治期の綴方《つづりかた》に対して、東京高等師範学校附属小学校訓導の芦田恵之助《あしだえのすけ》（一八七三〜一九五一）は子ども自身が自己を見つめることができる自由選題綴方を提起して、一九一三（大正二）年には『綴り方教授』を発表した。また文学者の鈴木三重吉《すずきみえきち》（一八八二〜一九三六）が一九一八（大正七）年に創刊した児童文学雑誌『**赤い鳥**』によって、芸術家たちの作品と子どもたちの作品を掲載して、児童の自由な文学的表現を推奨した。さらに日常生活から感じたことを子どもの言葉で表現することを重視した地方の教師たちは

生活綴方と言われる教育活動を進め、一九二九（昭和四）年に小砂丘忠義《ささおかただよし》（一八九七〜一九三七）編集の『綴方生活』、その翌年に千葉春雄《ちばはるお》（一八九〇〜一九四三）編集の『教育・国語教育』などの雑誌が創刊された。

明治期の図画教育は臨画《りんが》という手本を写す教育方法が一般的であったが、画家の山本鼎《やまもとかなえ》（一八八二〜一九四六）は**自由画教育**を提唱して、図画教育が文字どおりの美術教育として子どもの自由な表現を促進することを主張した。彼はまた長野県上田市で農民芸術運動を進めていった。

大正自由教育が地域の教育に根ざしたものとしては、**郷土教育**も盛んであった。これはドイツの郷土科という科目の影響や柳田国男らの民俗学の地域での研究運動にも連動し、一九三〇（昭和五）年には文部省も積極的に推進をはじめ、郷土教育連盟などの民間団体も結成された。郷土教育は子どものための教育であるが、その準備に小学校教員は地域の歴史研究を行い郷土教育資料を独自にまとめていった。図13に掲載したのは、今日では幕張メッセなどで有名な千葉県幕張という地域の郷土教育資料だが、地域の古くからの史料が失われた場合にはこうした教材が貴重な歴史史料となる。

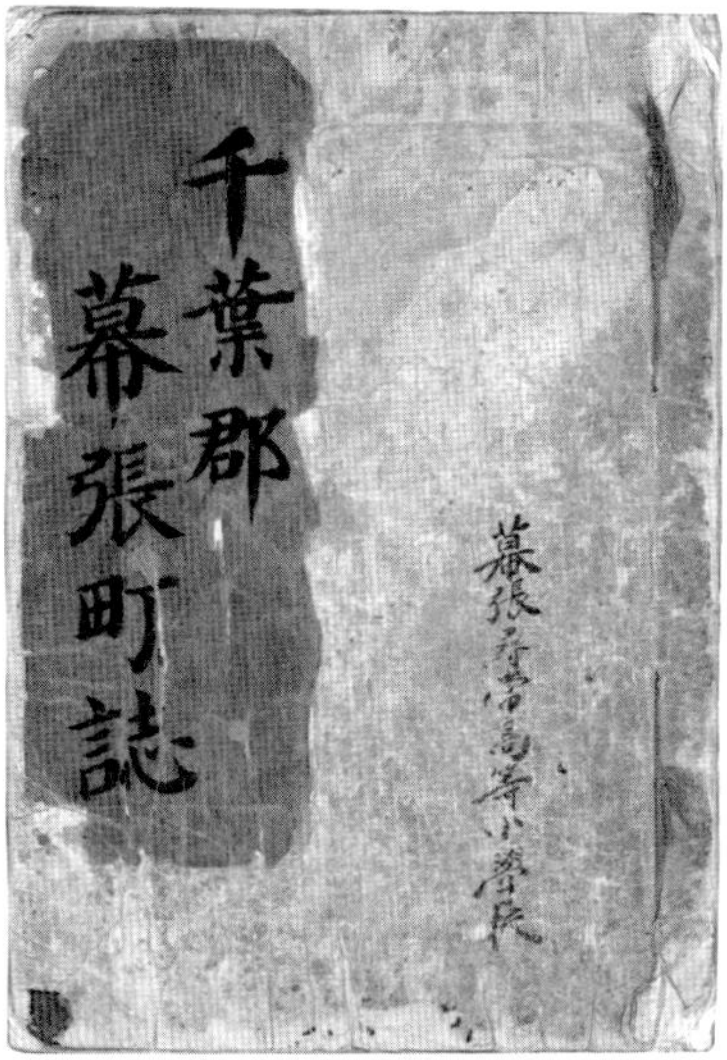

図13　幕張尋常高等小学校で作成された郷土教育資料『千葉郡幕張町誌』、家鴨文庫蔵。

初等教育を舞台にした大正自由教育の一方で、帝国大学を中心にした特権的な閉鎖性を持った高等教育にも変化が起こる。一九一七（大正六）年に内閣総理大臣の諮問機関として臨時教育会議が設置された。小学校教員の給与を市町村とともに国が連帯して負担することなど多くの改革内容が答申された。そして高等教育については帝国大学以外の大学を認めることとなった。そして**大学令**（大正七年十二月六日勅令第三百八十八号）により、一つの学部だけの単科大学や公立や私立の大学が認められることとなった。ただし中等教育が複線型であるために女子の大学は認められなかった。学部は帝国大学に存在した学部学科を前提にして認めた。この狭い学問観によって、専門学校としては認められていた宗教や美術や音楽の専門教育も、大学とは認められなかった。慶應義塾や早稲田大学などの、専門学校令によって大学名称を認められていた大学は大学令による大学となった。神道、仏教、キリスト教の専門学校は宗教の学部ではなく帝国大学同様の文学部を置く大学として認可された。私立の専門学校やこれ以後の大学では、学生以外の教育の要望に応えるために大学の雑誌や講義録の刊行や公開の講演会などを開いたが、戦前の制度では大学通信教育も公式に認められることはなかった。

なお、明治期から障害のある子どものための学校が始まり、一九二三（大正一二）年には盲学校《もうがっこう》及《および》聾唖学校令《ろうあがっこうれい》（大正十二年八月二十八日勅令第三百七十五号）が定められ、府県に**盲学校**や**聾唖学校**の設置を義務づけるところまで進んだが、すべての障害のある子どもたちの権利として就学が保障される段階には至っていない。一八七六（明治九）年の女子師範学校附属幼稚園から始まって普及が進んだ**幼稚園**についても、一九二六（大正一五）年に幼稚園令（大正十五年四月二十二日勅令第七十四号）が定められて他の学校種別同様に勅令で位置づけられた。この年には全国に一〇六六校の幼稚園があるが、それは当時の小学校二万五〇〇〇校と比べても少数であり、実際には都市部の裕福な家庭のための教育機関という性格であった。これに対して勤労する保護者への支援として農村部の農繁期託児所や都市部の**保育所**などの設置が進み、幼稚園と保育所が制度的に分離して発展していく。

第四節　戦時下の教育

大正の最後の年、一九二六（大正一五）年に象徴的な事件が起きる。教育勅語の公式の解説書『勅語衍義』の著者である井上哲次郎の著書『我が国体と国民道徳』が不敬であると指摘されて、翌一九二七（昭和二）年に発禁処分を受けたのである。井上哲次郎は**国民道徳**という概念で、教え込みだけでは十分に理解できない研究的な内容の道徳教育を、中等教育以上の者は学ぶべきだという立場にいた。これは森有礼以来の学問と教育の分離と同じ発想で、矛盾する事実も学問として知っておかないと、道徳教育を指導する立場の者には不十分だということである。この国民道徳は、一九〇九（明治四二）年からは文部省による中等学校の教員検定試験（文検）にも出題され、一九一六（大正五）年からは「国民道徳要領」が必修科目となるほどのものであった。そしてこの著書で天皇の権威を示す三種の神器の喪失という歴史上の事実を説明した箇所を引用したのだが、彼が総長をつとめる専門学校の大東文化学院の内紛を引き金として、不敬だとされたのである。(9)

一九三一（昭和六）年の満洲事変、一九三二（昭和七）年の満洲国建国、一九三七（昭和一二）年の日中戦争と、中国での戦争が以前とは異なった教育理念をめぐる統制の強化へと進んでいく。一九二五（大正一四）年の治安維持法（大正十四年四月二十二日法律第四十六号）をはじめとして、社会主義や共産主義の思想運動への取り締まりが強化された。治安維持法は「国体ヲ変革シ又ハ私有財産制度ヲ否認スルコト」を一〇年以下の懲役や禁固として、さらに一九二八（昭和三）年からは死刑を含めて処罰する法律である。この国体は、大日本帝国憲法第一条に定めた天皇が統治する制度であるとともに、用語としては教育勅語で登場した国体のことである。これに矛盾するとされた教育の動きは、プロレタリア教育運動や、社会主義などの影響を受けた学生の運動であり、文部省は**学生思想問題**という言葉で把握して対応をしていく。一九二八（昭和三）年に文部省専門学務局に学生課を置き、翌年には学生部に昇格させ、一九三四（昭和九）年には思想局に格上げする。各大学や高等学校にも学生課が置かれ、学生主事、生徒主事などが学生を指導した。今日の大学の学生課は学生の課外活動や就職を支援する心強い存在だが、この頃の大学の学生課は学生の思想善導を行うことが課題とされていた。一九三三（昭和八）年に京都帝国大学法学部教授の滝川幸辰《たきがわゆきとき》（一八九一～一九六二）の講演や著書『刑法読本』を赤化思想だとして彼を休職にした滝川事件が起きた。一九三五（昭和一〇）年二月には憲法解釈の通説であった東京帝国大学教授の美濃部達吉《みのべたつきち》（一八七三～一九四八）の学説を不敬とする演説が帝国議会で行われ、**天皇機関説事件**が起こって、学問の統制にまで進むこととなる。

天皇機関説というのは批判に使われた奇怪なネーミングだが、国家を法人とみなす国家法人説に立つと天皇はそれを代表する機関となるわけで、天皇主権説と学問上で対立していても不敬だと批判できるものではない。しかし、天皇の神聖性を大きく解釈したときには不敬とする批判ができるわけで、政府は二度も「国体明徴《こくたいめいちょう》」の声明を出して天皇機関説を否定した。

これを受けて文部省は一九三五（昭和一〇）年に**教学刷新評議会**を設置して、教学刷新として「国体」と「日本精神」を強調する答申が出される。大学等の学問に影響を与えるために、一九三六（昭和一一）年には**日本諸学振興委員会**を設置して、学問分野ごとに学会を開催した。一九三七（昭和一二）年には思想局を教学局に改組して、学説などの調査なども行われた。また文部省編纂の冊子を各学校に配付し、一九三七（昭和一二）年には『国体の本義』、一九四一（昭和一六）年には『臣民の道』が配付された。『国体の本義』は西洋近代思想から「民主主義・社会主義・共産主義・無政府主義等」が生まれた背景には個人主義があるとして、国体と矛盾する思想を一括して批判するもので、これは大正自由教育や大正期の教養主義からは隔絶した思想であると言える。

教学局や日本諸学振興委員会がキーワードにしたのが、**日本精神**という当時の流行語だったが、これをテーマに学者に解説書を執筆させたり、学会で研究発表をさせたりすると、困ったことが起きた。当初は威勢よく日本教育学、日本科学、日本法学といった話が出てくるのだが、まじめに歴史研究をすると個々の文化財や言葉は中国や西洋からの直輸入だったり、昔に渡来した文化の変容だったりと、結局は日本精神の優越性の論証にならない。たとえば、和魂洋才という言葉の出典は『菅家遺誡《かんけゆいかい》』にある和魂漢才という言葉である。教学局編纂『日本精神叢書　三十六　菅

図14　文部省から広く教材として配付された『国体の本義』や『日本精神叢書』（左）と、極秘で学生思想問題担当者に配付された『思想研究』（右）、家鴨文庫蔵。

家遺誡　和魂漢才』（一九四〇年）という冊子の執筆を任された日本教育史研究者の加藤仁平《かとうにへい》は、依頼意図に沿って日本精神などを論じてはいるのだが、彼の研究の眼目は実は偽書説である。問題の『菅家遺誡』は菅原道真の名を騙《かた》って後代につくられた偽書《ぎしょ》であり、さらに和魂漢才の箇所はその偽書に幕末に竄入《ざんにゅう》した偽書中の偽書だという点である。文部省が出した本で学問の神様である菅原道真の古典の解説があると思って手に取った読者はがっかりしてしまうだろうが、研究者である以上はそのことを述べないわけにはいかない。結局は日本精神という言葉をもって思想を統合しようとしても、古典研究や歴史研究はそんなに甘くないし、古典研究や歴史研究に基づかない日本精神は空威張りになってしまうのである。かくして太平洋戦争も末期の一九四四（昭和一九）年に日本諸学振興委員会の規程から役に立たなかった、日本精神の文字が削除されるのである[10]。

さて、初等教育と中等教育でも、戦争をめぐる動きが影響を与える。小学校には実業補習学校が置かれることが多かったが、一九二六（大正一五）年には青年訓練所令（大正十五年四月二十日勅令第七十号）によって、小学校に置かれていく。**青年訓練所**が兵役前のおおむね一六歳から二〇歳までの中等教育を受けない男子のための学校として、小学校に置かれていく。四年間で合計八〇〇時間なので、勤労青年のための補習的な学校であるが、実業補習学校のように実業教育ではなく、半分は教練である。小学校や実業補習学校の教員が補習や実業を教えながら、半分は在郷軍人が軍事教練をするのである。この青年訓練所を終えれば、兵役が半年間短くなる特典があり、それが魅力となっていた。

ここで少し説明が必要である。一八七三（明治六）年の徴兵令（明治六年一月十日太政官布告）によって男子の徴兵制が実施され、徴兵制反対一揆のような目立つ反対は鳴りを潜めても、徴兵を忌避する気風は続いていく。さらにその忌避が逆に徴兵制の浸透のために使われていく。近代学校は軍隊起源の教場指令法や軍服にならった男子の学生服や女子のセーラー服や小学生のランドセルなど、二一世紀の現在に至るまで軍事色満載である。ただミリタリールックの勢揃いを見ても私たちが軍事色を感じないのは、現在では黒い詰め襟の軍服の陸軍軍人やセーラー服の海軍軍人をあまり見ないことと、学校で最も軍事色を感じさせる**兵式体操**が表面上は排除されたことによる。兵式体操は、軍隊の隊列を組んだ集団行動を基本として、柔軟体操から射撃までを含むものである。諸学校令をリードした森有礼はこの兵式体操の導入に積極的で、師範学校で学ばせ、小学校に広めた。

そして制度の変遷は複雑だが、師範学校卒業生の短期現役制度（六箇月現役や六週間現役）や中等学校卒業者の一年志願兵制度や幹部候補生制度などによって、短い現役期間や予備士官の教育が順調に終われば予備役の少尉という将校クラスの階級をもらうことになる。つまり、通常の兵役よりも短い兵役期間で将校になるという破格の特典である。もちろん軍隊の中心になる、言わば本物の将校は、陸軍は陸軍士官学校、海軍は海軍兵学校で養成するから、師範学校卒業者たちは速成の将校である。その師範学校卒業生つまり小学校教員をいざとなれば将校として動員できるし、日頃は小学生を相手に兵式体操をやって未来の徴兵対象者を育成するのだから、陸軍としてもありがたい。魚心あれば水心である。

一九二五（大正一四）年の陸軍現役将校学校配属令（大正十四年四月十三日勅令第百三十五号）では、さらに本物の現役将校を師範学校や中学校、高等学校などにも配属して、本物の軍事教練ができるようにする。これを**学校教練**と言う。当時の徴兵による在営年限は二年だが、師範学校卒業者五箇月、中等学校一年、高等学校などの一〇箇月と、半分以下になる特典である。これは陸軍から見ると、将校を現役のまま学校に雇用させるのだから、職業軍人の生活確保としても、中等教育以上を受けた臨時の将校の人材確保という点でも意味が大きい。このほか、学校在学中の徴集延期、つまり徴兵年齢以上の男子学生が徴兵されない特典も学校が競って獲得しようとした特典である。

古代から軍隊は、指揮する者とされる者、将と兵の区別があってはじめて成り立つ組織である。それが中等教育以上の学校の機会の限定や複線型によって、男子青年の学歴の格差が、軍隊内の階級や特典の格差として眼前に見えてくる。小学校だけを卒業した多数派の男子青年にとっては徴兵までの期間で、四年間八〇〇時間のうち半分が教練という青年訓練所を修了して、兵役が半年短縮になるという特典でもありがたいと考えたことは理解できる。もちろん兵は兵だから、予備役将校になれるわけではないが。

職業に役立つ男女青年の実業補習学校と、徴兵期間短縮の男子の青年訓練所は、同じ小学校にあるのだから、小学校卒業の勤労男子青年はどちらに行くべきか迷ってしまう。そこで一九三五（昭和一〇）年には青年学校令（昭和十年四月一日勅令第四十一号）により二つの学校種別を統合して、**青年学校**とした。高等小学校に相当する普通科が二年、その後の本科が男子五年、女子三年の長い在学期間であるが、年間時間数は二一〇時間ほどで、男女の勤労青年のための定時制の学校である。第一条には「心身ヲ鍛練シ徳性ヲ涵養《かんよう》スルト共ニ職業及実際生活ニ須要ナル知識技術ヲ授ケ以テ国民タルノ資質ヲ向上セシムル」と目的が記されているが、男子の本科五年間は毎年七〇時間が教練科に当てられ、青年訓練所の半年間の兵役短縮の特典が引き継がれた。ところが、日中戦争が長期化してくると、陸軍にとって青年学校は徴兵までの男子青年に兵としての教練と補習を行わせる大切なものだが、兵役の二年間を半年も削るような特典は廃止すべきものとなる。ただ、特典だけなくすと青年学校就学者は減るので、魚心と水心の矛盾をなくす奇策として、青年学校令を改正して、**青年学校男子義務制**が一九三九（昭和一四）年度から実施された。つまり、男子全員が青年学校に就学すれば全員に特典がなくなって損得がない。同年に青年学校は二万校を超え、小学校の附設のほか、工場で働く青年のために工場に私立の青年学校も置かれた。この青年学校の一九歳になる年の学年までの義務教育期間は、現在に至るまで日本最長の記録である。ただし、あくまでも年間二一〇時間ほどの学校である。

一九四一（昭和一六）年に従来の小学校令は名称も国民学校令（昭和十六年三月一日勅令第百四十八号）となり、同年四月一日から各小学校（尋常小学校、高等小学校、尋常高等小学校）の名称も**国民学校**となる。国民学校令第一条は、「国民学校ハ皇国ノ道ニ則リテ初等普通教育ヲ施シ国民ノ基礎的錬成ヲ為スヲ以テ目的トス」と定めた。冒頭の「**皇国ノ道**」については、すでに説明した日本精神以上にファナティックな偏りが当時も感じられたが、「皇国ノ道」とは教育勅語に記された「斯ノ道」であるとの公式解釈によって受け入れられていった。第12章で述べたように「斯ノ道」は教育勅語に記された皇運の扶翼にまとめられた徳目全体が外国でも通用するという普遍性を主張したものである。大陸での戦争が長期にわたったこの時期にはそうしたことも受け入れられるに至ったのであるが、一方では年数のたった教育勅語を「皇国ノ道」に置き換えることで幅広い内容を教育目的に加えようとしたものとも理解できる。[11]

また、第一条には**錬成**という新しい用語がある。これは近代学校の教育への批判として、学校内や学校外での体験的な学習の方式を取り入れて再編しようとしたものである。古めかしい印象を与えつつも、近代学校の見直しとしての大正自由教育の教育方法的な成果をも取り込もうとした。たとえば**教科**は国民科、理数科、体練科、芸能科の四つにまとめられたが、この背景には大正自由教育の合科教授の流れがある。もちろん、この教科のもとに従来の教科が**科目**として配置されたから、実際は合科教授とは言えないのだが。国民学校の制度は、従来の尋常科を初等科と改称して、初等科六年と高等科二年とした。この八年間がすべて義務教育期間となったので、従来よりも二年間の延長となったのだが、適用されるのは一九三一（昭和六）年四月二日以後に生まれた者だからすぐには実施されず、以前の六年制の義務教育のままで戦後教育改革を迎えることになった。なお前記の青年学校の義務制や国民学校をはじめとした制度改革は、一九三七（昭和一二）年に内閣に設置された教育審議会で審議しており、中等教育の一元化をはじめ戦後の教育改革につながる制度を含む多くの答申を出している[12]。

日中戦争が長期化し、一九四〇（昭和一五）年九月二二日には仏印（現在のベトナムなどのフランス領インドシナ）北部への日本軍の進駐をフランスに承認させ、同月二七日にドイツ・イタリアとの間に三国軍事同盟を結び、一九四一（昭和一六）年、小学校が国民学校となった年の七月二八日には南部仏印に進駐を進めた。同年一二月八日のハワイの真珠湾攻撃に始まり、大東亜戦争つまり戦後の用語で言う**太平洋戦争**が始まる。大東亜戦争というのは大東亜共栄圏という東アジア全体に日本の政治理念を及ぼす構想と連動する宣伝的な美称であるからふさわしくないのだが、アメリカ側の太平洋戦争 Pacific War という呼称も中国や南方の太平洋に面していない地域での戦争を見失う用語でもあり、一九三九（昭和一四）年のドイツのポーランド侵攻以後の欧州での戦争と併せて第二次世界大戦と総称したり、一九三一（昭和六）年の満洲事変から数えて十五年戦争という呼称をしたり、アジア・太平洋戦争と言ったりすることもある。この戦争は**総力戦**として位置づけられ、国民学校で錬成される児童も年少の国民として少国民と呼ばれて、慰問や遺族の支援などの軍人援護教育に参加し、学校教育全体が戦争のなかに位置づけられた[13]。なお総力戦と言うと、単に全力で戦うことと誤解されるが、第一次世界大戦を踏まえて、ドイツの将軍ルーデンドルフ（E. F. W. Ludendorff, 一八六五～一九三七）が一九三五（昭和一〇）年の『総力戦』Der totale Krieg のなかで唱えた国家と社会全体にわたる動員が必要だとした戦争理論であり、教育や思想までもが動員対象となる。

高等教育では将校クラスの人材を送り出す必要から、一九四一（昭和一六）年度には三箇月、翌年度は六箇月の在学期間短縮が行われて一二月、そして九月の卒業となった。さらに一九四三（昭和一八）年には理工系と師範学校を除く大学、専門学校の学生生徒の徴集延期処置を停止して、一〇月二一日に神宮外苑競技場での壮行会を行って、一二月に陸海軍への入営入団が行われた。世に言う**学徒出陣**である。[14] また太平洋戦争以前の一九三八（昭和一三）年に国家総動員法（昭和十三年四月一日法律第五十五号）によって中等教育や高等教育では集団勤労作業が励行され、さらに一九四一年には学校内に学校報国団を組織し、それぞれ学校報国隊などと称して軍需工場での労働に従事するようになる。これを**学徒動員**と言う。一九四三（昭和一八）年には年間の三分の一だが通年動員へと移行し、一九四五（昭和二〇）年三月には国民学校初等科以外は授業を停止される。

本土の空襲の激化に伴い、子どもたちを農村部に避難させる**学童疎開**も進行する。一九四三（昭和一八）年秋からは親戚知人を頼った縁故疎開が始まり、一九四四年からは集団疎開が行われ、東京都区部では縁故疎開をしていない国民学校初等科三年生から六年生が学校単位で疎開し、他の一二都市も含めて四〇万人が全国七〇〇〇の旅館や寺院に収容された。

かくして教育勅語の教育理念のもとに緩急あれば義勇公に奉じて皇運を扶翼した総力戦であったが、一九四五年八月一四日に連合国の「ポツダム宣言」を日本は受諾して同月一五日に国民に知らされた。ここに教育理念と教育制度そのものの根底的な問い直しが始まることになる。

（1）価値教育をめぐる研究動向としては、「シンポジウム　戦後史における〈価値教育〉宗教教育・道徳教育の過去と現在」『日本の教育史学』第五二集、二〇〇九年一〇月。なお、本章以降の近代の法令は米田俊彦編著『近代日本教育関係法令体系』港の人、二〇〇九年を参照した。

（2）小沢三郎『内村鑑三不敬事件』新教出版社、一九六一年。

（3）小股憲明『明治期における不敬事件の研究』思文閣出版、二〇一〇年。
（4）こうしたテーマについては、駒込武『植民地帝国日本の文化統合』岩波書店、一九九六年、及び駒込武『世界史のなかの台湾植民地支配　台南長老教中学校からの視座』岩波書店、二〇一五年などを参照。
（5）小川智瑞恵「浮田和民における人格論　キリスト教理解とシンクレティズムをめぐって」『日本の教育史学』第三八集、一九九五年一〇月。
（6）久木幸男「訓令十二号の思想と現実」全三篇、『横浜国立大学教育紀要』第一三、一四、一六号、一九七三年一〇月〜一九七六年九月。
（7）柏木敦「小学校における二重学年制の導入と実施状況　大正期富山市における秋季学年制」『日本教育史学会紀要』第七巻、二〇一七年三月。
（8）田中千賀子『近代日本における学校園の成立と展開』風間書房、二〇一五年。
（9）高橋陽一「井上哲次郎不敬事件再考」寺崎昌男ほか編『近代日本における知の配分と国民統合』第一法規、一九九三年。
（10）駒込武・川村肇・奈須恵子編『戦時下学問の統制と動員　日本諸学振興委員会の研究』東京大学出版会、二〇一一年。
（11）高橋陽一「「皇国ノ道」概念の機能と矛盾　吉田熊次教育学と教育勅語解釈の転変」『日本教育史研究』第一六号、一九九七年八月。
（12）清水康幸ほか『資料　教育審議会（総説）』野間教育研究所、一九九一年。その他、野間教育研究所から米田俊彦らにより多くの教育審議会の研究書が出されている。
（13）錬成と総力戦については、寺崎昌男・戦時下教育研究会編『総力戦体制と教育　皇国民「錬成」の理念と実践』東京大学出版会、一九八七年。
（14）東京大学史史料室編『東京大学の学徒動員・学徒出陣』東京大学出版会、一九九七年。

第14章　戦後教育改革と教育基本法の理念

すべてのことを教育で説明しようとするのは教育関係者の不遜かもしれないが、明治維新から太平洋戦争に至るまでの日本の歴史は、教育の理念の確立と矛盾、そして崩壊という歴史として描くことができる。その崩壊と新たな再生の様子をこれから描こう。

第一節　戦後の教育改革

一九四五（昭和二〇）年八月一五日に天皇裕仁《ひろひと》（一九〇一～一九八九、在位一九二六～一九八九、諡号《しごう》は昭和天皇）の肉声による「玉音放送」があり、敗戦が伝わっていった。日本を占領したのは連合国であるが、その主力はアメリカ合衆国である。マッカーサー（Douglas MacArthur, 一八八〇～一九六四）を責任者とするＧＨＱ（連合国最高司令官総司令部 General Headquarters of the Supreme Commander for the Allied Powers）に、教育の占領政策を企画するＣＩＥ（民間情報教育局 Civil Information and Education Section）が設置された。そして矢継ぎ早にＧＨＱから日本に指令が出されてくる。すなわち、「日本教育制度ニ対スル管理政策」では軍国主義や超国家主義の教育を禁止し、「教員及ビ教育関係官ノ調査、除外、認可ニ関スル件」では軍国主義的教員の追放を指示し、「国家神道、神社神道ニ対スル政府ノ保障、支援、保全、監督並ニ弘布ノ廃止ニ関スル件」では神道の国家からの分離や学校教育からの排除を求め、「修身、日本歴史及ビ地理停止ニ関スル件」では学校での三教科の授業の停止を指示した。この頃は教科書の不適当な箇所に抹消を行った**墨塗**《すみぬり》**教科書**も用いられた。また、一九四六（昭和二一）年には、公職追放令と呼ばれる「就職禁止、退官、退職等ニ関スル件」（昭和二十一年二月二十八日勅令第百九号）により軍国主義や極端な国家主義を推進した政治家や官吏さらに民間指導者など二〇万人以上を公職から追放する**公職追放**が行われ、教職追放令と呼ばれる「教職員ノ除去、就職禁止及復職等ノ件」（昭和二十一年五月七日勅令第二百六十三号）により、軍国主義や極端な国家主義を推進した教員など五〇〇〇人以上を学校から追放する**教職追放**も行われた。

さらにマッカーサーの要請により**アメリカ教育使節団**が来日して、一九四六（昭和二一）年三月には報告書が提出され、個人の尊厳を認める教育や教育委員会制度や単線型の教育制度を提言した。これには文部省側も日本側教育家委員会を組織して対応した。そして八月一〇日には内閣総理大臣の諮問機関として**教育刷新委員会**が設置され、戦時下とは異なる新しい時代の教育の専門家たちが委員となって新しい教育制度の審議を始める。委員長には哲学者で第一高等学校校長の安倍能成《あべよししげ》（一八八三〜一九六六）、次に東京帝国大学総長の南原繁《なんばらしげる》（一八八九〜一九七四）が就任した。一一月に同委員会が教育基本法制定を建議する。この一一月三日に日本国憲法が公布され、一九四七（昭和二二）年三月に教育基本法と学校教育法が公布されるのである。

その後、教育勅語の排除や失効が国会で確認される。考えてみると、井上毅《いのうえこわし》の考えたとおり教育勅語は勅令でも詔書でもなく天皇睦仁《むつひと》の著作なのだから、本来は法令としての効力を持っていない。それでも法令を遥かに凌駕《りょうが》する実力を持ったのが教育勅語である。一九四八（昭和二三）年六月一九日より、衆議院で「教育勅語等の排除に関する決議」、参議院で「教育勅語の失効確認に関する決議」が議決され、国会の総意としての国会決議という民主主義の時代にふさわしい教育勅語の幕引きがなされたのである。

第二節　教育基本法（旧法）の概要

教育基本法の画期的な意義は、法律であること、そして基本法であることである。近代日本の基本となる教育法令は勅令をもって定められていた。第12章や第13章を読み直すと明治初期の太政官布告の時代の後は、次々と勅令が並んでいることがわかる。これを教育における**勅令主義**と呼ぶ。この勅令主義を**法律主義**へと改めた大きな画期となるのが、教育基本法である。勅令とは天皇の命令である。それが上からの命令ではなく、国民の代表による議会において国民の総意が法律として定められることに意義がある。教育理念を掲げた法令体系としては、勅令でさえなかった教育勅語が教育理念を定める体制つまり**教育勅語体制**から、**教育基本法体制**に変化したと言える。教育勅語体制は、教育勅語が法令でなく君主の著作としての勅語であるため、法令の体系としてはあいまいになる。それに対して、この教育基本法は、基本法として他の教育法令の基本的な目的等を規定するものであるから、憲法に次いで力を持つ準憲法的性格が存在することになる。もちろん最上位の法令は、憲法である。この憲法のなかに少ないながらも最も重要な教育に関する条項が定められて、教育基本法はこれに基づいて教育法令をまとめる基本法となって、教育の法令全体を規定するから教育基本法体制と言うのである。

まずは、**日本国憲法**の教育に関する基本的な条項を確認しよう。

日本国憲法（昭和二十一年十一月三日憲法）

第二十三条　学問の自由は、これを保障する。

たまたま五七五の口調になったのだろうが、覚えやすい。「は」で主題を明示し、漢文で動詞の下に軽く添える「之」を漢文訓読調に「これを」と書いた、明治期から多い法令の文体である。戦前はカタカナ書きの古典文法で書かれていた法令であるが、戦後はひらがな書きで口語文法である。内容は明確で、**学問の自由**を保障するというこれだけである。大日本帝国憲法にはなかった条項である。主体を限定した主語も、制約になる条件も何もない。あらゆる人のあらゆる学問は保障されるということである。ここまでの言い切りは、近代日本で様々な学問や学説が抑圧されてきた歴史への反省がある。戦前の学問が抑圧されたときの被害者は学者であった。第13章の例だと、教育勅語の権威で内村鑑三を批判した井上哲次郎が不敬とされて著作が発禁になるといった事件である。しかしそれ以前から、森有礼が教育と学問の分離という流れをつくり、中等教育以上は複線型となって、学問に国民が近づきにくくしたところに問題があった。戦前の学問の自由は特権的な大学に保障された自由として、大学の自治と同様に論じられていた。これに対して、日本国憲法の定めた学問の自由はあらゆる人の権利であって学者の特権ではない。この広範な学問の自由の概念によって、学問の発展が期されているのである。このことを教育基本法も第二条で再確認している。

第二十六条　すべて国民は、法律の定めるところにより、その能力に応じて、ひとしく教育を受ける権利を有する。

2　すべて国民は、法律の定めるところにより、その保護する子女に普通教育を受けさせる義務を負ふ。義務教育は、これを無償とする。

日本国憲法第二十六条は教育を受ける権利を定める。「法律の定めるところにより」とは教育基本法第三条の定めるところであり、現在の教育基本法では第四条の定めるところで、具体的な規定を行うということである。教育を受ける権利はひとしいが、その条件としては「能力に応じて」とあるので、公立の義務教育の学校以外では学力による試験が行われることも認められており、これを**教育の機会均等**と言う。

第二項は義務教育の規定である。義務教育は民法に定める親権に根拠を持って、それを学校への就学として実現するものとして、保護者の負う**就学義務**となることは、さらに第20章でも再検討する。ここで「法律の定めるところ」とは教育基本法第四条であり、現在の教育基本法では第五条で定めており、さらに学校教育法の義務教育の規定へとつながる。第二項の二つ目の文章、つまり後段で言う義務教育の「無償」とは、憲法では範囲が定められていないので、教育基本法で授業料を徴収しないこととした規定につながる。ここで**普通教育**というのは、実業教育や専門教育に分化しない、誰にも共通する一般的な教育であり、具体的には小学校と中学校とそれに相当する盲学校・聾学校・養護学校に該当する。

これから、一九四七（昭和二二）年の**教育基本法**の全文を読んでみよう。最初に断っておくと、本書では第16章から第19章で再び二〇〇六（平成一八）年に全部改正された教育基本法を説明する。本章の解説は、戦後教育改革の教育理念を示した歴史的文書、つまり以前の法律である**旧法**としての教育基本法の説明ということになるが、全部改正によって旧法の多くの内容が現在の**新法**に継承されている。また新法の特徴を理解するためにはこの旧法を理解しないと前に進まない。このために全文を逐条的に検討するのである。

教育基本法（昭和二十二年三月三十一日法律第二十五号）

われらは、さきに、日本国憲法を確定し、民主的で文化的な国家を建設して、世界の平和と人類の福祉に貢献しようとする決意を示した。この理想の実現は、根本において教育の力にまつべきものである。

われらは、個人の尊厳を重んじ、真理と平和を希求する人間の育成を期するとともに、普遍的にしてしかも個性ゆたかな文化の創造をめざす教育を普及徹底しなければならない。

　ここに、日本国憲法の精神に則り、教育の目的を明示して、新しい日本の教育の基本を確立するため、この法律を制定する。


　これが**前文**《ぜんぶん》である。「ぜんぶん」が正しい発音だが、耳には「全文」だと誤解されるので「まえぶん」という言い方も行政関係者では行われている。前文というものは、日本国憲法にも付けられているが、一般の法律では異例であり、教育基本法の基本法としての位置や準憲法的性格を示すものと解釈される。ただし、現在では前文のある法律は増加した。

　商法学者であるとともに世界法研究やカトリック教徒としても発言した**田中耕太郎**《たなかこうたろう》（一八九〇〜一九七四）は、戦時下は東京帝国大学法学部長として大学の自治を守ることに努め、一九四六（昭和二一）年五月の第一次吉田内閣の文部大臣となって翌年一月まで教育基本法の制定を主導した。彼は教育基本法に「**教育権の独立**」という理念を置いている。[1]教師の専門性をもとに、日本国憲法でも明記された裁判官の独立性とも比較しながら、教育が一般行政などと異なる独立性を持つという考えである。この考え方は、確かに三権分立のような明文で規定された制度ではないが、戦後の教育法令を考える基本となっている。

　さて前文の内容は、文章としても簡潔で明瞭である。まず法令の体系として、上位法としての日本国憲法を明示して、「民主的で文化的な国家」という日本の課題や、「世界の平和と人類の福祉」という国際的課題を述べた。日本国憲法の前文が明示した国民主権や恒久平和などを踏まえた内容である。さらに日本国憲法の理想の実現は、「根本において教育の力にまつべきものである。」と言い切った。国家の主権者あるいは国際社会の一員である国民は、教育によって形成されるという考え方である。

第二段落では、「**個人の尊厳**」というキーワードが登場する。日本国憲法では婚姻について規定した第二十四条に「個人の尊厳と両性の本質的平等」とある。家族制度を重んじた旧民法から一変して個人としての男女を重んじる文言である。民法第二条も個人の尊厳と両性の本質的平等を法令解釈の原則として明記している。教育の世界では第13章で見たとおり、世界的な新教育、大正自由教育のなかで子どもたち一人ひとりを重んじる教育観が進んでいった。教育が子どもたち一人ひとりのためのものだということは、現在の常識である。しかし教育勅語は、あらゆる徳目を皇運の扶翼へと統合してすべてを天皇のためにつくすという教育理念を打ち立てていた。ここで「個人の尊厳」という日本国憲法の人間観を掲げたところに、新しい教育理念としての意義がある。さらに教育を「真理と平和を希求する人間の育成」として、日本国憲法の明示した学問の自由や平和主義を前提としている。また「普遍的にしてしかも個性ゆたかな文化の創造をめざす教育」とも述べている。教育勅語は「中外ニ施シテ悖《もと》ラス」と普遍性を主張していた。教育勅語は中国や西洋の徳目を並べたてながら、それを天皇の先祖がつくったと言い張っていたが、こうした表層的な普遍性は容易に植民地支配のための論理へと変化した。これに対して教育基本法の教育理念では、平和で個性が生きる文化を担う教育が目指されているのである。

最後の段落では、改めて「日本国憲法の精神に則り」という教育基本法の位置づけを明確にして、続く第一条に明記される「教育の目的」を示すという課題を書いている。そして「新しい日本の教育の基本を確立する」という表現は、言うまでもなく、明治維新以来の教育のあり方と対照させて「新しい日本の教育」という表現があると理解できる。第11章で検討した学制布告書も、近世までの教育の批判を前提に新しい日本の教育を示していたことが、思い出される。それと比較すると、太政官が上から与える布告ではなく、議論を積み上げた法律として出された点に、教育基本法の意味が確認できる。それでは、各条項を逐条的に見てみよう。

第一条（教育の目的） 教育は、人格の完成をめざし、平和的な国家及び社会の形成者として、真理と正義を愛し、個人の価値をたつとび、勤労と責任を重んじ、自主的精神に充ちた心身ともに健康な国民の育成を期して行われなければならない。

この教育基本法は、現在の法令の書き方と異なり、第一条とある次に（教育の目的）という見出しがあり、次に第一項の本文が続けて書かれている。さて見出しのとおり、前文で予告された**教育の目的**の規定である。何のために教育を行うのかを論じるのが、教育目的論である。教育勅語であれば皇運の扶翼が教育目的の中心であった。これに対して教育基本法は冒頭に「めざし」という動詞があり、人格の完成が、教育目的の中心であることがわかる。**人格の完成**という言葉は、戦前ではなじみが少なく、教育刷新委員会では「人間性の開発」という表現も論じられていたが同じ意味と見てよい。第5章で見た世界人権宣言は国際連合が、この翌年の一九四八（昭和二三）年に採択したものだが、第二十六条で教育の目的として「人格の完全な発展」the full development of the human personarity と記している。本条の英訳も同文である。人格の完成は、当時の世界的な教育目的を示す用語と言える。

人格の完成に始まるこの第一条を読んだとき、押し付けがましい印象を受けるという感想も学生から聞いた。法律の解釈はあらゆる人に開かれたものだから、印象を含めて考えることはとても大切な解釈のあり方である。続く文言を読んでいくと、確かに説教のような印象も受ける。ただし、その一言は上からの押し付けではなく、「個人の価値」や「自主的精神」をはじめ、一人ひとりのあり方を尊重するものである。現在のグローバルな時代を迎えて教育学者たちからも旧法や新法で「国民」が強調されていることに違和感を持つ発言を聞く。ただこの第一条で用いられている国民とは、「平和的な国家及び社会の形成者」という戦争の反省を踏まえた日本国憲法の主権者としての国民である。「心身ともに健康な国民」という表現に障害者や高齢者を排除しているような印象を受ける人もいるのだが、加齢や疾病、障害は誰にでも起こることであり、それぞれの健康状態の違いを認め合いながらともに健康な生活が実現するようにすることが教育の目的である。人格という言葉がキリスト教神学などに起源を持つ哲学用語であるから、この言葉だけでも多くの哲学議論ができるのだが、ここでは様々な思想や立場の違いが、個人の尊厳や個性の尊重という一人ひとりの大切さを確認して認め合って、それぞれが目指すものが人格の完成のあり方だと言い切ってよいだろう。

それでも法律で教育の目的を定めてよいのかという議論は、無視するべきではない。法律と道徳は異なるものだからである。これに対しては、法律で定めた教育の目的はあくまでも法律で定められる範囲での教育の目的であり、日本国憲法の定めた思想、良心、信教、学問などの様々な自由を前提に開かれた教育の目的であると答えられよう。もちろん、この第一条について私はそう述べたいのだが、それからの日本の歴史ですべてがそうなったと強弁するつもりはない。たとえば、一九六六（昭和四一）年一〇月には中央教育審議会答申の別記として「期待される人間像」が出されたが、「正しい愛国心をもつこと」「象徴への敬愛の念をもつこと」「すぐれた国民性を伸ばすこと」などと押し付けがましい徳目が列記された。この本文は起草者にあった者が自己の哲学説を書き連ねた文章になっており、教育勅語で井上毅と元《もと》田《だ》永孚《ながざね》が起草した特定学説によらないという配慮からも離れて、まことに残念な出来の文章であったので、議論を巻き起こしつつも忘れ去られた。ただ現在の教育基本法の第二条にも法律で道徳を定める傾向がないとは言えないことは、改めて第17章で検討する。

続く第二条には、そうした傾向をなくすための自由や自発性についての文言がある。

> 第二条（教育の方針）　教育の目的は、あらゆる機会に、あらゆる場所において実現されなければならない。この目的を達成するためには、学問の自由を尊重し、実際生活に即し、自発的精神を養い、自他の敬愛と協力に

よって、文化の創造と発展に貢献するように努めなければならない。

冒頭の「教育の目的」とは、前文で言われ、第一条で規定された教育の目的を意味する。法律のなかでは同じ言葉は同じ意味で使用するので、「第一条で定めた教育の目的」と書かれていなくても、すでに述べられた教育の目的であり、二つめの文章つまり後段冒頭の「この目的」も同じ意味である。「あらゆる機会に、あらゆる場所において」とは、時間や年齢も場所も問わず、いつでも、どこでもということである。つまり、**生涯学習** lifelong learning または生涯教育 lifelong education と置き換えてよい。学校だけではなく、家庭や社会での教育が含まれる。だからあらゆる機会やあらゆる場所とは、一人の人間の人生において生まれてから死ぬまでのあらゆるステージで生涯学習を行い、また社会の時間と空間におけるあらゆるステージで生涯教育を提供することである。教育のあり方としては、第6章で述べた海後宗臣《かいごときおみ》の言う陶冶も教化も形成もすべて含まれる。教育の概念が法律上も拡張されたから、近代学校だけの教育ではなく、海後宗臣の教育の定義が戦後社会のなかで浸透したのだ。今まで論じてきた学校のある教育や学校のない教育の歴史を考えるならば、人類の教育史は学校の教育史ではなく、生涯学習の歴史だったと言える。

生涯学習の発想は、フランス革命におけるコンドルセの構想をはじめとして、多くの思想や教育論に源泉を尋ねることができる。生老病《しょうろうびょう》死《し》を説いた仏教をはじめ、人生に広がる宗教の教説のなかで生涯学習的ではないものを探すことのほうが難しい。ただし、意識的に生涯学習という言葉が国際社会で用いられたのは実は古いことではなく、一九六五（昭和四〇）年のユネスコの成人教育推進国際委員会で**ラングラン**（Paul Lengrand, 一九一〇〜二〇〇三）が生涯教育 lifelong integrated education を提起して、各国の教育制度の見直しに大きな影響を与えたことがあげられる。ここで統合 integrate という言葉は、教育は一生の時間的次元と社会生活の水平的次元にわたって統合されたものだということを言うために用いられているが、教育基本法の「あらゆる機会に、あらゆる場所に」という文言は、この言葉の登場以前に生涯学習の本質を言い表していたことになる。

日本では教育基本法の第七条に見る社会教育の概念と連動して、一九七一（昭和四六）年には社会教育審議会答申「急激な社会構造の変化に対処するための社会教育のあり方について」が出され、一九八一（昭和五六）年には中央教育審議会答申「生涯教育について」が出され、以後も多くの答申で生涯学習や生涯教育が強調されてきた。そして一九九〇（平成二）年に**生涯学習振興法**と略される「生涯学習の振興のための施策の推進体制等の整備に関する法律」（平成二年六月二十九日法律第七十一号）によって、国と地方公共団体での生涯学習の整備が提起されて現在に至る。なお、生涯学習とは学校教育などすべての教育を含むものであり、この教育基本法とともに学校教育法では大学などの通信教育も明記して「あらゆる機会に、あらゆる場所に」社会人が学校教育を保障される制度を確立したことも重要である。

第二条の後段は、教育の目的のために「努めなければならない。」こと、つまり教育を行う側や計画する側が教育の内容や方法について努力するべきことが列記されている。書かれていることは、日本国憲法や教育基本法前文とも重なっているが、特に最初の「学問の自由を尊重し」という文言が注目される。日本国憲法第二十三条ですべての国民に保障された**学問の自由**である。生涯学習全般について明記した第二条の学問の自由であるから、戦前の特権的な学問の自由ではなく、すべての国民が持つ学問の自由であることが明確である。ただし、この条文で重要なことはそれにとどまらない。教師や様々な教育を企画提供する教育者に学問の自由の尊重に努めるべきだと規定しているのである。つまり教育者は学問の自由を尊重して自ら研鑽《けんさん》するとともに、学習者の学問の自由をも尊重するということである。そして誤解してはならないのが、人権としての学問の自由はあらゆる人びとに保障されているが、教育者が留意するべき学問の自由は教育の目的のために、あるいは学習者のために配慮された学問の自由であるということである。わかりやすく言うと教師が何でも教えてよいというのではなく、学習者の権利に配慮して工夫するという本質的な要請のために学問の自由が求められるのである。学習者の年齢や学習段階、心身の状況などにより、教育内容と教育方法の工夫のためにも学問の自由が大切な教育の前提となる。これに関連する明確な制約は、第八条や第九条でも規定されている。

この「あらゆる機会に、あらゆる場所に」という考えは、続く第三条の教育の機会均等につながっていく。

第三条（教育の機会均等）すべて国民は、ひとしく、その能力に応ずる教育を受ける機会を与えられなければならないものであつて、人種、信条、性別、社会的身分、経済的地位又は門地によつて、教育上差別されない。

2　国及び地方公共団体は、能力があるにもかかわらず、経済的理由によつて修学困難な者に対して、奨学の方法を講じなければならない。

教育の機会均等は、すでに見た日本国憲法第二十六条第一項の教育を受ける権利の規定を踏まえたものである。チャンスはすべての人に開かれていて、教育の機会は均等である。教育を受ける権利では受け身的だから、教育権、教育への権利と呼ぶ教育学者も多い。日本の法律なのだから主語は「すべての国民は」となるのが当然だが、日本に在留する外国人や外国からの留学生など日本国民以外も含めた教育権として理解されるべきことは、第5章で見た国際人権規約をはじめとした国際的な教育の動向からも明白だろう。そんな最近の話をしなくても、学校が国際交流の場となることは古代の大学寮の時代からの常識である。

「能力に応ずる教育」であるから、学習歴や学力試験により学校の入学の制限も行われるが、その際に「人種、信条、性別、社会的身分、経済的地位又は門地」による**差別**があってはならない。中等教育の段階で男子の中学校と女子の高等女学校という性別による複線型が進学等の差別になっていたことは、第五条で見るとおり認められないものである。門地とは家柄、出生地や親の身分などであり、日本国憲法第十四条は法の下の平等として貴族制度などを禁止している。古代の大学寮の貴族の位階による優先入学のように、近代でも幕末にできた貴族の学校である学習院が一八八四（明治一七）年には宮内省所管の官立学校として華族の子どもの学校となり、その高等科は高等学校同様に帝国大学への入学コースとして優遇された。戦後は身分制度が否定されて学習院は私立学校になったのである。また、同和問題に象徴されるように出身地域による差別も否定される。こうした様々な差別の禁止は、今日の人権に関する常識として理解されているだろうが、公式の学習歴や学力に関する試験のほかに、面接や書類審査などを行う際には、意図的または無意図的に受験者本人の性別や保護者の経済的地位などが心証として成績に反映する可能性がある。教員としてはあらゆる公平性に十分に注意する必要がある。

特に同和問題については、「人の世に熱あれ、人間に光あれ。」の言葉で知られる**水平社宣言**をうたった一九二二（大正一一）年の全国水平社結成をはじめとして、関係者や民間の運動によって取り組まれていた。政府としての取り組みは、内閣総理大臣の諮問により同和問題の歴史的存在を明らかにした一九六五（昭和四〇）年の**同和対策審議会答申**によって提起され、「寝た子はおこすな」という放置ではなく教育においても積極的に取り組むことが提起された。これを受けて一九六九（昭和四四）年の同和対策事業特別措置法（昭和四十四年七月十日法律第六十号）や、その後の法令により同和地区での事業が推進された。

さらに社会的身分や門地による差別だけではなく、人種、信条、性別なども含めた様々な差別をなくしていくために総合的な施策を行う段階へと進み、**人権教育**という言葉が定着した。一九九六（平成八）年に**人権擁護施策推進法**（平成八年十二月二十六日法律第百二十号）が公布されて人権擁護審議会が設置された。同審議会は一九九九（平成一一）年に「人権尊重の理念に関する国民相互の理解を深めるための教育及び啓発に関する施策の総合的な推進に関する基本的事項について（答申）」をまとめて、「人権とは、すべての人間が、人間の尊厳に基づいて持っている固有の権利である。」として地域、学校、社会における取り組みを強調した。こうした動きを踏まえて、二〇〇〇（平成一二）年に「**人権教育及び人権啓発の推進に関する法律**」（平成十二年十二月六日法律第百四十七号）が公布され、人権教育や人権啓発のために国、地方公共団体、国民の責務が規定され、二〇〇二（平成一四）年には「人権教育・啓発に関する基本計画」が策定されている。ここで言う人権教育とは学校その他で行う文部科学省が所管する教育であり、啓発は広報その他によって法務省などが所管する事項を言う。これらは第5章で見た子どもの権利とともに国際的な人権擁護の流れが反映したものであり、差別をなくすことを教育の課題として位置づけた点に重要な意義がある。また同和問題の対策が特定の利益や主張と結びつかないように、「人権教育及び人権啓発の推進に関する法律」第三条では「国民の自主性の尊重及び実施機関の中立性の確保」が強調されていることにも留意したい。

第三条第二項は、特に経済的理由によって教育の機会均等が損なわれることがないように、国や地方公共団体による**奨学**の方法が取られることを規定している。これは義務教育の制度を改めて検討するときにも論じるのでここでは簡単に述べるが、学制布告書をはじめとした教育費の自己負担は一見すると公平に見えるが、実際には保護者の経済的地位による差別が事実として発生する。そこで奨学を国や地方公共団体による施策として求めた点にこの条項の意義がある。もちろん、教育の無償化は完全には実現していない。この点が、続く第四条にも関係する。

第四条（義務教育）　国民は、その保護する子女に、九年の普通教育を受けさせる義務を負う。
2　国又は地方公共団体の設置する学校における義務教育については、授業料は、これを徴収しない。

日本国憲法第二十六条第二項を受けた規定である。義務教育をめぐっては、第20章でも述べるので、ここでは最小限にしておく。日本国憲法と同様に教育基本法には、義務教育が誰にでも共通する一般的な教育である**普通教育**であること、学校に行くことが保障されているのは子どもだが**就学義務**を負うのは親権を有する保護者としての「国民」であること、年限を学校教育法で明示した現在の教育基本法と異なり旧法は「九年」の期間であることが、ここに明示されている。字句の問題だが憲法とこの教育基本法は子どもを「子女」と古い表現で書いていることなどを確認しておきたい。義務教育が保護者の就学義務であるだけでは有名無実化するから、学校教育法には学校の設置義務が定められている。すなわち、市町村の小学校や中学校の設置義務が明記され、さらに都道府県の特別支援学校の設置義務の規定も整備される。

第二項ではその「国又は地方公共団体の設置する学校における義務教育」について、**授業料無償**が明記されている。日本国憲法第二十六条第二項は「義務教育は、これを無償とする。」とあるが、本条第二項はこれを「授業料」として明確化するとともに、それだけに限定している。義務教育での**教科書無償**については別に、「義務教育諸学校の教科用図書の無償に関する法律」（昭和三十七年三月三十一日法律第六十号）や「義務教育諸学校の教科用図書の無償措置に関する法律」（昭和三十八年十二月二十一日法律第百八十二号）が定められていることを第30章で述べる。

第五条（男女共学）　男女は、互に敬重し、協力し合わなければならないものであつて、教育上男女の共学は、認められなければならない。

第4章で見たように、明治からの民法は、戸主や父親の親権などを前提に、男優先の家族や男女の法律上の関係が構成されており、これを男女同権へと改めることが日本国憲法と民法改正の課題であった。「男女は、互に敬重し、協力し合わなければならないもの」という書き出しは、現在の感覚からは説教のように思えるが、当時としては新しい理念なのである。

男女共学とは、男女が同じように学校で学ぶことであり、列記していけば、同一の学校で、同一の教室で、同一の教科で、同一の教材で、同一の教員で、というふうになるだろう。戦前の小学校は制度のうえでは男も女も同じ学校で学んでいたが、小学校の男女の進学率が上昇していき同一学年で複数の学級がつくられる時代となると、男女別教室になっていき、また男女で別の教科書を使うことも多い。中等教育以後は、中学校と高等女学校の区別をはじめとして学校種別としても、男女が別になっていた。こうした男女別学や差別を改革することが、戦後教育改革のなかのこの第五条の意義である。

この第五条を講義すると、「私の卒業した女子校は第五条に違反しているか」という質問を受ける。法令の文言は述語をきちんと考えるべきで、述語は「認められなければならない」とある。だから男子校や女子校を禁止する条項ではない。男女差別の典型例である中学校と高等女学校については、学校教育法に基づく高等学校に移行するときに公立学校では中学校と高等女学校を統合して新しい共学の高等学校に改組した地域と、統合せずに公立の男子高等学校と女子高等学校にした地域がある。別学でも同じ高等学校であるから学校種別の差別ではないという答えになるだろうが、地域で違うのは、地域の教育事情と軍の管区ごとに地方行政を監督したアメリカ軍の解釈の違いが背景にある。もっとも共学の学校であっても家庭科をめぐっては教育内容の男女別学が戦後長く継続しており、高等学校家庭科で男女の区別がなくなるのは、一九八九（平成元）年の家庭科女子必修廃止までと大変遅れることになった。

学校教育法による大学では女子学生の入学が普通になった。戦前の大学名称の専門学校であった日本女子大学校（現在の日本女子大学）や東京女子大学は新制の女子大学になったし、戦前の女子教員のリーダーを養成した官立の東京女子高等師範学校や奈良女子高等師範学校もお茶の水女子大学や奈良女子大学という国立の女子大学になった。このほか戦前の私立の女子専門学校や高等女学校から女子大学や女子短期大学になったものは数多く、こうした女子のみの高等教育機関の存在が戦後の女子の高等教育進学と社会進出を後押しして男女同権の実質を形成していった。さらに女子の進学と社会進出が進むと、現在のように女子大学が男子を受け入れて共学化する時代へと進んでいる。なお、この第五条は現行教育基本法では削除されて、第二条第三号の「男女の平等」という文言に移行したが、男女共学が実態と法令の整備によって達成されたという見方とともに、新法では男女共学が軽視されているという見方もありうる。

第六条（学校教育）　法律に定める学校は、公の性質をもつものであつて、国又は地方公共団体の外、法律に定める法人のみが、これを設置することができる。

2　法律に定める学校の教員は、全体の奉仕者であつて、自己の使命を自覚し、その職責の遂行に努めなければならない。このためには、教員の身分は、尊重され、その待遇の適正が、期せられなければならない。

学校教育は学校スタイルで行う教育全般だが、ここでは法律としての規定を述べている。冒頭の「法律に定める学校」とは、次節で見る学校教育法第一条に定める学校である。これら**一条校**を基本として、この段階では単線型の**六・三・三・四制**の小学校、中学校、高等学校、大学と、連動する幼稚園、盲学校、聾学校、養護学校の八つの学校種別のみを置いた。「**公の性質**」はすでに第7章で述べた。公に開かれた性質は、ここまで見た教育の機会均等によって支えられている。「国又は地方公共団体の外、法律に定める法人」のみが学校を設置できるが、これが国立学校、公立学校、私立学校であることもすでに確認した。戦前の取締的色彩の強い私立学校令に対して、この教育基本法公布の二年後には、**私立学校法**（昭和二十四年十二月十五日法律第二百七十号）が公布されて、私立学校の設置者として従来の財団法人等に対して、新たに**学校法人**という組織が置かれることになる。私立学校法第一条は「自主性」と「公共性」の二つを掲げており、それはこの第六条の定める「公の性質」の具現化である。また私立学校振興助成法

（昭和五十年七月十一日法律第六十一号）など、その後に関連する法令の整備も行われた。

第二項は、一条校の教員を、国公私立ともに、「**全体の奉仕者**」と規定する。これは日本国憲法第十五条第二項の「すべて公務員は、全体の奉仕者であつて、一部の奉仕者ではない。」という規定をもとにしている。古代からの天皇に従う官吏たちのイメージを近代でも再生産して天皇の官吏としての官僚制度や教員制度ができあがったが、それに対して新しい国民主権の国家においては公僕 public servant としての公務員のイメージである。私立学校教員は公務員ではないからこの規定は矛盾しているという考え方は成り立つし、現在の教育基本法ではこの文言は削除された。しかし、第十条にある「国民全体に対し直接に責任を負つて」という表現と相まって、私立学校も含めて「公の性質」を担うものとして、全体の奉仕者という規定になっている。

公僕であることは個人としては大変である。公僕は、「自己の使命を自覚し、その職責の遂行に努めなければならない。」と重い責務が与えられている。だから第二項後段では、身分の尊重や待遇の適正が述べられる。「このためには」とあることに注目したい。公務員や教員が特権的に身分や待遇をよくするのではなく、あくまでも全体の奉仕者だからそのように国民から扱われるのである。私立学校の教員は学校法人に雇用された職員であるが、国によって共済制度が整備され、現在では日本私立学校振興・共済事業団法（平成九年五月九日法律第四十八号）によって定められている。高齢化社会と年金問題がクローズアップされるなかで、公務員の共済の問題などが論じられることがあるが、公共性のある教育を担う者が後顧の憂いがないようにその生活を保障されることは失当ではないと思うが、私立学校の教員がそう述べると自己弁護と思われるかもしれない。

第七条（社会教育）　家庭教育及び勤労の場所その他社会において行われる教育は、国及び地方公共団体によつて奨励されなければならない。

2　国及び地方公共団体は、図書館、博物館、公民館等の施設の設置、学校の施設の利用その他適当な方法によって教育の目的の実現に努めなければならない。

教育を場によって区分するときには、学校教育、社会教育、家庭教育という三分法をとることが多く、現在の教育基本法も社会教育と家庭教育を別に記して区分しているのだが、この第七条では**社会教育**という広義の概念に、**家庭教育**と「勤労の場所その他社会において行われる教育」という狭義の社会教育を含んで規定している。第二条の「あらゆる機会に、あらゆる場所に」という生涯学習は学校教育を含むが、この第七条はもちろん学校教育を含まない。この第一項の末尾は「奨励されなければならない。」で終わっている。国や地方公共団体が行うべきことは奨励である。つまり、社会教育では家庭や職場や地域の人々が、自ら教育したり自ら学んだりする主体であって、海後宗臣が定義した教化や形成なのである。だから国や地方公共団体がすることはそれを周囲から奨励することである。教育基本法制定の二年後には**社会教育法**（昭和二十四年六月十日法律第二百七号）が公布され、国や地方公共団体の奨励のあり方を定め、都道府県や市町村の教育委員会には、事務局に専門的な助言のできる**社会教育主事**を置き、計画をたてるための**社会教育委員**を置くこととなった。

第二項は具体的に国や地方公共団体が行うべきこととして、**図書館**、**博物館**、**公民館**等の施設の設置、学校の施設の利用を挙げている。法律によると、図書館法（昭和二十五年四月三十日法律第百十八号）による図書館、博物館法（昭和二十六年十二月一日法律第二百八十五号）による博物館、社会教育法第二十条などによる公民館の設置することであり、学校の施設利用は当時の学校教育法第八十五条、現在の第百三十七条で定められている。

この第二項でも、「教育の目的の実現に努めなければならない。」とあるのは、第一条の教育の目的に基づいて行われる教育を国や地方公共団体が奨励していくということになる。義務教育をはじめとした学校教育では国立や公立の学校が正面に出るわけであるが、社会教育ではあくまでも家庭や職場や地域の人々が主役となる。こうした記述の前提にはまた明治維新以来の教育の反省がある。日本近代の社会教育史は、王政復古と祭政一致の理念を掲げて宣教使や大教院の教導職をもって開始され、さらには国民精神総動員運動や戦時下の隣組をはじめ社会教育の自主性よりも上意下達の統制として機能してきた歴史があったからである。社会教育が本来の民間の自主性による活動となるために、教育基本法はこうした歴史を前提に規定しているのである。社会教育の行政に当たる者も、博物館の学芸員や図書館の司書など専門職としての教育者として活躍する者も、本条の規定を踏まえて考える必要がある。

第八条（政治教育）良識ある公民たるに必要な政治的教養は、教育上これを尊重しなければならない。

2　法律に定める学校は、特定の政党を支持し、又はこれに反対するための政治教育その他政治的活動をしてはならない。

政治教育は、「良識ある公民たるに必要な政治的教養」が中心となる。大日本帝国憲法の臣民は男女が差別されて制限のある政治参加しかできなかったが、日本国憲法の国民主権のもとでは子どものうちから**政治的教養**を身につけて、教育基本法第一条に言う「平和的な国家及び社会の形成者」として活躍することが求められる。これが「良識ある公民」としての日本国の主権者である。それであるから、「教育上」つまり学校教育も社会教育も含めた生涯学習全般にわたって政治教育が重視されるのである。

一方で教育基本法は、田中耕太郎の言葉を借りれば教育権の独立という原則、あるいは個々の政治的な動きに左右されない**政治的中立**を前提としている。それが現れているのが第二項である。もちろん生涯学習という意味での教育は、政党などが特定の政治主張を宣伝するための教育も含まれ、それもまた民主主義の重要な要素である。しかし、学校教育法第一条の定める学校については特定の政党の支持や反対のための政治教育や政治活動を禁止することで、学校教育本来のあり方を守ろうとしたのである。

わかりやすい規定ではあるが、歴史的には難しい背景も存在する。自由民権運動の時代は教員の政治活動が多く見られて政府が様々な禁圧を繰り出し、森有礼《もりありのり》のときの師範学校令における教員の三気質に象徴される上意下達の教員像が形成されていった。学校という公共機関の中立性は当然として、公務員や教員の政治活動をどこまで制限するかは現在も世界的に様々な考え方が見られる。一九六六（昭和四一）年のユネスコの「教員の地位に関する勧告」のように教員に市民一般と同様の権利を求める考え方があり、一方で日本では地方公務員法（昭和二十五年十二月十三日法律第二百六十一号）第三十六条や教育公務員特例法（昭和二十四年一月十二日法律第一号）第十八条などには**政治的行為の制限**が規定されている。また、国際的な東西対立とアメリカ合衆国の政治の変化によって、それまでは民主化の教育政策を指導していたＣＩＥが方向を変え、一九四九（昭和二四）年七月から教育顧問イールズ（Walter Crosby Eelles, 一八八六〜一九六二）が大学から共産主義の影響や関係教員の排除（レッド・パージ）を求める演説を大学三〇校で行い、学生側の反対運動が起きるという**イールズ事件**が発生する。また文部省と教員組合との対立のなかで政治に関係する教員処分の規定を定めた「義務教育における教育の政治的中立の確保に関する臨時措置法」（昭和二十九年六月三日法律第百五十七号）が公布された。

こうした歴史のなか、第一項で求められる政治的教養について、第二項で禁止される特定の政治教育と見なされる危惧を教員が感じて、法律の概要を暗記するだけの政治的教養の教育になってしまう問題がある。学校教員は多種多様な立場や政治的主張の保護者と子どもたちを教育するのであるから、政治的中立への配慮が要請されることは当然である。しかし、そのことによって政治的教養が培われない学校教育になると、日本国憲法や教育基本法の前提とする主権者の形成が実現されないのであり、この第八条を正確に理解した教育実践が求められる。第八条はほぼ同文が現在の教育基本法第十四条に継承された。

第九条（宗教教育）　宗教に関する寛容の態度及び宗教の社会生活における地位は、教育上これを尊重しなければならない。

2　国及び地方公共団体が設置する学校は、特定の宗教のための宗教教育その他宗教的活動をしてはならない。

宗教教育は、生涯学習においても、学校教育に限っても、重要な課題である。この課題は道徳教育の大切な課題であるから『道徳科教育講義』で説明したが[2]、ここでも重要な事項を解説したい。第一項は教育全般において、「宗教に関する寛容の態度」と「宗教の社会生活における地位」の尊重を求めている。**宗教的寛容**とは、異なる宗教を信じる人の間でもお互いを認め合うことである。正確に言えば、宗教をめぐっては、信じる人、信じない人、複数の宗教を信じる人、強い拒否感を持つ人など様々な心情がある。そのような様々な人びとが互いに認めあう寛容さである。**宗教の社会生活における地位**の尊重は、宗教に関係する儀式や戒律などに日常生活や学校生活に影響のあることがたくさんあるわけで、その社会生活における不都合が生じないように配慮することである。この第九条はほぼそのまま現行の教育基本法第十五条に継承されたが、その際に「宗教に関する一般的な教養」が追加された。とりわけ学校においては宗教に関する教材なしに歴史も美術も音楽も伝えられないのであり、宗教的寛容を養うためにもその教養は当然に必要となる。

日本国憲法第二十条は信教の自由を定めており、第一項で「信教の自由は、何人に対してもこれを保障する。いかなる宗教団体も、国から特権を受け、又は政治上の権力を行使してはならない。」として、個人としての信教の自由とともに宗教団体の特権の排除を明記する。さらに第二項で「何人も、宗教上の行為、祝典、儀式又は行事に参加することを強制されない。」として、宗教に関する強制を禁止する。そして第三項で「国及びその機関は、宗教教育その他いかなる宗教的活動もしてはならない。」として、国家や地方自治体の宗教教育などを禁止する。特権や強制や国家による関与の禁止を明確にするところに日本国憲法の特徴がある。大日本帝国憲法第二十八条は「日本臣民ハ安寧秩序ヲ妨ケス及《およ》ヒ臣民タルノ義務ニ背カサル限ニ於テ信教ノ自由ヲ有ス」として信教の自由の規定があったが、現実には天皇の祭祀《さいし》や教育勅語の宗教的な性格や国家が管理する神社などという、天皇と国家にまつわる特権的な宗教が存在して、多くの宗教に制限が加えられた。これを反省して日本国憲法では厳重な規定を置いたのである。

第二項では、憲法の規定からの当然の帰結として、国公立学校での「特定の宗教のための宗教教育その他宗教的活動」を禁止している。念のために言うが、第一項の宗教的寛容の教育や宗教の社会生活における地位の尊重という意味での宗教教育は、信教の自由の本質から当然に国公立の学校でも行うべきものである。私立学校は第一項の宗教教育を行うし、さらに第二項の特定の宗教に関する教育も自由に行うことができる。もちろん、私立学校も日本国憲法第二十条第二項で禁止された強制はできないから、建学の精神や教育のあり方の説明責任を尽くして、様々な手段で信者の養成や理解者の育成をしていくことになる。

第13章で述べたとおり、近代日本ではいわゆる訓令十二号により私立学校についても宗教教育が制約されていた。そこでも宗教性のある教育勅語や学校儀式が権威を持って教えられるという構造である。私立学校における宗教教育の制限は世界的に見ても理解しがたいものであり、大正自由教育の時代を経て宗教教育の自由を求める教育界の動きが出てくる。ただ本来は宗教者が率先して宗教を伝えることに宗教教育の本質があるはずなのに、公立学校の教員が特定宗教に基づかない宗教の内容を教えるという混乱した話が出てくる。この特定宗教に基づかないがすべての宗教に通じるものを「**宗教的情操**」と呼んだ。そして一九三五（昭和一〇）年に文部次官通牒をもって、教育勅語と矛盾しない「宗教的情操」は教育してよいとの解釈を伝えた。問題は当時から特定宗教に基づかないがすべての宗教に通じる宗教的情操というものが存在するかどうか議論されていたことである。実は当時も誰も納得できる実例を言明していないし、言明されたものは特定の宗教の教説か、愛などといった宗教でなくても説明できるものばかりだった。「宗教的情操」と言うと、何か子どもが発達段階で感じる素朴な心性のような気がするが、ここでの意味はそれと異なる技巧的な論理なのである。そのようなわけで結局は本来の宗教教育の自由には結びつかず、学校行事として一律に児童を神社参拝させることの理由になったわけである。このように「宗教的情操」は戦前昭和期の茶番劇のようなお話だったのだが、中途半端に言葉が伝わって戦後の教育刷新委員会でも議論がされ、最近に至るまで話題になっている。私は宗教教育の研究を始めてもう四〇年近くなるが、一度もここで定義された「宗教的情操」に出会ったことがない。

本来の宗教教育は、「宗教的情操」などの混乱させる言葉を用いずに、正々堂々と行うべきものである。公立学校での宗教教育は、一般的教養も含め宗教的寛容や宗教の社会生活における地位の尊重が、子どもたちの道徳になるように伝えるべきものである。宗教者も教員も、それぞれの立場で日本国憲法と教育基本法を踏まえて、正々堂々と実践していくべきである。

> 第十条（教育行政）　教育は、不当な支配に服することなく、国民全体に対し直接に責任を負つて行われるべきものである。
> 2　教育行政は、この自覚のもとに、教育の目的を遂行するに必要な諸条件の整備確立を目標として行われなければならない。

教育行政についての規定である。第一項の主語が「教育」となっているから、教育一般あるいは広く教育者に関する内容である。「**不当な支配**」とは、何をもって不当と言うかが問題だが、教育基本法を踏まえるならば第一条の教育の目的や第二条の教育の方針を否定したり、第八条や第九条で禁止されている行為を行ったりするために、支配するのであれば、不当な支配となるだろう。それを行うのは政治家や官僚の場合もあるだろうし、地域や国家で力を持つ団体の場合もあるだろう。法律や命令による場合も、隠れた圧力や誘導の場合もあるだろう。教室や学校であれば、不当な要求を持ってくる保護者や地域の有力者さえも該当するだろう。つまり、あらゆる人間や人間の集団が不当な支配を行う可能性がある。

この不当な支配の防止策が、続く「国民全体に対し直接に責任を負つて行われる」ということになる。これは第六条第二項で検討した全体の奉仕者という規定にも関係している。教育を担う者は国民全体に対して直接に責任を負うのである。さらにここで論じられる教育者、とりわけ学校教員は、田中耕太郎の言う教育権の独立を担う専門職であるから、保護者や本人からゆだねられた学校教育を独立して行うことになる。田中が例に用いる裁判官の独立性は日本国憲法第七十六条が定めるものであり、専門職である教員にはそうした根拠規定はないが、不当な支配を排除して責任を持って行う教員のあり方は教育権の独立という解釈によって正確に読み取れるものである。

第二項の主語は、「教育行政」である。「この自覚」は第一項の内容を意味する。つまり教育行政が不当な支配になってはいけないし、様々な不当な支配が行われないように教育行政を自覚して進めなければならない。何度も出た教育の目的は第一条の教育の目的を意味し、このために必要な諸条件の整備確立が教育行政の責務となる。現場の教育に携わる教育者が直接に責任を持って教育を行い、教育行政に携わる公務員はそのための諸条件の整備確立を行っていくのである。学校で教育にあたる教員も、図書館を運営する司書も、博物館を運営する学芸員も、それぞれの学問や技術などの専門性を生かして教育を行っていくが、学校や図書館や博物館を設置したり、そのための経費を管理することは教育者の専門性だけではカバーできない。そこに行政に携わる者の固有の責任が存在するのである。教育行政学の用語では、この区分について教育者による教育固有の活動を**内的事項**と呼び、教育行政家による条件整備を**外的事項**と呼んで整理する。もちろん、学校教員も条件整備に提言するし、教育委員会にも指導主事など教育活動に助言する職務の専門家もいるが、大きな区分をすることで、教育と教育行政のあるべき分担を論じている。

なおこの教育行政の条文は、現行の教育基本法でも不当な支配の排除の規定が継承されたが、内的事項と外的事項に区分された文言が見直されて法律や政府による行政の範囲が大きく規定され直した。このことは改めて第19章で検討する。

第十一条（補則）　この法律に掲げる諸条項を実施するために必要がある場合には、適当な法令が制定されなければならない。

この第十一条が、この法律の名称や前文にも明記された**基本法**としての性格を、本文で規定したものである。ここまでの解説で学校教育法、社会教育法、生涯学習振興法など少なくない法令を挙げたが、このほかにも教育に関する法令はこの教育基本法の目的を踏まえ、各条項の実施のために定められることになっている。

附則

この法律は、公布の日から、これを施行する。

法令にはその内容が有効になる**施行**の期日というものがあって、その施行期日からが有効になる。この頃は法例《ほうれい》（明治三十一年六月二十一日法律第十号）という不思議な名前の法律によって、現在は「法の適用に関する通則法」（平成十八年六月二十一日法律第七十八号）によって、公布日から起算して二〇日を経過してから施行するが、別に法律で規定した場合はそれによることになる。**公布**は『官報』という政府の新聞に掲載することで行われる。この二〇日などの期間が国民への周知期間だから、周知にとどまらず準備のために数箇月や数年のあとに施行期日が定められることもある。日本国憲法はその第百条で公布の日から六箇月を経過した日を施行期日として長めに定めたので、文化の日（一一月三日）と憲法記念日（五月三日）が生まれた。だから、実は多くの人がこのことを覚えていることになる。学校教育関係の法令も学校での準備のため、長い準備期間が定められることが多い。これに対して速やかに実施して他の法令を整備するためから、教育基本法は一九四七（昭和二二）年三月三一日の公布日に即日施行されたのである。

ここまでが戦後教育改革における教育基本法の全文とその説明である。今年も「教育原理」をはじめ他の法令に関する講義をしていて、現在の教育基本法を読み解いて教育実践や教育行政に活用していくには、結局は旧法の教育基本法の内容と蓄積された解釈を踏まえなければ説明ができないということを感じた。ここで述べた事項を確認しながら、のちに現行法を読み解いていきたい。

第三節　戦後の教育制度

一九四七（昭和二二）年の教育基本法と同時に公布されたのが、**学校教育法**（昭和二十二年三月三十一日法律第二十六号）である。第一条には「この法律で、学校とは、小学校、中学校、高等学校、大学、盲学校、聾《ろう》学校、養護学校及び幼稚園とする。」と定めた。戦時下の色合いの濃い国民学校という名称は同年四月一日から**小学校**に戻った。また新制の中学校も開始される。翌一九四八年は小学校二万五三三七校に対して、**中学校**は一万六二八五校がある。これだけの数の中学校が突然に義務教育機関として出現したわけだが、その前提には戦前に男子の義務制がしかれた青年学校などの存在があった。時間数が限られた青年学校は小学校の併設つまり間借りが多いのだから、時間数のある中学校の施設整備は大きな課題となった。教室の足りない中学校では、午前と午後に分けて、別の生徒を対象に二回授業を行う二部授業も珍しくなかった。全国には創立一〇〇年を大きく超える小学校がたくさんあるが、中学校では創立八〇年弱が多いのは、このときから始まるからである。

その一方で**高等学校**は、戦前の中学校、高等女学校、実業学校が前身校になるので、古い歴史を誇る学校が少なくない。実態を伴わないからあまり言われないが、実は戦時下の一九四三（昭和一八）年に**中等学校令**（昭和十八年一月二十一日勅令第三十六号）によって、以前の中学校令、高等女学校令、実業学校令は廃止されている。これは世界的な**中等教育一元化**という中等教育を単線型にして多くの若者に進路を開こうとする教育改革の動向に沿ったものであった。しかし、それが実現したのが戦時下であって、国民学校令同様に「皇国ノ道」の錬成をうたった勅令であるし、個別の学校は中学校、高等女学校、実業学校のままだったから忘れ去られても仕方がないのかもしれない。学校教育法の単線型のシステムをアメリカの押し付けだという議論があるが、大日本帝国は合衆国に対して総力戦を挑んでいる最中に中等教育の単線型へ動いていたというのが歴史の事実なのである。もっと皮肉な言い方をすれば、全員参加の中等教育の単線型こそが総力戦のためにも合理的だったのだろう。いずれにせよ新制の高等学校によって中等教育一元化が達成される。男子校でも女子校でも実業の専門教育の高校でも、卒業資格やその後の進学には制度上の差別は存在しなくなる。また、従来からの全日制に対して、夜間に授業を行う**定時制**の高等学校や通信の方法で行う**通信制**の高等学校も学校教育法に明記されて、勤労しながらも中等教育の機会が開かれることになった。

また新制の**大学**は、当初は戦前の大学や専門学校が移行したものである。第12章で述べたとおり、帝国大学に限定された大学制度は、一九一八（大正七）年の大学令によって単科大学や公立や私立の大学も含めたものに広げられたが、女子大学や芸術などの分野の大学は認められておらず、専門学校制度と組み合わされることで日本の高等教育制度ができあがっていた。これに対して、旧制の大学、旧制の専門学校が学校教育法による新制の大学へ移行した。女子の専門学校も大学となり、官立の東京美術学校と東京音楽学校は合併されて東京藝術大学となった。

本来は専門家養成として高等教育だと考えられる師範学校や高等師範学校は、師範学校令、のちに師範教育令によって中等教育段階に並行して大学や専門学校と異なる学校系統ができあがり複線型になっていた。つまり男子の大学レベルの高等教育が小学校、中学校、高等学校または大学予科、大学という接続の順序であり、男女の専門学校レベルの専門教育が小学校、中学校または高等女学校または実業学校、最後に専門学校という接続の順序であった。これに対して、男女の教員養成の教育は小学校からそのまま師範学校へと進む接続の順序となっていた。実際は小学校だけではなく中学校や高等女学校を卒業してから師範学校に進学する者が増大しており、一九四三（昭和一八）年には中学校や高等女学校からの卒業者が師範学校に入ることを基本とするように師範教育令が改正された。これも師範学校の専門学校昇格と理解され、高等教育はまだ一元化されていなかった。この師範学校や高等師範学校は戦後に教員養成も大学での養成が基本とされることで、大学へと移行した。戦後の道府県ごとの国立大学は、官立の師範学校が官立の他分野の専門学校と合併して国立大学になる場合や、師範学校のみが学芸大学または教育大学となっていく場合がある。

修業年限では、三年制（医学部四年制）の大学と、二年制の高等学校や大学予科が合わさって、五年ではなく、四年制（医学部六年制）の新制の大学になる。このため、高等学校や大学予科は国立大学の教養課程や教養学部になっていった。戦時下では修業年限の半年分が縮小されたが、制度上は合計一年間短縮された形となった。

また、短期の大学として二年または三年の**短期大学**が認められ、女性の高等教育進学の基盤となった。大学の**夜間学部**や**大学通信教育**も全日制の通学課程と同様の大学教育として公式に制度として認められた。社会教育の段階から大学通信教育の準備を開始した法政大学、慶應義塾大学、中央大学、日本女子大学、日本大学の五大学は一九四九

（昭和二四）年に財団法人大学通信教育協会（今日の公益財団法人私立大学通信教育協会）を結成し、さらに玉川大学を加えて六校が一九五〇年度より制度としての大学通信教育を開始した。この書籍本体の表紙には「文部科学省認可通信教育」という文字が印刷されていることを確認してほしい。これは一九四九年に文部省が認可する通信教育のための郵便物を特例として料金を優遇する制度ができたことによる表示であり、郵政事業が民営化された現在でも大学通信教育の教材を学生に郵送するときの第四種郵便として継続しているのである。

ここまで述べた制度は、第7章でも述べたように、一九六一（昭和三六）年に高等専門学校（翌年より設置）が、一九九八（平成一〇）年に中等教育学校（翌年より設置）が加わり、二〇〇六（平成一八）年より盲学校、聾学校、養護学校が一本化されて特別支援学校（翌年に施行）という学校種別にまとめられる。高等専門学校や中等教育学校が加わる際に論じられたのが、戦後教育改革による単線型が崩されるか、その原則が守られているのかという問題である。

第四節　単線型と複線型

すでに何度も述べてきた学校の進学のための系統が一つにまとめられた単線型と、相互の乗り入れが困難な形で複数の系統が存在する複線型は、教育と社会のあり方を研究する**教育社会学**の重要な概念である。これらは学校体系や教育制度を検討するときに、教育学の各分野で広く用いられる用語であり、国際比較や歴史研究をするときに有意義であるとともに、教育の現状や教育改革を論じるときにも用いられる概念である。表5を見ながら考えてほしい。現在の学校制度を単純化させて言えば、**初等教育**の小学校、**中等教育**の中学校と高等学校、**高等教育**の大学が、うまくつながっていれば単線型である。なお、単線型と複線型はあくまでも分類するためのモデルであって実際の国や時代の制度では様々なものが混ざってくる。初等教育段階が単線型で中等教育段階以後は複線型というケースはよく見ら

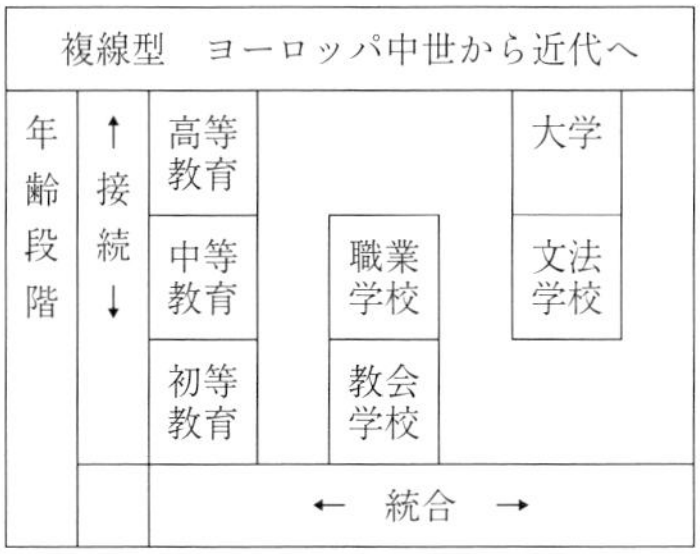

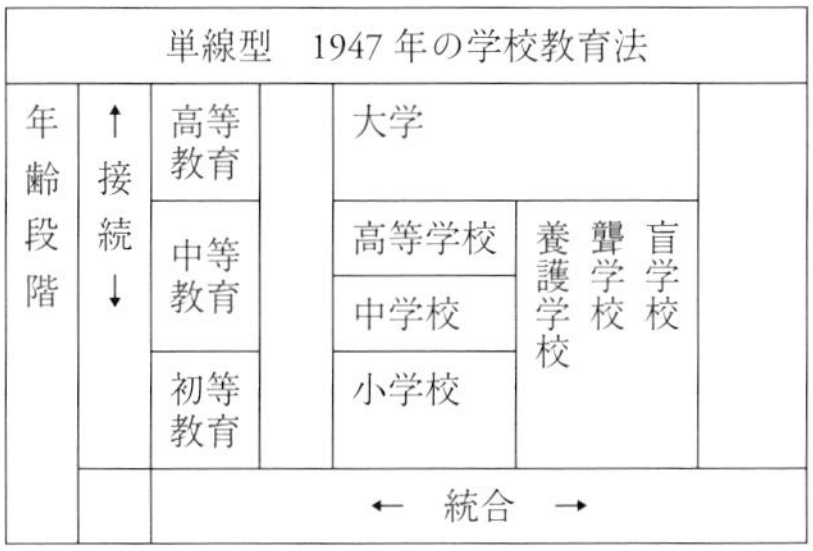

表5　単線型と複線型の模式図

れるので、これを**分岐型**または**フォーク型**という表現を用いる場合もあるが、これもその社会の学校全体としては複線型と言ってよいだろう。

教育は一日では成し遂げられない。一つの目的の学校だけでも何年もかかることがある。そしてその学校を終えて次の学校に行くことも多い。その社会に一つの種類の学校だけであれば簡単だが、ある学校を卒業してから次の学校に入学するという流れができると、学校と学校の間の**接続** articulation が問題となる。ヨーロッパでは一二世紀頃から各地に大学が成立する。神学、法学、医学、文学などを学ぶ大学では学生たちに教養が求められ、それが今日でも西洋の教養論の基礎とされる**七自由学科** seven liberal arts または七自由科（文法、修辞学、論理学、算術、幾何学、天文学、音楽）である。なかでもその言語的基盤がラテン語であった時代には、ラテン語の文法を学ぶ大学準備教育が必要となる。それが**文法学校** grammar school である。中世から近代にヨーロッパ各地で発達した文法学校は、イギリスでは**パブリック・スクール** public school、ドイツでは**ギムナジウム** Gymnasium、フランスでは**リセ** lycée として形成され、ラテン語が必須でなくなった今日でも大学進学のための学校となっている。

文法学校から大学へという接続は一つだけの接続だから、単線型と見えるが、社会を支配する貴族とその周辺にいる宗教者、法律家、医師と、そこに参入する裕福な市民たちの特権的な学校の系統である。

そして民衆にも文字の教養が必要となり、それがキリスト教信者の学ぶべき教理が記されたカテキズムを学ぶという目的が明確になると、児童のための学校としての**教**

会学校、あるいは教会の地区ごとの教区にある教区学校 parish school が成立し、キリスト教の学校設立が進められていく。一九世紀初めのイギリスではまだ一斉教授が困難であり、少数の教師が教会や学校でより多くの子どもたちを教えるために、優秀な子どもたちを助教と呼んで、この助教にまず教えてから助教がさらに子どもに教える助教法、**モニトリアル・システム** monitorial system が行われた。イギリスはキリスト教と言っても国教会と国教会以外の各派との間には違いがあるので、異なる団体によってこのシステムが普及して、主導者である国教会派のベル（Andrew Bell, 一七五三〜一八三二）と非国教会派のランカスター（Joseph Lancaster, 一七七八〜一八三八）の名から、**ベル・ランカスター法**とも呼ばれた。この方法は、教師が直接に教える近代学校の一斉教授が普及する一九世紀の前半まで影響を与えた。また近代に入って産業技術が高度化し、職人や熟練労働者のための教育が職場ではなく学校での教育というスタイルをとるようになると、職業学校、実業学校が成立する。こうした学校には読み書きを小学校や教会学校などで学んだ若者が入学していく。

こうして近代ヨーロッパには、複線型の学校システムが成立することになる。中世以来の大学へ進学する文法学校と、教会学校から発展する民衆のための義務教育や職業教育とが、重ならないシステムである。このつながりにくい系統をつなげることを**統合** integration と言う。ヨーロッパでは古くからの学校と新しい職業教育の学校の差をなくしていく**中等教育一元化**が二〇世紀初頭の大きな課題となったし、それは多くの制度的改変を経て現在においても課題であり続けている。巻末資料の学校系統図には、イギリス、フランス、ドイツの近年の学校系統図を示した。二一世紀でもイギリスでは中世以来のパブリック・スクールが健在であり、新しい高等教育機関と異なる社会的威信のある中世以来の大学へ進学するのは、多数がこうした学校の卒業生である。フランスは制度上の改革が進んだ現在も大学進学のためには**バカロレア** baccalauréat という試験に合格しなければならず、受験に有利なリセの優位はゆるがない。ドイツは中世の文法学校以来の進学校であるギムナジウムの伝統を持つ西ドイツと、単線化の進んだ東ドイツの統合により、制度は複雑になっているが、ギムナジウム修了資格兼大学入学資格としての**アビトゥアー** Abitur の取得ではギムナジウムが優位である。こうした学校の格差は、アビトゥアーを持つ親の子がアビトゥアーを取る比率の高さで知られる学歴の再生産や社会階層の再生産として論じられる。複線型の学校が社会的階層自体を固定化させるという問題である。

一方であらゆるチャンスの平等が重んぜられるアメリカは、単線型の典型例として知られている。それは歴史的に中世以来の大学がないことからも可能な制度である。巻末資料の学校系統図10を見ると、アメリカも初等中等教育段階で多様な系統があるが、これは州ごとの違いであり、それぞれは進学の前提としては統合がなされており、初等中等教育や高等教育の接続には問題が生じない。もちろんアメリカも人種や民族などによる教育水準の差はあるし、貧富の格差もあるのだが、単線型の学校がこうした格差を機会において平等にするものとして機能している。日本と同じく、近代西洋をモデルに教育改革を進めた中華人民共和国や大韓民国も単線型の学校になっている。

こうした単線型と複線型は、接続をどう円滑にするか、学校種別の差をどうなくして統合していくかという問題を把握していくときに有効である。一八七二（明治五）年の学制は近世以前の学校を教育理念として否定することから始まったため、制度として単線型を描いたが、森有礼の諸学校令をはじめとして中等教育が整備されて進学率が高まってくると中等教育以後が複線型となり、分岐型やフォーク型とも言われるスタイルとなる。中等教育一元化は学ぶための権利としての主張であるとともに、総力戦のために必要な人材の強力な配分にとっても合理的なシステムであったから、むしろ太平洋戦争下で改革されていき、実質は戦後教育改革、一九四七（昭和二二）年の学校教育法をもって単線型の学校システムとして確立された。小学校六年、中学校三年、高等学校三年、大学四年と接続する**六・三・三・四制**の学校制度は典型的な単線型となっている。職業の専門教育を行う高等学校も男子校や女子校も卒業資格や大学進学資格においては同様に扱われ、盲学校、聾学校、養護学校という現在の特別支援学校の系統もまた同様であるので、学校種別は様々なので社会全体では単線型と言える。一方で特定の学校種別や、特定の学校の集団が事実上の特権的な進学の有利さを持つ場合は、現在の日本は複線型になりつつあるという言い方もできる。このように性、職業、障害による区別が差別とならないための制度上の統合は、教育の機会均等を掲げる日本国憲法や教育基本法の理念と一致した教育制度である。さらに制度上の統合や機会均等が、実態としても公平になるためには、性差や障害に関する差別をなくしていくための不断の努力が教育に携わる者に今後も必要であることは言うまでもない。

(1) 田中耕太郎『教育基本法の理論』有斐閣、一九六一年。
(2) 高橋陽一「宗教的情操の涵養に関する文部次官通牒をめぐって　吉田熊次の批判と関与を軸として」『武蔵野美術大学紀要』第二九号、一九九八年。高橋陽一・伊東毅『道徳科教育講義』武蔵野美術大学出版局、二〇一七年。

第15章　教育思想家たち

第一部を終えるにあたって、ここまで少しずつ登場した教育思想や教育学を語った人物について、時代順に列記して、参考にまとめておきたい。

第一節　古代ヨーロッパの教育思想家

正確に言うと古代には教育思想のみで知られるという意味では、教育思想家はいない。しかし古代にも学校があり、その学校をつくったり、そこで教えたりした思想家たちがおり、それが後世にも教育を考えるたびに言及されるのである。

第7章で見たように、古代ギリシャの市民たちは学校を閑暇と同義語のスコレー σχολή と呼んでいた。彼らにとっては学校で学ぶことは、市民としての成長に大きな意味があった。そこでは知識とともに、雄弁な演説で評価されて都市国家の指導者になれるように学んで技術を身につけていく。**雄弁術**または**修辞学**レートレイア ρητορεία を教える人たちは、ソピステース σοφιστής と呼ばれ、英語では**ソフィスト**と訳された。

こうしたソフィストに批判的だったアテネの**ソクラテス**（Σωκράτης、前四七〇頃~前三九九）は問答法と呼ばれる対話により若者たちの哲学的な自覚を促した。自分は無知であるという自覚を持って、知恵を愛することを育んでいった。

著作を残さなかったソクラテスの言行録をまとめて哲学を基礎づけた弟子の**プラトン**（Πλάτων, 前四二七～前三四七）は、**アカデメイア**という学校を開いた。これが今日のアカデミーの語源となる。彼は『国家』などの著作を残した。

プラトンの弟子の**アリストテレス**（Ἀριστοτέλης, 前三八四～前三二二）は、アレクサンダー大王（Ἀλέξανδρος, 前三五六～前三二三）の家庭教師をつとめ、また**リュケイオン**の地に学校を開いて、弟子は逍遥学派と呼ばれた。『ニコマコス倫理学』や『政治学』など膨大な著作を残した。

多くの哲学と科学の源泉となったギリシャの文化は、都市国家が衰えたあとも、興隆するローマにとっては学ぶべき文化であった。第3章で見たように、ローマ人は狼に育てられたというロムルス Rōmulus を建国者としたが、さらにさかのぼってトロイ戦争で敗れたアイネイアス Αἰνείας がイタリアにやってきたという建国神話からスタートさせ、自らの神々をギリシャ神話の神々に当てはめたほど、ギリシャ文化に心服した。もちろん、私どもの先祖も、『日本書紀』で高天原《たかまがはら》の神々に中国古典を引用して語らせ、その神々をインドの神仏に当てはめて神仏習合させたのだから、ローマ人が先行する文化に持ったコンプレックスも理解できる気がする。

ローマ人も学校を閑暇と同義のスコラ schola やルードス lūdus と呼びつつ、大いに学んだ。第13章ではクラーク博士が札幌農学校の生徒に少年よ大志をいだけと呼びかけたエピソードを記したが、英語の大志をいだく ambitious という形容詞の語源は、ラテン語で野望のあるという形容詞 ambitiōsus（アンビティオースス）であり、それは歩き回ることや阿諛追従《あゆついしょう》という名詞 ambitiō（アンビティオー）や動詞 ambiō（アンビオー）に遡る。なぜ歩き回ることが大志につながるかというと、ローマの若者は民会で選挙され、官職について出世しようと考えて、有力者に阿諛追従して支持を訴えて歩いたからである。ここでも弁論術が出世のために学ぶべきものとなった。古代ローマの文章の最高峰とされて著作が古典として学ばれ続けた**キケロ**（Mārcus Tullius Cicerō, 前一〇六～前四三）をはじめ、政治家たちは元老院や民会で演説することで名声を勝ち得たのである。

西洋の宗教の基盤となるキリスト教は、パレスティナのナザレにイエス（前四頃〜後三〇頃）が生まれて起きた宗教だが、新約聖書はまずギリシャ語の聖書として確立し、さらにそれらがラテン語に翻訳されてラテン語訳聖書 Vulgāta（ウルガータ）が成立することでヨーロッパに広がる。ローマ帝国が滅び、神聖ローマ帝国が有名無実化しても、かつてローマがギリシャに向けた文化的憧憬を、今度はヨーロッパ諸国からローマが受けることになるのである。

第二節　古代中国の教育思想家

古代から近世までの日本の憧憬の対象は中国である。朝鮮総督府が一九三九（昭和一四）年から朝鮮で行った創氏改名は悪政として語り継がれる。民族の誇りやアイデンティティを奪う無理な支配を押しつけたからである。しかし、自ら憧れると自分の子どもや自分自身の名前をどんどんと外国風にすることは珍しくない。欧米人は、永らくユダヤ人を差別しつつも、名前だけは旧約聖書に出てくるユダヤ人のマリアやヨハネなどの名前を現在に至るまで命名している。マリーやジョンなど国ごとになまって付けるからよいのだろうが、本当はインドヨーロッパ語族ではないユダヤ民族から言葉を移入するのだから呪文並みに不便なはずである。第8章で磐鹿六獦命《いわがむつかりのみこと》を氏神とする古代の高橋氏を例示したが、その末裔《まつえい》であろう私も名前は陽一と書いて「いつ」でなく「いち」と呉音で訓《よ》む。どうも出典は『易経』のようである。母から易者に相談したと聞いているので、間違いないだろう。

中国の春秋戦国時代（前七七〇〜前二二一）には、諸子百家と言われる多くの思想家が活躍したが、**儒教**の流れが中国においても、朝鮮や日本などの他の諸国にも影響を与えた。春秋時代の魯《ろ》に生まれた思想家の**孔子**は尊称で、**孔**《こう》**丘**《きゅう》（前五五二頃〜前四七九）、字《あざな》は仲尼《ちゅうじ》という。孔丘の弟子が言行録を『**論語**』としてまとめた。孔子が古代の詩を

『詩経《しきょう》』にまとめ、古代の政治文書を『書経《しょきょう》』にあつめ、魯を中心にした歴史を『春秋』に編み、のちに『礼記《らいき》』などに編纂される礼を制定して、筮《ぜい》による占いのための解釈をまとめて『易経』として自ら注釈を加えたという。すべてが孔子自身によることは疑われて久しいのだが、孔子が手を加えた儒教の経典として理解されてきたことは確かである。

鄒《すう》に生まれて孔子の孫の子思《しし》の門人に学んだ孟子も敬称なので、**孟軻**《もうか》（前三七二頃〜前二八九）と呼ぶのがよい。孟軻の弟子がまとめた言行録が**『孟子』**である。人間関係の道徳と道理としての正しさをあわせた**仁義**を強調して戦国時代の諸国を遊説した。第6章で「教育」、第7章で「学校」という言葉が登場したが、これも『孟子』を出典としている。『孟子』は本当に面白いので、現代の教育を担う人にも是非とも読んでほしい。ヨーロッパと異なり雄弁術が尊重されなかった東アジアだが、ゆるぎない仁義の主張と多彩な譬喩《ひゆ》で次々と諸侯を説得する言葉には、爽快さがある。『孟子』の「公孫丑章句上《こうそんちゅうしょうくじょう》」[1]に、「人皆有不忍人之心。」（人皆《ひとみな》、人に忍びざるの心あり。）として、人間には人に対して忍びがたい心、同情心があると言う。その後に「今人乍見孺子将入於井、皆有怵惕惻隠之心。」（今、人、乍《にわか》に孺子《じゅし》の将《まさ》に井《せい》に入らんとするを見れば、皆、怵惕惻隠《じゅってきそくいん》の心あり。）と書いて、まさに今、小さな子ども（孺子）が井戸に落ちようとするのを見たら誰でも驚きおののいて（怵惕）、同情（惻隠）の心が起こるのであると言っている。孟子はこの心が、孺子の親や仲間との打算によって生じるのではなく自然に起こるものだと主張して、仁の心が発生する源泉とする。このような論理が、後に**性善説**の例として挙げられることになる。

孟子の後に儒者として活躍したのが、趙《ちょう》に生まれて斉《せい》や楚《そ》で活躍した**荀子**すなわち**荀況**《じゅんきょう》（前二九八〜前二三八頃）である。荀況の論説は『荀子』にまとめられ[2]、「人之性悪、其善者偽也。」（人の性は悪にして、其《そ》の善なる者は偽《ぎ》なり。）と**性悪説**を主張して孟子を批判した。「偽」は「いつわり」というよりも、文字のとおり人が為すこと、人為性としての偽ということである。だから師の権威や制度によって教育を行うことが必要とされる。荀子の主張は儒教では主流とならず、むしろ弟子の韓非《かんぴ》（?～前二三三）の『韓非子』のように、制度や技術で国を治めていく法家《ほうか》思想へとつながる。

人の本来的な善を信じて教育の基礎とするのか、本来的な善を信じずに教育の必要性を論じるのかは、ともに教育が必要だとする点では類似する。儒教は仁義や忠孝などの道徳を基本として国でも家でも礼を行うことが基本となる思想である。礼が教育の基本であり、心のあらわれとして礼を考えても、心を育てるものとして礼を考えても、ともに礼である。孟子と荀子を性善説と性悪説として対立させると根本的人間観の違いということになるが、実は礼や教育をどう位置づけるかという方法論として理解することも可能なのである。私自身は孟子の楽天的な爽快さを好むが、荀子の性悪説を推し進めた韓非子の術策も無意味とは思わない。『論語』の「述而篇《じゅつじへん》」で孔子が「不憤、不啓。」（憤せざれば、啓せず。）と本人の発憤がなければ教育は成立しないというのは、前提だと思う。だから、「教育原理」の講義を開始する初回には、授業中に居眠りをしてもいびきで他人に迷惑を掛けないかぎり注意しないで放置すると受講者に宣言する。しかし、学生が大学の外で人々のお世話になる介護等体験や教育実習では許されないので、礼の基本として挨拶と衣服についての指導を行う。表面に行動として礼を表現することで心のなかの信頼や交流が始まるという考えである。第11章で述べた近代学校の一斉教授とともに導入された教場指令法が、多くは「礼」の号令として二一世紀の学校に残っているのは、現代の儒教文化とも言えるだろう。

その後の儒教は漢代には公認の学問となり、各時代の文化を反映して学校教育と科挙制度に組み込まれて展開した。第8章で見たように日本の古代大学寮では経典の古註が用いられ、第10章で見たように近世の昌平坂学問所では宋の**朱子**と敬称された**朱熹**《しゅき》（一一三〇～一二〇〇）の新註が用いられた。儒教の経典を**四書五経**と言うが、これは朱熹がすでに権威を持っていた『論語』と『孟子』に加えて、『礼記』から二篇を取り出して『大学』と『中庸』をあわせて、「四書」と呼んで注釈したからである。だから四書五経は儒者の経典ではなく、宋の**朱子学**の経典なのである。

漢代以来の儒教の経典としては、『詩経』（『毛詩《もうし》』とも）、『書経』『礼《らい》』『易経』（『周易』とも）、『春秋』である。ただし漢代からテキストに新文や古文という違いのあるものや、『春秋』のように付随する注釈と本文の若干の違いにより『春秋公羊伝《しゅんじゅうくようでん》』『春秋穀梁伝《こくりょうでん》』『春秋左氏伝《さしでん》』と分かれたり、『礼』も『周礼《しゅうらい》』『儀礼《ぎらい》』『礼記』などと内容編成の異なる異本があったりする。

第三節　西洋近代の教育

西洋中世は暗黒と停滞の時代ではなく、教会や修道院でキリスト教以外の古典の研究もなされて、一二世紀以後には大学が成立して、イスラム文化圏などからも情報や知識が流入していく。もちろんそれは限られた階層の文化と教育にとどまったのだが、ローマの文化とともに宗教において権威を持ったローマ教皇の権威が揺らぐと、教育もまた新しい動きが始まる。ローマ教皇への批判はまず大学から起こる。オックスフォード大学教授のウィクリフ（John Wycliffe, 一三三〇頃～一三八四）は宗教改革を主張してラテン語訳聖書にかわる聖書の英語訳を行い、ボヘミアのフス（Jan Hus, 一三七〇頃～一四一五）はチェコ、プラハのカレル大学の学長をつとめて教会の改革とチェコの文化に貢献した。この両名ともにローマ教会は一四一四年からドイツで開かれたコンスタンツ宗教会議で異端と判定して、ウィクリフの遺体を焼いて、フスを火刑とした。

ドイツのザクセンに生まれた**ルター**（Martin Luther, 一四八三～一五四六）は、一五一七年の「九五箇条の論題」で知られる宗教改革の主張とともに、ドイツの領主や民衆に働きかけながら政治や教育と連動した改革を進めていった。ローマ教会とは異なる新しい宗教の理念を民衆の子どもたちに教えるために、新しいカテキズムとして一五二九年に『小教理問答書』と『大教理問答書』をつくり、また聖書のドイツ語訳を刊行した。さらにキリスト教教育のために子どもたちの学校への就学を求めて義務教育の考え方を提言することとなった。もっともこの段階では宗教改革の内容を民衆に教え込むことに力点が置かれており、まだ独自の教育論として展開するには至らなかった。

新しい宗教の流れを新しい教育方法としても提示したのが、近代教育学の祖と言われるチェコの**コメニウス**（Johann Amos Comenius, 一五九二～一六七〇）である。彼の名はチェコ語でコメンスキーと言うが、ラテン語の著作が有名だから、ラテン語での名前が定着することになる。ローマ教会に火刑にされたフスの流れをくむ宗教改革運動であるボヘミア兄弟団（チェコ兄弟団）の指導者であったが、彼ら新教派とローマ教皇派のハプスブルク家の国王との対立に端を発してドイツ全土に広がった三〇年戦争（一六一八～四八）により生涯を亡命先で過ごした。コメニウスは万人に共通の普遍的知識の体系が必要とする立場で汎知学《はんちがく》を説いた。一六五七年の『**大教授学**』Didactica Magna は教育の目的や方法、制度を含む体系的教育学の先駆とされ、すべての人が学ぶ教育を主張している。この本の扉には「あらゆる人に、あらゆる事柄を教授する普遍的な技術を提示する」と目的が記されている。一六五八年の『**世界図絵**《せかいずえ》』Orbis Sensualium Pictus はページごとに挿絵のある、世界最初の絵入り教科書である。『世界図絵』は各国語に翻訳されて普及した。図15に一八八七年の英語とラテン語の対訳本を掲載した。[3] ワニやカメの絵があって下に解説が左に英語、右にラテン語で書かれている。中央下の4と書かれたのがカエルであり、「ケロケロ鳴くカエルは、ヒキガエルと一緒に」とある。ラテン語ではカエル rāna（ラーナ）とヒキガエル būfō（ブーフォー）は区別される。武蔵野美術大学で暮らしているのはアズマヒキガエル Būfō japōnicus fōrmōsus（ブーフォー　ヤポーニクス　フォールモースス）である。生物の学名はリンネ（Carl von Linné, 一七〇七～七八）が提唱した命名法によって現在に至るまでラテン語が用いられる。だからラテン語がわかれば万国共通にアズマヒキガエルが「美しい日本のヒキガエル」という名前を持っているとわかるのである。なお学名では、ラテン語の辞書のような母音の長音と短音の区別は記さない。「日本の」は形容詞であるから、「美しい」は「ヒキガエル」にかかる。「美しい日本」ではなく、「美しいヒキガエル」である。念のため。

イギリスの経験論哲学で知られる**ロック**（John Locke、一六三二～一七〇四）も教育論を著した。亡命先のオランダで執筆した『人間知性論』（一六九〇年刊行）は人間の生得観念を否定して、経験によって人間が変化する白紙説と呼ばれる主張をしたことで知られる。一六八八年のイギリスの名誉革命に影響を与えて、その成功後に帰国した。一六九〇年の『統治二論』は王権神授説を批判し、親の子どもへの養育義務を主張し、自由な契約に基づく国家と紳士階級による議会を主張した。彼はその政治論に基づいて、一六九三年の『**教育に関する考察**』Some Thoughts concerning Education では、親や家庭教師による自立的な紳士の養成の教育論を述べた。

ロックの教育論が学校論ではなく家庭教育論である点は、フランス革命に影響を与えた啓蒙思想家の**ルソー**（Jean-

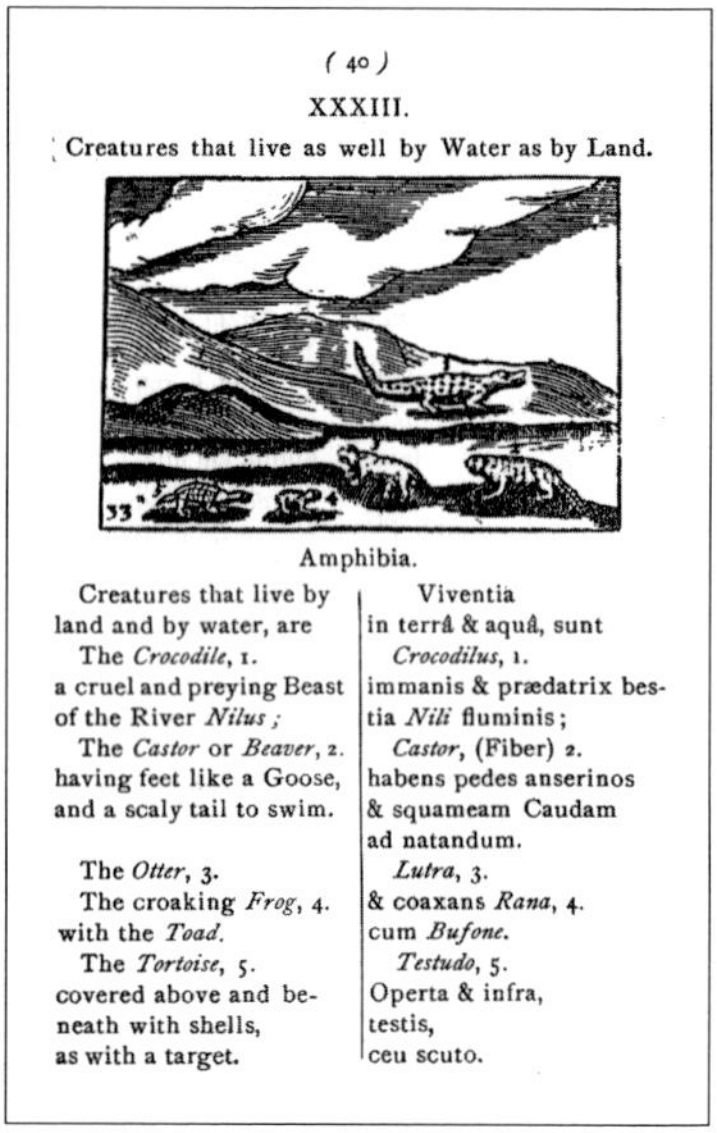
(40)

XXXIII.

Creatures that live as well by Water as by Land.

Amphibia.

Creatures that live by land and by water, are	Viventia in terrâ & aquâ, sunt
The *Crocodile*, 1. a cruel and preying Beast of the River *Nilus*;	*Crocodilus*, 1. immanis & prædatrix bestia *Nili* fluminis;
The *Castor* or *Beaver*, 2. having feet like a Goose, and a scaly tail to swim.	*Castor*, (Fiber) 2. habens pedes anserinos & squameam Caudam ad natandum.
The *Otter*, 3.	*Lutra*, 3.
The croaking *Frog*, 4. with the *Toad*.	& coaxans *Rana*, 4. cum *Bufone*.
The *Tortoise*, 5. covered above and beneath with shells, as with a target.	*Testudo*, 5. Operta & infra, testis, ceu scuto.

図 15　『世界図絵』（1887 年版）の水と陸に住む生物

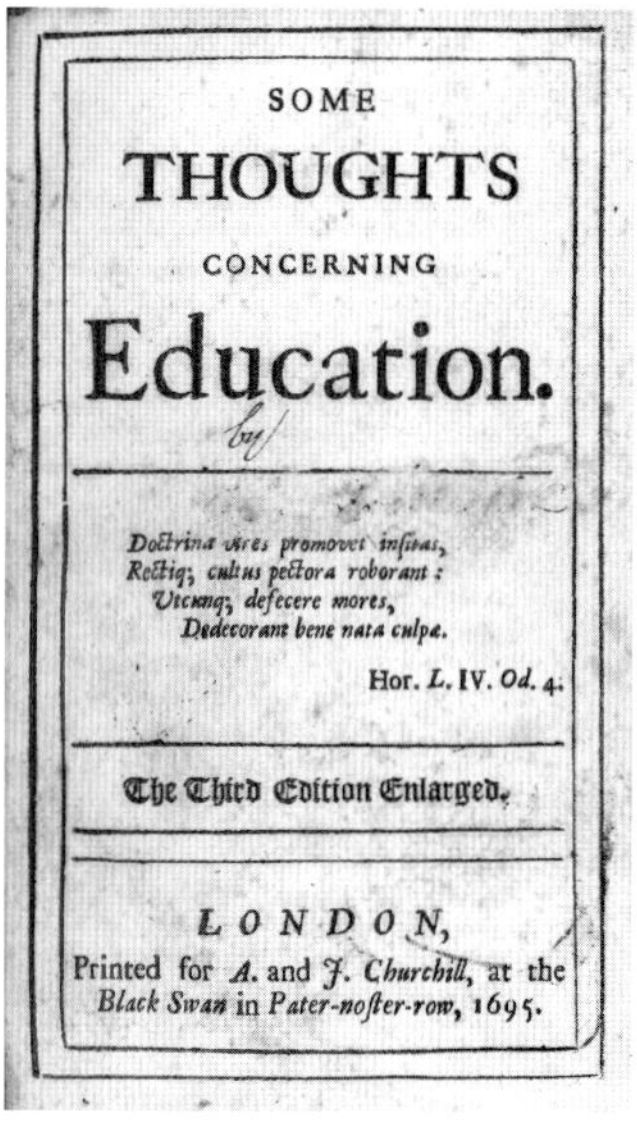
SOME

THOUGHTS

CONCERNING

Education.

Doctrina vires promovet insitas,
Rectiq; cultus pectora roborant:
Utcunq; defecere mores,
Dedecorant bene nata culpæ.

Hor. *L.* IV. *Od.* 4.

The Third Edition Enlarged.

LONDON,
Printed for *A.* and *J. Churchill*, at the *Black Swan* in *Pater-noster-row*, 1695.

図 16　ロック『教育に関する考察』（1695 年増補第 3 版）、家鴨文庫蔵

Jacques Rousseau, 一七一二～七八）も同様である。一七八九年のフランス革命に影響を与えた一七五五年の『人間不平等起源論』や一七六二年の『社会契約論』といった主著で知られる。教育論として影響を与えた一七六二年の『**エミール**』Émile ou de l'éducation は、人間の自然的本性を善として悪への変質を防ぐ**消極教育**を主張した。「造物主の手を離れるときは、すべてのものは善であるが、人間の手に移されると、すべてのものが悪となる。」という言葉で始まり、主人公の男児エミールが二〇歳になって結婚するまでの成長を家庭教師の視点で論じている。儒教では孟子の性善説と荀子の性悪説を見たが、ロックの白紙説とルソーの消極教育は同じような対照をなしており、ともにイギリスとフランスの市民たちの革命に影響を与えたのである。フランス革命が進むなかでの教育論としては、立法議会や国民公会で活躍した**コンドルセ**（Marie Jean Antoine Nicolas de Caritat, marquis de Condorcet, 一七四三～九四）が、真理に基づく公教育を権力や宗教から独立して確立し、すべての人に開かれた教育体系を提起した。このフランス革命が親権についての画期であることは第4章でも述べた。

ドイツの哲学者でケーニヒスベルク大学教授の**カント**（Immanuel Kant, 一七二四～一八〇四）は、一七八一年の『純粋理性批判』や一七八八年の『実践理性批判』で知られるが、ルソーの『エミール』の教育論の影響を受け、一八〇三年に講義を編集して『教育学』Immanuel Kant über Pädagogik がまとめられた。「人間は教育されなければならない唯一の被造物である。」との言葉で始まり、乳幼児からの教育と、熟練や世才、道徳性についての実践的教育を述べた。カントの哲学がのちに大きな影響を与えたことは言うまでもないが、ドイツでは一八七〇年代からカント哲学の復興を論じる**新カント主義**が起こり、日本でも大正期にその教養論が広まった。現在でもよく教育的価値として**真善**《しんぜん》**美**《び》の三つを挙げて論じるが、それも新カント主義の影響である。真善美として「美」を位置づけた点で、明治期から知育・徳育・体育といった表現とは違いがある。

同じくルソーの影響を受け、子どもたち自身の活動に注目して学校での教育を構想したのがスイスの**ペスタロッチ**

(Johann Heinrich Pestalozzi, 一七四六～一八二七) である。みずから身寄りのない児童の教育施設をつくり、家庭やみんなが就学する小学校での教育の意義を強調した。主知主義的な動向を批判して、**直観** Anschauung、自発活動、作業と学習の結合を主張した。一七八〇年の『隠者の夕暮』は格言集で、富者や貧者を区別しない人間愛を主張する。一七八一年の『リーンハルトとゲルトルート』は民衆のための書という副題があり、石工と妻を主人公に家庭と地域の教育を描く。一八〇一年の『ゲルトルートはいかにしてその子を教えるか』(『ゲルトルート教育法』) は一四通の手紙の形式で、教育論を述べている。一八二六年には自伝の『白鳥の歌』も著した。彼が主張した直観は、早くはコメニウスの『世界図絵』にも示された教育法であり、知識を教え込むだけの教育方法への批判として近代教育の底流となり続けた。アメリカでの直観教授 Object lesson は早くも日本では学制期から流入し、さらに二〇世紀の世界的な新教育へと続くのである。

学問が専門分化する近代において、新たな学問としての教育学を確立したのが、ドイツの**ヘルバルト** (Johann Friedrich Herbart, 一七七六～一八四一) である。イエナ大学で哲学を学び、ペスタロッチの教育論にも影響を受け、ゲッティンゲン大学教授をつとめた。彼は倫理学と心理学の二つの学問を基礎とするものとして教育学を位置づけた。教育を、外的規律を整える**管理** Regierung、心情を陶冶する**訓練** Zucht、**教授** Unterricht に分けた。教育の目的は道徳的陶冶であるとし、様々なことを教える教授 Unterricht を通じて道徳的な教育 Erziehung が行われるとして、**教育的教授**を主張した。主著は一八〇六年の『一般教育学』Allgemeine Pädagogik や一八三五年の『教育学講義要綱』Umriss der pädagogischer Vorlesungen である。

彼は教育の段階としては、特定の対象に関心を集中する明瞭 Klarheit から、別の対象に移って相互の連合 Assoziation をはかり、これを構造化して系統 System とし、さらに新しいものにも適用できる方法 Methode に至るという四段階に整理した。彼の弟子たちは**ヘルバルト派**を形成してヘルバルトの段階論を継承し、**五段階教授法** (予備、提示、比較、総括、応用）を唱えて明治期の日本にも強い影響を与えた。教授の段階を想定することは教材だけでなく教育方法に留意した計画を教員が持つことを可能とし、**ヘルバルト主義教育学**として明治期の教案や現在の学習指導案づくりにも影響を与えた。

ペスタロッチを訪問して影響を受けたドイツの教育家**フレーベル**（Friedrich Wilhelm August Fröbel, 一七八二〜一八五二）の名は、現在も幼稚園教育の世界で語り継がれている。一八一六年に一般ドイツ教育舎（カイルハウ学園）を設立し、生活教育、作業の重視を唱えた。一八二六年の主著『人間の教育』Die Menshenerziehung では子どもの成長と教育について体系的に述べている。一八三七年にバート・ブランケンブルクに施設を開いてボールや積み木など各種の**恩物**《おんぶつ》Gabe を考案して、一八四〇年に世界最初の**幼稚園** Kindergarten である一般ドイツ幼稚園を創立した。私たちはもう幼稚園という表現に馴染んでいるが、学校という言葉を使わずに子ども Kinder（キンダー）の庭園 Garten（ガルテン）と名付けたセンスに注目したい。一八四四年に『母の歌と愛撫の歌』Mutter und Koselieder という幼児教育の手引き書を刊行した。プロイセン政府が幼稚園を社会主義だとして一八五一年に禁止したのは、今日から見ると驚くばかりだが、没後一八六〇年には解禁された。もちろん、世界各国にこの幼稚園が広がって現在に至るのである。

第四節　新教育の思想

一九世紀後半に欧米各国も、そして遅れて日本も、近代学校が普及して義務教育制度が達成されると、二〇世紀初頭には新たに近代学校を改革する動きが出てくる。それは、子どもを単なる教育の客体とは見ずに、子どもを学習する主体や成長する主体として捉え直して教育のあり方を改革するものである。この新教育 new education は世界的な**新教育運動**として、同時に第5章で見た国際的な子どもの権利の動きと重なって、展開していく。

スウェーデンの女性教育家、**エレン・ケイ**（Ellen Key, 一八四九〜一九二六）は、女性や子どもの権利を強調して、教師中心の学校教育を批判し、児童中心主義の教育論を主張して影響を与えた。二〇世紀を児童の世紀と名付けた、一九〇〇（明治三三）年の『児童の世紀』は、各国語に翻訳され新教育運動に影響を与えた。彼女はルソーの消極教育の思想を評価し、さらにフレーベルの「われわれの子どもに生きよう」という言葉を、「われわれの子どもの生きるに任せよう」と言い換えた。こうした思想をわかりやすく**児童中心主義**と言うことができる。

アメリカのプラグマティズムの哲学者**デューイ**（John Dewey, 一八五九〜一九五二）は、教育における社会的要因を重視した。彼はシカゴ大学の教授となり、一八九六年にシカゴ大学附属小学校を実験学校として新しい教育を試みて、その報告書として一八九九年に『学校と社会』The School and Society を刊行し、学校教育は子どもの生活を中心に組織するという主張と、学校は社会進歩の担い手になるべきだという主張を行った。一九一六年には『民主主義と教育』Democracy and Education を著して、教育の目的を固定しない民主的な人間形成を主張した。一九一九年には進歩主義教育協会 Progressive Education Association の結成にかかわった。その流れに含まれる様々な教育を**進歩主義教育**と言うが、デューイは教育の社会的要因を重視することで、子どもだけに視点が傾きがちの児童中心主義とは一線を画した。またデューイが教師の自主的な教育研究集会の手法として提起した**ワークショップ**は、戦後の日本で海《かい》後《ご》宗臣《ときおみ》らによって普及され、今日の**アクティブ・ラーニング**の手法の起源ともいえる。[4]

デューイとともに進歩主義教育協会の結成に参加したアメリカの教育家**キルパトリック**（William Heard Kilpatrick, 一八七一〜一九六五）は、学習は社会のなかの目的を持った積極的な活動 project であるとして、一九一八年に**プロジェクト・メソッド** project method を発表した。これは、①目的をたて、②計画をたて、③実行し、④結果を検討するという順序を確立したものである。これは進歩主義教育にふさわしい方法論として理解され、昭和戦前期の日本でも構案法の名前で紹介され、戦後も影響を与えた。

アメリカの女性の教育家の**パーカースト**（Helen Parkhurst, 一八八七～一九七三）はモンテッソーリに障害児教育を学んで、子ども一人ひとりの進度表をつくり、一九二〇年からはマサチューセッツ州ドルトン市のハイスクールで**ドルトン・プラン** Dalton Plan を実施した。子ども自らが各教科の実験室で主体的に学習する方法であるが、主知的な教科カリキュラムや個人差の強調などの知的成績の重視が批判された。この方法は日本にも影響を与え、成城学園などでも実践された。

ドイツでも新教育が始まる。新カント派のマールブルク学派に属したマールブルク大学教授**ナトルプ**（Paul Gerhard Natorp, 一八五四～一九二四）は、教育の根本を意志の陶冶だとして、社会を基礎とする意志教育の理論として**社会的教育学** Sozialpädagogik を主張して、国民の分裂を防ぐための統一学校、作業学校の設立を求めた。一八九九年刊行の『社会的教育学』は家庭、学校、成人の共同生活の三つの領域に分けて教育を論じた。

またドイツの教育家**ケルシェンシュタイナー**（Georg Michael Kerschensteiner, 一八五四～一九三二）は、ミュンヘン市の視学官となり、労作学校 Arbeitsschule を提唱して作業場や実験室をつくり自主的な人間をめざす**労作教育**を主張し、職業教育と公民教育の統合をもとめた。一九一二年には『労作学校の概念』を著した。のちにドイツで盛んになる、教育の使命は文化の担い手を育てることにあるという**文化教育学** Kulturpädagogik を主張する一人となった。

こうしたドイツの新教育の動向は社会や文化を強調するものとして児童中心主義とも一線を画するが、知識中心の近代学校に変わる新しい教育の流れを作り上げていき、日本の教育実践と教育学に大きな影響を与えた。

イタリアの女性の教育家**モンテッソーリ**（Maria Montessori, 一八七〇～一九五二）は医師として出発し、知的障害児の教育に従事し、一九〇七年、貧困地域に「子どもの家」を開設した。子どもの自発的活動と独自の教具による感覚の訓練を重視し、一九一二年に著書『モンテッソーリ・メソッド』を著した。一九二九年には国際モンテッソーリ協会が発足した。モッテッソーリ法は現在も幼児教育の場に影響を与え続けている。

フランスの社会学者**デュルケーム**（Émile Durkheim, 一八五八～一九一七）は、社会事象を個人が内面化する過程、つまり社会化の過程を教育と捉え、教育の本質は子どもを社会の道徳的権威に従わせる道徳教育であるとした。社会事象としての教育を対象とする社会学を**教育科学** science de l'éducation として提起した。一九二二年の『教育と社会学』は**教育社会学**の基礎となり、一九二二年の『道徳教育論』はフランス第三共和制下の世俗道徳による教育の可能性を示し、宗教教育のみではない道徳教育を位置づけた。

イギリスの教育家**ニイル**（Alexander Sutherland Neill, 一八八三～一九七三）は、一九二四年に**サマーヒル・スクール** Summerhill School を設立した。彼は学校の自治や授業参加の自由を主張し、子どもも大人も同じ一票の自治に参加する自由主義で知られ、放縦でない自制を重視した。一九二六年に『問題の子ども』、一九三二年に『問題の親』を著した。

ソビエトの教育家**マカレンコ**（Anton Semyonovich Makarenko, 一八八八～一九三九）は一九二〇年に未成年法律違反者収容施設の所長となり、非行少年の集団的な訓練を行った。**集団主義教育**として理解され、日本の生活指導などにも影響を与えた。

また第二次世界大戦後に活躍した人物としては、アメリカの認知心理学者**ブルーナー**（Jerome Saymour Bruner, 一九一五～二〇一六）が、認知活動による学習の理論を提示した。一九六〇年の『教育の過程』は教育内容の現代化運動の基点となったウッズ・ホール会議における報告書であり、新しい知識が発達のどの段階の子どもにも、その子どもの水準に応じて教えられるという螺旋《らせん》型カリキュラムを提唱した。

また二〇世紀の教育運動は心理学との関係も深いので、心理学史上の人物を記しておく。個人差を強調して知能検査法を開発したフランスのビネー（Alfred Binet, 一八五七～一九一一）や、アメリカの教育測定運動で活躍した教育心理学者ソーンダイク（Edward Lee Thorndike, 一八七四～一九四九）は教育に数値で子どもの発達を測定する可能性を与えた。発達論では、スイスのピアジェ（Jean Piaget, 一八九六～一九八〇）が子どもの発達について発生的認識論を明らかにした。アメリカのスキナー（Burrhus Frederick Skinner, 一九〇四～九〇）は行動主義心理学においてロシアの条件反射学説に対してオペラント行動を明らかにして、心理療法や学習理論に貢献した。また、精神分析ではオーストリアの精神分析学の創始者フロイト（Sigmund Freud, 一八五六～一九三九）やそのフロイトの影響を受けつつ無意識を重視したスイスのユング（Carl Gustav Jung, 一八七五～一九六一）も教育に与えた影響は大きい。ドイツからアメリカに帰化して自我同一性 identity の概念を提唱したエリクソン（Erik Homburger Erikson, 一九〇二～九四）、カウンセリングによる心理療法を確立したアメリカのロジャーズ（Carl Ransom Rogers, 一九〇二～八七）も人格論や教育心理学に大きな影響を与えた。

さて、人名辞典のような記述となったが、本書は日本の現在の法令と歴史を中心に教育を描いているので、どうしても西洋の教育史上の人物を詳細には紹介することができないため、これらを列記することとした。本書の前後を読み取るためにも参考にしてほしい。人間観、子ども観をはじめ多くの論点が古くから多くの論者によって語られてきたことを知るのは、二一世紀の議論を考えるときにも参考になるであろう。

（1） 趙岐注「孟子注疏」『十三経注疏 附校勘記 下冊』中華書局、一九八〇年、二六九〇～二六九一頁。朱熹「孟子集註」『四書五経 上冊』古籍出版、一九八八年、二四～二五頁。趙岐等『四部要籍注疏叢刊 孟子 上』中華書局、一九九八年、二八、一八九頁。

（2） 服部宇之吉校訂『荀子 漢文体系第一五巻』冨山房、一九一三年（一九七五年増補版）。

（3） “The Orbis Pictus of John Amos Comenius”, C. W. Bardeen, 1887（復刻版 Kessinger Publishings Rare Reprints）

（4） ワークショップの歴史的背景については、高橋陽一『ファシリテーションの技法 アクティブ・ラーニング時代の造形ワークショップ』武蔵野美術大学出版局、二〇一九年、及び高橋陽一編『造形ワークショップ入門』武蔵野美術大学出版局、二〇一五年を参照。

第16章　教育基本法の全部改正とその前文

本章から第30章までは、本書の第二部として、教育の現在の制度や組織、社会における教育のあり方を考えていく。武蔵野美術大学造形学部の通学課程と通信教育課程で、私が担当する授業科目で言えば、第一部が教育原理Ⅰ、第二部が教育原理Ⅱである。本学と同じく教育原理や教育学概論を前期と後期で区分をして通年で連続することになる大学は多い。教育職員免許法施行規則に定める内容としては、これまでの第一部が「教育の理念並びに教育に関する歴史及び思想」であり、これからの第二部が「教育に関する社会的、制度的又は経営的事項」である。この法令上の規定も二〇一七（平成二九）年に改正されて、第二部に必要な内容として「学校と地域との連携及び学校安全への対応を含む。」が加えられて二〇一九（平成三一）年度から施行された。第28章や第29章はこの追加部分が中心になる。

二〇二二（令和四）年度後期の武蔵野美術大学通学課程のメディア授業として行った教育原理Ⅱ（油絵学科の授業科目名は教育制度論）では、九月の最初にこう挨拶して講義を始めた。「教育原理Ⅰの単位修得、おめでとう。前期に言ったように教育原理は名前のとおり、基礎・基本の講義科目で、実践や応用に直結する他の授業科目を理解するためにも必要な、教職課程の入門の授業科目です。前期のⅠでは歴史や思想、社会全体から広く教育を捉えましたが、後期のⅡでは制度や組織など現在の学校教育を中心に教育を論じていきます。内容は基礎・基本と言っても、徐々に学校の教員としての実践論へと近づいていくので難しくなります。」と。

実はⅠとⅡの区切りは以前から大変だった。教育基本法は教育理念の基本を示すものであって、同時に教育の法と制度の基本ともなっている。つまり前半と後半をつなぐ両方の中心である。だから講義では法律本文のプリントを前期に配って、もう一度後期にも配っておさらいをしながら開始していた。本書では、第14章で戦後教育改革の理念を示した旧法の教育基本法を解説して、本章から第19章までは二〇〇六（平成一八）年に全部改正された現行の、新法の教育基本法を解説する。本書を教科書ではなく一般の概説書として読む人にとっても、そうした構成のほうが読みやすいと考えた。なによりも旧法と新法の両方を理解することが、現在の教育の課題と問題を考える基本となるからである。

第一節　教育基本法の全部改正

何かあると教育が悪いことになる。子どもをめぐる事件や社会の問題が起こるたびに、教師が悪い、学校が悪いという論理である。確かに旧法の教育基本法は前文で「この理想の実現は、根本において教育の力にまつべきものである。」とうたっていたから、日本国憲法下の社会現象はすべて教育と教育基本法が原因だという理屈もわからないでもない。

戦後の日本の社会で教育基本法は、個人の尊厳や教育の自由の根拠として機能してきた。教育権の独立の考えが込められたこの法律は、政府の政策や教育の統制に対して、教育現場の教員が異議を唱えるときの根拠になってきた。このために、政府や政権を担った政党からの教育基本法見直し論がながらく提起されてきたのである。

二〇〇〇（平成一二）年三月二四日には内閣総理大臣の私的諮問機関として**教育改革国民会議**が設置され、早くも一二月二二日に「教育改革国民会議報告　教育を変える一七の提案」が報告された。ここで教育基本法の見直しと教育振興基本計画の策定が提起された。

教育の基本施策はあらかじめ中央教育審議会で審議するので、文部科学大臣が翌二〇〇一年一一月二六日に中央教育審議会に諮問をして、二〇〇三年三月二〇日に「新しい時代にふさわしい教育基本法と教育振興基本計画の在り方について」という答申が中央教育審議会から出された。

これを受けて与党における検討がなされ、法案は二〇〇六（平成一八）年四月二八日に閣議決定され、同年の第一六四回通常国会に提出され、同国会では継続審議となって、第一六五回臨時国会で一一月一六日に衆議院で可決され、一二月一五日に参議院本会議で可決されて成立し、一二月二二日に法律として公布され即日施行された。

これが法律の施行までの概要である。新法の制定過程において、国会での賛否が大きく分かれ、教育関係者や教育関係学会からも多くの慎重論や反対論が出された。国民の意見を聞くための「タウンミーティング」では、依頼されて金銭を受け取った「やらせ」の質問者が多く存在したという問題がマスコミなどで報ぜられるなど、様々な波瀾のなかで成立したことも、また現代史に残る事実である。

教育基本法の全部改正を受けて他の教育法令の整備がなされた。二〇〇七（平成一九）年六月の学校教育法の改正では、全体の構成を含めて大幅に改正された。また、二〇〇八（平成二〇）年三月に幼稚園教育要領と、小学校、中学校の**学習指導要領**、二〇〇九（平成二一）年三月に高等学校と特別支援学校の学習指導要領が改正されるときにも、新しい教育基本法の内容が前提となった。さらにその後も学習指導要領の整備が進められた。**特別の教科である道徳**を新設して二〇一五（平成二七）年三月の小学校と中学校の学習指導要領の一部改正でも、新しい教育基本法の文言により内容が整理された。さらに二〇一七（平成二九）年三月の幼稚園教育要領と小学校と中学校の学習指導要領と、四月の特別支援学校幼稚部教育要領と特別支援学校小学部中学部学習指導要領、二〇一八（平成三〇）年の高等学校の学習指導要領と特別支援学校高等部学習指導要領は、教育基本法などで整備された学力論を前提として整理がなされた。

本書の第二部で何度も説明することになるが、二〇一七（平成二九）年と二〇一八（平成三〇）年に告示された現在の学習指導要領では、学校教育で育成を目指す**資質・能力の三つの柱**として、生きて働く**知識及び技能**の習得と、未知の状況にも対応できる**思考力・判断力・表現力等**と、学びを人生や社会に生かそうとする**学びに向かう力・人間性等**の涵養《かんよう》などの育成が整理された。なお、各教科で児童生徒の評価をするときは、この資質・能力の三つの柱の表現を整理して**三観点**として、**知識・技能**、**思考・判断・表現**、**主体的に学習に取り組む態度**という表現になっていることも、強調しておきたい。「及び」や「等」が省略されたほか、「学びに向かう力・人間性等」という大きな概念が評価に即応した「主体的に学習に取り組む態度」に整理されていることに注意しておいてほしい。

さて、法律には改正がつきものである。法律を改正することができるのは法律であるから、改正するための法律が成立する必要がある。その法律の中心的な内容が改正されることもあれば、その法律の文言に含まれる他の法律に規定する内容や法令そのものの引用箇所が変更されて玉突き的に改正される場合もあり、学校教育法をはじめとした法律は毎年のように改正がある。このように法律の条文などの一部を改正することが、**一部改正**である。二〇〇七（平成一九）年六月の学校教育法改正のように条文の順序まで変更するときも一部改正である。

一方、教育基本法は第14章で見たように日本国憲法のもとに置かれた法律であった。他の教育についての法律は、旧法の教育基本法第十一条により、そのもとに置かれていた。そのために教育基本法は憲法や教育理念が変わらない限りは変更する必要がなかった。法律の全部を改めることを**全部改正**と言う。教育基本法の改正では、この全部改正の手法が採られた。全文が改正され、条文の配置なども変わっていく。なお、全部改正と似た手法として、法律を廃止して新たな法律を制定するということもあるが、教育基本法としての継続性を明確にするために、あくまでも同じ法律の全部改正として実施されたのである。

このことを踏まえて、新しい教育基本法（新法）が一九四七（昭和二二）年公布の教育基本法（旧法）とどう異なるかを読み解くのだが、その視点を三つに整理して述べておきたい。

まず第一は、**旧法の継承**に注目する視点である。新しい教育基本法は、旧法に対して、一部改正でもなく、廃止と制定でもなく、全部改正という手法によって成立した。詳しく言うと、「教育基本法(昭和二十二年法律第二十五号)の全部を改正する。」という改正の文言をもって新しい条文を示して全部改正がなされ、法律名は「教育基本法(平成十八年法律第百二十号)」となった。全部改正で法律名が変わる場合もあるが、多くは法律名は同一で、法令番号が変わるという形である。そして法律の文言についても、旧法を受け継いだものが多くを占める。つまり、旧法のもとの法令や判例や慣行などがそのまま継承されるのである。どんな文言が継承されたかは、これから具体的に検討していくが、旧法の眼目である「個人の尊厳」をはじめ、ほとんどの内容が継承されている。教育基本法をめぐって長期にわたる賛否の議論があったので、全部改正があると天地がひっくり返ったような印象も受けるが、長期にわたり評価されてきた条項や文言を持つ旧法が継承されたということをまず理解しておく必要がある。

第二に**新法による追加**に注目する視点である。旧法の多くを継承したために、全一一条であった旧法を膨らませて、新法は全四章一八条の構成に拡充されている。法律は大きくなると「章」を分けるが、あくまでも重要なものは「条」であるから、第一条という番号は最後まで通しで振られ、引用するときも「第一章第一条」と言わずに「第一条」でよい。旧法になかった新しい条文としては、生涯学習の理念(第三条)、大学(第七条)、私立学校(第八条)、教員(第九条)、家庭教育(第十条)、幼児期の教育(第十一条)、学校、家庭及び地域住民等の相互の連携協力(第十三条)、教育振興基本計画(第十七条)があり、環境の保全(第二条第四号)、障害(第四条第二項)などの文言の追加も注目できる。

こうした新法による追加は、戦後の様々な法令の制定や教育の取り組みを反映しているものと考えることができる。現実の政治過程では、これらの時代の変化を反映した条項を加えることが、賛否のあった条項を加えるための政治的合意を得るプロセスとして機能した。あまり具体的に言いたくないが、慎重論が多かった教育界でも、何々の条項が加わる法案だから賛成だという動きもあった。もちろん、全部改正による新法が現行法になった現在では、こうした新法で追加された内容を教育に生かして教育の発展へとつなげることが大切になる。

旧法と新法のおおよその対象を条文ごとに示すと次のようになる。

旧法	新法
前文	前文
	第一章　教育の目的及び理念（第一条―第四条）
第一条（教育の目的）	第一条（教育の目的）
第二条（教育の方針）	第二条（教育の目標）
	第三条（生涯学習の理念）
第三条（教育の機会均等）	第四条（教育の機会均等）
	第二章　教育の実施に関する基本（第五条―第十五条）
第四条（義務教育）	第五条（義務教育）
第五条（男女共学）	
第六条（学校教育）	第六条（学校教育）
	第七条（大学）
	第八条（私立学校）
	第九条（教員）

	第十条（家庭教育）
	第十一条（幼児期の教育）
第七条（社会教育）	第十二条（社会教育）
	第十三条（学校、家庭及び地域住民等の相互の連携協力）
第八条（政治教育）	第十四条（政治教育）
第九条（宗教教育）	第十五条（宗教教育）
	第三章　教育行政（第十六条・第十七条）
第十条（教育行政）	第十六条（教育行政）
	第十七条（教育振興基本計画）
	第四章　法令の制定（第十八条）
第十一条（補則）	第十八条
附則	附則

第三に**新法による変更**に注目する視点である。これも文言上は新法で追加されたものと言えるが、旧法の趣旨とは異質なものとして教育や政治の場面で議論を招いた文言などは、理念が変更されたものと考えて検討をするべきだろう。大きく捉えると、前文にある「公共の精神」「伝統を継承し」、第二条第五号の「伝統と文化を尊重し」「我が国と郷土を愛する」といった日本国民の政治的・文化的な統合を求める文言が議論を集めた。また旧法の第十条の教育の不当な支配の禁止をめぐる変化についても注目できる。こうした変更は、改正が必要であるとする立場からの積極的動機として語られてきたものであり、国会審議や制定後の解釈においても強調された。

参議院本会議で成立した二〇〇六（平成一八）年一二月一五日に、このときの内閣総理大臣が発表した談話を全文そのまま引用する。

「教育基本法改正法成立を受けての内閣総理大臣の談話」

本日、教育基本法改正法が成立いたしました。

教育基本法の改正については、平成十二年の教育改革国民会議の報告以来、国民的な重要課題として取り組んでまいりましたが、今般この法律が成立したことは、誠に意義深いものがあり、ここに至るまでの関係者の御努力、国会の御審議に感謝申し上げます。

昭和二十二年に制定された教育基本法のもとで、戦後の教育は、国民の教育水準を向上させ、戦後の社会経済の発展を支えてまいりました。一方で、制定以来既に半世紀以上が経過し、我が国をめぐる状況は大きく変化し、教育においても、様々な問題が生じております。このため、この度の教育基本法改正法では、これまでの教育基本法の普遍的な理念は大切にしながら、道徳心、自律心、公共の精神など、まさに今求められている教育の理念などについて規定しています。

この改正は、将来に向かって、新しい時代の教育の基本理念を明示する歴史的意義を有するものであります。本日成立した教育基本法の精神にのっとり、個人の多様な可能性を開花させ、志ある国民が育ち、品格ある美しい国・日本をつくることができるよう、教育再生を推し進めます。学校、家庭、地域社会における幅広い取組を通じ、国民各層の御意見を伺いながら、全力で進めてまいる決意です。

国民各位におかれましても、今回の改正の意義について御理解を深めていただき、引き続き、御協力賜りますようお願いする次第であります。

長めの挨拶のような文章ではあるが、先ほど述べた三つの視点で分析すると、文意が整理できる。この短い文章では新法による追加はあまり強調されていないが、旧法の継承と新法による変更は対比のように文章を構成している。第三段落で戦後史を述べて旧法を肯定した上で、「一方で」という言葉で対比させて、その後の変化から新法の必要を述べる。さらに「これまでの教育基本法の普遍的な理念は大切にしながら」と新法への旧法の継承を明示したうえで、「ながら」でつないで、「道徳心、自律心、公共の精神など、まさに今求められている教育の理念などについて規定しています。」と新法による変更点を明示するのである。これが「志ある国民が育ち、品格ある美しい国・日本をつくる」という内閣総理大臣の施政方針を示す言葉につながる。これはあくまでも第九〇代内閣総理大臣安倍晋三（一九五四〜二〇二二、在任二〇〇六〜二〇〇七）としての考えだから、同じ政党でも次の福田康夫内閣、麻生太郎内閣ではトーンが変わるし、二〇〇九（平成二一）年九月に政権交代が起きると忘れられる。もちろん、また二〇一二（平成二四）年一二月に政権交代が起きて第二次安倍晋三内閣が組閣され、二〇二〇年九月まで長期に在任した。

この内閣総理大臣安倍晋三談話のほか、文部科学大臣伊吹文明談話も収録して、教育基本法全部改正にあたって各都道府県・指定都市教育委員会ほかにあてて文部科学事務次官から出されたのが、「教育基本法の施行について（通知）」（平成十八年十二月二十二日一八文科総第百七十号）である。法令を解釈する際には、法令そのものの本文のほか、その法令に基づいて出された法令を見ることが大切である。しかし、学校教育法に基づく学校教育法施行令や学校教育法施行規則に相当するものは、教育基本法には存在しない。学校教育法をはじめとした法律の改正は教育基本法改正を受けて行われたが、全部改正の公布とともに出された「教育基本法の施行に伴う関係政令の整理に関する政令」（平成十八年十二月二十二日政令第三百九十五号）と「教育基本法の施行に伴い、中学校学習指導要領等の一部を改正する告示」（平成十八年十二月二十二日文部科学省告示第百五十二号）は文言上の不整合を改めるものであった。文部科学事務次官通知は要約的なものであって注目すべき新たな解釈を示したものではないが、文部科学省による有権解釈として、これからの解釈にあたって参考となる。

このほか、法令の制定の経緯を示す資料として、国会における答弁を収録した議事録も参考になる。ただし、法令解釈の基本として、法的拘束力を持つ関係法令や、法令の執行のために責任を持つ所管官庁の解釈という有権解釈のほかは、あくまでも解釈の参考のための資料であり、力を持っているのは公布されて施行された法令の本文そのものであることは確認しておきたい。

教育基本法が制定されて一〇年余りが経過した二〇一七（平成二九）年春に、幼稚園で教育勅語を幼児に暗唱させていた大阪の学校法人が新設する小学校の国有財産払い下げ問題が起き、教育基本法と教育勅語の関係が再び社会的な関心を集めた。同年三月三一日に安倍晋三内閣が閣議決定した答弁書において「憲法や教育基本法（平成十八年法律第百二十号）等に反しないような形で教育に関する勅語を教材として用いることまでは否定されることではないと考えている。」と回答したことが報道された。この微妙な解釈が可能な閣議決定に関連して、教育勅語を教材として肯定的に教えられるこうした主張も起きた。一方で教育史学会や日本教育学会などが声明を発して、天皇の主権のもとで一律の価値観を押しつけた教育勅語が国民主権を原則とする日本国憲法や教育基本法に反するとして、歴史教育の教材などのほかは学校教育で教え込むことはできないという批判が相次いだ(1)。こうした議論は、その後も続くことが予想され、これからの教育にあたっても正確な歴史の知識が必要であることが痛感される。

第二節　教育基本法前文の理念

法令の本文に法的拘束力があるということは、逆に、法令のなかでも（　）の中の見出しや前文には拘束力がないことを意味する。見出しは検索のための便宜だから短くキーワードしか挙げない。また日本国憲法や教育基本法に添えられた前文は、技術的なことよりも経緯や理念を語るものだから文章としての格調が求められる。
文部科学事務次官通知「教育基本法の施行について」は、前文の解釈を簡潔明瞭に次のように行っている。

本法制定の趣旨等を明らかにするため、旧法と同様に前文を置き、教育において、個人の尊厳を重んじるべきことなどを引き続き規定する一方、新たに、公共の精神を尊び、豊かな人間性と創造性を備えた人間の育成を期することや、伝統を継承し、新しい文化の創造を目指す教育を推進することを規定したこと。

非常にわかりやすい。旧法の体裁を踏襲し、さらに旧法前文の眼目としての「個人の尊厳」の考えを継承し、「一方、新たに」と文意を転換して、新法に追加や変更がなされた言葉を述べるのである。本文に即すると「豊かな人間性と創造性を備えた人間の育成」や「新しい文化の創造」という新しい文言が追加され、「公共の精神を尊び」や「伝統を継承し」という文言が旧法の趣旨を変更するものとして加えられたことになる。次に前文を見よう。

教育基本法（平成十八年十二月二十二日法律第百二十号）

我々日本国民は、たゆまぬ努力によって築いてきた民主的で文化的な国家を更に発展させるとともに、世界の平和と人類の福祉の向上に貢献することを願うものである。
我々は、この理想を実現するため、個人の尊厳を重んじ、真理と正義を希求し、公共の精神を尊び、豊かな人間性と創造性を備えた人間の育成を期するとともに、伝統を継承し、新しい文化の創造を目指す教育を推進する。
ここに、我々は、日本国憲法の精神にのっとり、我が国の未来を切り拓く教育の基本を確立し、その振興を図るため、この法律を制定する。

すでに第14章で見た旧法の前文と比較すると、時代の違いを反映していることに気づく。旧法に「われらは、さきに、日本国憲法を確定し」とある戦後教育改革がリアルタイムで進行するなかの記述は、「我々日本国民は、たゆまぬ努力によって築いてきた」という六〇年ほどの戦後を回想する記述となった。「民主的で文化的な国家」や「世界の平和と人類の福祉」は旧法と同じ言葉であるが、述語の「建設して」が「更に発展させる」となったり、「向上」が加えられたことなどが時代の変化だろう。中心となる**「個人の尊厳**を重んじ」という文言には変化がない。「真理と平和を希求する」は「真理と正義を希求する」と変化したが、「真理と正義を愛し」という旧法第一条の文言が新法前文に動いてきたことになる。「平和」が減った印象を与えるが、いずれにせよ、旧法の継承がなされている。

前文では新法で追加された条文に対応する内容は列記されていないが、新法で追加や変更がされた新しい概念は対句のような構成になっていることがわかる。「公共の精神を尊び」の次に「豊かな人間性と創造性を備えた人間の育成を期する」が続き、「伝統を継承し」の次に「新しい文化の創造を目指す教育を推進する。」と続く。つまり、首相談話が「志ある国民が育ち、品格ある美しい国・日本をつくる」と述べたような国家的な秩序や伝統を押し出す言葉に対しては、豊かさ、新しさ、創造性、人間性という文言がセットになって書かれる構造である。先に述べた旧法の継承、新法による追加、新法による変更という三つの視点で焦点となる文言が、それぞれ組み合わさって配置されていることがわかる。

「**公共の精神**」について、第7章で、教育基本法旧法第六条の「公の性質」とは、すべての国民にひとしくオープンになっている公教育の性質であるということを説明した。漢字の意味で、閉ざされた私に対して、開かれたものが公である。このほか公共については、ラテン語で共同の意味を表す形容詞 commūnis（コンムーニス）など、「共に」

を意味する前置詞cum（クム）から派生する言葉が数多くあり、欧米各国の言葉にも共通する。この前文のなかから類似語を探せば、「世界の平和と人類の福祉の向上に貢献することを願うもの」となるだろう。個人の尊厳を個人のそれぞれの幸福の追求と理解して、日本国憲法第十三条の「すべて国民は、個人として尊重される。」に求めれば、この第十三条の後段「生命、自由及び幸福追求に対する国民の権利については、公共の福祉に反しない限り、立法その他の国政の上で、最大の尊重を必要とする。」とあるのが**「公共の福祉」**である。自分にとっての個人の尊厳が尊重されるには、同時に他人にとっての個人の尊厳も尊重する必要があるのだから、公共の福祉は制約のように作用する。しかし本来的に開かれたものとして「公共の精神」が必要となるのだ。

　しかし、公を日本語で「おおやけ」と訓じて大きな家、あるいは国家を意味するように、人と人との社会の上に国家を措定すると話が難しくなる。第12章で見たとおり、教育勅語に出てくる公は、天皇を頂点とする国家としての公であって、「一旦《いったん》緩急《くわんきふ》アレハ義勇公《ぎゆうこう》ニ奉《ほう》シ、以《もっ》テ天壌《てんじやう》無窮《むきゆう》ノ皇運《くわううん》ヲ扶翼《ふよく》スヘシ。」とある。緩急つまり非常事態のときには大義に勇気をふるって国家につくし、そうして天と地とともに無限に続く皇室の運命を翼賛すべきであるということである。ここで言う公は、開かれた公共ではなく、日本の国家の頂点にいる天皇や皇室を指すことは明白であろう。個人の尊厳とも平和や国民主権とも矛盾するものである。義勇奉公は時代錯誤だと言い切りたいが、先に見たように教育基本法が通ったときの内閣総理大臣が「志ある国民が育ち、品格ある美しい国・日本をつくる」と言ってしまうから、教育勅語の言う「国体ノ精華」という言葉さえも重なってしまうのである。

　もちろん、法的拘束力のない総理談話に引きずられて解釈する必要はなく、法令本文がどう書いてあるかが重要である。公共の精神は、「個人の尊厳を重んじ、真理と正義を希求し、公共の精神を尊び、豊かな人間性と創造性を備えた人間の育成を期する」という文脈で書かれているのだから、個人の尊厳や、真理と正義に反するものや、人間性や創造性を貶《おとし》めるものは、公共の精神として解釈する必要はない。現在の解釈において必要なことは、公という言葉の歴史的多面性を事実として理解したうえで、個人の尊厳を踏まえた公共の精神を尊ぶことである。

「伝統を継承し」という文言、つまり**伝統の継承**も、難しい内容を含む。伝統は伝えられた統《すじ》である。英語の伝統tradition は、ラテン語の伝統 trāditiō(トラーディティオー)に遡り、もとは手渡すという動詞 trādō(トラードー)である。さらに分解すれば接頭辞は超えることを意味する前置詞 trans(トランス)と与えるという動詞 dō(ドー、不定形は dare)である。第6章で強調したように、教育とは世代交代のための行為であり、まさに伝統を継承することは教育の本質的な行為そのものなのである。

ただ、教育は教育であることのみをもって是とされるのではなく、伝統も伝統であることのみをもって是とはされない。第3章で見たとおり、かつて子殺しは世界の伝統であった。あらゆる伝統を継承するのであれば、まず継承して実践するべき教育は子殺しであるということになる。もちろんそう言う人はいないだろう。「伝統を継承し」とは、「継承するべき伝統を継承し」と当然の条件が含まれると解釈しなければ理解不可能である。言うまでもないほど当たり前のことである。だから、「伝統を継承し、新しい文化の創造を目指す教育を推進する。」と続けられているのである。新しい文化の創造に値する伝統を継承していくのである。

私は国学者なので、日本の歴史上の文物はそれだけで価値があると考えている。ただその文化的価値は、それを吟味して理解することにより説明できる。私は子殺しの文化を示す史料を積極的に収集して継承している。それは歴史のなかで否定された子どもの権利が尊重される現代において、その権利の意味を根底から理解するために必要だからである。伝統の継承とは、その伝統を根底から否定することも含めて、歴史を継承するという創造的な営みなのである。是もあれば非もあるのが、人類の歴史である。

第三段落では、「日本国憲法の精神にのっとり」という上位法令との関係が明示され、さらに二一世紀にふさわしく「我が国の未来を切り拓く教育」ということを述べている。教育基本法の内容を法令として上位から規定しているのは日本国憲法のみである。法令制定で論争され、またここで私が解釈を述べた内容もまた、最終的には日本国憲法の条項にのっとって論じられるべきなのである。

また、本文でも多く登場する振興という言葉を用いて、「振興を図る」と書き、この教育基本法の役割は様々な教育の主体による営みを国家が振興することとした点も重要である。

ここでは教育基本法全部改正の経緯を説明し、その経緯を踏まえた解釈の視点を提示し、さらに前文を論じた。これより現在の日本の教育を規定している教育基本法の第一条から逐条的に検討する。

(1) 教育史学会編『教育勅語の何が問題か(岩波ブックレット九七四)』岩波書店、二〇一七年。岩波書店編『徹底検証 教育勅語と日本社会』岩波書店、二〇一七年。

第17章　教育基本法の教育目的と教育目標（第一条・第二条）

教育基本法とその後の学校教育法の改正によって整えられたのが、教育の目的と教育の目標の構造である。二〇一七（平成二九）年と二〇一八（平成三〇）年に告示された現在の学習指導要領は、こうした法令上の構造を、従来よりも明確に整理したものである。この章では、この目的と目標の組み合わせに注目して解釈していく。

第一節　教育の目的と教育の目標

第一条と第二条で規定されるのが、「教育の目的」と「教育の目標」である。この言葉と構造を理解するために、目指していく**目的** purpose と達成すべき**目標** objective という言葉の意味だけではなく、教育思想や教育学において論じられてきた教育目的や教育目標という言葉を整理しておく必要がある。

教育目的とは、教育において目指すものを意味する。「何のために教育をするのか」あるいは「何のために教育があるのか」という問いの答えである。個人や社会にとって抽象的で一般的なものが語られる。類似する概念では、**教育理念** idea of education がある。教育理念と言うときは、教育に関する哲学や思想、その時代の文化のなかで形成された体系的な教育が目指すものを意味する。よく考えると同義なのだが、これから見る法令における定義では、個別の思想や哲学をイメージする教育理念よりも教育目的という言葉がよい。教育基本法の全部改正で加えられた章名では、「第一章　教育の目的及び理念」として、第一条の「教育の目的」以外を「教育の理念」と広く呼んだことになる。教育目的あるいは教育理念の例としては、第11章で見た学制布告書では実学を身につける人間観を示して国民皆学を求めていたし、第12章で見た教育勅語では天皇が臣民の道徳の徳目を示して皇運の扶翼を求めていた。第14章で見た教育基本法（旧法）第一条の人格の完成はもちろん教育目的である。人生において目指すものは容易には達成されず、何年もかかったり、生涯を通じて目指すものもある。そうした大きなものが教育目的と言うに値するだろう。

これに対して**教育目標**は、教育によって達成される成果や能力などであり、個人や社会にとって具体的に個別的に語られるものとなる。「教育によって何ができるようになるか」「教育によって何が変わるか」といった問いの答えである。日常の漢字が書ける文字能力を持つことや、カテキズム（教理問答）を暗唱できるキリスト教信者としての知識を持つといった成果や能力である。教育の目的と教育の目標を対比させると、大きなものが目的で、小さなものが目標となる。目標を達成して目的を目指すと言い換えてもよい。関係する概念では、**教育内容**があるが、こちらは具体的に知識や技能として伝えられる教育の内実であるから、さらに具体的なものを意味する。実際にはこの教育内容が教材や教具という物として具体化する。また関連して用いられる概念として、**カリキュラム** curriculum, course of studyの訳語として用いられる**教育課程**がある。これは、学校教育で教育目標を達成するための体系的な計画であり、具体的に教育内容を設定して、修業年限、学年、学期などの時間を意識して編成される全体計画である。長期にわたる教育課程の策定では、達成すべき教育目標とともに、さらに大きな教育目的を念頭において計画する必要がある。また教育目標は、実際に達成されるべきものであるから、**教育評価** educational evaluation と結合する。教育内容を明確な問題として学習者に出題できる場合はその結果を素朴に判定できることが多いが、実際には段階や数値でどう表現して、どう活用するかが大きな課題となる。二〇世紀の世界的な新教育は、こうした教育課程や教育評価を、実践を支える心理学や統計学などの学問を生かして緻密にしていくものでもあった。

実際に様々な教育の実践や理論の書籍などを読むと、これらの概念は様々なニュアンスの違いを持って語られるし、教育目的と教育目標を同義または逆に論じている文章に出会うこともある。こうしたことは第6章で見た教育という概念についても発生することだから、驚くに値しない。ただ、多くの教育学やここで見る教育基本法第一条と第二条などの現行法令と矛盾なく教育を語るためには、教育目的を目指して教育目標を達成するという流れを理解しておいてほしい。もちろん、論じる対象の教育が、生涯にわたる教育なのか、ある数年間の学校教育なのか、数時間のまとまった授業のことなのかという、内容の大小、時間の長短によって位相が変化する。実際には位相の異なる教育目的と教育目標のセットが幾重にも重なることになっていく。

それではさっそく現在の教育基本法における教育の目的の規定を見よう。

教育基本法（平成十八年十二月二十二日法律第百二十号）

（教育の目的）

第一条　教育は、人格の完成を目指し、平和で民主的な国家及び社会の形成者として必要な資質を備えた心身ともに健康な国民の育成を期して行われなければならない。

第一条に定める**教育の目的**は、教育一般を規定する教育基本法としての教育目的を定めるものである。学校教育のみならず、この法律で規定される生涯学習、家庭教育、社会教育など様々な教育を通じての教育目的である。旧法第一条と比較しても、目指すべき眼目が「**人格の完成**」であることが明瞭になった。そう感じるのは、旧法のいくつかの言葉が削除されて移動したこともある。旧法にあった「真理と正義」は前文と第二条第一号や第三号へ、「個人の価値」と「自主的精神」は第二条第二号へ、「勤労と責任」は第二条第二号や第三号へと移動している。そこで「平和で民主的な国家及び社会の形成者」や「心身ともに健康な国民」という国民像が強調されることになった。

なお旧法になかった「**資質**」という言葉があり、これは現在の一般語としても、多くの国語辞典でも、生まれつきの性質や才能を意味する言葉とあるのが普通である。教育学でも経験や教育による性格や能力に対して生得的に備わる性格や能力を論じるときに使われる言葉である。それが近年の文部科学省の文書では「教員の資質」や「資質向上」といった熟語で、能力の総体や能力の基礎を示す言葉として用いられている。つまり、生得的なものでなく、経験や教育による性格や能力の意味に転換して用いられている。本来、法令の用語は社会や学界の一般的な言葉を使うものであるから、ここで言う「資質」は混乱を招く用法であるとあえて指摘しておく。もっとも、言語は時代によって変化するものだから、この生得的ではない経験による総体的な基礎能力としての「資質」と言う言葉が、すでに定着しつつある。

この第一条の内容は、第14章で論じた旧法第一条の継承として理解してよい。人格の完成は個人の尊厳を踏まえて目指すものであり、日本国憲法の規定する権利や義務の主体である主権者としての国民の育成が述べられているのである。教育の目的を法律で規定してよいのかという法律論は重要であるが、ここで定める人格の完成などは国家が法律ですべてを規定するものではなく、日本国憲法が規定した個人の自由や権利を前提として個人が目指す人格の完成を、国家の法律によって保障しているものと理解できる。

旧法ではこの次に第二条で「教育の方針」として教育の目的の実現やそのためにつとめるべき事項を規定したが、新法第二条では「教育の目標」として、教育目的と教育目標の組み合わせを意識した構成に改められた。

（教育の目標）
第二条　教育は、その目的を実現するため、学問の自由を尊重しつつ、次に掲げる目標を達成するよう行われるものとする。

一　幅広い知識と教養を身に付け、真理を求める態度を養い、豊かな情操と道徳心を培うとともに、健やかな身体を養うこと。
二　個人の価値を尊重して、その能力を伸ばし、創造性を培い、自主及び自律の精神を養うとともに、職業及び生活との関連を重視し、勤労を重んずる態度を養うこと。
三　正義と責任、男女の平等、自他の敬愛と協力を重んずるとともに、公共の精神に基づき、主体的に社会の形成に参画し、その発展に寄与する態度を養うこと。
四　生命を尊び、自然を大切にし、環境の保全に寄与する態度を養うこと。
五　伝統と文化を尊重し、それらをはぐくんできた我が国と郷土を愛するとともに、他国を尊重し、国際社会の平和と発展に寄与する態度を養うこと。

ここで教育基本法における**教育の目標**の占める位置と五つの内容が規定される。述語に注目して抜き出すと、「その目的を実現するため」に「次に掲げる目標を達成するよう行われるものとする。」とあって、第一条の教育の目的を実現するためには、第二条に掲げる具体的な教育の目標が達成されなければならないということである。旧法第二条で注目される「あらゆる機会に、あらゆる場所に」という文言は、生涯学習の規定として第三条に移動して独立した条文となった。日本国憲法第二十三条に定める国民の権利としての**学問の自由**は引き続き新法第二条にうたわれている。

具体的に列記された内容は、五つの号によって整理される。法律はこれまでも出てきたように、**条**を基本に列記されて、大きな法律はいくつかの条をまとめて**章**とする。章は必須ではないので、条文を指定するときに「第一条」と言うが、「第一章第一条」と章をつけて言う必要はない。法令を読むときに、条、項、号という順番を覚えておく必要がある。この条のなかの、法令の文章の段落分けは**項**と呼ばれるが、列記するものは項の下の**号**である。最初のものを言及するときには「教育基本法第二条第一号」と言う。この第二条には第二項がなく一つの項だけだから「第一項」とは言わない。よく「第二条第一項」と誤記されているから気をつけてほしい。現在の法令で第一項以外の項は「2」「3」などのアラビア数字で示し、号は第一号から「一」「二」などの漢数字で示す。

第一号は、教育を**知育**・**徳育**・**体育**と教育の三区別論に即して列記している。この三区分は確かに過去から現在までの教育を整理するときに有意義である。「幅広い知識と教養を身に付け、真理を求める態度を養い」というのが知育である。「真理を求める態度を養い」は徳育でもあるが、知育に態度が含まれていることは、第25章で見る関心・意欲・態度までを含めて「新しい学力観」と呼んだ現代の学力論を反映している。また旧法前文の「真理と平和を希求する人間の育成」という文言の継承でもある。「豊かな情操と道徳心を培う」というのが徳育である。教育勅語のように道徳の徳目は列記されていないが、よく見ると第二号から第五号までが知識や技術の教育であるとともに徳育が強調されているように読み取れる。最後の「健やかな身体を養うこと」が体育である。

第二号は、自分自身に関することに勤労などに関する内容を加えている。旧法第一条から「個人の価値をたっとび」という文言がここに移動し、新たに「その能力を伸ばし、創造性を培い」と続き、旧法第一条の「自主的精神」や旧法第二条の「自発的精神」から「自主及び自律の精神を養う」という文言となり、さらに旧法第一条の「勤労と責任」や旧法第二条の「実際生活に即し」がもとになって「職業及び生活との関連を重視し、勤労を重んずる態度を養うこと」という文言がつくられている。旧法の文言を引き継ぐことと、創造性や自律といった文言を増やすことが同時になされたために、文章としては読みにくくなった印象を受けることも確かである。

第三号は、社会生活に関することが述べられている。旧法第一条の「真理と正義」や「勤労と責任」から「正義と責任」の文言が掲げられ、削除された旧法第五条（男女共学）から「**男女の平等**」の言葉が用いられ、旧法第二条から「自他の敬愛と協力」という文言が継承された。新法で新たに前文に盛り込まれた「公共の精神」が再び登場して、「主体的に社会の形成に参画し、その発展に寄与する態度を養うこと」となっている。

旧法第五条で求められた男女共学の課題は女性の各段階の進学率の向上によって達成されたようにも見えるが、実際の社会生活における男女平等については多くの深刻な現実と課題が存在する。**男女雇用機会均等法**と略称される「雇用の分野における男女の均等な機会及び待遇の確保等に関する法律」（昭和四十七年七月一日法律第百十三号）は、多くの改正を経て、社会で機能している。とりわけ、一九九七（平成九）年の改正による第二十一条、現在の第十一条（職場における性的な言動に起因する問題に関する雇用管理上の措置）がもとになり、**セクシュアル・ハラスメント**の防止という課題が多くの法令等で規定された。「文部省におけるセクシュアル・ハラスメントの防止等に関する規程」（平成十一年三月三十日文部省訓令第四号）では、セクシュアル・ハラスメントを「職員が他の職員、学生等及び関係者を不快にさせる性的な言動並びに学生等及び関係者が職員を不快にさせる性的な言動」と定義し、刑法の犯罪やいやがらせの防止はもちろん、広く職場や学校の環境において不快を感じさせる性的な言動を防止していくことが求められた。また各教育委員会や学校でもこの防止のための規則を制定して、防止対策と教育活動を行っている。また、一九九九（平成一一）年には**男女共同参画社会基本法**（平成十一年六月二十三日法律第七十八号）が制定され、男女が対等な社会の構成員として尊重されるために、政府や都道府県が男女共同参画基本計画を定め、政府に男女共同参画会議を置くことを定めた。参画という言葉は従来の教育法令ではあまり聞かないが、近年の法令では増加した。この教育基本法第二条第三号に「主体的に社会の形成に参画し」とあるのは、近年の用語として解釈できる。また二〇〇一（平成一三）年に**ＤＶ防止法**と略称される「配偶者からの暴力の防止及び被害者の保護に関する法律」（平成十三年四月十三日法律第三十一号）が制定されたことは、第5章でも子どもの権利と関連して述べたとおりである。

第四号は、生命の尊重や自然環境の保護に関することである。明治期の学校教育でも理科教育では取り組まれていたものであり、小学校教則大綱（明治二十四年十一月十七日文部省令第十一号）でも「天然物ヲ愛スル心」が理科教育の課題として記されている。自然環境に関しては戦後の経済成長に伴って自然環境の破壊が深刻化していくなかで、一九六七（昭和四二）年に公害対策基本法（昭和四十二年八月三日法律第百三十二号）が制定され、一九七一（昭和四六）年には環境庁が置かれた。こうして公害反対運動や自然保護運動、環境行政の施策と連動した教育活動が、**環境教育**として形成されていく。一九九三（平成五）年には**環境基本法**（平成五年十一月十九日法律第九十一号）が制定されて、第一条に「**環境の保全**」を掲げて国や地方公共団体、事業者、国民の責務を定めて環境基本計画の策定などを定め、二〇〇一（平成一三）年には環境庁が環境省に格上げされ、二〇〇三（平成一五）年には「環境教育等による環境保全の取組の促進に関する法律」（平成十五年七月二十五日法律第百三十号）が定められた。この法律は第二条第三項で環境教育を「持続可能な社会の構築を目指して、家庭、学校、職場、地域その他のあらゆる場において、環境と社会、経済及び文化とのつながりその他環境の保全についての理解を深めるために行われる環境の保全に関する教育及び学習」として、生涯学習の広がりを持って定義した。こうして環境の保全というキーワードが第四号に書き込まれているのである。

この第四号の規定が他の規定と肩を並べるほどの重さを持って書き込まれたことは、深刻な地球環境問題とそれに対応する環境教育の重みを考えると異論がないだろう。しかしながら、多くの道徳の徳目がそうであるように、互いに矛盾することも少なくない。二酸化炭素削減のために燃焼によるエネルギーから電気への置き換えを推進していた施策は、二酸化炭素を発生させない原子力発電という前提で計算されていたから、東日本大震災以後に急速に説得力を失ってあまり聞かなくなった。生態系の保護の立場から在来生物を守る考え方も道徳的に聞こえるが、実際には外来生物とみなされた生命を絶滅することを求める考えもあって気楽な話ではない。環境保全のために科学的に正しいことと言われる内容にも、学問の自由や良心の自由のもとに批判的な検証が必要なことはずいぶんと存在する。

第五号は、**伝統文化**や**愛国心**と**郷土愛**、さらに**国際理解教育**や**平和教育**に関することである。伝統の継承については前文に登場したときに第16章で検討した。旧法と新法の前文や第一条にはともに「平和」という文言があり、旧法第二条にも「文化の創造と発展に貢献する」という文言があるが、そうした旧法の継承よりも、新法による変更として注目を集めた箇所である。この第五号の文章は対句のようなバランスを持っており、「伝統」と「文化」が組み合わされ、「それらをはぐくんできた」という次の文言につながって、「我が国」と「郷土」が組み合わされる。さらに前半の伝統文化、愛国心、郷土愛という部分に対比させて、「他国を尊重し」と他国尊重や国際理解が語られ、「国際社会の平和と発展に寄与する態度」として平和教育へとつながるのである。文字の組み合わせとしては愛国心という熟語も避けられているが、組み合わせを分解すると愛国心と郷土愛が書いてあることになる。

伝統や愛国心、郷土愛をめぐっては『道徳科教育講義』でも詳しく述べておいたので、ここでは第五号の文脈にそって考えていきたい。「伝統を継承し」と気軽に書いた前文と比べると、第五号は「伝統」と「文化」を組み合わせることで、価値のある伝統文化を継承するという意味を持たせている。そして国や郷土は「それらをはぐくんできた」という伝統文化の主体として措定される。第11章で見た学制布告書は近世までの以前の学問の否定を強調し、第14章で見た教育基本法の旧法は戦前の日本の教育の反省を前提にしていたが、この新法は伝統文化の担い手としての国や郷土を愛することを求めていることになる。第12章で見た教育勅語と類似する論理だが、教育勅語が徳目を皇祖皇宗の遺訓として位置づけたことに対して、ここでは国民主権の時代にふさわしい国家や郷土への愛が論じられているという解釈もあり得る。

ただ、実際にはそんな簡単なことではない。考えてみると第11章で見た一八七二(明治五)年の三条教則のように、敬神愛国と皇上奉戴は別の徳目であった。教育勅語はあらゆる徳目を皇運の扶翼に一元化させたが、それでも昭和期に天皇機関説事件で国家における天皇の地位が論じられたように、天皇と国家とがどういう関係にあるかは重大な問題だったのである。伝統文化の担い手としての国や郷土という図式はとても安定的だが、実際には国と郷土の関係は甘いものではない。現在の法令上の郷土とは、図書館法（昭和二十五年四月三十日法律第百十八号）第三条の郷土資料や、自然公園法施行規則（昭和三十二年十月十一日厚生省令第四十一号）の植生の郷土種などと用例が限られる。それでも郷土という言葉を用いたのは、第13章で見たとおり大正自由教育としての**郷土教育**の成果があったからであろう。しかし大正期の郷土教育が掘り起こそうとした伝統文化とは、数十年前まではあった江戸時代までの村や町の伝統文化であった。村落を近代国家を支えるものへと再編することが明治維新の課題であり、現在に至る市町村再編でも地域は変容している。つまり、近代国家の形成とは郷土の解体でもある。伝統文化を担った郷土という図式は美しいが、明治初年に神社や寺院に打撃を与えた上知令《じょうちれい》から神社統廃合に至るまで伝統文化に優しくなかったのが、近代国家であった。

もちろん、伝統と文化と国と郷土をめぐる言わば四つ巴《どもえ》の関係は、それぞれの思想や感性によって様々に理解してよい。また第二条冒頭にあるとおり、それらを対象とした歴史や文化の研究が学問の自由として開かれている。不合理を感じる人がいてもよいし、不合理ゆえに信じる人がいてもよいのである。

それにしても、「伝統と文化を尊重し、それらをはぐくんできた我が国と郷土を愛する」として愛情の対象が、人間や動植物でなく、物でさえなく、国や郷土という概念であるというのは、感覚的に難しいものである。もちろん人間の愛情は様々であり、抽象概念に愛情を抱く人がいてもよい。しかし愛情は個人の内面の感情そのものであるから、そんなことまでが法律で定められるのかという疑問は当然である。国家の法律では様々な権利や義務が定められるが、国家が国家を愛せよというのは、いかがなものかということだろう。いわば一方的に決めて愛を押しつけて強制するという問題である。

いずれにせよ愛国心と郷土愛を定めた第五号の前半は、三条教則のように愛国という熟語では言い切れない曖昧さを残しつつ、その後に「とともに」と並行につなげて、「他国を尊重し、国際社会の平和と発展に寄与する態度を養うこと。」としてバランスを取っていることも重要である。国際理解や**国際理解教育**、異文化理解や**異文化教育**、あるいは多文化理解や**多文化教育**という様々な言葉で実践や理論が展開している。国と国の関係や国際社会のあり方であれば国際理解教育という言葉がふさわしいし、実際には国内で様々な国籍や文化の人たちと日常的に接している現状であるから異文化教育という言葉も大切だし、それが異なる文化というよりも多元的に様々な文化が共存するという意味では多文化教育という言葉も近年では広まりつつある。愛国心や郷土愛のあり方は人それぞれであるが、それは他の国や地域の人たちも同じであろう。しかし、攻撃的な愛国心や郷土愛では平和にはならない。戦国乱世の話は言うに及ばず、近代の日本の歴史はそうした戦争の歴史だったし、現在の世界も内戦と国家間の戦争は絶えていない。ここで平和教育のあり方が強調されている点については、一つのバランスとして理解することができよう。

こうした論点については、国際的にも、クラスのなかでも、**多様な価値観**というキーワードで整理しておく必要がある。二〇一八（平成三〇）年度から小学校で、二〇一九（平成三一）年度から中学校で実施される**特別の教科である道徳**においては、この第五号で登場する概念が教えるべき内容項目として規定されているが、同時に「考え、議論する道徳」としての改革が強調されている。具体的には二〇一七（平成二九）年三月全部改正の小学校と中学校の学習指導要領でも強調された、主体的・対話的で深い学びとしての**アクティブ・ラーニング**として、進めていくことになる。ただ、愛国心や郷土愛と覚えるだけでは社会の複雑さや予測不可な変化には対応できない。世界のなかでも、身の回りでも、感情や利害などの対立などがあるのが普通のことで、こうした多様な価値観のもとで、自分自身の主体的な立場を主張できて、同時に相手の立場も対話を通じて理解して、問題発見や問題解決へとつなげる深い学びへとしていかなくては、これからの道徳教育は成立しない。

国家が国家を愛せよというのはいかがなものかと疑問を書いた。それに限らず、開かれた人間のあり方に関して教育の目的にとどまらず、さらに教育の目標を具体的に書いて達成を求めるというのはいかがなものかという疑問も出てくる。ここで書かれた教育の目標は生涯にわたるすべての教育の目標である。教育の目標は達成されるべきものだから、達成に関する教育の評価が連動する。私は国学者だから日本の神々や文物を大いに愛しているが、残念ながら国家法人説だろうが天皇主権説だろうが近代国家という抽象物が愛情の対象だとは感じていない。近代国家には国民として参加するものだが、それを愛とは表現しない。西洋の愛国心 patriotism は第4章に登場した古代ローマ市民として都市国家で政治に参加した父 pater（パテル）に語源を遡るが、その言葉のどこにも愛 amor（アモル）という言葉は含まれない。それなのにパトリオティズムを日本人が愛国心と翻訳し、英米の辞典でも愛 love という言葉で示すことが多いのは、東西の近代国家が国民統合の手段として愛国心を歴史的に形成してきたからである。しかし本来、近代国家は内面の自由を認めるものだから、愛するのも愛さないのも人の勝手であろう。近代国家の国民である限りは国民の権利とともに義務も果たし、「平和で民主的な国家及び社会の形成者」として努めていても、内面において愛という感情になるかどうかは別問題だろう。教育評価論と連結するのが教育目標論であるために、法律論や国家論や市民社会論に限らず、問題が日本国憲法第十九条も明記した思想や良心の自由や、さらに表現行為さえ伴わないはずの内面の自由の問題にまで至ってしまう。新法において第二条で教育の目標と書いてしまったことにより、大きな難問を日本の法体系は抱えてしまったことになる。しかし、こうした疑問は重要だが、日本国憲法とこの教育基本法全体の規定からは、内面の自由までが侵害されるものとなってはならないことを、はっきり確認しておきたい。

第二節　学校種別ごとの教育目的と教育目標

本来は国法で規定するべきでない愛を、教育基本法は達成可能にして評価可能な教育の目標として書いてしまった

	目　的	目　標
教育一般	教育基本法　第1条	教育基本法　第2条
義務教育	教育基本法　第5条第2項	学校教育法　第21条
幼稚園	学校教育法　第22条	学校教育法　第23条
小学校	学校教育法　第29条	学校教育法　第30条
中学校	学校教育法　第45条	学校教育法　第46条
義務教育学校	学校教育法　第49条の2	学校教育法　第49条の3
高等学校	学校教育法　第50条	学校教育法　第51条
中等教育学校	学校教育法　第63条	学校教育法　第64条
特別支援学校	学校教育法　第72条	（なし）
大学	学校教育法　第83条	（なし）
大学院	学校教育法　第99条	（なし）
短期大学	学校教育法　第108条第1項	（なし）
高等専門学校	学校教育法　第115条	（なし）
専修学校	学校教育法　第124条	（なし）
各種学校	（なし）	（なし）

表6　法律に定める教育の目的と教育の目標

という問題は確かに指摘できる。そうだとしても、ソクラテスではないが悪法も法なのだから、教育基本法という法律を理解していく必要がある。教育全般に及ぶ第一条の教育の目的と第二条の教育の目標という組み合わせは、学校種別ごとに表6のような組み合わせとして展開している。一条校ではない専修学校（高等専修学校と専門学校）や各種学校も学校教育法に記載されているので併せて記す。表6で「なし」とあるのは、法律で定めていないという意味で、個別の学校や教育課程では定められていることが多い。

学校教育法（昭和二十二年三月三十一日法律第二十六号）はその制定段階から、学校種別ごとに目的と目標を明示していた。この目的と目標の組み合わせを、先に見たように二〇〇六（平成一八）年の教育基本法の新法が取り入れた。そして後に見る第五条（義務教育）では第二項として義務教育の目的を記した。また中央教育審議会から二〇〇七（平成一九）年三月一〇日に「教育基本法の改正を受けて緊急に必要とされる教育制度の改正について」という答申が出されて、教育基本法の改正を踏まえた学校教育法の改正が提起されて、法律が六月二〇日に成立し、「学校教育法等の一部を改正する法律」（平成十九年六月二十七日法律第九十六号）として公布された。これによって、学校教育法第一条の学校の順番を変えるなど学校教育法の条文全体の大幅な「一部改正」が行われて、二〇〇八（平成二〇）年四月一日より施行された。

それでは表6に掲げた順に条文を掲げる。最初に第18章で見る新法の第五条第二項を挙げる。

教育基本法（平成十八年十二月二十二日法律第百二十号）

（義務教育）

第五条

2　義務教育として行われる普通教育は、各個人の有する能力を伸ばしつつ社会において自立的に生きる基礎を培い、また、国家及び社会の形成者として必要とされる基本的な資質を養うことを目的として行われるものとする。

義務教育を規定した第五条では、第二項で「目的」と書いているから、これが**義務教育の目的**となる。「義務教育として行われる普通教育」とあるから、義務教育である**普通教育**として行われる、六年間の**初等教育**である小学校と三年間の**中等教育**である中学校の教育である。このほか、九年間の義務教育学校、中等教育学校の前期課程の三年間、特別支援学校の小学部と中学部の教育もまた、義務教育である。「各個人の有する能力を伸ばしつつ社会において自立的に生きる基礎を培い」とある表現はわかりやすい。「自立的に生きる基礎」という表現には一九九六（平成八）年七月一九日に中央教育審議会が出した「二一世紀を展望した我が国の教育の在り方について」（第一次答申）によって定着した「生きる力」という言葉の影響を見ることができる。「国家及び社会の形成者」は第一条の教育の目的と同じと見てよく、また「基本的な資質」とあるのは、基盤的な能力という意味で使われている。この規定は、第18章で説明する教育基本法第六条（学校教育）と関連して、二〇一七（平成二九）年と二〇一八（平成三〇）年に告示された現在の新しい学習指導要領では、学校教育で育成を目指す**資質・能力の三つの柱**として整理された。

これを受けて**義務教育の目標**が、二〇〇七（平成一九）年六月の改正によって、学校教育法第二十一条で定められる。

学校教育法（昭和二十二年三月三十一日法律第二十六号）

第二十一条　義務教育として行われる普通教育は、教育基本法（平成十八年法律第百二十号）第五条第二項に規定する目的を実現するため、次に掲げる目標を達成するよう行われるものとする。

一　学校内外における社会的活動を促進し、自主、自律及び協同の精神、規範意識、公正な判断力並びに公共の精神に基づき主体的に社会の形成に参画し、その発展に寄与する態度を養うこと。

二　学校内外における自然体験活動を促進し、生命及び自然を尊重する精神並びに環境の保全に寄与する態度を養うこと。

三　我が国と郷土の現状と歴史について、正しい理解に導き、伝統と文化を尊重し、それらをはぐくんできた我が国と郷土を愛する態度を養うとともに、進んで外国の文化の理解を通じて、他国を尊重し、国際社会の平和と発展に寄与する態度を養うこと。

四　家族と家庭の役割、生活に必要な衣、食、住、情報、産業その他の事項について基礎的な理解と技能を養うこと。

五　読書に親しませ、生活に必要な国語を正しく理解し、使用する基礎的な能力を養うこと。

六　生活に必要な数量的な関係を正しく理解し、処理する基礎的な能力を養うこと。
七　生活にかかわる自然現象について、観察及び実験を通じて、科学的に理解し、処理する基礎的な能力を養うこと。
八　健康、安全で幸福な生活のために必要な習慣を養うとともに、運動を通じて体力を養い、心身の調和的発達を図ること。
九　生活を明るく豊かにする音楽、美術、文芸その他の芸術について基礎的な理解と技能を養うこと。
十　職業についての基礎的な知識と技能、勤労を重んずる態度及び個性に応じて将来の進路を選択する能力を養うこと。

学校教育法はこのときの改正でも見出しは付けられなかった。見出しを付けるならば、これが「義務教育の目標」であろう。前掲の新法第五条第二項を義務教育の「目的」として明示して、達成するべき目標として全一〇号を列記する。改正前に学校教育法には義務教育の目標の規定はなく、旧法第十八条に小学校の目標の全八号、旧法第三十六条に中学校の目標の全三号があった。これらに、教育基本法第二条から教育の目標の全五号を混成して、全一〇号にしたものである。たとえば第一号の「公正な判断力」という文言は改正前の学校教育法第三十六条第三号から移行している。ここでは各号ごとの内容は注釈しないが、第一号は教育基本法第二条第二号と第三号を受けて社会的活動として道徳教育を中心に、生活科（小学校一・二年）、社会科（小学校三年以降）、特別活動を規定している。第二号は教育基本法第二条第四号を受けて環境教育を中心に、生活科、理科（小学校三年以降）、道徳教育（特別の教科である道徳と、学校の教育活動全体を通じて行う道徳教育）及び特別活動を規定している。第三号は教育基本法第二条第五号を受けて伝統と文化、愛国心と郷土愛、国際理解教育と平和教育などを中心に、社会科、外国語活動（小学校三・四年）、外国語科（小学校五・六年、中学校）、道徳教育を規定している。第四号は家庭科（小学校五・六年）、技術・家庭科（中学校）、生活科、社会科を規定している。第五号は国語科を、第六号は算数科や数学科を、第七号は生活科や理科を、第八号は体育科（小学校）、保健体育科（中学校）、道徳教育を、第九号は音楽科、図画工作科（小学校）、美術科（中学校）、国語科を規定している。第十号は進路指導であり、社会科などが含まれる。各教科に当てはめて解釈したが、もちろん小学校、中学校では総合的な学習の時間が各号に連動することになる。

幼稚園教育の目的は、義務教育の目的の前段階として意識されて、学校教育法で次のように定められる。

第二十二条　幼稚園は、義務教育及びその後の教育の基礎を培うものとして、幼児を保育し、幼児の健やかな成長のために適当な環境を与えて、その心身の発達を助長することを目的とする。

二〇〇七（平成一九）年六月の改正前の学校教育法第七十七条には「義務教育及びその後の教育の基礎を培うものとして」という文言がなかったので、幼稚園教育の独自性よりも、就学前教育という準備的な学校教育とする見方に近づいたことになる。幼稚園で学ぶ子どもは園児ではなく幼児と言う。幼稚園教育は**保育**と表現してよい。保護 care と教育 education をあわせた保育という概念は幼稚園で大切にされて、保育所にも移入された概念である。

第二十三条　幼稚園における教育は、前条に規定する目的を実現するため、次に掲げる目標を達成するよう行われるものとする。

一　健康、安全で幸福な生活のために必要な基本的な習慣を養い、身体諸機能の調和的発達を図ること。

二　集団生活を通じて、喜んでこれに参加する態度を養うとともに家族や身近な人への信頼感を深め、自主、自律及び協同の精神並びに規範意識の芽生えを養うこと。

三　身近な社会生活、生命及び自然に対する興味を養い、それらに対する正しい理解と態度及び思考力の芽生えを養うこと。

四　日常の会話や、絵本、童話等に親しむことを通じて、言葉の使い方を正しく導くとともに、相手の話を理解しようとする態度を養うこと。

五　音楽、身体による表現、造形等に親しむことを通じて、豊かな感性と表現力の芽生えを養うこと。

幼稚園教育の目標は、知識や技術の獲得ではなく、習慣や態度、そして芽生えという表現に特徴がある。改正前の学校教育法第七十八条との大きな違いはないが、家族、規範意識、生命などの文言が加わっている。とくに幼稚園教育の目的で「義務教育及びその後の教育の基礎を培うものとして」が加わったことに連動して、学校教育の準備教育としての位置づけが強まっている。たとえば改正前には「自主及び自立の精神の芽生え」だったものが、「自主、自律及び協同の精神並びに規範意識の芽生え」となって、義務教育の目標に掲げられた規定との連続がはかられている。第15章で見たとおり、フレーベル以来の幼稚園における保育は、子どもたちを社会の規範に順応させるよりも、子どもたち自身の発達に重きを置いてきたのであり、幼稚園教育のあり方としてふさわしい変更かどうかは議論がある。以前の第五号の絵画という文言が造形へと変更されたことは、美術教育の観点からは妥当な改正であろう。全五号は、そのまま、保育の五つの領域である健康、人間関係、環境、言葉、表現に相当する。

次に**小学校教育の目的**は、教育基本法第五条第二項の義務教育の目的を受けて、学校教育法第二十九条に、「基礎的なもの」として区分して記されている。

第二十九条　小学校は、心身の発達に応じて、義務教育として行われる普通教育のうち基礎的なものを施すことを目的とする。

ここで、「基礎的なもの」は**初等教育**と置き換えられる。近代日本では小学校教育のみで実際の職業等に進んだ者が多いが、今日では次の中学校へと進む。また、専門分野にも、職業等の実業分野にも分化しない**普通教育**であることも明示されている。

小学校教育の目標もまた、学校教育法第二十一条の義務教育の目標から、続く中学校教育を意識して「必要な程度において」と区分して記される。

第三十条　小学校における教育は、前条に規定する目的を実現するために必要な程度において第二十一条各号に掲げる目標を達成するように行われるものとする。

2　前項の場合においては、生涯にわたり学習する基盤が培われるよう、基礎的な知識及び技能を習得させるとともに、これらを活用して課題を解決するために必要な思考力、判断力、表現力その他の能力をはぐくみ、主体的に学習に取り組む態度を養うことに、特に意を用いなければならない。

教育基本法第五条第二項の義務教育の目的は、一九九六（平成八）年の中央教育審議会「二一世紀を展望した我が国の教育の在り方について」（第一次答申）による「**生きる力**」論が意識されていた。この学校教育法第三十条第二項は、学力低下論による批判を受けて中央教育審議会が二〇〇三（平成一五）年一〇月七日に答申した「初等中等教育における当面の教育課程及び指導の充実・改善方策について」における「**確かな学力**」という発展的な学習や応用的な能力を強調する流れを反映している。第二項の文言に即して読むと、生きる力は「生涯にわたり学習する基盤が培われる」と表現され、「生きる力」でまず強調された**基礎・基本**は「基礎的な知識及び技能を習得させる」と記されている。この文言に基づいて、二〇一七（平成二九）年と二〇一八（平成三〇）年に告示された現在の学習指導要領においては、**資質・能力の三つの柱**では**知識及び技能**と表現され、各教科の評価で用いる**三観点**では**知識・技能**となっている。続いて、確かな学力で基礎・基本の発展的な能力が強調されたことは、「これらを活用して課題を解決するために必要な思考力、判断力、表現力その他の能力をはぐくみ」とされている。「これらを活用して」とは、基礎・基本となる知識及び技能を活用してという課題解決に進む応用的な能力である。「思考力、判断力、表現力その他の能力」という文言を簡潔にして、現在の学習指導要領の**資質・能力の三つの柱**では**思考力・判断力・表現力等**となり、各教科の評価で用いる**三観点**では**思考・判断・表現**となっている。最後に「主体的に学習に取り組む態度を養うこと」として、これら三つの能力の獲得について「特に意を用いなければならない。」と結んでいく。この三つ目の「主体的に学習に取り組む態度」という文言は、一九八九（平成元）年の学習指導要領以来定着した**新しい学力観**で強調された**関心・意欲・態度**というキーワードを受け継いだものであり、現在の学習指導要領の**資質・能力の三つの柱**では**学びに向かう力・人間性等**と表現されて、各教科の評価で用いる**三観点**では法令の文言どおりに**主体的に学習に取り組む態度**とされている。このように学力観から成績評価まで、学校教育法の文言に根拠を持つように整備されているのである。この条項は、法令の規定が毎日の指導と評価に、ダイレクトに直結する箇所であるから重要である。

この第三十条に続いて、目標の達成のための補足と言うべき規定がある。

第三十一条　小学校においては、前条第一項の規定による目標の達成に資するよう、教育指導を行うに当たり、児童の体験的な学習活動、特にボランティア活動など社会奉仕体験活動、自然体験活動その他の体験活動の充実に努めるものとする。この場合において、社会教育関係団体その他の関係団体及び関係機関との連携に十分配慮しなければならない。

この**体験学習**、体験活動とりわけ**社会奉仕**についての規定は、改正前の学校教育法第十八条の二から、文言の変更なく継承された。この社会奉仕は教育基本法の改正を提起した教育改革国民会議が二〇〇〇（平成一二）年一二月に示した「教育改革国民会議報告　教育を変える一七の提案」により主張されて、二〇〇一（平成一三）年の学校教育法の一部改正（平成十三年七月十一日法律第百五号）で加わったものである。改正前の「第十八条の二」というのは、第十八条の次にもう一つの条文を加える法令改正の技術であって、第十八条第二項ということではない。教育基本法改正後の二〇〇七（平成一九）年六月の改正を待たずに六年早くなされた改正であるから、あえて教育基本法改正による変化がなかったということである。

この社会奉仕という社会のために無償で行う活動やその体験は大切なことである。私も一九九八（平成一〇）年から学生たちと「美術と福祉プログラム」というテーマで、社会福祉施設での体験的な介護と造形ワークショップにかかわってきた。[1] しかし社会奉仕という言葉は、第13章で見た集団勤労作業や学徒動員、あるいは勤労奉仕という言葉で戦時下教育に定着したものを想起させる。だから一九九五（平成七）年一月一七日の阪神淡路大震災で注目された**ボランティア活動**という言葉が記されることになる。しかしボランティア volunteer とは志願者や篤志家、ラテン語に遡れば欲するという動詞 volō（ウォロー）であり、自発的な意志を前提とする言葉である。つまり法令でボランティア活動を義務づけるというのは、語義を違えた矛盾なのである。この第三十一条は、中学校、高等学校、中等教育学校、特別支援学校にも準用され、学校種別ごとの目標を達成するにあたって求められている活動である。

中学校教育の目的の規定も、教育基本法第五条第二項の義務教育の目的を受けて、学校教育法第四十五条に小学校教育との連続を「小学校における教育の基礎の上に」と明確に言及して記される。初等教育につながって、卒業後は進学や就職など多様な進路に進みうる**中等教育**である。小学校と同様に中学校も、専門分野にも、職業等の実業分野にも分化しない**普通教育**であることも明示されている。

> 第四十五条　中学校は、小学校における教育の基礎の上に、心身の発達に応じて、義務教育として行われる普通教育を施すことを目的とする。

中学校教育の目標は、学校教育法第二十一条の義務教育の目標が小学校六年間の次の中学校三年間で達成されるものだから、それと同一になる。そっけないが、論理的にはこのとおりである。

> 第四十六条　中学校における教育は、前条に規定する目的を実現するため、第二十一条各号に掲げる目標を達成するよう行われるものとする。

新しく二〇一六（平成二八）年四月一日から、**義務教育学校**が開始された。これは学校制度を弾力化して、小学校と中学校を合わせた修業年限九年間の学校を可能とするものである。たとえば、**中一ギャップ**と呼ばれる小学校六年間を卒業して中学校に入った途端に変化で学習などに支障があることの対策や、少子化の対応としての学校の統合ができるといった期待も語られた。ここまで見た二〇〇七（平成一九）年六月の学校教育法の大幅な一部改正によって、幼稚園と小学校と中学校はそれぞれ、第三章幼稚園（第二十二条―第二十八条）、第四章小学校（第二十九条―第四十四条）、第五章中学校（第四十五条―第四十九条）と整理され、この次に第六章として高等学校以下が続いていた。この義務教育学校を追加するために「学校教育法等の一部を改正する法律」（平成二十七年六月二十四日法律第四十六号）によって、新たな条文を追加した。「第五章の二」という後から追加するときに使う「の二」という手法で、「義務教育学校（第四十九条の二―第四十九条の八）」が追加されて、さらに「の二」から「の八」までの七条分が追加された。どうして「の二」として条なのか項なのか明確ではない書き方をするのか、さらに「の八」まで加えて煩雑にならないかと疑問を持つかもしれない。しかし、この「の二」という手法のおかげで、第四十九条の次の第五十条は、改正後も同じ第五十条のままである。話が長くなったが、この「の二」のおかげで、一部改正があるたびに、法令を引用した文書や書籍などを訂正する必要がないという、労力と資源の節約になる手法なのである。

それでは、新たに加えられた第五章の二を、「四十九条の二」から「四十九条の八」まで掲載しておこう。

第五章の二　義務教育学校

第四十九条の二　義務教育学校は、心身の発達に応じて、義務教育として行われる普通教育を基礎的なものから一貫して施すことを目的とする。

第四十九条の三　義務教育学校における教育は、前条に規定する目的を実現するため、第二十一条各号に掲げる目標を達成するよう行われるものとする。

第四十九条の四　義務教育学校の修業年限は、九年とする。

第四十九条の五　義務教育学校の課程は、これを前期六年の前期課程及び後期三年の後期課程に区分する。

第四十九条の六　義務教育学校の前期課程における教育は、第四十九条の二に規定する目的のうち、心身の発達に応じて、義務教育として行われる普通教育のうち基礎的なものを施すことを実現するために必要な程度において第二十一条各号に掲げる目標を達成するよう行われるものとする。

2　義務教育学校の後期課程における教育は、第四十九条の二に規定する目的のうち、前期課程における教育の基礎の上に、心身の発達に応じて、義務教育として行われる普通教育を施すことを実現するため、第二十一条各号に掲げる目標を達成するよう行われるものとする。

第四十九条の七　義務教育学校の前期課程及び後期課程の教育課程に関する事項は、第四十九条の二、第四十九条の三及び前条の規定並びに次条において読み替えて準用する第三十条第二項の規定に従い、文部科学大臣が定める。

第四十九条の八　第三十条第二項、第三十一条、第三十四条から第三十七条まで及び第四十二条から第四十四条までの規定は、義務教育学校に準用する。この場合において、第三十条第二項中「前項」とあるのは「第四十九条の三」と、第三十一条中「前条第一項」とあるのは「第四十九条の三」と読み替えるものとする。

義務教育学校の目的は、第四十九条の二で定めている。義務教育の目的は教育基本法第五条第二項で定めている。これを、学校教育法第二十九条で小学校教育では義務教育の「基礎的なもの」、学校教育法第四十五条で中学校教育では小学校教育の「基礎の上に」と分割した。義務教育学校は**初等教育**である小学校と**中等教育**である中学校が合わさったのだから、「基礎的なものから一貫して施す」という**一貫教育**となる。つまり義務教育の目的は義務教育学校の目的と一致するはずである。また小学校や中学校と同様に**普通教育**である。

義務教育学校の目標は、義務教育の目標と一致するから、第四十九条の三では、そのまま第二十一条各号の義務教育の目標が記載される。

第四十九条の四では、義務教育学校の修業年限が九年間であると記され、さらに第四十九条の五では六年の**前期課程**と三年の**後期課程**に分割される。分割されるだけでは小学校と中学校が合わさっただけの機能しかない。そこで、

第四十九条の六では改めて第一項に前期課程、第二項に後期課程の目標を書いて、基本は小学校と中学校に相当させながらも、一貫教育という義務教育学校の目的に即した教育課程の工夫を可能にしているのである。

第四十九条の七と第四十九条の八は、小学校などの条項に規定されているものを、義務教育学校に適用するための法令上の技術的な手法である。「義務教育学校に準用する」とあれば、その該当条項にある内容が、そのまま義務教育学校で使われる。このことを準用という。**準用**は便利な手法であるが、その条項をそのままでは読解できない文言が発生する。そこで、特定の文言を言い換えるのが、**読み替え**である。この準用と読み替えという法令上の文法的な手法によって、法律を短く書くことができる。まるでコンピュータのプログラムで使うような手法を法律でも使うのである。学校教育法には、この準用規定や読み替え規定が膨大にあって、本書はこのあたりで止めるが、教育行政の現場ではプログラムのように読み取っていくのである。

次に高等学校教育についての条文である。

第五十条　高等学校は、中学校における教育の基礎の上に、心身の発達及び進路に応じて、高度な普通教育及び専門教育を施すことを目的とする。

高等学校教育の目的は、教育基本法第一条で見られた内容を列記する規定ではなく、「高度な普通教育及び専門教育」と規定されている。高等学校には普通学科と専門学科などがあるので、**普通教育**と**専門教育**の両方が目的に記される。念のために言うと小学校や中学校は普通教育のみである。従来は戦前の中学校令などで登場した「高等普通教育」という文言であったが、この二〇〇七（平成一九）年六月の改正で「高度な普通教育」と変更された。確かにそのほうが高等教育と混同せずわかりやすい。またこの改正で「進路」という文字も加えられたが、これも妥当な追加であろう。また、専門教育は高等教育で使われてきた用語で、高等学校教育での商業科、工業科といった専門学科の教育は、実際には卒業後の職業に直結した**職業教育**あるいは**実業教育**の側面が強いが、ここでは専門教育と呼ばれている。なお、今日では、個別の学校を指して実業教育という言い方を避ける傾向がある。また、職業と直結する場合に職業教育と言い、広く職業に共通したり進路選択を広げたりする場合にキャリア教育と言う。

また、中学校と同様に、高等学校の教育も、卒業後の進学や就職の多様な進路がある**中等教育**である。現在の日本のように中等教育の学校が前半と後半に分かれるケースもあるので、中学校を前期中等教育と言い、高等学校を後期中等教育と言うこともある。

次に目標である。

第五十一条　高等学校における教育は、前条に規定する目的を実現するため、次に掲げる目標を達成するよう行われるものとする。

一　義務教育として行われる普通教育の成果を更に発展拡充させて、豊かな人間性、創造性及び健やかな身体を養い、国家及び社会の形成者として必要な資質を養うこと。

二　社会において果たさなければならない使命の自覚に基づき、個性に応じて将来の進路を決定させ、一般的な教養を高め、専門的な知識、技術及び技能を習得させること。

三　個性の確立に努めるとともに、社会について、広く深い理解と健全な批判力を養い、社会の発展に寄与する態度を養うこと。

高等学校教育の目標は、改正前の学校教育法第四十二条の全三号の構成と大きな変化がなかった。重要な文言では、第一号に「豊かな人間性、創造性及び健やかな身体を養い」、第二号に「知識、技術」、第三号に「社会の発展に寄与する態度を養う」という教育基本法の改正を踏まえた内容が加えられていることがある。小学校や中学校と比べると教育基本法全部改正の影響をあまり受けていないということになる。論理的に考えると、各学校種別の教育の目標はその学校で達成されるものであり、教育基本法第二条の目標が義務教育の目標に含まれるがゆえに、その学校で達成された後に進学する学校では再び同じ目標は設定しにくいことになる。

一九九九（平成一一）年四月から始まった中等教育学校は二〇二二（令和四）年五月現在で五七校になったが、まだ普及度は低い。中学校と高等学校が、それぞれ**前期課程**と**後期課程**として合わさった六年一貫制の学校と理解してほしい。

第六十三条　中等教育学校は、小学校における教育の基礎の上に、心身の発達及び進路に応じて、義務教育として行われる普通教育並びに高度な普通教育及び専門教育を一貫して施すことを目的とする。

中等教育学校教育の目的は、二〇〇七（平成一九）年六月の改正では、先に見た中学校教育と高等学校教育の目的がきれいに合わさった文言となった。九年間の義務教育学校と同様に、六年間を「一貫して施す」という**一貫教育**である。まさに名称のとおり、**中等教育**の一貫教育である。中学校と高等学校の規定を、見比べてほしい。次に目標である。

第六十四条　中等教育学校における教育は、前条に規定する目的を実現するため、次に掲げる目標を達成するよう行われるものとする。

一　豊かな人間性、創造性及び健やかな身体を養い、国家及び社会の形成者として必要な資質を養うこと。
二　社会において果たさなければならない使命の自覚に基づき、個性に応じて将来の進路を決定させ、一般的な教養を高め、専門的な知識、技術及び技能を習得させること。
三　個性の確立に努めるとともに、社会について、広く深い理解と健全な批判力を養い、社会の発展に寄与する態度を養うこと。

中等教育学校教育の目標は、改正前のものも高等学校教育の目標と同じであり、改正後もまた同様である。六年制なのだから、前期課程三年間が抜けている気がするが、目標とは達成されるものなのだから、論理的にも後期課程三年間の高等学校と同じになる。単線型と複線型という話で言うと、学校系統としては複線型に見えても、最終的に達成される目標やその後の進学は同様であるから単線型であるという議論になる。

次に特別支援学校である。二〇〇六（平成一八）年の学校教育法改正（平成十八年六月二十一日法律第八十号）により従来の盲学校、聾学校、養護学校は特別支援学校に統合されて二〇〇七（平成一九）年四月一日から施行された。この四月の施行後の六月に、ここで見る学校教育法の改正があったのだが、順序を混乱しやすい。

第七十二条　特別支援学校は、視覚障害者、聴覚障害者、知的障害者、肢体不自由者又は病弱者（身体虚弱者を含む。以下同じ。）に対して、幼稚園、小学校、中学校又は高等学校に準ずる教育を施すとともに、障害による学習上又は生活上の困難を克服し自立を図るために必要な知識技能を授けることを目的とする。

特別支援学校教育の目的は、従来の学校教育法では明確ではなかったが、二〇〇六（平成一八）年の改正で明示され、二〇〇七（平成一九）年六月の改正では条文の番号のみを移動して引き継がれた。**視覚障害者**、**聴覚障害者**、**知的障害者**、**肢体不自由者**、**病弱者**、**身体虚弱者**という**障害**のある幼児や児童や生徒に対して、障害による学習や生活の困難を克服して自立できるための教育が目的となる。この改正の方向性を示した二〇〇五（平成一七）年一二月八日の中央教育審議会答申「特別支援教育を推進するための制度の在り方について」では、特別な場で教育を行う「特殊教育」から、一人ひとりのニーズに応じた適切な指導と必要な支援を行う「特別支援教育」に発展的に転換することを提起した。従来の盲・聾・養護学校を特別支援学校として中心に置き、それ以外の学校でも様々な障害に応じた教育を実施していき、その全体を特別支援教育と呼ぶのである。このことは第18章で述べる。

特別支援学校教育の目標は、障害や学校ごとに異なるのであるから、法令では定められていない。「**準ずる教育**」というので、**幼稚部**は幼稚園、**小学部**は小学校、**中学部**は中学校、**高等部**は高等学校に準じることになる。準じるというのはそれに相当するが、機械的に当てはめることではない。このため、特別支援学校学習指導要領も、幼稚部、小学部、中学部、高等部ごとに定めて、かつ**特別な教育的ニーズ**に対応する教育課程として、一人ひとりの障害に対応して行っていく。このため、幼児・児童・生徒一人ひとりの個人別の計画が極めて重要になり、保護者や医療福祉の専門家と連携して生育歴から社会参加のプランまで見通す**教育支援計画**や、特別支援学校での**指導計画**が作成される。

最後に大学教育についてである。

第八十三条　大学は、学術の中心として、広く知識を授けるとともに、深く専門の学芸を教授研究し、知的、道徳的及び応用的能力を展開させることを目的とする。

2　大学は、その目的を実現するための教育研究を行い、その成果を広く社会に提供することにより、社会の発展に寄与するものとする。

大学教育の目的は、戦前の大学令が廃止されて学校教育法ができてから変化していなかった。しかし教育基本法全部改正では新法の第七条として新たに大学の条項ができて、そこに「これらの成果を広く社会に提供することにより、社会の発展に寄与するものとする。」との文言が加えられたために、二〇〇七（平成一九）年六月の改正では第二項が加えられたのである。第一項は**学術の中心**たる大学が、広い知識を教授し、深い専門の学芸を教授研究していくことが明示されており、学生は知的、道徳的、応用的な能力を獲得することになる。**高等教育**であり、かつ**専門教育**であることは明確だが、「広く知識を授ける」という点は、普通教育に連結する**教養教育**を意味する。戦後の大学は、旧制の高等学校を教養部や教養課程として旧制大学や旧制専門学校と合わせて成立したので、教養教育が位置づけられるのである。なお、実際の大学では教養学部として四年間の教育課程を置く場合もあり、教養教育としての高等教育としても位置づけられる。第二項では大学教育の目的による教育研究の成果を、社会に提供して、社会の発展に寄与するという大学の社会貢献が述べられている。大学が学術の中心であるのは、高度の学問を行うだけではなく、社会における学術の中心として機能して貢献するからである。

大学教育の目標も、学問の分野や学位ごとに異なるものであるから、法令では定められていない。大学設置基準（昭和三十一年十月二十二日文部省令第二十八号）の第二条では大学の学部学科などに即して「教育研究上の目的」を定めることを求めている。

なお、大学院や短期大学も大学という学校種別の一つであるが、この大学院と短期大学については、それぞれ学校教育法において目的が明示されている。

第九十九条　大学院は、学術の理論及び応用を教授研究し、その深奥をきわめ、又は高度の専門性が求められる職業を担うための深い学識及び卓越した能力を培い、文化の進展に寄与することを目的とする。

2　大学院のうち、学術の理論及び応用を教授研究し、高度の専門性が求められる職業を担うための深い学識及び卓越した能力を培うことを目的とするものは、専門職大学院とする。

大学院教育の目的は、ここで見ている二〇〇七（平成一九）年六月の改正では条項が移動しただけである。学校教育法制定段階から大学教育に接続する次の段階として大学院を位置づけて、「学術の理論及び応用を教授研究」する場として規定し、大学の学部教育の次の段階として「その深奥をきわめ」という文言が用いられている。大学教育の次の段階における**高等教育**であり、**専門教育**である。二〇〇二（平成一四）年には新たに専門職大学院の制度を導入することになり、高度な専門職の養成を明確にするために第一項に「高度の専門性が求められる職業を担うための深い学識及び卓越した能力を培い」という文言を加え、さらに現在と同様の第二項を加えた。なお、専門職大学院は法曹や教員といった高度の専門職を位置づけるが、専門職としての職業教育として、実業教育の側面が強くなる。

大学院教育の目標も、学問の分野や学位ごとに異なるものであるから、法令では定められていない。このほかに大学院設置基準（昭和四十九年六月二十日文部省令第二十八号）では第一条の二で大学院の研究科や専攻ごとに「教育研究上の目的」を定めることを求め、第三条では修士課程の目的、第四条では博士課程の目的を定めている。

次に短期大学教育についてであるが、歴史的経緯から一つの条文に目的規定以外も含めて全八項が盛り込まれている。

第百八条　大学は、第八十三条第一項に規定する目的に代えて、深く専門の学芸を教授研究し、職業又は実際生活に必要な能力を育成することを主な目的とすることができる。

2　前項に規定する目的をその目的とする大学は、第八十七条第一項の規定にかかわらず、その修業年限を二年又は三年とする。

3　前項の大学は、短期大学と称する。

4　第二項の大学には、第八十五条及び第八十六条の規定にかかわらず、学部を置かないものとする。

5　第二項の大学には、学科を置く。

6　第二項の大学には、夜間において授業を行う学科又は通信による教育を行う学科を置くことができる。

7　第二項の大学を卒業した者は、文部科学大臣の定めるところにより、第八十三条の大学に編入学することができる。

8　第九十七条の規定は、第二項の大学については適用しない。

短期大学教育の目的は、この第一項である。「第八十三条第一項に規定する目的」つまり大学教育の目的に代えて、短期大学教育の目的として「専門の学芸を教授研究し、職業又は実際生活に必要な能力を育成すること」を「主な目的」として掲げることで、大学でありながらも異なる目的を持つものとしての短期大学の位置づけを明確にしている。大学と同様の**高等教育**であり、また**専門教育**であるが、職業や実際生活に関連する**職業教育**あるいは**実業教育**でもある。学校教育法制定の段階では、二年制や三年制の短期大学は当分の間の処置として位置づけられていたが、一九六四（昭和三九）年の学校教育法の一部改正（昭和三十九年六月十九日法律第百十号）により新たな目的を掲げた短期大学の位置が恒久的なものとして明確となった。その後も文言の変更があったが、以前の第六十九条が、二〇〇七（平成一九）年六月の改正で現在の第百八条に移動した。

「職業又は実際生活に必要な能力」が強調されている点が、大学教育の目的と短期大学教育の目的の大きな違いである。つまり職業能力や実際の生活能力という実際的な分野が中心になるのが短期大学教育の目的ということになる。こうした分野もまた多様であるから、目標に関する学校教育法の規定は定められていない。短期大学設置基準（昭和五十年四月二十八日文部省令第二十一号）では短期大学の学科や専攻課程ごとに教育研究の目的を定めることを求めている。なお、本条第八項は第九十七条に定める大学院は短期大学には置かないという規定である。

高等専門学校は、一九六一（昭和三六）年に学校教育法の一部改正（昭和三十六年六月十七日法律第百四十四号）により加えられて、一九六二（昭和三七）年より設置された学校種別である。二〇〇七（平成一九）年六月の改正前の学校教育法では「第五章の二　高等専門学校」として、第七十条の二より第七十条の十までの、追加された条項として位置づけられていたが、この改正により「第十章　高等専門学校」として通常の条項のなかに配置された。

第百十五条　高等専門学校は、深く専門の学芸を教授し、職業に必要な能力を育成することを目的とする。

2　高等専門学校は、その目的を実現するための教育を行い、その成果を広く社会に提供することにより、社会の発展に寄与するものとする。

高等専門学校教育の目的は、一九六一（昭和三六）年に追加された第七十条の二の文言がそのまま第百十五条第一項に継承されたものである。高等専門学校は中学校卒業者が入学する五年制の学校であるから、高等学校と短期大学を併せた期間となり、学習者は生徒ではなく学生と呼ばれ、教育者は教授等と呼ばれて大学と同様の高等教育機関のスタイルとなる。このために設立当初から複線型の学校システムとなる矛盾が指摘されてきたが、専門技術者養成の機関として定着し、二〇二二（令和四）年現在では国立五一校、公立三校、私立三校が教育を行っている。

第一項では「深く専門の学芸を教授し」という**専門教育**であり、また**高等教育**としての大学に相当する位置づけと、「職業に必要な能力を育成する」という職業教育あるいは**実業教育**としての位置づけが目的に示されている。

第二項は、この改正で新たに追加された項目である。大学で追加された第八十三条第二項とほぼ同文で、大学では「教育研究」とある箇所が「教育」となっている。大学と異なって高等専門学校では学生や教授らの研究が主たる目的として挙げられていないことに連動している。

専修学校は、一九七五（昭和五〇）年に学校教育法の一部改正（昭和五十年七月十一日法律第五十九号）により従来の各種学校の一部を移行させる形で加えられた学校種別である。二〇〇七（平成一九）年六月の改正前の学校教育法では「第七章の二　高等専門学校」として、第八十二条の二より第八十二条の十一までの、追加された条項として位置づけられていたが、この改正により「第十一章　専修学校」として通常の条項のなかに配置された。

第百二十四条　第一条に掲げるもの以外の教育施設で、職業若しくは実際生活に必要な能力を育成し、又は教養の向上を図ることを目的として次の各号に該当する組織的な教育を行うもの（当該教育を行うにつき他の法律に特別の規定があるもの及び我が国に居住する外国人を専ら対象とするものを除く。）は、専修学校とする。

一　修業年限が一年以上であること。

二　授業時数が文部科学大臣の定める授業時数以上であること。

三　教育を受ける者が常時四十人以上であること。

専修学校教育の目的は、一九七五（昭和五〇）年に追加された第八十二条の二の文言が、第二号の文部大臣を文部科学大臣に一九九九（平成一一）年一二月に改められたほかは、そのまま二〇〇七（平成一九）年六月の改正による第百二十四条に継承されたものである。教育の目的と、学校種別としての規定とが混ざった文言であるために、いままで見た条項とは異なった構成になっている。第一項の冒頭に「第一条に掲げるもの以外の教育施設で」とあることは、学校教育法制定時に一条校以外はすべて各種学校となっていたのが、この各種学校の一部を専修学校に移行したという歴史的経緯から発生していることによるものである。

目的としては「職業若しくは実際生活に必要な能力」の育成と、「教養の向上」となっている。「若しくは」や「又は」という英語の or であるが、「又は」は「若しくは」より大きい区分を示すために用いられる。この階層構造がわかりにくいので分解して再構成すると、「職業に必要な能力を育成することを目的とする」「実際生活に必要な能力を育成することを目的とする」「教養の向上を図ることを目的とする」という三つの目的となる。一つ目と二つ目が**職業教育**または**実業教育**、三つ目が**教養教育**という内容となる。

専修学校は、列記された全三号の条件をすべて満たして「組織的な教育を行うもの」である。ただし、「他の法律に特別の規定があるもの」として他の法令や官庁で所管している学校や、「我が国に居住する外国人を専ら対象とするもの」としての外国人学校などは除かれている。まず第一号は「修業年限が一年以上であること。」であり、一年以上の在学となる。第二号は「授業時数が文部科学大臣の定める授業時数以上であること。」である。これは専修学校設置基準（昭和五十一年一月十日文部省令第二号）によって定められ、同第十六条では年間授業時数は昼間学科であれば年間八〇〇時間以上となる。第三号は「教育を受ける者が常時四十人以上であること。」であり、一定規模の学校としての組織が求められている。

こうした専修学校には、中学校卒業者などが入学する高等課程、高等学校卒業者などが入学する専門課程、そしてそれ以外の一般課程が置かれる。高等課程を置く専修学校を**高等専修学校**と称し、専門課程を置く専修学校を**専門学校**と称する。この専修学校は一条校ではないので学校の系統からは例外的であるから一条校と区分され、複線型のシステムとなる可能性がある。そこで、高等課程卒業者の大学入学や専門課程卒業者の大学編入学などの規定が整備されて単線型のシステムのなかに組み込む施策が採られている。

専修学校は、専修学校教育の目的に定めるとおりに多様な分野の教育であるから、学校教育法では教育の目標は定められていない。

なお、**各種学校**は、学校教育法第百三十四条において「第一条に掲げるもの以外のもので、学校教育に類する教育を行うもの」であり、一条校と、さらに別に位置づけられた専修学校を除く学校である。もちろん、文部科学省以外の所管や別の法令による学校などは含まない。多種多様であるから学校教育法では目的も目標も定められていない。一年以上の修業年限などは、各種学校規程（昭和三十一年十二月五日文部省令第三十一号）で定められている。

さて以上のとおり、学校教育法第一条に定める学校などについて、学校種別ごとに教育の目的と教育の目標について横断的に確認した。広く考えるために、普通教育、専門教育、実業教育といった言葉でまとめたが、実際の学校の教育課程ではこうした内容が混成することが通常であることは言い添えたい。本書ではのちに初等、中等、高等の教育ごとの解明を行っていくが、ここではまず教育基本法の体系のなかにこれらの学校が位置づけられていることを確認しておきたい。

（1）　高橋陽一『美術と福祉とワークショップ』武蔵野美術大学出版局、二〇〇九年。

第18章　教育基本法の理念と学校規定（第三条—第九条）

さらに教育基本法を読み進めて、教育基本法の「第一章　教育の目的及び理念」の第三条と第四条と、「第二章　教育の実施に関する基本」の前半にある学校関連の第五条から第九条を検討しよう。これらの条文の多くも旧法を継承した文言を含むもので、すでに第14章で見た旧法で説明したものと重複しないように、適宜旧法の条項に言及する。

第一節　生涯学習、教育の機会均等と特別支援教育

第一章の教育の目的及び理念にある全四条のうち、教育の目的（第一条）と教育の目標（第二条）を前章で詳しく検討した。続いて教育理念を示す条項として生涯学習が規定される。

教育基本法（平成十八年十二月二十二日法律第百二十号）

（生涯学習の理念）

第三条　国民一人一人が、自己の人格を磨き、豊かな人生を送ることができるよう、その生涯にわたって、あらゆる機会に、あらゆる場所において学習することができ、その成果を適切に生かすことのできる社会の実現が図られなければならない。

生涯学習の理念を述べたこの条文は、新法による追加であるが、旧法第二条（教育の方針）にある「あらゆる機会に、あらゆる場所において」という象徴的な文言が中心になっていることがわかる。旧法第二条で見たとおり、生涯学習 lifelong learning は、そういう言葉がなくても生涯にわたって様々な学習をするという意味では人類の歴史のなかにあった事実である。一九六五（昭和四〇）年のユネスコの提起を受けて世界に広まり、日本でも数々の施策と審議を経て一九九〇（平成二）年に**生涯学習振興法**と言われる「生涯学習の振興のための施策の推進体制等の整備に関する法律」（平成二年六月二十九日法律第七十一号）により、現在のように生涯学習は周知の言葉となった。

旧法第七条（社会教育）において国や地方公共団体は社会教育の自主性を重んじて奨励したり機関の設置を行ったりすることが記されて、国家による秩序づけとしての社会教育であった近代日本の反省が前提となっている。この新法第三条もまた、旧法の原則を継承している。まず主語は「国民一人一人が」となって、「自己の人格を磨き、豊かな人生を送ることができるよう」という文言が第一条の「人格の完成」という教育の目的を踏まえて記されて、そのうえで生涯学習の定義を「その生涯にわたって、あらゆる機会に、あらゆる場所において学習すること」と記している。この生涯学習を「することができ、その成果を適切に生かすことのできる社会」とあるのが**生涯学習社会**である。その「社会の実現が図られなければならない。」というのが、この第三条の教育理念である。法令ではあまり用いられない「国民一人一人」という文言を主語とすることで、学習主体としての国民を明示していることになる。国や地方自治体は、この主体としての国民が生涯学習に取り組んで成果を生かせるような生涯学習社会が形成されることを振興していくということになる。

なお、生涯学習は、行政的にも実態でも**社会教育**の同義語と見られることもあるが、**学校教育**などすべての分野が含まれることはこの第三条の規定によって誤解なく確認しておきたい。生涯学習や生涯学習社会という用語は、世界的にも一九六五年以後に普及したものではあるが、その理念は以前から備わっていた。旧法第二条の「あらゆる機会に、あらゆる場所において」という文言が象徴するように、すべての教育を通じて包括的なものとして生涯学習がある。この上位の規定である日本国憲法第二十六条第一項で「すべて国民は、法律の定めるところにより、その能力に応じて、ひとしく教育を受ける権利を有する。」とあるのは、すべての国民の教育を受ける権利つまり学習権を定めているのであって、それは生涯にわたるものであり、特定の年齢段階や学校教育に限定したものではない。

こうした流れから、あとに見る教育基本法第十七条によって閣議決定により定められた、二〇一八（平成三〇）年度から五年間の第三期教育振興基本計画でも、**社会人の学び直し**がキーワードとなっている。大学などを卒業して就職した後も、働きながら大学等で通信教育や公開講座などの機会を活用して学びつづけてキャリアアップをはかるのである。

さて日本国憲法第二十六条第一項を直接に受けて具体的に規定したのが、次の第四条の**教育の機会均等**の規定である。

（教育の機会均等）

第四条　すべて国民は、ひとしく、その能力に応じた教育を受ける機会を与えられなければならず、人種、信条、性別、社会的身分、経済的地位又は門地によって、教育上差別されない。

2　国及び地方公共団体は、障害のある者が、その障害の状態に応じ、十分な教育を受けられるよう、教育上必要な支援を講じなければならない。

3　国及び地方公共団体は、能力があるにもかかわらず、経済的理由によって修学が困難な者に対して、奨学の措置を講じなければならない。

この第一項と第三項は旧法第三条第一項と第二項をほぼそのまま継承しており、第二項が新しく追加された項である。第14章で旧法第三条について差別の克服や今日の人権教育に至る概要を記したのでここでは再論しない。教育基本法全部改正にあたってほぼ全文が旧法から新法に継承された条項はこれがはじめてなので、新法と旧法の文字の違いを間違い探しゲームのように見比べてほしい。第一項では、「与えられなければならないものであつて」が「与えられなければならず」になっている。両方ともに義務を意味する表現であり、わかりやすく書き直したことになる。この「あつて」や、旧法第二項の「よつて」と新法第三項の「よって」の違いに気づいただろうか。日本国憲法制定の頃から法令は平仮名で口語文法をつかうことになるが、詰まる音（促音）を意味する小さい「っ」は用いずに「つ」になっていた。その後「よって」と小さく書くことが法令でも奨励されていき、教育基本法は全部改正を機会に改めた。ちなみに法令は法令全体の文体の統一が大切であるから、カタカナ書き文語文法の法令の一部改正は二一世紀でもカタカナ書き文語文法で行う。この詰まる「つ」も同様に扱われ、何度も一部改正のあった学校教育法は現在も「つ」は大きい。

教育の機会均等においてあってはならない差別として列記されたものが、「人種、信条、性別、社会的身分、経済的地位又は門地」による差別であった。新たに追加された第二項は、一歩進めて、**障害**についても教育の機会均等の課題として明示したものである。第二項は「国及び地方公共団体」を主語として、「障害のある者が、その障害の状態に応じ、十分な教育を受けられる」ことを実現するために、「教育上必要な支援を講じなければならない。」ことを定めている。

もちろん、障害の種類や状態は多様であって、「その能力に応じた教育」という第一項の規定との関係も難しい。たとえば体育の実技を中心とする大学では入学試験で実技試験が課されることが多く、身体の障害は不合格になる可能性を高めるが、これは明示された能力の判定だから差別とは言わない。しかし教育基本法第一条に「心身ともに健康な国民の育成」とあることを誤解して、明示された能力の判定や明白な教育上の制約に関係なく一律に障害のある者を排除したら不当な差別と言うべきだろう。さらに言えば、公平さが求められる能力の判定でどんな配慮が可能か、教育上の制約のどこまでが配慮によって解除が可能かということが論じられるべきである。それが第二項の言う「教育上必要な支援」である。身体の障害が能力の判定で不利益になる例として体育の専門教育を挙げたが、障害者スポーツは世界的に盛んになっており、それを指導できる障害のあるスポーツ専門家の必要もいっそう高まるだろう。

義務教育における障害者教育については第20章から第22章においても検討するが、簡単に言えば旧法の教育基本法とともに一九四七（昭和二二）年に公布された学校教育法は、都道府県に盲学校と聾学校の設置義務を課したが、養護学校の設置義務は含めなかった。このため視覚障害者、聴覚障害者は少ないながらも盲学校と聾学校で就学の可能性が保障されたが、知的障害者、肢体不自由者、病弱者、身体虚弱者などに対応する養護学校の設置が立ち後れた。この養護学校の設置義務は一九七九（昭和五四）年に至ってようやく実現したのである。さらに障害として明確になりにくいのが、学習障害などの**特別な教育的ニーズ**に対する配慮が必要なケースである。こうした広い範囲にわたる**特別ニーズ教育**の必要性が論じられていく。こうして、第17章で特別支援学校の目的として確認したように、二〇〇六（平成一八）年六月の学校教育法改正により特別支援学校が規定されて、二〇〇七（平成一九）年四月一日から盲学校・聾学校・養護学校を一つにして、新たに**特別支援学校**という学校種別になったのである。

この改革については、二〇〇五（平成一七）年一二月八日の中央教育審議会答申「特別支援教育を推進するための制度の在り方について」において提起された様々な概念を確認しておく必要がある。

従来の学校教育法は、学校教育法に**特殊教育**という章をおいて、ここに**盲学校**、**聾学校**、**養護学校**を規定していたが、この答申では、一人ひとりのニーズに応じた適切な指導及び必要な支援を行う**特別支援教育**という考え方を明示して、特別支援教育の中心となる**特別支援学校**を置くことを提起した。図17は、この答申に参考資料として付けられた二〇

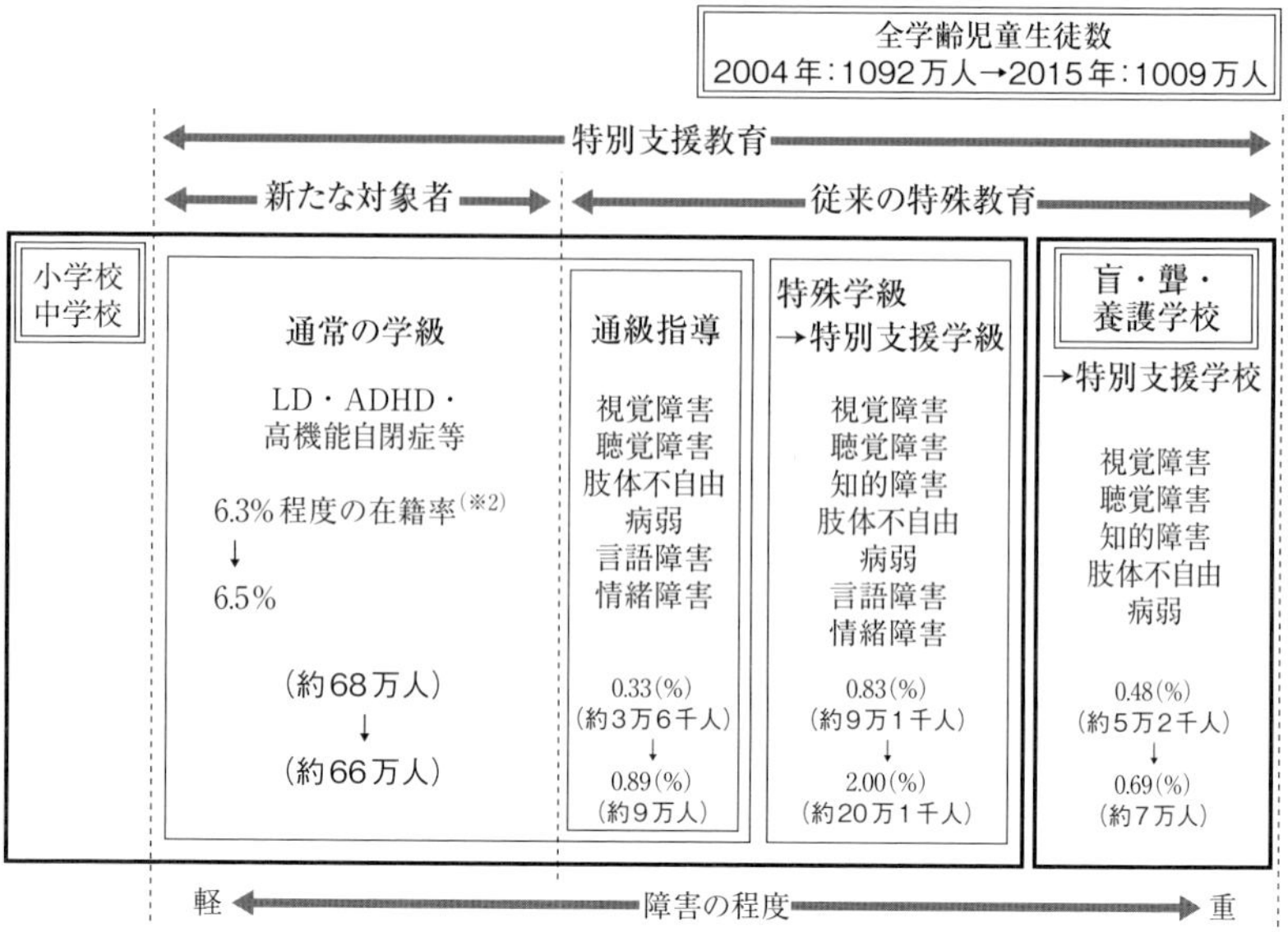

（※1）この図に示した学齢（6歳～15歳）の児童生徒のほか、就学前の幼児や高等学校に在籍する生徒で何らかの障害を有する者についても、特別支援教育の対象である。
（※2）この数字は、担任教師に対して行った調査に対する回答に基づくものであり、医師の診断によるものではない。
＊2005（平成17）年12月中央教育審議会答申「特別支援教育を推進するための制度の在り方について」の参考資料をもとに2004（平成16）年現在の数値を記し、文部科学省発表「特別支援学校の概念図（義務教育段階）」をもとに2015（平成27）年現在の数値を付記して「2004年→2015年」の変化を記した。ただし、LD等は2012（平成24）年調査の数値である。

図17　特別支援教育の対象の概念図〔学齢児童生徒に係るもの（※1）〕

○四（平成一六）年の人数による概念図である。文部科学省が発表した二〇一五（平成二七）年現在の数値をゴシックで加筆した。少子化が進みながらも、特別な教育的ニーズに対応する教育を受ける子どもたちが、当時よりも増加していることがわかる。

この図を右から見ると、まず盲学校と聾学校と養護学校の約五万二〇〇〇人の学齢児童と学齢生徒、つまり小学部と中学部の子どもたちがおり、この学校が特別支援学校に移行して、約七万に増加した。次に小学校や中学校のなかにも特別な教育的ニーズのある子どもたちがいる。まず**特殊学級**と呼ばれたクラスは、障害のある約九万一〇〇〇人の子どもたちが属する小学校や中学校のなかにある学級である。この名称は**特別支援学級**となって約二〇万人に増加した。このほかに小学校と中学校の通常の学級で学びながらも、週の何時間か障害に応じた自立活動の指導などを別の教室で受ける約三万六〇〇〇人の子どもたちがおり、この指導を**通級による指導**、略して**通級指導**と言う。そのための教室は自校または他校に置かれて、**通級指導教室**または**通級学級**と呼ばれている。こちらも約九万人へと増加した。このほか、従来は障害として位置づけられていなかったものとして、学習に困難のある子どもたちが六八万人いると答申は推計したが、六六万とほぼ横ばいである。

障害をめぐる学説は様々だが、この答申が依拠したものが、その後の法令や国内外の医学の変化によって変化している。特に米国精神医学会によるＤＳＭと略称される『精神障害と統計のための診断の手引き』（Diagnostic and Statistical Manual of Mental Disorders）について、一九九四（平成六）年第四版の**ＤＳＭ-Ⅳ**に依拠した定義が、二〇一三（平成二五）年第五版の**ＤＳＭ-５**（第四版のローマ数字からアラビア数字に変更）で変化したことが大きい。学習や日常生活に支障がある発達段階で見られる様々な**発達障害**（Developmental disability）は、特別支援学校への就学でなく特別支援学級や通級指導や通常の学級内での対象となるものであるが、用語の変化があるので注意してほしい。**ＬＤ**（**学習障害** Learning Disabilities）とは全般的な知的発達に遅れはないが、聞く、話す、読む、書く、計算するまたは推論する能力のうち特定のものの習得と使用に著しい困難を示す様々な状態を指すものである。**ＡＤＨＤ**（**注意欠陥・多動性障害** Attention-Deficit/Hyperactivity Disorder）とは年齢あるいは発達に不釣り合いな注意力または衝動性、多動性を特徴とする行動の障害で、社会的な活動や学業の機能に支障をきたすものである。**高機能自閉症** High-Functioning Autism とは他人との社会的関係の形成の困難さ、言葉の発達の遅れ、興味や関心が狭く特定のものにこだわることを特徴とする行動の障害である**自閉症**（Autism Autistic Disorder）のうち、知的発達の遅れを伴わないものを言う。**アスペルガー症候群** Asperger syndrome とは、自閉症の特徴のうち言葉の発達の遅れを伴わず、かつ、知的発達の遅れを伴わないものである。高機能自閉症やアスペルガー症候群は、社会性や対人関係に生じる障害として、**広汎性発達障害**（Pervasive Developmental Disorders）と分類される。従来のＤＳＭ-Ⅳの分類に対して、ＤＳＭ-５では、自閉症やアスペルガー症候群障害の症状がスペクトラムという帯のように多様に見られることから、アスペルガー症候群という単独の概念を用いず、自閉症と合わせて**ＡＳＤ**（Autism Spectrum Disorder、**自閉スペクトラム症**、自閉症スペクトラム症候群などの訳語もある。）と呼ぶことになり、医療現場から定着している。こうした障害は、従来の特殊教育では対応しきれなかったが、新たな特別支援教育では小学校や中学校の通常の学級を中心にニーズにあわせて対応をしていくことになる。したがって特別支援教育の担い手は特別支援学校の教員だけではなく、すべての学校の教員ということになるのである。

また従来の特殊教育の概念では、盲学校、聾学校、養護学校、特殊学級と通級指導だけが範囲となり、これらの連携も十分に位置づけられていなかった。これに対して、新たに特別支援教育の概念を打ち出すことで、通常の学級にいる学習障害などのある子どもたちのニーズにも対応して、特別支援学校が地域の小学校や中学校にとっての**センター的機能**としての役割を果たしていくこととなったのである。小学校や中学校の教諭は十分に特別支援教育の知識や技術を習得する機会が保障されていなかったが、専門家である特別支援学校教諭との連携のなかで新しい可能性が目指されているのである。専門家としての教員の免許状は、盲学校教諭免許状、聾学校教諭免許状、養護学校教諭免許状と学校種別ごとに分かれていたが、実際は障害が重複したり重度化したりする**重度・重複化**の傾向が見られ、また他の学校の特別教育の支援を担うことから、新たに特別支援学校教諭免許状の制度がつくられた。

二〇〇七（平成一九）年度からスタートした特別支援学校に前後した、国内外の障害者の権利についての動向も見ておきたい。二〇〇六（平成一八）年に国際連合で採択された、**障害者権利条約**と略称される「**障害者の権利に関する条約**」（Convention on the Rights of Persons with Disabilities、平成二十六年一月二十二日条約第一号）を二〇一四（平成二六）年に批准するまでの過程で、多くの法令の整備が行われた。二〇一一年に障害の有無にかかわらず共生する社会という基本理念を追加するなど、**障害者基本法**（昭和四十五年五月二十一日法律第八十四号）を改正した。二〇一二年に障害者への自立支援給付などを定めた**障害者総合支援法**と略称される「障害者の日常生活及び社会生活を総合的に支援するための法律」（平成十七年十一月七日法律第百二十三号）を制定した。二〇一三年に不当な差別的取扱の禁止と合理的配慮などを定めた**障害者差別解消法**と略称される「障害を理由とする差別の解消の推進に関する法律」（平成二十五年六月二十六日法律第六十五号）の制定が行われた。

障害者権利条約は、障害に基づくあらゆる差別の廃止と、障害者が社会に参加して包容されることを求めている。こうした障害のある者もない者も、誰もが相互に人格と個性を尊重し支え合い、人々の多様なあり方を相互に認め合える全員参加型の社会を、**共生社会**と呼ぶ。また、条約の第二十四条は、**インクルーシブ教育システム**（inclusive education system、条約では「包容する教育制度」など）を求めている。障害者も健常者も差別なしに包容される教育のあり方である。この条約を契機に、障害のある者と障害のない者が共に学ぶ教育としての**インクルーシブ教育**や**インクルージョン**という言葉が広まった。

実際の特別支援学校は、二〇二二（令和四）年五月一日現在の学校基本調査では、全国に一一七一校あり、児童生徒数は一四万八六三五人である。これは幼稚部一二〇三名、小学部四万九五八〇名、中学部三万二四九七名、高等部六万四四八三名の内訳となり、義務教育以後の高等学校に相当する高等部の生徒数が多い。この背景には入学試験による能力の判定のほか、高等学校では特別なニーズに対応する体制がまだ整っていない現状も挙げられよう。

特別支援学校の学習者は学校教育法第七十二条で、視覚障害者、聴覚障害者、知的障害者、肢体不自由者、身体虚弱者を含む病弱者と規定されている。これに応じて特別支援学校も、**視覚障害特別支援学校**、**聴覚障害特別支援学校**、**知的障害特別支援学校**、**肢体不自由特別支援学校**、**病弱特別支援学校**に区分されるが、法令改正の趣旨のとおり、重度・重複化する障害に対応するために複数の分野に対応する特別支援学校も多い。

特別支援教育という新しい概念は多くの可能性を持っている。一方、障害者が育って社会に参加してきた長年の学校の伝統は、従来の学校名に重い意義を与えることがある。たとえば東京都には二〇二二（令和四）年度現在で都立五八校と区立五校の特別支援学校があるが、学校名称では「盲学校」や「ろう学校」と従来のままの学校も多く、「養護学校」の名称も少なくない。そこには法律だけでは語れない障害者教育の重みやプライドが感じられる。盲や聾という言葉それ自体に差別を感じる人もいるだろうが、同時にその障害に取り組んでいった児童生徒や教師、卒業生のプライドをも示していることに留意したい。

　最近、「障害」は「障がい」と書くべきではないですかと学生に質問されることがある。厚生労働省や地方自治体でも「障害」とともに「障がい」が用いられることが多くなってきたが、教育法令では「障害」である。そもそも仏教語では呉音で「しょうげ」と読む「**障礙**《しょうがい》」がもとになった言葉であり、「礙」は、画数の少ない同じ意味と発音の「碍」に置き換わると「**障碍**《しょうがい》」になる。しかし「礙」も「碍」も常用漢字ではないので、「障害」が戦後は一般的になって現在に至るのである。本来の漢字を使いたいので「障礙」と書きたいこともあり、常用漢字に追加する議論もあったが実現しなかった。しかし、わざわざ「**障がい**」とひらがなに開いて書くのは文字数が無駄に思えるが、礙や碍は常用漢字でないため置き換える考えである。ただし、たびたび聞いたのは、「障害」の「害」は、害するという悪い漢字だから「がい」と書くという説明である。それならば「障」も差し障るという言葉であり、「礙」も「碍」もさまたげという言葉なのである。「がい」と漢音で読んでも、これは外来語だから元の漢字を想起しないと意味が通じない。言霊《ことだま》信仰や忌み言葉からすると、障りのある害になる言葉は用いないという感性も理解できる気もするが、「障がい」という不思議な書き方は日本の伝統文化から見ても中途半端であるというのが私の見解である。もちろん言葉は人それぞれの思いが込められるから、その人や集団の考えを尊重するべきである。コミュニケーション可能な限りにおいて自由に使うべきものだから、障害も障がいも障礙も障碍もともに通用していくだろう。

　障害者差別解消法が、第二条第二号において**社会的障壁**という言葉を「障害がある者にとって日常生活又は社会生活を営む上で障壁となるような社会における事物、制度、慣行、観念その他一切のものをいう。」と定義していることは重要である。障害を個人の身体的問題だけで見るのではなく、生活上の様々な障壁によって発生する社会的問題と捉えたのである。このために、学校も社会的障壁を取り除くための**合理的配慮**が求められる。校舎の段差の解消やエレベータの普及によっても、車椅子利用の身体障害者の学習環境は大幅に変化する。障害のある子どももない子どもも一緒に学ぶインクルーシブ教育によって、共生社会でともに社会参加する準備ができる。

なお、混乱をしないように確認しておくと、ここで見た中央教育審議会答申が出されたのは教育基本法成立の前年の二〇〇五（平成一七）年一二月であり、それによる学校教育法改正は二〇〇六年六月で、特別支援学校の開始は二〇〇七年四月である。新法の教育基本法が公布されたのが二〇〇六年一二月で、それに基づく学校教育法改正は二〇〇七年六月である。改正時期が重なり内容が呼応しているが、教育基本法自体が特別支援学校への変更を定めたものではない。なお、特別支援教育の概要は『特別支援教育とアート』（武蔵野美術大学出版局）に記したので、参考にされたい。

第二節　学校教育の規定

続いて「第二章　教育の実施に関する基本」として分類されている条文のうち、前半の学校教育に関するものを検討する。

（義務教育）
第五条　国民は、その保護する子に、別に法律で定めるところにより、普通教育を受けさせる義務を負う。

2　義務教育として行われる普通教育は、各個人の有する能力を伸ばしつつ社会において自立的に生きる基礎を培い、また、国家及び社会の形成者として必要とされる基本的な資質を養うことを目的として行われるものとする。

3　国及び地方公共団体は、義務教育の機会を保障し、その水準を確保するため、適切な役割分担及び相互の協力の下、その実施に責任を負う。

4　国又は地方公共団体の設置する学校における義務教育については、授業料を徴収しない。

第五条は**義務教育**の規定である。不登校の子どもや夜間中学で学ぶ成人の支援を定めた**教育機会確保法**と略称される「義務教育の段階における普通教育に相当する教育の機会の確保等に関する法律」（平成二十八年十二月十四日法律第百五号）の登場などの動向は第20章から第22章で説明するので、ここでは本文に即して検討する。この第一項は、日本国憲法第二十六条第二項に「すべて国民は、法律の定めるところにより、その保護する子女に普通教育を受けさせる義務を負ふ。義務教育は、これを無償とする。」とある規定を受けて、「法律の定めるところにより」という法律がこの教育基本法であり、さらに、学校教育法である。義務教育については何度も触れたし、改めて第20章で整理するが、文言を追って説明だけしておこう。第一項の、主語は「国民は」であり、具体的には親権を有する保護者となる。そして対象は「その保護する子に」である。この子どもが義務教育を受ける権利を有している。「別に法律で定めるところにより」とは学校教育法における義務教育の規定を指す。そして親権を有する保護者が「普通教育を受けさせる義務を負う。」と結ばれるのである。権利にして義務である親権を有する保護者は、民法第八百二十条の定めるとおり「子の利益のために子の監護及び教育をする権利を有し、義務を負う。」のであり、その教育を学校教育において果たすのが義務教育である。くれぐれも子どもに学校に行く義務があるといった初歩的な誤解をしてはならない。保護者に子どもを学校に行くことができるようにする義務があるのである。

この新法第五条第一項は、旧法第四条第一項をほぼ継承している。言葉使いとしては古びた「子女」が、現在の法令で一般的な「子」と変更された。もっと大きな変化は、「九年の」の年限の規定が消えたことである。学校教育法では九年間の義務教育期間をもともと定めていたから、教育基本法で言う必要はないとも言えるが、この削除は意図的にされたものである。文部科学事務次官通知「教育基本法の施行について」（平成十八年十二月二十二日一八文科総第百七十号）は、「旧法第四条において「九年」と規定していた義務教育の期間については、時代の要請に応じて柔軟に対応することができるよう、別に法律で定めることとしたこと。」と明確に説明している。同様の説明は国会等でもなされているが、わかりやすく言うと義務教育期間の延長、高等学校の義務教育化の可能性を述べているのである。もちろん「九年」と書いた教育基本法を「十二年」と変えればよいのだろうが、教育基本法改正という大きな審議をしなくても、毎年のように行われている学校教育法の一部改正をもって高等学校の義務教育化を可能としたのである。高等学校の進学率が九割を超えて久しい。第5章で経済的、社会的及び文化的権利に関する国際規約（昭和五十四年八月四日条約第六号）のいう**無償教育の漸進的導入**を説明した。この条約の批准にあたって中等教育と高等教育における無償教育の漸進的な導入の留保を二〇一二（平成二四）年九月に撤回するなど、無償化の動きは進みつつある。**高校授業料無償化法**と略称される「公立高等学校に係る授業料の不徴収及び高等学校等就学支援金の支給に関する法律」（平成二十二年三月三十一日法律第十八号）が制定され、二〇一〇（平成二二）年度から**高等学校授業料無償化**が実施され、二〇一三（平成二五）年に「高等学校等就学支援金の支給に関する法律」と改称されている。

義務教育の目的を定めた第二項は、すでに第17章で説明したところなので省略する。

第三項は、「国及び地方公共団体」が義務教育の「実施に責任を負う。」という規定である。まず「義務教育の機会を保障し」というのは、就学をめぐる様々なシステムを意味するが、最も大きなものでは義務教育の学校の**設置義務**

を言う。学校を設置して維持する義務である。学校教育法では市町村に小学校と中学校の設置義務を、都道府県に特別支援学校の設置義務を課しており、この歴史的経緯と意義は第20章で再論する。すべての子どもたちの義務教育のための学校は国や地方自治体の力がなくては設置できないのであり、この設置義務がなければ保護者の義務教育の規定は有名無実化する。「その水準を確保するため」とは、義務教育の水準を維持するための施策を意味する。たとえば、学校教育法第三条に定める学校設置基準として、義務教育段階では小学校設置基準（平成十四年三月二十九日文部科学省令第十四号）や中学校設置基準（平成十四年三月二十九日文部科学省令第十五号）が定められ、一学級四〇名以下という児童生徒数や、学校の施設設備などが定められている。「適切な役割分担及び相互の協力の下」というのは、国や地方自治体が義務教育の実施のために役割を決めて分担して助け合うということである。ずいぶんと回りくどい書き方であるが、実際に多くの法令が定められて役割の分担が決められている。有名なものとして、**義務教育費国庫負担法**（昭和二十七年八月八日法律第三百三号）を挙げよう。この法律によって義務教育に携わる公立の小中学校や中等教育学校前期課程や特別支援学校小学部と中学部の教職員の給与などの三分の一が国の財政で負担されることになる。さらに**市町村立学校職員給与負担法**（昭和二十三年七月十日法律第百三十五号）によってこうした義務教育に携わる市町村立学校の教職員の給与は都道府県の負担となるので、残る三分の二が都道府県の財政で負担される。**地教行法**と略称される「地方教育行政の組織及び運営に関する法律」（昭和三十一年六月三十日法律第百六十二号）第三十七条では、国と都道府県が給与などを負担する市町村立学校の教職員を、**県費負担教職員**という用語で規定している。これは法律上の定義だから、県でない東京都の市町村立学校の教員も県費負担教職員である。説明が本当はさらに続くのだが、ともかく義務教育の実現のための設置義務を負った市町村の財政規模は必ずしも大きくないから、その教職員の給与を国と都道府県が負担するというシステムで「適切な役割分担及び相互の協力」をしているということになる。

第四項は、漢文訓読調の「これを」を直したほかは旧法第四条第二項と同じである。「国又は地方公共団体の設置する学校における義務教育」つまり、国公立の小学校、中学校、中等教育学校前期課程、特別支援学校小学部と中学部では、「授業料を徴収しない。」ということである。日本国憲法第二十六条第二項後段の「義務教育は、これを無償とする。」をここでは授業料無償に限定して、さらに教科書無償などの施策が採られていることはすでに第14章に述べ、そのシステムは第30章でも説明する。

次に**学校教育**の規定である。

（学校教育）

第六条　法律に定める学校は、公の性質を有するものであって、国、地方公共団体及び法律に定める法人のみが、これを設置することができる。

2　前項の学校においては、教育の目標が達成されるよう、教育を受ける者の心身の発達に応じて、体系的な教育が組織的に行われなければならない。この場合において、教育を受ける者が、学校生活を営む上で必要な規律を重んずるとともに、自ら進んで学習に取り組む意欲を高めることを重視して行われなければならない。

第一項は、旧法第六条第一項と、「つ」の大きさを除いてほぼ同じであるから説明も重複を避ける。第7章や第14章で述べた**一条校**や**公の性質**、国立、公立、私立学校の規定については再確認しておいてほしい。

第二項は、新しく追加された規定である。「前項の学校においては」とあるから、学校教育法第一条で定める学校つまり一条校に関する規定である。「教育の目標が達成されるよう」というのは、教育基本法第二条で定めた教育の目標である。「教育を受ける者の心身の発達に応じて」というのは、年齢や教育の段階さらには障害等を含めるわけで、第五条第二項の義務教育の目標や第17章で見た学校種別ごとの目的や目標も踏まえて行うことを意味する。「体系的な教育が組織的に行われなければならない。」というのは、学校種別ごとの目的や目標を踏まえた教育課程が体系的に編成されて、学校が組織として様々な分野の教育に取り組むことを意味する。続いて第二項の後段に入り、「この場合において」と前段の学校教育のあり方として、「教育を受ける者が」と一条校に学ぶ幼児、児童、生徒、学生を主語として、「学校生活を営む上で必要な規律を重んずる」ことと、「自ら進んで学習に取り組む意欲を高めること」を挙げて、教員による教育がこの課題を「重視して行われなければならない。」と教育の課題を述べる。これは一九八九（平成元）年の学習指導要領の改訂を契機として**関心・意欲・態度**を強調した**新しい学力観**が、前提にある。これがもはや常識となった段階で、**規律**や**意欲**という文言を教育基本法に取り入れたことに注目できる。そして、この規定を前提として二〇一七（平成二九）年と二〇一八（平成三〇）年に告示された現在の学習指導要領では**資質・能力の三つの柱**として、知識及び技能が習得されるようにすること、思考力・判断力・表現力等を育成すること、学びに向かう力・人間性等を涵養《かんよう》することが強調されたが、**学びに向かう力・人間性等**は、この「自ら進んで学習に取り組む意欲」と呼応している。また、学校教育の各教科の評価の**三観点**のうち、**主体的に学習に取り組む態度**も、合致している。

（大学）
第七条　大学は、学術の中心として、高い教養と専門的能力を培うとともに、深く真理を探究して新たな知見を創造し、これらの成果を広く社会に提供することにより、社会の発展に寄与するものとする。
2　大学については、自主性、自律性その他の大学における教育及び研究の特性が尊重されなければならない。

大学についての歴史と現在の法令は改めて第26章で検討するので、ここではこの条文の意味を確認しておきたい。

この条項は新法で新たに追加されたものであり、学校教育法第一条に定める学校種別のうち、独立して一つの条文を掲げているのはこの大学の条項のみである。

第一項は、目的という言葉はないが、**大学教育の目的**を定めている。「目的」として本文で明記した条項は第17章で見たとおり、学校教育法で制定時の第五十二条、現在の第八十三条第一項において「大学は、学術の中心として、広く知識を授けるとともに、深く専門の学芸を教授研究し、知的、道徳的及び応用的能力を展開させることを目的とする。」と定めている。この大学教育の目的の規定を第一項の前段は取り入れて、学校教育法の規定が新しい教育基本法の規定へと言わば格上げされた。大学をあらわす文字どおりのキーワードである「**学術の中心として**」との規定を記して、「高い教養と専門的能力を培うとともに、深く真理を探究して新たな知見を創造し」と教養教育や専門教育、さらにその研究を明示している。このあとに、「これらの成果を広く社会に提供することにより、社会の発展に寄与するものとする。」という大学の社会貢献の規定が新たに記され、これが二〇〇七（平成一九）年六月の学校教育法の改正で既存の条文の次に第八十三条第二項として、追加されるという流れである。

第二項は、日本国憲法第二十三条の学問の自由の規定をもとにして、「大学については」という特記事項のような表現で、「自主性、自律性その他の大学における教育及び研究の特性」を尊重することを明記している。**学問の自由**が大学の特権ではないことは、旧法第二条でも新法第二条でも明確であるが、大学についてのみ教育研究の「特性」としての自主性や自律性が強調されている構造である。

私も大学の一員として、教育基本法全部改正で大学関係者ならば誰も否定しないこの新しい条項の内容に文句は付けにくい。ただ「大学については」という特記は、第12章で見た森有礼による学問と教育の分離を想起させる。つまり大学の自主性や自律性といった特性が尊重される一方で、自主性や自律性が他の学校種別では軽視されるという論理になる危惧である。第14章で述べたように、学問の自由は学者や教育者の特権ではなく、あらゆる教育にあたって学習者の年齢や学習段階などに留意して学問の自由が用いられるべきものである。多くの学習を経て学生も自ら研究を行うことが求められる大学教育では確かに新法第七条第二項のように「特性」を確認する必要があるのだが、くれぐれもそのことが他の学校における教育の自主性や自律性の軽視につながってはならない。

続いて私立学校である。

（私立学校）

第八条　私立学校の有する公の性質及び学校教育において果たす重要な役割にかんがみ、国及び地方公共団体は、その自主性を尊重しつつ、助成その他の適当な方法によって私立学校教育の振興に努めなければならない。

私立学校とは、学校教育法第二条の定義によれば学校法人が設立した学校である。第7章で少し述べたが、先に例外を言っておこう。学校教育法附則第六条により学校法人以外が幼稚園を設立するケースや、**特区法**と呼ばれる構造改革特別区域法（平成十四年十二月十八日法律第百八十九号）により株式会社などが設置する学校も、同じ一条校としては広義の私立学校に含まれることになる。**幼稚園**の学校法人以外による設立については、戦後教育改革のなかで、戦前から活躍してきた様々な幼稚園の存在を認めることで幼稚園教育の普及を目指すという趣旨があった。二〇二二（令和四）年度の学校基本調査では、全国の幼稚園九一一一園のうち、国立四九園、公立二九一〇園、私立では、学校法人立五五八二園、財団法人立三園、社団法人立〇園（二〇一一年まで一園）、宗教法人立二八〇園、その他法人立二園、個人立二八五園となっている。園数では学園法人が最多であり、また個人や宗教法人の比率も高いことがわかり、二一世紀の段階でもこうした学園法人以外の幼稚園が小さくない社会的役割を果たしていることがわかる。

一方で二〇〇二（平成一四）年から構造改革の政策のもとで導入された株式会社立学校についてはあくまでも特別

区域という地域を限定した処置である。二〇二二（令和四）年度現在も株式会社立大学五校など少数であるが注目をあつめる活動をしている。しかしながら本来の学校教育で求められる公の性質に対して、会社法などに基づいて株主の利益を前提とするのが株式会社であるから、公共性をめぐって本質的な問題が存在している。短期間に学生募集を停止した株式会社立学校もあり、今後の日本の教育制度に定着するかどうかに疑問がある。

「私立学校の有する公の性質及び学校教育において果たす重要な役割」という文言のうち、**公の性質**は、教育基本法第六条第一項に言う公の性質であり、公の性質とは開かれた学校の性質である。公教育としての意義は第7章でも説明した。この第八条は学校教育法第一条に定める学校としての私立学校についての規定であるとして理解しておく。一条校以外の私立学校としての専修学校や各種学校を考えると、これらは設置者等についての制約がなく、また後に述べる第十四条（政治教育）などの制約で一条校と異なる論点があることは指摘しておきたい。

「学校教育において果たす重要な役割」とは、有史以来の歴史的経緯を挙げることもできるだろうが一目瞭然のものとして、私立学校で学ぶ人数を示しておきたい。表7は学校基本調査に基づいて学校種別ごとに国公私立に分けて学習者の人数を示したものである。市町村に設置義務がある小学校と中学校、都道府県に設置義務がある特別支援学校は公立の比率が高い。国の政策として導入された高等専門学校は現在も国立が中心である。学習者の比率では、高等学校では三割が私立である。さらに、幼稚園は八割、大学は七割、短期大学は九割が私立である。

さらに「国及び地方公共団体」を主語として行政上の施策の基本が示される。「その自主性を尊重しつつ」とあるのは、私立学校の自主性の尊重のことである。私立学校の自主性とは、**私立学校法**（昭和二十四年十二月十五日法律第二百七十号）において、第一条（この法律の目的）に「この法律は、私立学校の特性にかんがみ、その自主性を重んじ、公共性を高めることによつて、私立学校の健全な発達を図ることを目的とする。」と規定されたものである。私立学校には、**建学の精神**などと呼称される設立の目的がある。これらは学校の設立の経緯から社会のなかで意識的に主張

表７　2022（令和４）年の設置者別の幼児・児童・学生の人数（学校基本調査）

	幼稚園 9,111 園	幼保連携型認定こども園 6,657 園	小学校 19,161 校	中学校 10,012 校	義務教育学校 178 校	高等学校 4,824 校	中等教育学校 57 校	特別支援学校 1,171 校	高等専門学校 57 校	短期大学 309 校	大学 807 校	専修学校 3,051 校	各種学校 1,046 校
国立（人）	4,751	0	36,041	27,156	3,782	8,172	2,876	2,902	51,234	0	596,195	276	0
公立（人）	11,0766	97,787	6,035,384	2,931,722	63,789	1,933,568	23,411	144,858	3,780	5,110	163,103	22,452	444
私立（人）	807,778	723,624	79,880	246,342	228	1,015,160	7,080	875	1,740	89,603	2,171,482	612,846	101,664

グラフは学習者の人数の比率

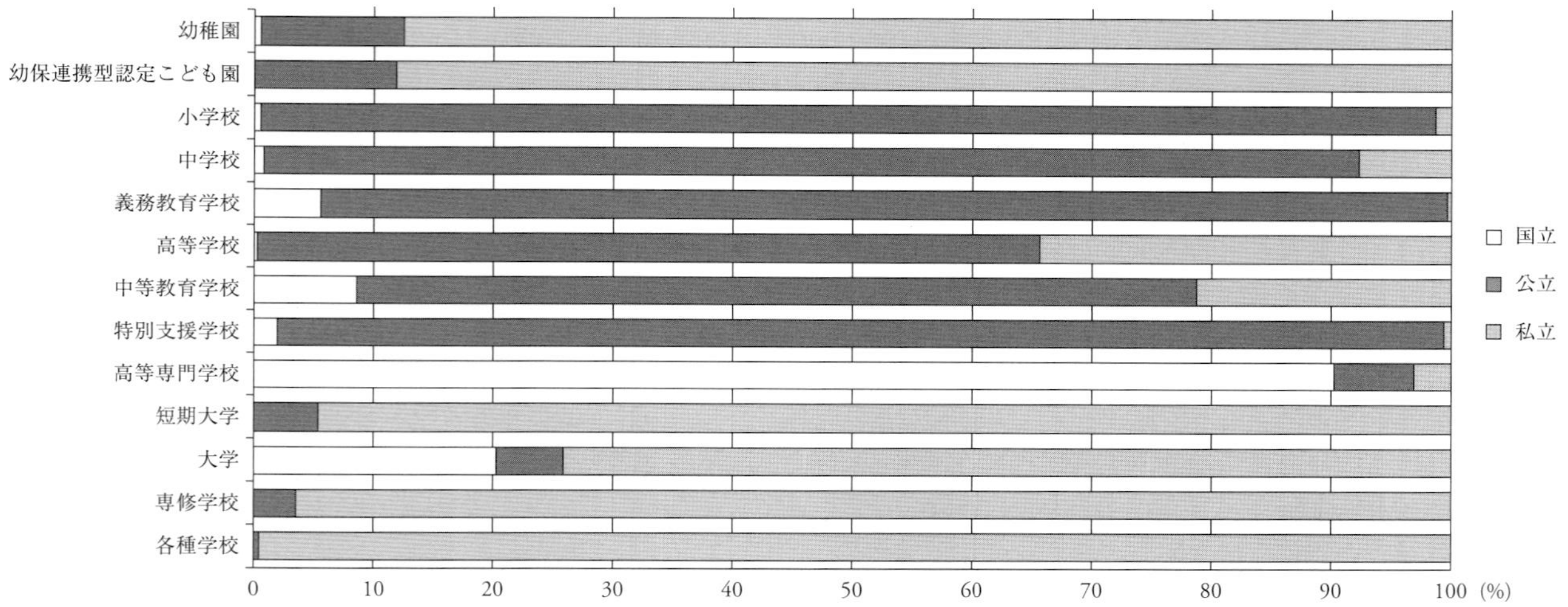

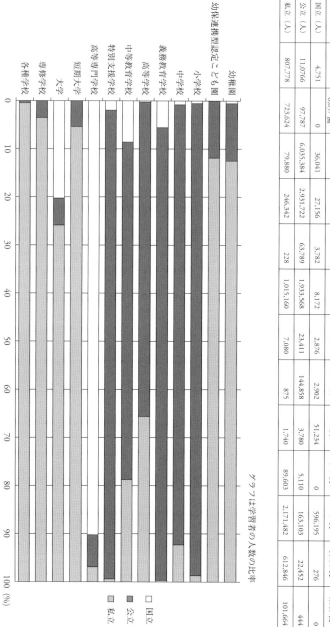

された理念や学説、宗教などの主張に基づくことが多く、社会に貢献する開かれたものであっても、国の法令で規定されるものとは限らない。それゆえに法律で自主性を重んじることを明示して、公共性を高めることもあわせて規定されている。実際の私立学校を設置するものとして、戦前の大学や専門学校の設置者は民法で規定する財団法人であることが求められた。戦後の私立学校法では**学校法人**を規定して、私立学校の設置者としている。たとえば私が勤務する武蔵野美術大学という私立大学は、学校法人武蔵野美術大学という学校法人が設置している。私立と言っても公益のための法人としての学校法人であるから、私立学校法では公共性のための多くのルールが定められており、学校法人という法人が個人の所有物にならないために、理事など役員のうちに他に配偶者や三親等以内の親族が一人を超えないようにする規定や、財務等の公開や文部科学省による監督など多くの事項が規定されている。

国や地方公共団体が、学校法人や私立学校に対して行うことが、「助成その他の適当な方法によって私立学校教育の振興に努めなければならない。」と規定されている。教育基本法で第九条以降も出てくる「努めなければならない。」「努めるものとする。」という表現は、**努力義務**と言う。完全に実施される義務ではないが、実現のために努めることが求められる。そう言うと、一見軽く思えるが、法令の規定であって重いものである。

ここで私立学校教育の振興の筆頭に挙げられた助成は、国や地方公共団体からの補助金などとして支出されるもので、**私学助成**と呼ばれる。私学助成をめぐっては、私の学生の頃から法学の初歩を学ぶ人たちにディスカッションのために与えられていた有名なテーマがある。私学助成は日本国憲法で禁止されているかというテーマである。日本国憲法第八十九条は、「公金その他の公の財産は、宗教上の組織若しくは団体の使用、便益若しくは維持のため、又は公の支配に属しない慈善、教育若しくは博愛の事業に対し、これを支出し、又はその利用に供してはならない。」と定めている。わかりやすく言うと国や地方公共団体の財政から「公の支配に属しない」教育へ支出してはならないと言う。言うまでもなく論点は「公の支配に属しない」という条件が何かという問題である。**公の支配**を国の法による支配と読み替えると、私立学校法に基づく学校法人が設立する私立学校、とりわけその一条校は、教育基本法や学校教育法や私立学校法によって認められて設立や設置の根拠が与えられて、それらの法律によって活動しているので間違いなく公の支配のもとにあることになる。もちろん私立学校でも信教の自由に基づいて自主性によって行われる宗教宗派の儀式に公金を支出すると憲法違反になるという議論は成立するだろうが、公教育として行う宗教系の私立学校教育に公金が支出されることは憲法違反ではない。こうした解釈は官庁の有権解釈として確定しているだけではなく、私立学校への助成として補助金などの根拠となる法律を制定することで確定していった。法律では、「私立大学の研究設備に対する国の補助に関する法律」（昭和三十二年三月三十日法律第十八号）、私立学校振興助成法（昭和五十年七月十一日法律第六十一号）、日本私立学校振興・共済事業団法（平成九年五月九日法律第四十八号）などである。

さて学生のディスカッションにおいて前記のテーマは法律の学習にはよいのだが、実際に私立学校の現場にいる人たちは私学助成が憲法違反だなどと言われると感情的な怒りを感じるものでもある。実際に、学校法人の役員や私立学校の職員は、法令に基づく膨大なルールを守るために国立学校や公立学校と同様か、あるいはそれ以上に大きなエネルギーを使っているのが実態である。公の支配の「支配」という言葉は、近世的な響きがあるが、国立や公立のような立場ではない学校から見ると、そのニュアンスさえ実感に合致する。そうした感覚を持つ私立学校関係者にとっては、従来の法令以上に教育基本法のなかで私学助成や私学振興が記されたことには共感があった。もちろん、この全部改正によって私学助成が顕著に増加するといった好ましい実態は伴っていないのだが。

次に**教員**に関する規定である。

（教員）
第九条　法律に定める学校の教員は、自己の崇高な使命を深く自覚し、絶えず研究と修養に励み、その職責の遂行に努めなければならない。

2　前項の教員については、その使命と職責の重要性にかんがみ、その身分は尊重され、待遇の適正が期せられるとともに、養成と研修の充実が図られなければならない。

第一項と第二項は、それぞれ旧法第六条（学校教育）の第二項の前段と後段をもとにつくられているので、第14章の条文と照らし合わせるとわかりやすい。

第一項は「法律に定める学校の教員」つまり国公私立を問わず一条校の教員について規定する。旧法第六条第二項前段が新法第一項になるときに、「使命」に「崇高な」という修飾が加えられ、「絶えず研究と修養に励み」という文言が加わった。一方で「全体の奉仕者であつて」の規定が削除された。削除された**全体の奉仕者**は旧法の重要な規定であり、日本国憲法第十五条第二項の公務員の規定を用いることにより、私立学校も含めて公教育を担う学校教員の位置づけを明確にしていた。これも憲法論としては公務員ではない私立学校教員に公務員の規定を与えるとはいかがなものかという正論もあり、第八条で私立学校の位置づけも明確になったこの全部改正で全体の奉仕者の規定は削除されたのである。ただ、私立学校の有する公の性質は第八条で強調されているとおりであり、私立学校教員にとっては旧法の全体の奉仕者の規定は歴史的な事実として記憶されるべきことである。私立学校には学費負担者や寄付者などの学校を支える大切な人たちがいるのだが、同時に教員は国民全体や世界に対して責任を持つという自覚が必要である。教員の自覚に関する規定なので、「努めなければならない。」という努力義務であるが、法律で一条校の教員すべてに求めた重要な規定である。

全体の奉仕者の削除とは逆に、「絶えず研究と修養に励み」という文言は、公務員の規定から流用された文言である。それは、国立と公立の教員を対象とした**教育公務員特例法**（昭和二十四年一月十二日法律第一号）の第二十一条（研修）の第一項に「教育公務員は、その職責を遂行するために、絶えず研究と修養に努めなければならない。」とある規定から用いている。**研究**とは専門分野の学問などを対象に研《と》ぎ究《きわ》めることであり、**修養**とは教育基本法第一条の人格の完成をはじめ徳育や体育の分野も含めて修め養うことである。研究と修養を併せて**研修**と言う。一般の公務員が研修の機会を与えられて参加することは、国家公務員法第七十三条や地方公務員法第三十九条でも定められている。教育公務員特例法は第二十一条第二項において教育公務員の任命権者つまり国や地方自治体の教育委員会などが教育公務員の研修について計画を樹立して実施に努めなければならないということを定めているように、研修は教員個人ができることだけではないので、国や地方自治体による計画と実施を求めているのである。この点では、私立学校の教員と、その教員を雇用する学校法人にも同様のことが、新法によって求められたことになる。もちろん、それ以前から私立学校教員は研修をしていたし、学校法人や全国と地方の私学団体はそのためのシステムをつくっていたのだが、法律による規定が行われたことが重要なのである。

　第二項は、旧法第六条第二項後段と同趣旨であるが、「養成と研修の充実が図られなければならない。」という文言が新たな追加である。文意は、第一項を受けて「その使命と職責の重要性にかんがみ」とあることで、崇高な使命と職責が課せられた教員への対応として、「その身分は尊重され、待遇の適正が期せられる」ということが明確になった。大変な仕事だから、「先生」と呼ばれて信頼されて尊敬されるという社会的な習慣だけではなく、国家公務員法、地方公務員法、教育公務員特例法などの身分保障や、市町村立学校教員の給与保障への国や都道府県の関与、私立学校共済への国の関与といった法律に基づく待遇などが挙げられる。「公立の義務教育諸学校等の教育職員の給与等に関する特別措置法」（昭和四十六年五月二十八日法律第七十七号）による他の地方公務員と異なる給与の規定も、待遇の適正の例である。もちろん、多くの教員はそんな甘い状況ではなく、保護者と地域のクレームの処理に忙殺され、給与は削減され、待遇が悪化しているという実態を挙げて嘆く声もあるだろう。そうした現状があるとしても、教育基本法のなかでは旧法においても新法においても、この身分尊重と待遇適正が明記された意義は決して小さくないと考える。

第二項の最後には、「養成と研修の充実が図られなければならない。」と記されている。**養成**とは大学における教員養成を意味し、研修は第一項で見た研究と修養である。法令に基づいて教員の資格を個別に審査する大学と高等専門学校を除いては、一条校の教員には任用の前提として**教育職員免許法**（昭和二十四年五月三十一日法律第百四十七号）による免許状が求められている。この免許状を受けるためには教育職員免許法により課程認定を受けた大学において単位を修得することになるから、教員としての研修の前に、養成が重要である。

教育基本法の全部改正に先だって、二〇〇四（平成一六）年一〇月二〇日に文部科学大臣から中央教育審議会に「今後の教員養成・免許制度の在り方について」の諮問がなされ、二〇〇六（平成一八）年七月一一日には「今後の教員養成・免許制度の在り方について」の答申が提出された。ここでは、大学の教職課程の質的向上、教職大学院の創設、教員免許更新制の導入が提起されて、それぞれ法令改正を経て実施された。二〇〇七（平成一九）年には教育職員免許法などの一部改正（平成十九年六月二十七日法律第九十八号）がなされて、二〇〇九（平成二一）年度から一〇年に一度の**教員免許更新制**が導入された。これは教員が最新の知識や技能を身につけるためのもので、一〇年あまりのあいだ、免許状には一〇年の有効期間が記された。しかし、教員の負担の大きさや研修制度の実質的充実のための「発展的解消」として教育職員免許法などが改正されて、二〇二二（令和四）年度から免許状更新講習は廃止された。

こうした教員の養成や研修のあり方をめぐっては、二〇一二（平成二四）年八月二八日に教員養成を大学院修士課程レベルへと変更することを求めた中央教育審議会答申「教職生活の全体を通じた教員の資質能力の総合的な向上方策について」が提出され、賛否の議論を含めて注目を集めていたが、実施の可能性が低く、事実上は断念された。

二〇一五（平成二七）年一二月二一日には中央教育審議会が教員に関わる二つの答申を出した。答申「これからの学校教育を担う教員の資質能力の向上について〜学び合い、高め合う教員育成コミュニティの構築に向けて〜」においては、これからの学校のカリキュラム・マネジメントや**アクティブ・ラーニング**を担う教員の養成と採用と研修を通じて、**学び続ける教員**としてのあり方を提起した。具体的には教育職員免許法の改正などが行われ、大学では二〇一九（平成三一）年度から新たな教育課程が実施され、現職教員の研修などの充実が求められた。また答申「チームとしての学校の在り方と今後の改善方策について」においては、アクティブ・ラーニングとカリキュラム・マネジメントを通した組織運営の改善に一体的に取り組むことが重要であるとした。そして**チームとしての学校**または**チーム学校**として位置づけて、専門スタッフとしてのスクールカウンセラーとスクールソーシャルワーカーの充実や学校現場における業務改善を提起した。

現実には、学校教員の仕事が負担が大きく、国際的にも授業以外の時間が大きい実態が注目された。二〇一九（平成三一）年一月二五日には中央教育審議会答申「新しい時代の教育に向けた持続可能な学校指導・運営体制の構築のための学校における働き方改革に関する総合的な方策について」が発表されて、学校の業務改善や勤務時間の把握など、**教員の働き方改革**が提起された。こうした現在の課題については『チーム学校の教師論』（武蔵野美術大学出版局）で論じたので参考にされたい。

ここまでは、教育の理念に続いて、学校教育についての基本的な条項を見てきた。理解のためにある程度は関係法令などを挙げたが、本来はすべての教育に関する法令や施策は教育基本法に関係するものであって、言及すれば際限がなくなっていく。それほど重要な規定であるから、教育に関する現象を見ていくときにも教育基本法からはどう見えるかを考えると新たな視点となっていくだろう。

第19章　教育基本法における家庭教育から教育行政まで（第十条―附則）

前章に続いて、「第二章　教育の実施に関する基本」の後半、さらに「第三章　教育行政」「第四章　法令の制定」、附則までを見てみよう。これらの条文の多くも旧法を継承した文言を含むもので、すでに第14章で見た旧法で説明したものと重複しないように、適宜旧法の条項に言及する。

第一節　家庭教育と社会教育

第4章で親権について、第5章で子どもの権利について、その歴史や国際的動向を反映した法律の規定を検討した。全部改正で追加された新法第十条もまた、こうした動向のなかにある。

（家庭教育）
第十条　父母その他の保護者は、子の教育について第一義的責任を有するものであって、生活のために必要な習慣を身に付けさせるとともに、自立心を育成し、心身の調和のとれた発達を図るよう努めるものとする。
2　国及び地方公共団体は、家庭教育の自主性を尊重しつつ、保護者に対する学習の機会及び情報の提供その他の家庭教育を支援するために必要な施策を講ずるよう努めなければならない。

旧法第七条（社会教育）は、**家庭教育**という言葉で始まり、家庭教育を社会教育の概念のなかに含めていた。この家庭教育という概念が、新法では独立した条項になっている。家庭教育は家庭において行われる教育であるから、家庭の構成員が行う教育がすべて含まれることになるが、ここでは「父母その他の保護者」が行う「子の教育」が規定されている。**保護者**とは、親権を行う者であり、親権を持つ父母やそれに代わって親権を行う者が含まれる。親権とは民法（明治二十九年四月二十七日法律第八十九号）の第八百二十条（監護及び教育の権利義務）に「親権を行う者は、子の利益のために子の監護及び教育をする権利を有し、義務を負う。」と定めるとおり、子どもの監護と教育についての権利と義務である。第2章で見たように二〇二二（令和四）年四月一日より**十八歳成人**となったので、子どもが一八歳となるまでの期間が対象である。このうち義務教育期間において学校に就学させる義務を義務教育として新法第五条では規定した。

親権は子どものための権利であり義務であるのだから、親の恣意によらない責務を明らかにするために、二〇一一（平成二三）年には民法の一部改正（平成二十三年六月三日法律第六十一号）によって、「子の利益のために」という文言が追加された。「子の教育について第一義的責任を有するもの」という文言もそのことと関連している。**第一義的責任**という言葉は、第4章で見てきたとおりに、子どもの権利について長い間の歴史によって確認されてきた父母その他の保護者が根源的に子どもに対して負っている責務である。直接的には、第5章で見たとおり一九八九（平成元）年一一月二〇日に国際連合の第四四回総会で採択された**子どもの権利条約**（Convention on the Right of the Child）、日本国として条約締結した名称としては**児童の権利に関する条約**（平成六年五月十六日条約第二号）において、原則とされたものである。その第十八条第一項においても、「締約国は、児童の養育及び発達について父母が共同の責任を有するという原則についての認識を確保するために最善の努力を払う。父母又は場合により法定保護者は、児童の養育及び発達についての第一義的な責任を有する。児童の最善の利益は、これらの者の基本的な関心事項となるものとする。」と記されている。ここに「第一義的な責任」とあるのは、英語の条文では the primary responsibility となっている。primary とは初歩や主要を意味する形容詞であるが、ラテン語の序数の第一の prīmus（プリームス）を語源とするように、まさに最初の根源的なものを意味する。日本語訳の「第一義的」という表現は重々しく感じるが、それも当然である。これはインドの大乗仏教の中観《ちゅうがん》派《は》で重んじられた第一《だいいち》義《ぎ》諦《たい》 paramārtha-satya（パラマールタ・サティヤ）という概念によって仏教語として定着した伝統を負った言葉である。要義 artha（アルタ）のなかでも第一の根源的なもの parama（パラマ）という真理、つまり諦《たい》 satya である。言うまでもなくサンスクリットで語る古代インド人もラテン語で語る古代ローマ人も同じインドヨーロッパ語族だから言葉の祖先は同じであり、prīmus も parama も本来は同じ言葉である。子どもの権利を思うたびに東西の悠久の歴史を感じることができる。

保護者の有する第一義的責任という言葉は、その後の社会福祉に関する新しい法律や、従来の法令の改正によって、次々と盛り込まれていった。重要なものを列記しておく。**児童手当法**（昭和四十六年五月二十七日法律第七十三号）の第一条（目的）には、「この法律は、父母その他の保護者が子育てについての第一義的責任を有するという基本的認識の下に、児童を養育している者に児童手当を支給することにより、家庭等における生活の安定に寄与するとともに、次代の社会を担う児童の健やかな成長に資することを目的とする。」と規定する。**児童虐待防止法**と略称される「児童虐待の防止等に関する法律」（平成十二年五月二十四日法律第八十二号）は第四条（国及び地方公共団体の責務等）の第六項で、「児童の親権を行う者は、児童を心身ともに健やかに育成することについて第一義的責任を有するものであって、親権を行うにあたっては、できる限り児童の利益を尊重するよう努めなければならない。」と規定する。**次世代育成支援対策推進法**（平成十五年七月十六日法律第百二十号）の第三条（基本理念）は、「次世代育成支援対策は、父母その他の保護者が子育てについての第一義的責任を有するという基本的認識の下に、家庭その他の場において、子育ての意義についての理解が深められ、かつ、子育てに伴う喜びが実感されるように配慮して行われなければならない。」

と規定する。**少子化社会対策基本法**（平成十五年七月三十日法律第百三十三号）の第二条（施策の基本理念）の第一項は、「少子化に対処するための施策は、父母その他の保護者が子育てについての第一義的責任を有するとの認識の下に、国民の意識の変化、生活様式の多様化等に十分留意しつつ、男女共同参画社会の形成とあいまって、家庭や子育てに夢を持ち、かつ、次代の社会を担う子どもを安心して生み、育てることができる環境を整備することを旨として講ぜられなければならない。」と規定する。つまり、国による子育て支援や少子化対策、児童虐待の防止に関しても、保護者の第一義的責任があってはじめて成立するという大原則が、社会福祉関連の法律でも強調されているのである。

長くなったが、第一項はさらに「生活のために必要な習慣を身に付けさせるとともに、自立心を育成し、心身の調和のとれた発達を図るよう努めるものとする。」という文言で保護者が行うべきことを定めている。生活習慣、自立心、心身の発達といった教育内容であり、民法の親権について規定された監護や教育を言い換えたものと考えてよいだろう。

教育基本法は教育一般の法であるから、ここではそのなかの家庭教育が述べられている。第一条の定めた教育の目的や第二条の定めた教育の目標についても、この第十条に定める家庭教育を規定していると解釈することも妥当である。しかし、この第一項は保護者による教育を第一義的なものとして位置づけることで、子どもの利益のための法律による保護や制限を受けながらも、保護者の責任のもとでの家庭教育の本源性を確認したものと見てよい。第一項の述語が「努めるものとする。」と努力義務の表現になっているのも、家庭教育を軽視したのではなく、家庭教育の自主性を重んじたのである。

第二項は、「国及び地方公共団体」を主語として、家庭教育について「努めなければならない」という努力義務の内容を定めている。家庭教育については保護者が第一義的責任を持っているのだから、その努力義務のはじめに「家庭教育の自主性を尊重しつつ」と書かれる。旧法第七条（社会教育）でも奨励という言葉によって家庭や社会の構成員による主体的な教育が尊重されていたが、ここでも「自主性」の尊重を明記して、誤解をなくしたことになる。
そのことに基づいて、国や地方公共団体が行うべきことは、「家庭教育を支援するために必要な施策を講ずる」という支援策であり、その内容は、「保護者に対する学習の機会及び情報の提供その他」である。**支援**とは、支えて援《たす》けることであり、主体はあくまでも保護者や子どもを含めた家庭の構成員すべてである。前文、第八条、第十一条、第十二条、第十六条、第十七条で登場する「振興」という範囲の広い言葉よりも家庭の主体性を明確にした用語である。こうした家庭教育支援として、保護者が適切な家庭教育を行えるように学習する機会や情報を提供したりすることになる。国や地方公共団体が家庭教育の内容に介入して達成するべき目標を定めたり、評価したりすることは不可能である。何歳何箇月で何ができます、何が必要ですといった情報は、医学や心理学や教育学などの情報に基づいて提供が可能だが、それはあくまでも学説の一つであり、一人ひとりの子どもの状態と必要を説明できるものではない。だから、国や地方公共団体の行うべきことは、保護者による家庭教育の支援のための講座開設や情報提供を社会教育施設である公民館や図書館などを通じて行ったり、相談の場を提供したりすることである。

学校教育法では二〇〇七（平成一九）年六月の改正に伴って幼稚園を一条校の筆頭に位置づけるとともに、第二十四条に新たに家庭や地域に対する幼稚園による**幼児教育支援**が明記され、幼児の教育だけではなく地域に開かれたセンターとしての位置づけが明示された。また二〇〇三（平成一五）年の児童福祉法の一部改正（平成十五年七月十六日法律第百二十一号）により**子育て支援**が明記されており、保育所等において児童の養育を支援する事業のほか、保護者からの相談に応じて情報の提供及び助言を行う事業や居宅において児童の養育を支援する事業が位置づけられている。第一義的責任を有する保護者は、そうした機会や情報を活用して、最終的には自らの責任において判断して家庭教育を行うことになる。

なお、子どもへの支援は**児童福祉**として**社会福祉**としての性格を持つ。児童福祉法や、**子ども・子育て支援法**（平成二十四年八月二十二日法律第六十五号）をはじめ、児童手当法（昭和四十六年五月二十七日法律第七十三号）による児童手当による支援などは、文部科学省ではなく、厚生労働省の所管事項となっている。**子どもの貧困**という言葉を初めて掲げた法律である「子どもの貧困対策の推進に関する法律」（平成二十五年六月二十六日法律第六十四号）による施策は内閣府を中心に厚生労働省と文部科学省の所管事項となっている。

この第十条はさらに次の第十一条へと連続する。

（幼児期の教育）

第十一条　幼児期の教育は、生涯にわたる人格形成の基礎を培う重要なものであることにかんがみ、国及び地方公共団体は、幼児の健やかな成長に資する良好な環境の整備その他適当な方法によって、その振興に努めなければならない。

幼児期の教育という条文が新たに追加され、それが第十条（家庭教育）と別個になっている理由は一見するとわかりにくいが、家庭教育は子どもが小学校などに入学しても継続しているから、別に定めて当然である。第十条第一項は保護者による家庭教育、第十条第二項は国や地方公共団体による支援が規定されているが、ここでは国や地方公共団体による幼児期の教育の振興が規定されている。この条文のわかりにくさは、幼児期の教育を具体的に何をもって行うのかという内容が規定されていないことにある。ここでは「幼児期」や**幼児**の定義がなされていないが、第2章で見たとおり、児童福祉法（昭和二十二年十二月十二日法律第百六十四号）第四条によれば、幼児は一歳未満の乳児と少年の間の年齢段階で「満一歳から、小学校就学の始期に達するまでの者」となる。一方で学校教育では幼稚園の学習者を指すから、学校教育法（昭和二十二年三月三十一日法律第二十六号）の第二十六条によって「幼稚園に入園することのできる者は、満三歳から、小学校就学の始期に達するまでの幼児とする。」となる。微妙な年齢差を持ちつつも、社会福祉と学校教育の双方が幼児を対象としている。話が回りくどくなって恐縮だが、**幼児期の教育**については、保護者が教育者となる家庭教育とは異なって、幼児教育にあたる専門家による組織的で計画的な教育である。それは学校教育の範囲に限定されず、幼児を対象とする教育機関全般が含まれることになる。幼児期の教育機関は、一条校として**幼稚園教諭**が教育にあたる**幼稚園**だけでなく、児童福祉のための施設として**保育士**が保育にあたる**保育所**を含めるとともに、さらに今後に向けて幼稚園と保育所の一元化、つまり**幼保一元化**も含めた総合的な施策が検討されている。このため条文ではまだ具体的にどういう教育機関によって行うかを確定的に明示できないために、今後の改正等が必要ない漠然とした書き方がなされているのである。

二〇〇六（平成一八）年に教育基本法が全部改正される数箇月前に、**認定こども園法**と呼ばれる「就学前の子どもに関する教育、保育等の総合的な提供の推進に関する法律」（平成十八年六月十五日法律第七十七号）が公布されて、文部科学省と厚生労働省、学校教育と社会福祉、幼稚園と保育所の二元的な体制を改革する流れが始まった。ここでは第二条で**子ども**の法律上の概念を定義して「この法律において「子ども」とは、小学校就学の始期に達するまでの者をいう。」とした。幼稚園と保育所が一体になった幼保連携施設としての**認定こども園**を定めた。この法律の第二条は漢字をまぜて「子ども」と書いて定義したが、認定こども園の「こども」はすべてひらがなである。文部科学省と厚生労働省が合同で幼保連携推進室を設置して認定こども園を推進するとともに、教育職員免許法による幼稚園教諭の免許と児童福祉法による保育士の資格が併有されることが多いという現状をさらに進めて、その一本化の可能性が検討されている。幼稚園の教育と保育所の保育は、教育学的に**保育**として本質的に同じものであり、幼稚園教育要領と保育所保育指針の内容の調整なども進んでいる。二〇一四（平成二六）年には内閣府と文部科学省と厚生労働省の共同の告示として**幼保連携型認定こども園教育・保育要領**が告示され、二〇一七（平成二九）年の幼稚園教育要領の全部改正と連動して全部改正された新しい幼保連携型認定こども園・保育要領（平成二十九年三月三十一日内閣府文部科学省厚生労働省告示第一号）が出された。認定こども園は、**幼保連携型認定こども園**と、幼稚園に保育時間を延長した幼稚園型認定こども園と、保育所の機能を拡充した保育所型認定こども園と、その他に地方自治体が認める地方裁量型認定こども園の四つに区分される。従来の幼稚園が時間を延長したり、保育所に両親の勤労などの条件を緩和して受け入れるという形になるが、幼稚園の教育と保育所の機能の両方の側面を明確に持ったのが幼保連携型認定こども園である。二〇二一（令和三）年四月一日現在の内閣府発表の認定こども園の総数は八五八五園にまで増えて、幼保連携型認定こども園が六〇九三園を占める。もちろん、実際には幼稚園も保育所も長い歴史と伝統があり、学問や法令の議論以前に、実態としての思想と慣行が存在しているわけで、実際に配分される補助金等の不安定さなど、現在の動向に対して違和感を持つ現場の意見があることもここで付記しないと不公平であろう。

国や地方公共団体が幼児期の教育を振興するにあたっては、「幼児の健やかな成長に資する良好な環境の整備その他適当な方法」が挙げられる。たとえば、それは公立の幼稚園や保育所の設置、私立の幼稚園や保育所の助成、認定こども園などの新しい施策の推進など多くの範囲に及ぶことになる。

次に社会教育についてである。

（社会教育）

第十二条　個人の要望や社会の要請にこたえ、社会において行われる教育は、国及び地方公共団体によって奨励されなければならない。

2　国及び地方公共団体は、図書館、博物館、公民館その他の社会教育施設の設置、学校の施設の利用、学習の機会及び情報の提供その他の適当な方法によって社会教育の振興に努めなければならない。

社会教育の規定は、旧法第七条を継承しているが、すでに第十条で見た家庭教育に関連して概念としては変更されている。旧法第七条第一項は社会教育を「家庭教育及び勤労の場所その他社会において行われる教育」としていたが、新法第十二条第一項は「個人の要望や社会の要請にこたえ、社会において行われる教育」とした。つまり家庭教育を社会教育の概念からは外し、さらに個人の要望や社会の要請という学習者の主体性を示す文言を加えたことになる。家庭教育は保護者が教育者なので国や地方公共団体は支援という形でかかわるが、それ以外の社会教育では国や地方自治体も社会教育施設の設置などを行うので、最後の「国及び地方公共団体によって奨励されなければならない。」という従来からの文言とも整合性がある。

第二項では「国及び地方公共団体」という主語と、「努めなければならない。」という努力義務の述語の関係は旧法と変化がないが、「社会教育の振興」という言葉で国及び地方公共団体が行う内容についての明確化がなされている。旧法第七条第二項は、「図書館、博物館、公民館等の施設の設置、学校の施設の利用その他適当な方法によつて」と「等」や「その他」と含みを持ちつつ四つを明記したが、新法第十二条第二項は「図書館、博物館、公民館その他の社会教育施設の設置、学校の施設の利用、学習の機会及び情報の提供その他の適当な方法によって」となった。図書館、博物館、公民館とその他を包括して**社会教育施設**という概念で広く規定し、また、学校施設に続いて、「学習の機会及び情報の提供」を加えて多様な可能性を明示した。

社会教育法、博物館法、図書館法などはすでに第14章で説明したので重複を避けるが、近年に制定された社会教育分野の法律を挙げておく。**音楽文化振興法**と呼ばれる「音楽文化の振興のための学習環境の整備等に関する法律」（平成六年十一月二十五日法律第百七号）が第三条で「広く国民があらゆる機会とあらゆる場所において自主的にその個性に応じて音楽学習を行うことができるような諸条件の体系的な整備」を定めた。また、スポーツ振興法（昭和三十六年六月十六日法律第百四十一号）を全部改正して、「スポーツは、世界共通の人類の文化である。」との前文をつけて**スポーツ基本法**（平成二十三年六月二十四日法律第七十八号）が公布された。この第二条で「国民が生涯にわたりあらゆる機会とあらゆる場所において、自主的かつ自律的にその適性及び健康状態に応じて行うことができるようにすること」として生涯学習としてのスポーツを位置づけている。さらに障害者やスポーツ選手についても留意して、総合的で計画的なスポーツの法律となっている。厚生労働省が所管するものであるが、職業能力開発促進法（昭和四十四年七月十八日法律第六十四号）もこうした社会教育の意義を持つ法律である。

家庭教育や社会教育と学校教育の関係は重要であり、これが第十三条に連続する。

（学校、家庭及び地域住民等の相互の連携協力）

第十三条　学校、家庭及び地域住民その他の関係者は、教育におけるそれぞれの役割と責任を自覚するとともに、相互の連携及び協力に努めるものとする。

学校・家庭・地域の連携協力を定めた第十三条は新たに追加された条文である。二〇一九（平成三一）年度からの教職課程では、**学校と地域との連携**が必ず学ぶべき事項になるので、第28章でも実践的に再論する。いま、学校と地域との連携や、学校・家庭・地域の連携協力と書いたが、よく読むと主語は、「学校、家庭及び地域住民その他の関係者」となっていて、機関や法人ではなく人間である。具体的には学校教職員、保護者、地域住民といった人々である。人間だから「教育におけるそれぞれの役割と責任を自覚する」と言うことができる。そしてその人間に「相互の連携及び協力に努めるものとする。」という連携協力の努力義務が課されていることになる。関係者の自覚に関する規定だから、「努めるものとする。」という努力義務である。

法律はその文言自体を通常の言葉として読み取ることが法令解釈の原則であるが、努力義務だけで読み取るとわかりにくいかもしれない。そこで、学校や家庭や地域それぞれの教育の機能からその連携協力を読み取るのがよい。学校については、一八七二（明治五）年の学制の頃から地域や家庭に支えられて成立したのであり、古い言葉で「父兄会」などが学校で結成されることも多かった。戦後教育改革のなかでアメリカの**PTA**（両親と教師の会、parent-teacher association）が紹介されて普及していき、一九五二（昭和二七）年に日本PTA全国協議会が結成された。また一九九八（平成一〇）年九月二一日の中央教育審議会答申「今後の地方教育行政の在り方について」では、校長の求めに応じて意見を述べる学校教員以外の有識者として**学校評議員**が提起された。これを受けて二〇〇〇（平成一二）年一月には学校教育法施行規則が改正されて幼稚園から高等学校、特別支援学校までの学校に学校評議員を置くことができることになり、四月一日から実施された。また二〇〇四（平成一六）年からは、「地方教育行政の組織及び運営に関する法律」の一部改正（平成十六年六月九日法律第九十一号）により、第四十七条の五に規定する**学校運営協議会**を置くことができることになった。教育委員会が公立学校を指定学校として、地域住民や保護者を委員に任命するもので、アメリカの**コミュニティ・スクール**をモデルに考えた制度であり、第28章に詳述する。学校運営協議会は校長が編成する教育課程を承認したり、様々な意見を述べたりすることができる。この制度の充実は、二〇一五（平成二七）年一二月二一日に中央教育審議会答申「新しい時代の教育や地方創生の実現に向けた学校と地域の連携・協働の在り方と今後の推進方策について」として、二〇一五（平成二七）年四月段階で二三八九校にまで増加した学校運営協議会を置く学校、つまりコミュニティ・スクールを推進するため、地域住民と学校をつなぐ**地域学校協働本部**を置くことなどを提唱した。

また教育基本法全部改正を受けた二〇〇七（平成一九）年六月の学校教育法改正では、新たに次の条項が追加された。

学校教育法（昭和二十二年三月三十一日法律第二十六号）

第四十二条　小学校は、文部科学大臣の定めるところにより当該小学校の教育活動その他の学校運営の状況について評価を行い、その結果に基づき学校運営の改善を図るため必要な措置を講ずることにより、その教育水準の向上に努めなければならない。

第四十三条　小学校は、当該小学校に関する保護者及び地域住民その他の関係者の理解を深めるとともに、これらの者との連携及び協力の推進に資するため、当該小学校の教育活動その他の学校運営の状況に関する情報を積極的に提供するものとする。

第四十二条は**学校評価**、第四十三条は**情報提供**あるいは情報公表について定めている。別に詳細な法令の定めがある大学を除いて、この小学校の規定がすべての一条校と専修学校、各種学校にまで適用されている。学校評価では、学校教育法施行規則第六十六条に定める自己評価と第六十七条に定める保護者などの関係者評価をまとめて公表することになる。さらに情報提供としては、学校運営に関する基礎情報を印刷物やインターネットなどを通じ公表することが求められている。

こうした制度上の整備と、学校による保護者や地域社会に広く開かれた活動は、学校の教育について保護者や地域住民が関心を高め、積極的に連携協力をしていく基盤となるものとして評価できる。

もちろん一方では、学校教員からは児童生徒のための教育の時間に加えてこうした情報管理や公表のための膨大な労力が必要となるという矛盾を聞いたり、保護者や地域住民からはボランタリーな学校への協力が義務のように語られることへの嫌悪感を聞いたりすることも、残念ながら少なくない。こうした矛盾を抱えながらも、学校教育が学校と保護者、地域住民の連携協力によって成立するものであることは確かであり、また学校教育が児童生徒にとどまらず保護者や地域住民に情報や学習の機会を提供することも生涯学習社会において重要な機能である。**総合的な学習の時間**では、多くの体験学習において、保護者や地域住民の参加によって学校教員だけでは不可能な豊かな内容が可能となっており、こうした現場の努力の積み重ねがより大きな教育の可能性を切り開いていくであろう(1)。

第二節　政治教育と宗教教育

政治教育を規定した旧法第八条は、第一項の「これを」という漢文訓読調を改めるほかは、変更なく新法に継承された。

（政治教育）
第十四条　良識ある公民として必要な政治的教養は、教育上尊重されなければならない。
2　法律に定める学校は、特定の政党を支持し、又はこれに反対するための政治教育その他政治的活動をしてはならない。

第14章で**政治的教養**の尊重と、**政治的中立**の重要性、教育公務員特例法における政治的行為の制限を説明したので、ここでは重複を避ける。第一項が学校教育だけでなく、広く教育一般に関する規定であり、第二項が学校教育法第一条に定める学校の規定であることは確認しておきたい。何度か述べたが、教育基本法全部改正後の最大の変化は、二〇一五（平成二七）年に公職選挙法（昭和二十五年四月十五日法律第百号）が改正されて、**十八歳選挙権**となったことである。文部科学省は二〇一五（平成二七）年一〇月二七日に「高等学校等における政治的教養の教育と高等学校等の生徒による政治的活動等について（通知）」（二七文科初第九三三号）を初等中等教育局長から各都道府県教育委員会などに送って、学校の政治的中立性を確保しつつ、政治的教養を位置づけて模擬選挙や模擬議会なども推奨した。従来、高等学校生徒の学外の政治活動まで学校が一律に禁止したり、過度に干渉したりする事例があった。しかしこうした指導が行き過ぎると学校が日本国憲法や公職選挙法に定めた国民の権利を侵害したり、教育基本法の定める政治的中立を侵害したりする危険性もあるため、慎重に行う必要がある。

宗教教育を規定した旧法第九条は、第一項の「これを」という漢文訓読調を改めるほかは、「宗教に関する一般的な教養」の文言の追加がされて、新法に継承された。

（宗教教育）

第十五条　宗教に関する寛容の態度、宗教に関する一般的な教養及び宗教の社会生活における地位は、教育上尊重されなければならない。

2　国及び地方公共団体が設置する学校は、特定の宗教のための宗教教育その他宗教的活動をしてはならない。

こちらも第14章で**宗教的寛容**、**宗教の社会生活における地位**の尊重について説明したので、ここでは重複を避ける。第一項が学校教育だけではなく、広く教育一般に関する規定であり、第二項は学校教育法第一条に定める学校のうち、国公立の学校の規定であることは確認しておきたい。宗教的情操をめぐる問題は、第14章や『道徳科教育講義』（武蔵野美術大学出版局）でも論じたが、教育基本法全部改正にあたっても、すべての宗教に共通する情操なるものを国公立の学校でも教育できるという実態を伴わない主張がなされた局面もあったが、そうした混乱が回避されて、**宗教**

に関する一般的な教養という概念が追加されたことを宗教教育を専門とする研究者としては評価したいと考えている。宗教に関する一般的な教養は、様々な文化や歴史に関する知識であるとともに、寛容や互いの立場の尊重のためにも不可欠のものである。

この宗教教育に関しては、美術教育を担うことになる武蔵野美術大学の学生に、講義で述べていることを付け加えておく。宗教教育に関するセンスを研ぎ澄ますことは、価値観や感情にかかわる美術教育においては非常に重要である。東西の歴史的な美術作品で宗教に関係のない作品を探すことが困難なほど、美術の鑑賞の授業では宗教教育と深く関係することになる。このときに重要なことは日本国憲法に記された信教の自由や教育基本法に記された原則にきちんと留意して教育にあたることである。宗教に触れないことではなく、原則を踏まえて正々堂々と宗教に触れることである。宗教に関する一般的な教養は教師にとっても必要だし、それを児童生徒が豊かに持つことが求められる。ただ歴史の知識だけではなく美術鑑賞の授業では、作者の感情や、鑑賞者の感情が重要になる。このときに、作者の宗教観に対して、鑑賞者には当然に賛否や共感、違和感など様々な感情が起こることになる。共感するのも、共感しないのも作品鑑賞としては大切なことである。さらに宗教的寛容の精神を理解して、信じる者も信じない者も、お互いの異なる心情や立場を理解し合えるようにすることが大切である。また、教育にあたっては宗教の社会生活における地位も十分に配慮しておく必要がある。このときに一般的な常識を考えるだけではなく、少数であっても児童生徒あるいは保護者の考え方を尊重することが大切である。神社や寺院など宗教施設にある文化財の鑑賞においては、それを保存する宗教者や信者に対する敬意が必要であり、迷惑を掛けないようにしなければならない。また児童生徒のなかには、そういう施設に入ることを拒否する者がいるなど、様々な価値観や感情がある。こうした一人ひとりの立場も尊重して配慮しなければならない。教師が生半可な知識から、これはすべての宗教に通用するから全員に強制できるといった発想が宗教的情操論から主張されることがあるが、宗教に関する知識の欠如から発生した混乱であろう。

宗教についてはそれぞれが違った価値観や感情を持っているという前提からスタートする必要がある。その違いを理解した上で、互いが寛容に他者を理解して、そのことにより知識と情操をいっそう豊かにすることが、学校において行う宗教教育の眼目である。

少々長いお説教になったかもしれないが、二一世紀において多文化教育が強調されるなか、各教科を通じて大切な事項であると思うので、強調しておく。

第三節　教育行政

「第三章　教育行政」として、旧法第十条の一部を継承しながらも、基本的には趣旨が変更されていると考えられるのが、新法の第十六条と第十七条である。

（教育行政）

第十六条　教育は、不当な支配に服することなく、この法律及び他の法律の定めるところにより行われるべきものであり、教育行政は、国と地方公共団体との適切な役割分担及び相互の協力の下、公正かつ適正に行われなければならない。

2　国は、全国的な教育の機会均等と教育水準の維持向上を図るため、教育に関する施策を総合的に策定し、実施しなければならない。

3　地方公共団体は、その地域における教育の振興を図るため、その実情に応じた教育に関する施策を策定し、実施しなければならない。

4　国及び地方公共団体は、教育が円滑かつ継続的に実施されるよう、必要な財政上の措置を講じなければならない。

教育行政に関する規定は、国や地方公共団体が行う教育に関する行政の基本について定めている。ただし、第一項の前半の主語は「教育」となっており、教育一般についての規定である。「教育は、不当な支配に服することなく」までは、第14章で見た旧法第十条の規定をそのまま継承している。**不当な支配**とは、法律以前に人類の営みとしてある教育に力を及ぼして筋道を外させる行為であり、法律においては日本国憲法や教育基本法が規定したものを侵害する支配と解釈することができる。**教育権の独立**が教育基本法の基本的な考えであるとすれば、あらゆる個人、団体、機関などが不当な支配を行いうる危険性がある。旧法第十条はこの不当な支配を排除するために、「国民全体に対し直接に責任を負つて行われるべきものである。」として教育者の責務を明らかにした。これに対して新法は、「この法律及び他の法律の定めるところにより行われるべきものであり、」と規定している。第14章で述べたとおり戦後の教育行政の最大の変化は、教育の勅令主義から教育の**法律主義**への変化であり、天皇の命令ではなく、国民の代表による国会で定められた法律をもって教育のルールを定めることが、旧法以後の原則となり現在に至っている。不当な支配とは日本国憲法や教育基本法などの法律で定めた教育を侵害するものであると考えると、新法の規定はまさしく法律主義の原則を明文で定めたものであると解釈できる。しかしながら、旧法の規定は、教育のすべてが法律で定められるものではないため、教育権の独立のもとに教育者が「国民全体に対し直接に責任を負つて」行うことで不当な支配の排除を規定したものであると考えると、**法令遵守**《じゅんしゅ》やコンプライアンスと呼ばれる法令を守るという側面に、狭く解釈したものと言える。いずれにせよ日本国憲法は、第八十一条に定めた最高裁判所の違憲立法審査権の規定をはじめ、法律が憲法に違反する可能性や、新たに法律が改正される可能性を前提にして法令の体系を構成している。わかりやすく言うと、悪法があれば改めるという当然の原則である。こうした原則のうえで法律をよりどころにして論じるならば、教育の法律主義も法令遵守も不当な支配を防ぐための当然の前提として考えることができる。問題は、本条及び第十七条に定める教育行政と施策も含めて、それが不当な支配とならないように注意深く運用することである。

第一項の後半は、文章は連続しながらも主語が「教育行政」と転換しており、国や地方公共団体による教育行政の規定となっている。「国と地方公共団体との適切な役割分担及び相互の協力の下、」という文言は、すでに第五条第三項の義務教育に関する規定に登場したものとほぼ同文である。第18章で述べたとおり、国、都道府県、市町村などの役割や規模に応じて必要な役割分担や相互の協力が求められる。義務教育のみならず、他の教育行政でも同じことが言える。続いて「公正かつ適正に行われなければならない。」とある。公正で適正であるべきことは当然であるが、教育行政もまた不当な支配となる可能性があるから、「公正かつ適正」を、「不当な支配」の反対の言葉として記しているいると理解できる。

このように考えると、第一項全体を通して、不当な支配をなくすために、教育の法律主義や法令遵守の原則を記して、さらに教育行政にもまた不当な支配とならないための公正性や適正性を求めたものと解釈できる。もちろん、不当な支配の防止のために、教育者の直接の責任つまり現場の努力に期待していた旧法に対して、法律主義や法令遵守を求めた新法は実際のプロセスにおいて大きな変更があったと言えよう。

第二項は新しい規定であり、国の教育施策について定める。具体的には文部科学省が所管して行うものとなる。「全国的な教育の機会均等と教育水準の維持向上を図る」ことが目指されることになる。また「教育に関する施策を総合的に策定」することとその実施が求められ、これが第十七条第一項につながる。

第三項も新しい規定であり、地方公共団体の教育施策について定める。具体的には地方公共団体ごとの教育委員会が所管して行うものとなり、「その地域における教育の振興を図る」ことが目指されることになる。また「その実情に応じた教育に関する施策を策定」することとその実施が求められ、これが第十七条第二項につながる。

第四項は、「国及び地方公共団体は、」と双方を主語として、「教育が円滑かつ継続的に実施される」ことを目指して、「必要な財政上の措置を講じなければならない。」ことが定められている。このために国や地方自治体の財政から教育に関する経費が支出されることになる。

旧法第十条第二項では、「諸条件の整備確立」という用語から、教育の**内的事項**と**外的事項**を区別した。すなわち、教育者が直接に責任を持つ教育内容などの内的事項に対して、教育行政の範囲を諸条件の整備確立などの外的事項と呼ばれる範囲に限定する解釈が成立した。これに対して、実態としては学校教育法には学校ごとの目的や目標が明記され、学校種別ごとの設置基準が文部科学省令で定められ、また学習指導要領などの全国的な教育課程にかかわる基準が告示されるなど、すでに、「全国的な教育の機会均等と教育水準の維持向上を図る」ことが文部科学行政の基本となっていた。新法はこうした現実を反映して旧法の規定を変更したものと理解できる。第二項の教育の機会均等や第四項の財政にかかわるものは、外的事項であるが、第二項の教育水準の維持向上と第三項については教育の内的事項が含まれていると考えられる。しかしながら、国や地方公共団体が策定する「教育に関する施策」は、教育基本法や他の法律にのっとった公正かつ適正なものでなければならない。教育に関する内的事項は、ここまでの教育基本法の規定を見ても、学校教育、家庭教育、社会教育ともに教育者と学習者に対して繊細な配慮が求められるものであり、行政施策が不当な支配とならないことが常に注意して行われるべきものである。

第十六条第二項及び第三項の教育に関する施策のうち、**教育振興基本計画**として策定されるものが、次に規定される。

（教育振興基本計画）

第十七条　政府は、教育の振興に関する施策の総合的かつ計画的な推進を図るため、教育の振興に関する施策についての基本的な方針及び講ずべき施策その他必要な事項について、基本的な計画を定め、これを国会に報告するとともに、公表しなければならない。

2　地方公共団体は、前項の計画を参酌し、その地域の実情に応じ、当該地方公共団体における教育の振興のための施策に関する基本的な計画を定めるよう努めなければならない。

第一項は政府の定める教育振興基本計画について定めている。ここでは「教育の振興に関する施策の総合的かつ計画的な推進を図る」ことが目指されている。第十六条第二項では、「教育に関する施策を総合的に策定」するとあったので、第十七条はそのうち、「振興」に関する事項であり、また「計画的な」施策である。そして、「教育の振興に関する施策についての基本的な方針及び講ずべき施策その他必要な事項」が盛り込まれたのが、教育振興基本計画ということになる。新法で**振興**という文言が使われたのは、他に前文、第八条（私立学校）、第十一条（幼児期の教育）、第十二条（社会教育）、第十六条（教育行政）であるが、第十六条に定めた「全国的な教育の機会均等と教育水準の維持向上」に関する事項も含めて、政府としての教育施策の全般にわたる内容ということになる。新法では教育の内的事項と外的事項の区別は見えにくくなったが、この外的事項の条件整備を中心にした振興という言葉によって、教育行政の外的事項を中心にした分担は継承されているとも解釈できる。

私は教育法令を文言から読み取るときに、主語と述語を明確に意識することが肝要だと思う。この第一項の異質さは、この視点で明白になる。他の箇所での主語は「国」が多用されたが、ここでは「政府」なのである。国と区別される政府という概念は、言うまでもなく日本国憲法が前提にする三権分立論で読み取らなければならない。「政府」

という主語を受ける述語は、「定め」であり、さらに「これを国会に報告するとともに、公表しなければならない。」と続く。わかりやすく言うと、政府が行うことは、教育振興基本計画を定めること、国会に報告すること、公表することである。国会は報告を受ける立場である。議院内閣制なのだから政府は国民の選んだ国会議員から内閣総理大臣が互選されるわけだが、三権分立からすると政府の有する行政権の範囲で教育振興基本計画は策定することができ、国会の議決などは不要ということになるために、教育基本法第十七条第一項が定めた政府の権限は大きなものと見ることができる。しかし一方で、これは政府の方針として国会に報告されて国民に公表されただけの政策文書ということになり、法的拘束力や予算を伴う執行力を持つためには、別に政府が国会に法律案や予算を提出して法律を定めたり予算を通したりするしかない。そうすると今度は逆に、教育振興基本計画自体の位置づけの重さに疑問が与えられることにもなる。つまり、教育振興基本計画は、否定的に、法的拘束力も予算的な執行力もない方針と施策を報告して公表するための文書と言いうる。もちろんオープンにしていく肯定的な意味は大きい。

教育振興基本計画は、教育改革国民会議が、二〇〇〇（平成一二）年一二月二二日に示した「教育改革国民会議報告　教育を変える一七の提案」において教育基本法の見直しとあわせて提起したものであった。これを受けて二〇〇一（平成一三）年一一月二六日に文部科学大臣から中央教育審議会に対して教育基本法と教育振興基本計画の審議とあわせて諮問され、中央教育審議会は二〇〇三（平成一五）年三月二〇日に「新しい時代にふさわしい教育基本法と教育振興基本計画の在り方について」を答申するさいに、教育振興基本計画を五年の期間とするなどの方向性を提示した。そして教育基本法の全部改正を受けて、二〇〇八（平成二〇）年四月一八日に中央教育審議会答申「教育振興基本計画について～「教育立国」の実現に向けて～」が提出された。政府はこれを受けて、七月一日に閣議決定として二〇一二（平成二四）年度までの五年間の「教育振興基本計画」を定めた。政府の決定であるから、内閣総理大臣ほか国務大臣らの出席する閣議を開いて、閣議決定という形態をとる。

このように考えると第十七条第一項から読み取れる、政府が専決できる基本計画という規定に反して、閣議決定の文書をつくるに先立って中央教育審議会等で長期にわたる審議を行うために慎重な文書となり、また総合的な計画文書としての性格から文部科学省の政策課題を網羅した総花的な文書となっている。この**第一期教育振興基本計画**は、「教育立国」という提起を行って、今後一〇年間を通じて目指すべき教育の姿として、義務教育修了までにすべての子どもに自立して社会で生きていく基礎を育てることと、社会を支え発展させるとともに国際社会をリードする人材を育てるということの二つの課題を提起した。さらに五年間の総合的・計画的に取り組むべき施策として、四つの基本的方向を示した。基本的方向一として社会全体で教育の向上に取り組むこと、基本的方向二として個性を尊重しつつ能力を伸ばし個人として社会の一員として生きる基盤を育てること、基本的方向三として教養と専門性を備えた知性豊かな人間を養成し社会の発展を支えること、基本的方向四として子どもたちの安全・安心を確保するとともに質の高い教育環境を整備することである。さらにこの第一期教育振興基本計画に盛り込まれた施策は全部で七七項目にのぼった。

実際にはこの計画は、中央教育審議会答申や法律改正が多くの世間と教育界の注目を浴びたのに対して、この五年間に政策検討や世論に大きな影響を与えたものとは思えない。これは総合的な計画文書としての宿命とも言える。また、政権交代があって政府の政策と前政権の閣議決定との間に差異があったというのが事実であろう。

第二期教育振興基本計画は、二〇一一（平成二三）年六月六日に中央教育審議会に諮問され、二〇一三（平成二五）年四月二〇日に答申され、二〇一三（平成二五）年度から五年間の計画として同年六月一四日に閣議決定された。このときも、政権交代の影響から実施するべき四月一日に間に合わなかった。「自立」「協働」「創造」を基軸とした新たな社会モデルを実現するための生涯学習社会の構築を旗印としたものである。

第三期教育振興基本計画は、二〇一六（平成二八）年四月二八日に中央教育審議会に諮問され、二〇一八（平成三〇）

年三月八日に答申され、二〇一八年度からの五年間のものとして二〇一八年六月一五日に閣議決定された。人生一〇〇年時代における生涯を通じた学びの機会の保障など、二〇三〇年以降の社会の変化を見据えた課題解決に向けた教育政策の基本として検討された。

第四期教育振興基本計画は、二〇二二（令和四）年二月七日に、二〇四〇年以降の社会を見越して一人ひとりの人間が中心となるという超スマート社会（Society 5.0）などをキーワードに諮問され、二〇二三（令和五）年度からの五年間のものとして、本書改訂の二〇二三年一月現在は中央教育審議会において審議中である。同年に答申を受けて、閣議決定となる予定である。

第二項は「地方公共団体」を主語として、「前項の計画を参酌し、」つまり政府による教育振興基本計画を勘案して、「その地域の実情に応じ、」という条件を踏まえて、「当該地方公共団体における教育の振興のための施策に関する基本的な計画」を定めることとなっている。こちらは主語が地方公共団体となっており、首長と議会との関係が不明である。また、地方の実情に応じた教育振興基本計画を定めることが「定めるよう努めなければならない。」という努力義務として規定されている。第一期教育振興基本計画同様に今後も国の計画が五年の期間で定められるとすると、地方公共団体がそれを参酌するという点にも困難がある。

東京都では、二〇〇八（平成二〇）年五月二二日に東京都教育委員会が策定した「東京都教育ビジョン（第二次）」を教育振興基本計画として位置づけ、現在は二〇一九（平成三一）年度からの五年間の「東京都教育ビジョン（第四次）」が決定されている。法令の規定はあくまでも努力義務であるが、都道府県、市町村も制定が進んでいる。

国でも地方でも、教育振興基本計画は多くの問題をかかえているが、方針や施策が国民や住民に見えるようにする点でも意義があるので、今後の取り組みが注目される。

第四節　法令の制定と附則

「第四章　法令の制定」では次のとおり規定している。

第十八条　この法律に規定する諸条項を実施するため、必要な法令が制定されなければならない。

この規定は、文言は若干異なるが、旧法第十一条を継承した内容である。この規定によって教育関係の法令が教育基本法の定める目的などに依拠して制定されることになる。法律は一般に後からできた法律が、先にあった法律を明示して改正したり、明示はしなくても後法優位の原則と言われる解釈論に基づいて優先したりする。しかしこの第十八条の存在によって教育基本法を改正しない限りは後からできた教育に関する法律もこの教育基本法を施行するために制定された法律として位置づけられるので、教育基本法が上位の法として解釈される。

続いて附則をあげる。法令集などで附則第二項以下を削除したものが多いので、歴史的文書として第二項と第三項も掲載しておく。

附　則

（施行期日）

1　この法律は、公布の日から施行する。

（社会教育法等の一部改正）

2　次に掲げる法律の規定中「教育基本法（昭和二十二年法律第二十五号）」を「教育基本法（平成十八年法律第百二十号）」に改める。

一　社会教育法（昭和二十四年法律第二百七号）第一条

二　産業教育振興法（昭和二十六年法律第二百二十八号）第一条

三　理科教育振興法（昭和二十八年法律第百八十六号）第一条

四　高等学校の定時制教育及び通信教育振興法（昭和二十八年法律第二百三十八号）第一条

五　義務教育諸学校における教育の政治的中立の確保に関する臨時措置法（昭和二十九年法律第百五十七号）第一条

六　国立大学法人法（平成十五年法律第百十二号）第三十七条第一項

七　独立行政法人国立高等専門学校機構法（平成十五年法律第百十三号）第十六条

（放送大学学園法及び構造改革特別区域法の一部改正）

3　次に掲げる法律の規定中「教育基本法（昭和二十二年法律第二十五号）第九条第二項」を「教育基本法（平成十八年法律第百二十号）第十五条第二項」に改める。

一　放送大学学園法（平成十四年法律第百五十六号）第十八条

二　構造改革特別区域法（平成十四年法律第百八十九号）第二十条第十七項

附則第一項は公布日に即日施行することを定めたものである。これは旧法でも同様であった。旧法は最初にできた法律であるために、それ以前にその法律を引用した法令は当然になかったが、教育基本法はその法令名や条文を引用した法律がある。法律は法律によってしか改正されないので、附則という法律の一部で他の法律を改正したのである。

第二項に挙げられた全七号の法律は「教育基本法（昭和二十二年法律第二十五号）」と記した文言を「教育基本法（平成十八年法律第百二十号）」という文言に改めたものである。なお法律名には（ ）のなかに法令番号を記すが、法令番号は公布の年ごとに振られるので、公布月日は省略して年と法令の種類と番号だけが記される。第三項は国公立学校の宗教教育の制限を定めた旧法の第九条第二項の規定を引用した二つの法律を、新法の第十五条第二項に改めている。放送大学を設置する放送大学学園は放送大学学園法によって定められる事実上の国立大学であるが、その組織は私立学校法による学校法人であると規定されているので、私立と国公立で違いのある宗教教育の規定を国立同様に準用したのである。構造改革特別区域法の該当箇所は現在では第二十条第十八項だが、これも「公私立協力学校」という特例的な学校を認める場合は国公立学校同様に規定を準用したものである。

ここまで、全部改正を経た現在の教育基本法を逐条的に検討してきた。各種答申や国会審議、旧法の段階で蓄積された判例や学説など解釈に当たって検討するべき資料は非常に多いが、まずは文言と主要な関係法令に限って解説を行った。ここまで述べた内容をもとにこれからは、現在の教育制度について検討する。

（1）　高橋陽一編『総合学習とアート』武蔵野美術大学出版局、二〇一九年。

第20章　義務教育の原則

義務教育とは何か。これまで法律についても歴史についても何度も出てきた内容であるが、現在も義務教育の原則の徹底が求められていることは、二〇一七（平成二九）年に不登校の子どもや夜間中学で学ぶ成人の支援を定めた**教育機会確保法**と略称される「義務教育の段階における普通教育に相当する教育の機会の確保等に関する法律」（平成二十八年十二月十四日法律第百五号）の登場でも明らかである。

この章では、ここまでの歴史と法律の内容を振り返って義務教育の原則を確認し、次に第21章では原則の例外をめぐる問題を検討し、さらに第22章では現代的な課題としての不登校などの対応を検討する。

第一節　現在の義務教育の原則

現在の法律に基づいて、**義務教育**についての原則を整理しよう。ここは第18章などの再確認であるから、法令のみを挙げていく。現在の最も上位の規定は、憲法に次のように記されている。

日本国憲法（昭和二十一年十一月三日憲法）

第二十六条　すべて国民は、法律の定めるところにより、その能力に応じて、ひとしく教育を受ける権利を有する。

２　すべて国民は、法律の定めるところにより、その保護する子女に普通教育を受けさせる義務を負ふ。義務教育は、これを無償とする。

日本国憲法第二十六条は第一項ですべての国民の**教育を受ける権利**、あるいは**教育権**を定める。これが同時に能力に応じて平等に保障された**教育の機会均等**の規定である。第二項が、親権を有する父母などの保護者が子どもに学校へ就学できるようにする**就学義務**による義務教育の規定である。これを受けて、教育基本法の第四条の教育の機会均等と第五条の義務教育が規定される。

教育基本法（平成十八年十二月二十二日法律第百二十号）

（教育の機会均等）

第四条　すべて国民は、ひとしく、その能力に応じた教育を受ける機会を与えられなければならず、人種、信条、性別、社会的身分、経済的地位又は門地によって、教育上差別されない。

２　国及び地方公共団体は、障害のある者が、その障害の状態に応じ、十分な教育を受けられるよう、教育上必要な支援を講じなければならない。

３　国及び地方公共団体は、能力があるにもかかわらず、経済的理由によって修学が困難な者に対して、奨学の措置を講じなければならない。

（義務教育）

第五条　国民は、その保護する子に、別に法律で定めるところにより、普通教育を受けさせる義務を負う。

２　義務教育として行われる普通教育は、各個人の有する能力を伸ばしつつ社会において自立的に生きる基礎を培い、また、国家及び社会の形成者として必要とされる基本的な資質を養うことを目的として行われるものとする。

3　国及び地方公共団体は、義務教育の機会を保障し、その水準を確保するため、適切な役割分担及び相互の協力の下、その実施に責任を負う。

4　国又は地方公共団体の設置する学校における義務教育については、授業料を徴収しない。

教育基本法は前章までに見たところだから、これからの記述の前提になる条文を掲げておくだけで十分であろう。憲法の規定を受けて第四条が教育の機会均等を定めており、第五条が義務教育を定める。この第五条第一項が「別に法律で定めるところにより」と記述した内容が、次の学校教育法の規定である。

学校教育法（昭和二十二年三月三十一日法律第二十六号）

第十六条　保護者（子に対して親権を行う者（親権を行う者のないときは、未成年後見人）をいう。以下同じ。）は、次条に定めるところにより、子に九年の普通教育を受けさせる義務を負う。

現在の法令の体系では、日本国憲法第二十六条第二項、教育基本法第五条第一項ときて、この三段階目の学校教育法第十六条ではじめて「九年」という年限が記される。三つの規定はともに主語は保護者たる国民であり、子どもは義務の主体ではなく義務教育の利益を受ける立場として記述される。就学義務とは保護者に課せられた義務であり、子どもの権利なのである。ここで「次条に定めるところ、」というのは、第十七条第一項で修業年限六年の小学校と、第二項で修業年限三年の中学校として定められるが、その条項の読解にはいくつかの説明を要するので、次節以降に述べる。

さて、保護者がこの義務に反するとどうなるか。学校教育法には次の規定がある。

第百四十四条　第十七条第一項又は第二項の義務の履行の督促を受け、なお履行しない者は、十万円以下の罰金に処する。

保護者に課された義務教育の義務は、努力義務ではなく必ず行うべき義務であり、さらに義務に反したときの罰則が学校教育法に記されているのである。もちろん罰金だけではなく、児童を放置して学校に就学させない場合などは児童虐待の可能性があるし、親権をめぐる責任を問われることになっていく。

しかしそうした親権放棄と言える問題以外にも、学校に就学ができない子どもたちがいる。そのことは次章以後にも検討するが、ここでは単純な問題を挙げておく。学校がないから就学できないという問題である。青年や成人ならば千里の道を遠しとせず遊学できても、子どもたちは通うための学校がないと就学できない。このために、学校教育法は、次のように規定する。

第三十八条　市町村は、その区域内にある学齢児童を就学させるに必要な小学校を設置しなければならない。

市町村に課せられた小学校の**設置義務**の規定である。この規定は中学校にも準用されている。学齢児童とはのちに確認する小学校の児童のことである。**準用**という言葉は、法令の他の箇所をそのまま、あるいは一部を読み替えて適用することである。学校教育法で中学校について定めた箇所の最後の第四十九条で「第三十条第二項、第三十一条、

第三十四条、第三十五条及び第三十七条から第四十四条までの規定は、中学校に準用する。」という文言がある。ほとんど暗号である。いや照合しないと意味が通じないという点では暗号そのものである。ただ、この不親切とも思える法令作成の技術があるおかげで、学校教育法がコンパクトになっていることも事実である。この準用という技術では読み替える言葉を明記することもあるが、「学齢児童」を「学齢生徒」に読み替えるといったことは記載されていなくても読み取らないといけない。確かに暗号である。

話を戻すと、この規定は日常の経験と合致する。小学校と中学校の多数は市町村立だったのだ。第18章に掲げた設置者別の人数をあらわした表7でも小学校と中学校は公立が際立っている。ただ、高校は公立でも都道府県立が一般的である。なぜ小中学校が市町村立かと言うと、明治期から現在に至るまで義務教育のための小学校などの設置の努力や義務の中心が市町村だったからである。

学校の設置義務は、保護者が就学義務を果たすための前提条件であり、子どもが就学する権利を享受するための前提条件である。学校がなければ学校に行けないという当たり前の話であり、第三十八条に「その区域内にある」と記した文言の意味は重い。その区域内にいるすべての学齢児童と学齢生徒を一人残らずという意味である。東京都の公立学校で意欲的に活躍している教員を大学に招いて経験談の講義をお願いすることが多いが、若い頃の離島や山間部などの経験談を伺うこともある。少人数の児童生徒を数人の教員で教育する話題は心を躍らせるが、市町村がその地域に学校を設置して、都道府県が教員を配置していくことが義務教育を成立させる前提なのである。

義務教育とは、父母その他の親権を有する保護者が子どもを学校に行けるようにする就学義務であるという第一義的な規定とともに、それが実現する前提として義務教育を行う学校が設置されなくてはならないという設置義務の重さを再確認しておきたい。

この設置義務の重さを感じるものとして、特別支援学校の設置義務がある。学校教育法は次のように規定する。

第八十条　都道府県は、その区域内にある学齢児童及び学齢生徒のうち、視覚障害者、聴覚障害者、知的障害者、肢体不自由者又は病弱者で、その障害が第七十五条の政令で定める程度のものを就学させるに必要な特別支援学校を設置しなければならない。

都道府県による**特別支援学校設置義務**の規定である。「第七十五条の政令で定める程度」とは、学校教育法第七十五条の規定により学校教育法施行令第二十二条の三で定める特別支援学校で対象とする障害の区分や程度である。都道府県は対象となる障害のある子どもたちが就学できるための特別支援学校を必ず設置しなければならない。特別支援学校が設置されてはじめて障害のある児童生徒の就学の権利が実現されるのである。

この規定は実は戦後において、設置義務の施行が滞って、保護者による就学義務、さらに障害のある子どもの就学の権利が保障されない経緯があった。学校教育法が一九四七（昭和二二）年に公布されたときには盲学校、聾学校、養護学校が規定されていた。視覚障害者や聴覚障害者の社会参加とその教育の歴史は古くからあり、盲学校と聾学校は日本の社会に定着していたから学校教育法は都道府県による盲学校と聾学校の設置義務を盛り込み、施行時期を政令（昭和二十三年四月七日政令第七十九号）で定めて一九四八（昭和二三）年四月から施行された。障害者の通学には困難が伴うし、また都道府県の面積に比して学校数は少ないので、現在の学校教育法第七十八条に定める寄宿舎の設置も求められた。しかし、知的障害者や肢体不自由者や病弱者などのための養護学校については設置義務が遅れて、障害の種類によって義務教育を受ける権利さえも制限されていたのである。これに対してようやく政令（昭和四十八年十一月二十日政令三百三十九号）により施行期日が定められて、一九七九（昭和五四）年四月一日からは**養護学校設置義務**も施行され、すべての障害のある児童生徒のための学校が整備された。

なお、養護学校設置義務は、当時は養護学校義務制と語られて、法令と実態についての誤解と混乱があったことも確かである。養護学校の設置義務は、保護者による就学義務の実行を可能とし、障害のある子どもの権利の保障のための前提の整備であるが、一律にすべての障害のある子どもが養護学校に入ることは意味しない。当時も就学自体に困難がある子ども、すでに通常の学校や通常の学級で学んでいる子どもなど、様々なケースがあった。こうした個別の実態を踏まえない法令であると理解されると、保護者にとっても教員にとっても不合理に思える。現在では、障害の種別やそれぞれのニーズに対応して、通常の学級や、通級指導、特別支援学級、特別支援学校などの選択肢を含めた**特別支援教育**という概念が法令上も確定した。そしてそれぞれのニーズに対応した教育を提供するためにも、地域の特別支援教育の**センター的機能**を持つ特別支援学校の設置義務には大きな意味がある。

ここまでの話を繰り返すと、あらゆる子どもが持っている教育を受ける権利を実現するために義務教育という制度があり、子どもの権利の保障のためには、第一義的に責任のある父母など親権を有する保護者の役割が求められるが、その制度的前提として、居住地域や障害という制限を乗り越えて、あらゆる子どもたちのための学校が必要となるのである。子どもが学校に行く義務があるのが義務教育だという誤解は、学校設置費や授業料を支払う義務を果たす能力を持たない子どもに義務を課することができないという義務論の初歩から間違えているのだが、子どもの権利としての義務教育というあり方を確認しておかないと陥りやすい誤りと言える。

第二節　義務教育の変遷

教育基本法と学校教育法に基づく現在の義務教育を見たうえで、ここでは第11章から第13章までの日本の教育の歴史を振り返り、巻末資料の学校系統図を見比べつつ、義務教育の制度がどうなっていたかを再確認していきたい。

一八七二（明治五）年の**学制**では、学制布告書によって、近世までの学校教育を批判して新しい実学の学校を打ち出して、「必す邑《いふ》に不学《ふがく》の戸《こ》なく家に不学の人なからしめん事を期す。」と述べた。小学校にあたる尋常小学は上級下級をあわせて八年間の学校だった。学制は**国民皆学**の思想であり、義務教育制度への流れをつくりだすが、あくまでも自己負担による教育の呼びかけであって、子どもの権利としての義務教育までには距離がある。

その後、**自由教育令**と言われた一八七九（明治一二）年の教育令は八年以下四年以上の修業年限の小学校を定めて、第十四条に「凡《およそ》児童学齢間少クトモ十六箇月間ハ普通教育ヲ受クヘシ」と述べ、第十五条に「学齢児童ヲ就学セシムルハ父母後見人等ノ責任タルヘシ」と、父母の責任としての小学校教育を規定した。これは父母後見人の「責任」として述べた点でも義務教育へと進めたものと評価できる。しかし年ごとの授業月数は四箇月以上、就学月数も合計一六箇月以上と下限が少なく、むしろ小学校教育を後退させるものとして判断された。このため一八八〇（明治一三）年に**改正教育令**と呼ばれた教育令が出されて、第十五条に「父母後見人等ハ学齢児童ノ小学科三年ノ課程ヲ卒《おわ》ラサル間已《や》ムヲ得サル事故アルニアラサレハ少クトモ毎年十六週以上就学セシメサルヘカラス」と定めた。父母後見人に子どもの就学を「セシメサルヘカラス」とした表現は、大きく義務教育へと近づいている。ただしこの規定も最低三年間で毎年一六週間ずつとなって、実は自由教育令よりも改正教育令は下限を引き下げているのである。

これに対して、初代文部大臣森有礼《もりありのり》は諸学校令と呼ばれた教育の勅令を整備した。一八八六（明治一九）年の**小学校令**は、はじめて義務という言葉を使って、保護者による**就学義務**を明記した。第三条には、「児童六年ヨリ十四年ニ至ル八箇年ヲ以テ学齢トシ父母後見人等ハ其学齢児童ヲシテ普通教育ヲ得セシムルノ義務アルモノトス」とし、さらに第四条には、「父母後見人等ハ其学齢児童ノ尋常小学科ヲ卒《おわ》ラサル間ハ就学セシムヘシ」とした。こうして四年間の尋常小学校が終わるまで、六歳から一四歳になるまでの八年の学齢期間において子どもは就学できることになる。

ここで基本として確立した就学義務が、年限や例外に関する規定を変化させながら今日の義務教育の規定まで続くことになる。森有礼は、父母後見人つまり現在の言葉で言う保護者が、子弟つまり子どもに教育を受けさせる義務があることを理解していたが、同時に国家に対しても子弟を教育する義務があるという表現も使っていた。この発想は、法令で規定されたものではないが、近代の社会教育や学校教育の場では、国民の**三大義務**という表現で、教育と兵役と納税の三つを挙げて説明されていた。徴兵制がなくなった戦後でも教育と納税と勤労の三つを三大義務と言うことがあるが、これも三つだけを特に列記する法的根拠はどこにもない。ただし、納税や兵役のような国家に対する国民の義務と並べることで、親権を有する者が子どもの教育を実現する就学義務としての義務教育という第一義的なあり方が軽視されて、国家に対する義務と誤解される。ひいては子どもに学校に行く義務があるかのような誤解が生じるのである。

その後、義務教育の場としての小学校は、一八九〇（明治二三）年の小学校令では三年または四年の尋常小学校と改められた。さらに一九〇〇（明治三三）年の小学校令の一部改正で尋常小学校は四年制となり、市町村立尋常小学校の授業料が原則として廃止された。またこのときに、市町村による小学校の設置義務が明記された。そして一九〇七（明治四〇）年の小学校令一部改正では、尋常小学校を**六年制**として義務教育期間を延長した。今日に至る小学校六年制の始まりである。

このほか、一九三九（昭和一四）年に青年学校令が改められ、男子のみ満一二歳から一九歳まで普通科二年と本科五年の青年学校に就学するという**青年学校男子義務制**が実施された。これは兵役前の男子青年に対する軍事教練が多くを占めるものであり、青年の学習権の保障と言うよりも国家のための兵役の準備訓練であった。一九四一（昭和一六）年の**国民学校令**は尋常小学校に代わる国民学校初等科六年のほか、高等科二年も義務教育とする規定であったが、高等科の義務制施行前に終戦と戦後教育改革を迎えることになった。

駆け足で近代日本の義務教育の変遷を見てきたが、この義務教育制度の整備や小学校の修業年限の延長のうえに、日本国憲法と教育基本法の保障する義務教育が存在するのである。歴史のなかで、設置義務は就学義務よりも遅れたし、養護学校の設置義務は一九七九（昭和五四）年になってはじめて実現したことも忘れがたい事実である。

第三節　学齢と学齢簿

さてここまでの話で、義務教育の小学校などの修業年限や、学齢という言葉が何度か出てきた。この二つの言葉は、同じようであるが、実は異なる。

修業年限とは、学校や課程に即して在学するべき年限である。今の学校制度を六・三・三・四制と言うときは、小学校、中学校、高等学校、大学の修業年限を表示している。**学齢**とは、学校に就学することになっている年齢期間である。義務教育の学校に就学するべき期間であるが、その学校の修業年限が学齢の期間より短い場合は、学齢の最後を迎える前にその学校を卒業することもある。

一八七二（明治五）年の学制では、一八七五（明治八）年一月八日の文部省布達によって満六歳から満一四歳までを小学学齢と定めた。この八年間が、学齢の規定の始まりであり、その後も長く踏襲される。学制の下等小学と上等小学を合わせると合計八年間の修業年限だから学齢と一致するが、実際は厳しい試験によって落第が続出するから、八年間在学しても全員が八年の課程すべてを修了できるわけではない。またその後に義務教育へと移行して修業年限が三年、四年さらに六年制の尋常小学校となっても、学齢は八年間であった。これは確かに就学率が低く、同年齢の子どもが一斉に一年生になって同じ年に卒業するわけではない時代には、合理的なものだった。

一八九二（明治二五）年には、一八九〇（明治二三）年の小学校令の全面実施にあわせて、小学校の学年の開始が四月一日となる。それ以前は様々な月日だった。これが法令で明記されるのは、一九〇〇（明治三三）年の小学校令施行規則（明治三十三年八月二十一日文部省令第十四号）の第二十五条で「小学校ノ学年ハ四月一日ニ始リ翌年三月三十一日ニ終ル」という**学年**の規定である。もちろんここで言う学年は一年生や二年生という段階としての学年ではなく、学校の年度という学年である。段階としての学年はこの学年を積み重ねた階梯としての意味を持つ。この規定は一〇〇年以上も強固に守られ続け、今日の学校教育法施行規則（昭和二十二年五月二十三日文部省令第十一号）の第五十九条にも「小学校の学年は、四月一日に始まり、翌年三月三十一日に終わる。」とある。句読点や送りがな以外は全く同じ文章が現在も継承されていることがわかる。よくクイズのように入学や卒業の月日が問われるが、入学式や始業式が四月一日より後で、卒業式や終業式が三月三十一日より前であっても、学校に在籍しているのは四月一日から三月三一日までの学年である。

細かい変化であるが、一九〇〇（明治三三）年に全部改正された小学校令では、学齢の始期と終期を明確に記述した。

小学校令（明治三十三年八月二十日勅令第三百四十四号）

第三十二条　児童満六歳ニ達シタル翌月ヨリ満十四歳ニ至ル八箇年ヲ以テ学齢トス

学齢児童ノ学齢ニ達シタル月以後ニ於ケル最初ノ学年ノ始ヲ以テ就学ノ始期トシ尋常小学校ノ教科ヲ修了シタルトキヲ以テ就学ノ終期トス

学齢児童保護者ハ就学ノ始期ヨリ其ノ終期ニ至ル迄学齢児童ヲ就学セシムルノ義務ヲ負フ

学齢児童保護者ト称スルハ学齢児童ニ対シテ親権ヲ行フ者又ハ親権ヲ行フ者ナキトキハ其ノ後見人ヲ謂フ

このときの法令は現在のようにアラビア数字で項番号を振らないので、段落を項と呼んでよい。第一項は学制以来の八箇年の規定を踏襲して月を単位に計算している。第二項には**学齢児童**という言葉が登場する。ここでは、第一項の学齢に該当して、かつ尋常小学校の児童となるべき子どもを指す。学齢に達した月以後の最初の四月一日開始の学年から就学を始めて、尋常小学校の四箇年が修了すれば、そこで晴れてその尋常小学校の児童ではなくなるので、学齢児童ではないのである。無事に卒業すれば学齢の終わりより四年も前に学齢児童としての就学の終期がやってくる。第三項は学齢児童保護者の義務教育の義務を負う期間の規定である。修業年限四箇年の尋常小学校を児童が卒業するか、残念ながら修了せずに一四歳に至って年齢として学齢児童でなくなった場合に義務が終わる。そして第四項は保護者を民法上の親権者または後見人と規定したものである。

当時の記録では子どもの年齢を「満十年四月」と書いたものをよく見る。確かに子どもの成長は早いから年だけではなく月単位で見ておくほうがよい。しかし、法令の規定で月で終わって日がないことは逆にアバウトにも思える。そこで次の法律が公布される。

年齢計算ニ関スル法律（明治三十五年十二月二日法律第五十号）
年齢ハ出生ノ日ヨリ之ヲ起算ス
民法第百四十三条ノ規定ハ年齢ノ計算ニ之ヲ準用ス
明治六年第三十六号布告ハ之ヲ廃止ス

一九〇二（明治三五）年に公布された**年齢計算**の法律だが、この法律は一〇〇年以上経過した現在もそのまま現行法として用いられた。重要な法律だから最新の六法全書にもちゃんと入っている。第二項の「民法第百四十三条」という条文は民法改正で条文番号が動かなかったので、当時のままである。この歴史的にして現代的な法律をもって、小学校令の一部改正（明治三十六年三月二十七日勅令第六十三号）で、年齢計算も日単位に改正されたのである。

毎年の講義では次のような質問を行う。「今年二〇二二（令和四）年に、一九六三年一〇月九日生まれの私は五九歳になります。さて、私が五九歳になるのは何日でしょうか。」

この質問をされると、たいてい一〇月九日が誕生日で、その日に五九歳になると言う。間違いである。満五九歳になるのは前日の一〇月八日である。生まれたその日、この場合は一〇月九日から計算し、民法では暦に従って計算するから、三六五日または閏年の閏日が入れば三六六日を数えて、一年となるのが前日の一〇月八日である。誕生日の一〇月九日は満五九歳になった日の翌日である。だから子どもの誕生日でお祝いするときに、「満一〇歳になった誕生日、おめでとう！」と言うのは、法令解釈上は不正確であり、正しくは「満一〇歳になった日の翌日における誕生日、おめでとう！」と言うべきである。

なお、ここで準用された現在の民法第百四十三条は次のとおりである。

民法（明治二十九年四月二十七日法律第八十九号）

（暦による期間の計算）

第百四十三条　週、月又は年によって期間を定めたときは、その期間は、暦に従って計算する。

2　週、月又は年の初めから期間を起算しないときは、その期間は、最後の週、月又は年においてその起算日に応当する日の前日に満了する。ただし、月又は年によって期間を定めた場合において、最後の月に応当する日がないときは、その月の末日に満了する。

ちなみにこのことを話題にすると、閏年の二月二九日に生まれた人の誕生日は四年に一度しかないという話が学生から出るのだが、誕生日ではなく満何歳になった日ならば、この民法第百四十三条第二項の但書きによって「その月の末日」の二月二八日をもってお祝いをすればよいだろう。なお、第二次世界大戦前では近世までの、生まれたときに一歳として、さらに正月を迎えるごとに一歳を加える**数え年**が一般的であったから、一九四九（昭和二四）年には「年齢のとなえ方に関する法律」（昭和二十四年五月二十四日法律第九十六号）によって「この法律施行の日以後、国民は、年齢を数え年によつて言い表わす従来のならわしを改めて、年齢計算に関する法律（明治三十五年法律第五十号）の規定により算定した年数（一年に達しないときは、月数）によつてこれを言い表わすのを常とするように心がけなければならない。」とした。言語習慣についての行き過ぎた近代化とも思えるが、**満年齢**の普及が法律で定められていることも記憶しておきたい。

なお、この説明について、毎年のように大学の教室で受ける質問を述べておく。第2章で取り上げた**未成年者喫煙禁止法**（明治三十三年三月七日法律第三十三号）や**未成年者飲酒禁止法**（大正十一年三月三十日法律第二十号）では「満二十年」となっているから、「明日が誕生日の私は今日から飲酒や喫煙ができますか」という趣旨の質問である。回答は当然に「そうです」ということである。日本の法律であるから、日本の他の法律とあわせて解釈するのである。もしも酒屋の店員が法令を熟知してない場合には、この教科書と学生証を持ってお店に行きなさいとアドバイスする。なお、海外では飲酒可能が満二一歳という国も少なくないので、日本国ではなく、その国の法律が適用されることを忘れないようにしたい。

さて、ここまでの情報は実際の学校教員としては、四月一日から翌年三月三一日の学年と年齢集団の関係を考える問題として重要である。特に小学校低学年では同じ学年でも生まれた月の違いを体格などでも感じる。年度による同じ学年に、一年異なる生年の子どもたちがいっしょにいるから、そのことが「同い年」をめぐって児童生徒の話題になる。そこで、講義では二つ目の質問をする。「同じ学年の子どもたちでも生年が違うので**早生まれ**や**遅生まれ**という言葉を知っていますね。同じ生年でも早く生まれ一月一日からの前半は一年早い学年に行く早生まれ、それより遅く生まれて一二月三一日までの後半は遅く行く遅生まれです（これを逆に覚えている人もいる）。それでは、早生まれと遅生まれが分かれる日はいつでしょう。」

この質問は正解率が高い。知人に該当者がいたり、小説などでも話題になったりするのだそうだ。得意げに「四月一日までが早生まれ、四月二日からが遅生まれ。」と解答する。そこで畳みかけて「それはなぜですか。」と質問すると、教室を沈黙が支配する。

これの説明をするには、別の法律が必要である。明治期の法令に基づいて国民学校令は八年間の学齢を踏襲しながらも学年との関係を緻密に規定し、それを九年間の学齢として踏襲した現在の学校教育法の規定を読みながら説明する必要がある。

学校教育法（昭和二十二年三月三十一日法律第二十六号）

第十七条　保護者は、子の満六歳に達した日の翌日以後における最初の学年の初めから、満十二歳に達した日の属する学年の終わりまで、これを小学校、義務教育学校の前期課程又は特別支援学校の小学部に就学させる義務を負う。ただし、子が、満十二歳に達した日の属する学年の終わりまでに小学校、義務教育学校の前期課程又は特別支援学校の小学部の課程を修了しないときは、満十五歳に達した日の属する学年の終わり（それまでの間において当該課程を修了したときは、その修了した日の属する学年の終わり）までとする。

2　保護者は、子が小学校、義務教育学校の前期課程又は特別支援学校の小学部の課程を修了した日の翌日以後における最初の学年の初めから、満十五歳に達した日の属する学年の終わりまで、これを中学校、義務教育学校の後期課程、中等教育学校の前期課程又は特別支援学校の中学部に就学させる義務を負う。

3　前二項の義務の履行の督促その他これらの義務の履行に関し必要な事項は、政令で定める。

学校教育法第十七条第一項が、小学校や義務教育学校の前期課程や特別支援学校の小学部に保護者が子どもを就学させる義務、つまり就学義務を負う期間を定めている。この期間は、「子の満六歳に達した日の翌日以後における最初の学年の初め」つまりある年の四月一日から開始して、「満十二歳に達した日の属する学年の終わり」つまり六年後の三月三一日まで続く。ただし六年たっても修了しない場合は、翌年以降の「当該課程を修了したときは、その修了した日の属する学年の終わり」や「満十五歳に達した日の属する学年の終わり」という三月三一日まで続く。この子どもを、続く第十八条では**学齢児童**と呼称している。第十七条第二項は、中学校、義務教育学校の後期課程、中等教育学校の前期課程、特別支援学校の中学部に保護者が子どもを就学させる義務を負う期間を定めている。この期間は、「子が小学校、義務教育学校の前期課程又は特別支援学校の小学部の課程を修了した日の翌日以後における最初の学年の初め」つまり小学校などを卒業した年の四月一日から、「満十五歳に達した日の属する学年の終わり」と通常は三年後の三月三一日までである。この子どもを**学齢生徒**と言う。学制以来の六歳から一四歳までの八年間という長い間の学齢が、一五歳までの九年間に延びるとともに、学校に行くべき月日としては学年の始期と終期があわせて定義されている。それでも一五歳になった学年で終わるわけだから、法律のうえでは、どこかで長くかかった場合も、九年間の学齢が終わることとなる。

さて、先ほどの問題に戻ろう。なぜ四月一日と四月二日の間で区切りがあるかは、第一項の「子の満六歳に達した日の翌日以後における最初の学年の初め」という文言にある。三月三一日生まれの子が「満六歳に達した日」は六年後の三月三〇日、四月一日生まれの子は三月三一日、四月二日生まれの子は四月一日である。これは民法及び「年齢計算ニ関スル法律」で明らかである。そうすると「翌日以後における最初の学年の初め」である四月一日は、三月三一日生まれや四月一日生まれの場合はその六年後の四月一日が該当して「早生まれ」となるが、四月二日生まれはさらに一年間「遅生まれ」として待ってから次の年の四月一日となるのである。これが四月一日と四月二日の間に区切りができる理由である。

学齢という概念だけで、ずいぶんと長い話となったが、こうした規定によって日本中の子どもたちがある年の四月一日から学校に行く権利を保障されるのである。

義務教育ではない高等学校でも、現在はほぼ同年齢の集団である。二〇一五（平成二七）年に成立した「公職選挙法等の一部を改正する法律」（平成二十七年六月十九日法律第四十三号）により、二十歳からを有権者としていた**公職選挙法**（昭和二十五年四月十五日法律第百号）が改正されて、**十八歳選挙権**が二〇一六（平成二八）年六月一九日に施行されている。公職選挙法は、衆議院議員、参議院議員、地方公共団体の議会の議員及び長（都道府県知事や市町村長）の選挙について、第九条に有権者であるために三か月以上住所を有した者であることなどの条件を定めている。ここで「年齢満十八年以上の者」は選挙期日つまり投票日の年齢なので、投票日の翌日の誕生日の者も投票日には満一八歳になっている。選挙事務を所管する総務省のウェブページなどに一八歳の説明として、「一八年目の誕生日の前日の午前〇時から満一八歳とされます。」と書かれているのは親切である。選挙期日が四月一日であれば、高等学校三年生のクラスには留年等の個別事情はさておいて、四月二日生まれから在籍しているので、その生徒だけが有権者になる。そして三年生は徐々に有権者が増えてくる。三月三一日が選挙期日であれば、その学年にいる四月一日生まれの高校三年生も投票権があるから、クラス全員が有権者である。ここで「高校三年生はもう卒業しているでしょう」という疑問があれば、ここまでの説明が理解されていない。学年は三月三一日までなので、たとえ卒業証書に卒業証書授与の日が慣例的に記述されていても、三月三一日までは高等学校の生徒である。「そうだ、卒業式が終わった後に生活指導の先生から、三月三一日までは我が校の生徒だから問題を起こすなと言われました。」という記憶を持つ受講者もいる。二〇二二（令和四）年四月一日に民法改正による**十八歳成人**が施行されるまでの数年間は、成人ではないが選挙権のある一八歳、一九歳という時期があったが、現在では高等学校の三年生に法律上の堂々たる成人がいるという状態になったのである。

さて、学齢という概念を実際の子どもたちに適用して、誰がいつから義務教育を受ける権利を持っているかを確定するものが、**学齢簿**である。似た言葉に学籍簿があるが、これは学校に備え付ける児童生徒などの台帳であり、現在は法令上は指導要録と呼ばれている。これは学校の表簿類として第30章で説明する。学校の学籍簿や指導要録に児童生徒として記載されて在籍し、卒業や退学などで在籍が終わるまでが、**就学**である。**出席**とは、その児童生徒が実際に教室などにいることだから、出席が常ではない就学という場合もある。昔から義務教育普及の指標となる**就学率**には、こうした長期欠席者も就学者として数えられる。現在の就学率は、分母が外国人を除いた就学者に就学免除者や就学猶予者や一年以上居所不明者を加えた数で、分子が外国人を除いた就学者の数とした百分率である。荒っぽく言えば、学齢簿の人数で学籍簿の人数を割った百分率である。

ここでは学校ではなく、教育委員会が就学前から作成を始める学齢簿を説明する。就学率の低かった明治の頃から就学督促として、地域の学務委員が就学するべき子どもたちの調査簿をつくって保護者に就学を促す姿が見られたが、権利としての義務教育のあり方としては学齢簿によって地域の子どもたちの存在を把握して、就学するべき学校を確定して、その権利を保障することが大切になる。

まず、学校教育法施行令の規定を挙げる。

学校教育法施行令（昭和二十八年十月三十一日政令第三百四十号）

（学齢簿の編製）

第一条　市（特別区を含む。以下同じ。）町村の教育委員会は、当該市町村の区域内に住所を有する学齢児童及び学齢生徒（それぞれ学校教育法（以下「法」という。）第十八条に規定する学齢児童及び学齢生徒をいう。以下同じ。）について、学齢簿を編製しなければならない。

2　前項の規定による学齢簿の編製は、当該市町村の住民基本台帳に基づいて行なうものとする。

3　市町村の教育委員会は、文部科学省令で定めるところにより、第一項の学齢簿を磁気ディスク（これに準ずる方法により一定の事項を確実に記録しておくことができる物を含む。以下同じ。）をもつて調製することができる。

4　第一項の学齢簿に記載（前項の規定により磁気ディスクをもつて調製する学齢簿にあつては、記録。以下同じ。）をすべき事項は、文部科学省令で定める。

何度も出てきた学校教育法施行規則は文部科学省が定める省令であるが、この学校教育法施行令は政府の内閣が定める政令である。法令の段階で言うと、地方公共団体が有する住民基本台帳などを使用して、保護者や児童生徒の権利に直接に関係するので、高い段階の法令で定めていることとなる。

学齢簿を編製するのは、市町村の教育委員会である。学齢簿を編製して、学校保健安全法（昭和三十三年四月十日法律第五十六号）の第十一条（就学時の健康診断）の規定により子どもたちの**就学時健康診断**を行い、健康についての助言や、後に述べる就学猶予や免除への該当、特別支援学校への就学の指導などを行うことになる。すでに述べた特別支援教育の趣旨からも、就学時健康診断と、これを受けた保護者の判断や相談等の手続きは障害のある子どもの権利保障のために大切なプロセスとなる。これについては第22章で説明する。

次に、私立の小学校などに進学する者の対応を行って、就学予定者が決まる。市町村教育委員会から保護者へ小学校、中学校、中等教育学校、特別支援学校の入学期日や学校の指定などの通知が行われ、該当する学校長にも通知が行われる。

学校教育法施行令では、学齢児童や学齢生徒の出席が保障されるように、就学した学校の校長の義務を定めている。

（校長の義務）

第十九条　小学校、中学校、中等教育学校及び特別支援学校の校長は、常に、その学校に在学する学齢児童又は学齢生徒の出席状況を明らかにしておかなければならない。

第二十条　小学校、中学校、中等教育学校及び特別支援学校の校長は、当該学校に在学する学齢児童又は学齢生徒が、休業日を除き引き続き七日間出席せず、その他その出席状況が良好でない場合において、その出席させないことについて保護者に正当な事由がないと認められるときは、速やかに、その旨を当該学齢児童又は学齢生徒の住所の存する市町村の教育委員会に通知しなければならない。

第十九条には見出しがあって第二十条にはないが、これは連続した見出しだと思えばよい。児童生徒の出席をとるのは教諭などの毎時間の教育活動だが、校長はそれを出席簿としてまとめることになる。そして連続七日間出席をしていない場合は、保護者に連絡し、「保護者に正当な事由がない」つまり保護者が就学させる義務を怠って学齢児童や学齢生徒の権利を侵害している場合は、市町村教育委員会に通知することになる。正当な事由がある場合とは、第22章で述べる不登校などの場合である。ちなみにこの規定は、児童虐待の発見の機会としても機能している。正当な事由がない場合の通知は、次の手続きへと動く。

（教育委員会の行う出席の督促等）

第二十一条　市町村の教育委員会は、前条の通知を受けたときその他当該市町村に住所を有する学齢児童又は学齢生徒の保護者が法第十七条第一項又は第二項に規定する義務を怠つていると認められるときは、その保護者に対して、当該学齢児童又は学齢生徒の出席を督促しなければならない。

「法第十七条第一項又は第二項」とは、すでに学校教育法で確認した学齢児童や学齢生徒について保護者の持つ就学義務である。市町村教育委員会は、保護者に対して出席の督促を行い、全く就学していないなら**就学督促**を行う。これでも対応しない場合に、第一節で見た学校教育法第百四十四条の罰則規定が適用されるのであるが、就学率の低かった時代の就学督促とは異なって、生命などを守るために速やかな対応が求められる児童虐待や、社会福祉施策と連動した慎重な対応が必要なケースが考えられるので、担当する教員や校長、そして教育委員会担当者は十分に状況を把握して行う必要がある。

さて、無事に学齢児童や学齢生徒が卒業した場合は、校長は学齢簿に関係して次の手続きも行う。

（全課程修了者の通知）

第二十二条　小学校、中学校、中等教育学校及び特別支援学校の校長は、毎学年の終了後、速やかに、小学校、中学校、中等教育学校の前期課程又は特別支援学校の小学部若しくは中学部の全課程を修了した者の氏名をその者の住所の存する市町村の教育委員会に通知しなければならない。

この校長から市町村教育委員会への通知によって、学齢簿に掲載された学齢児童や学齢生徒の義務教育が完了したことがわかるわけである。

学校で校長が作成する表簿類と異なり、学齢簿そのものは学校教員が直接にかかわることは少ない。しかし、義務教育の理念が、こうした法令と手続きによって制度として運用されているのである。学齢児童と学齢生徒の就学を保障するための基本的な文書について、こうした手続きがあることを知っておきたい。

第21章　就学猶予とホームスクーリング

義務教育の原則を前章で見たが、制度のなかに例外的な扱いがあるケースも少し出てきた。この例外は義務教育の問題点や、場合によっては新しい取り組みの可能性という意味で、改めて検討しておくべき課題である。ここでは就学猶予、就学免除、ホームスクーリングなどの概念を検討する。

第一節　現在の就学猶予と就学免除

まずは現在の学校教育法の規定である。第20章で見たとおり、学校教育法第十七条の第一項で小学校などに、第二項で中学校などに、それぞれ相当する子どもたちの就学を規定したが、これを受けて次の第十八条が登場する。

学校教育法（昭和二十二年三月三十一日法律第二十六号）

第十八条　前条第一項又は第二項の規定によつて、保護者が就学させなければならない子（以下それぞれ「学齢児童」又は「学齢生徒」という。）で、病弱、発育不完全その他やむを得ない事由のため、就学困難と認められる者の保護者に対しては、市町村の教育委員会は、文部科学大臣の定めるところにより、同条第一項又は第二項の義務を猶予又は免除することができる。

ここで規定しているのは、学齢児童や学齢生徒として就学できるはずの子どもたちの例外である。**就学困難**が発生するのは、「病弱、発育不完全その他やむを得ない事由」とある。これに対して、学齢簿によって学齢児童及び学齢生徒を把握しているのが市町村教育委員会である。この市町村教育委員会が、保護者に対して就学させる義務を猶予又は免除することができる。**就学猶予**とは、一定の期間について就学させる義務の履行を止めることであり、**就学免除**は、それ以後の学齢すべてにわたって就学させる義務の履行をなくすことである。

「**病弱、発育不完全**その他やむを得ない事由」とはどのようなものであろうか。まず「その他」から説明すると、子どもが何らかの事情で保護者の親権の及ばないところに失踪している場合、児童自立支援施設や少年院に入所している場合、二重国籍などで外国の義務教育を受ける場合、外国より帰国して日本語を修得するための猶予期間が必要な場合などが該当する。一方で、病弱などの事由であれば、まず病弱などに対応した特別支援学校に就学することができるが、やむを得ないというのは特別支援学校の就学さえも困難だと言うことである。たとえば長期の入院や外出の困難な自宅療養の状態の子どもには、特別支援学校がセンター的機能を果たす自宅や病院への訪問教育や、病院に分教室を置く院内学級などがあるが、それでも就学も困難なケースが相当する。この場合は、学校教育法施行規則第三十四条に従って、保護者が市町村の教育委員会の指定する医師その他の者の証明書等その事由を証するに足る書類を添えて願い出ることになる。

毎年の五月一日現在のすべての学校の児童生徒数などを調査する学校基本調査は、前年度の就学猶予や就学免除の数値も調査している。二〇二一（令和三）年度中の数値は就学免除が二九三四人で、就学猶予が一一一一人であった。このうち、病弱・発育不完全は、それぞれ八人と二八人と少数で、多くが特別支援学校などの就学の機会を得ている様子がわかる。「児童自立支援施設又は少年院にいるため」は、それぞれ二八人と四人で、これも施設内で教育を受ける機会がある。「重国籍のため」が最多の二六八三人と八六九人であるが、これも外国の義務教育を受ける機会を期待できる。一九四八（昭和二三）年度では就学免除が六〇八三人、就学猶予が三万一六三五人であったことと比べると、医療や特別支援学校の普及によって改善が図られていることが理解できる。

この就学困難による就学猶予や就学免除の理由として、**経済的理由**は一切認められない。日本国憲法は第二十五条ですべての国民に「健康で文化的な最低限度の生活」を営む生存権を規定しているのだから、経済的理由によって義務教育の学校に子どもが就学できないという事態はあってはならない。ゆえに、学校教育法は経済的理由による就学困難をなくすために、次のように定める。

第十九条　経済的理由によつて、就学困難と認められる学齢児童又は学齢生徒の保護者に対しては、市町村は、必要な援助を与えなければならない。

この規定は、教育基本法第四条第三項を受けたものである。日本国憲法第二十五条による**生活保護**は、生活保護法（昭和二十五年五月四日法律第百四十四号）によって行われるが、この法の保護を受ける保護者に対して学齢児童や学齢生徒に必要な学用品やその購入費などを市町村が援助する。このために、「就学困難な児童及び生徒に係る就学奨励についての国の援助に関する法律」（昭和三十一年三月三十日法律第四十号）が制定されており、国がその費用を補助することになる。このほか学校保健安全法（昭和三十三年四月十日法律第五十六号）に定める医療費の支援などが行われる。

つまり、就学困難が経済的理由であれば、市町村、さらには国が法令に基づいた援助をして、すべての子どもが教育を受けられるようにするのである。学校教育法第十九条に書いてあるとおり、市町村が援助するのは保護者である。子どもが義務教育を受けられるための第一義的な責任は親権を有する父母などの保護者が持っているのだから、この保護者を援助して義務を果たすことができるようにするのである。

子どもの貧困については、総合的な施策が必要であり、「子どもの貧困対策の推進に関する法律」（平成二十五年六月二六日法律第六十四号）により、内閣府、文部科学省、厚生労働省が実態の調査や施策を進めている。二〇一四（平成二六）年八月二九日に閣議決定された「子供の貧困対策に関する大綱」では貧困が世代を超えて連鎖しないための人材育成が焦点となっている。子どもの貧困率を二〇一二（平成二四）年で一六・三パーセントと把握して、教育費負担の軽減とともに、学校と社会福祉をつなぐ専門職である**スクールソーシャルワーカー**の配置が二〇一三（平成二五）年で全国一〇〇八人にとどまるとして、増強などを提起した。二〇二〇（令和二）年では、二八五九人が配置された。民間企業によるフードバンクや、子どもが無料または低額で食事ができる**子ども食堂**の取り組みなども進んでいる。

次に、児童労働の制限についての規定が続く。

> 第二十条　学齢児童又は学齢生徒を使用する者は、その使用によつて、当該学齢児童又は学齢生徒が、義務教育を受けることを妨げてはならない。

第4章や第5章で**児童労働**の制限が子どもの権利の保護のために求められることを述べた。児童労働の制限は、児童の健康の保護という要請だけではなく、児童に就学のための機会を保障するためにも必要となる。第7章で西洋の学校の語源が「閑暇」であることに着目したが、恵まれた市民のための閑暇としての特権的な学校が、すべての子どものための学校となる必要がある。そのためには、児童の権利に関する条約に定めるとおり多くの保護と権利や自由の保障が必要であり、すべての子どもに学校に行くための保障が必要である。

労働基準法では次のように児童労働を制限して、保護のための手続きを定めている。

労働基準法（昭和二十二年四月七日法律第四十九号）

（最低年齢）

第五十六条　使用者は、児童が満十五歳に達した日以後の最初の三月三十一日が終了するまで、これを使用してはならない。

2　前項の規定にかかわらず、別表第一第一号から第五号までに掲げる事業以外の事業に係る職業で、児童の健康及び福祉に有害でなく、かつ、その労働が軽易なものについては、行政官庁の許可を受けて、満十三歳以上の児童をその者の修学時間外に使用することができる。映画の製作又は演劇の事業については、満十三歳に満たない児童についても、同様とする。

第一項で「満十五歳に達した日以後の最初の三月三十一日が終了するまで」とあるのは学齢の終期である。学齢児童や学齢生徒や就学前の子どもも含めて、労働基準法は原則として労働者として使用することを禁止する。そのうえで、別表で定められた建設業や製造業などを除いて「児童の健康及び福祉に有害でなく、かつ、その労働が軽易なもの」は満十三歳以上については認め、それ以下の年齢でも子役と呼ばれる「映画の製作又は演劇の事業」への従事を認めている。

さらに使用者に対して第五十七条（年少者の証明書）では、「満十八歳に満たない者」について「年齢を証明する戸籍証明書」を備えるとともに、先に見た例外的に労働が認められた者についても「修学に差し支えないことを証明する学校長の証明書及び親権者又は後見人の同意書」を備えなければならないことを定めている。このほか労働契約や年齢に応じた労働時間の制限なども定めている。

このように、子どもたちに義務教育を保障するために、義務教育を受けられない理由を解消していくことが大切なことであり、保護者の経済的状況や児童の労働によって義務教育が受けられないことがないように定められている。もちろん、こうした規定は、経済的理由や児童労働によって学校教育の機会が失われた時代があったがゆえに、現在の法律でも厳密になっているのであり、また現在もその意味を失っていない。

第二節　就学猶予と就学免除の経緯

義務教育が普及する明治後期までは、就学困難の原因が経済的理由や児童労働であることは普通であった。その後も農村の家庭での児童労働として子守があり、小学校の児童が幼児を背負って授業に出席する姿さえ珍しくなかった。

一八八六（明治一九）年に森有礼大臣が整備した小学校令が、法令上の義務教育確立の画期であることは述べてきたが、その義務教育の条文の次に、次の就学猶予の条文がある。

小学校令（明治十九年四月十日勅令第十四号）
第五条　疾病家計困窮其他止ムヲ得サル事故ニ由リ児童ヲ就学セシムルコト能ハスト認定スルモノニハ府知事県令其期間ヲ定メテ就学猶予ヲ許スコトヲ得

先ほどの学校教育法第十八条と酷似するように思える。現在の「やむを得ない事由」に相当するのが「止《や》ムヲ得サル事故」である。理由も事由も事故も同じ言葉と考えてよい。この就学困難の理由として、疾病と家計困窮その他が挙げられている。はっきり書かれた家計困窮を穏便に言うと現在の経済的理由に相当する。つまり経済的理由で保護者が児童を就学させないことを、府知事県令が堂々と認めるわけである。

この規定は、一八九〇（明治二三）年の小学校令では、現在のように猶予と免除の二段階に分けられ、それを認める権限は府知事県令から市町村長へ移行された。一九〇〇（明治三三）年に全部改正された小学校令では、理由ごとに段階を分けた。「瘋癲白痴《ふうてんはくち》又ハ不具廃疾《ふぐはいしつ》」を就学免除とし、「病弱又ハ発育不完全其他」を就学猶予とし、「貧窮」は就学猶予と就学免除の両方を可能とした。重度の知的障害を意味する瘋癲白痴や重度の身体障害を意味する不具廃疾という言葉は、決めつけ的で差別的な言葉であるから現在では用いないが、この言葉をもって義務教育の場から障害のある子どもたちを排除したわけである。一九四一（昭和一六）年の国民学校令は、「瘋癲白痴又ハ不具廃疾」を就学免除、「病弱又ハ発育不完全其他」を就学猶予とする構造を受け継ぎながら、「貧窮」による規定を廃止した。同年に太平洋戦争が始まり、生命と健康が脅かされた時代に経済的理由による就学免除や就学猶予をなくしたのは歴史の皮肉と言うべきである。この発想のもとには、子どもの権利という考えよりも、国民学校令第一条が定めたとおり「皇国ノ道」を国民一人残らず徹底していく教育理念があったことは言うまでもない。

近代の教育をつうじて市町村の小学校の設置や義務教育の考えが普及していったこと、そして明治期に九割を超える就学率が達成されたことは日本の近代化の歴史として明記されてよいのだが、小学校令の明文をもって経済的理由による就学免除や就学猶予が定められていたという事実もまた記憶することによって、現在の学校教育法の規定の重みを理解しておきたい。

第三節　ホームスクーリングと家庭教育

先ほど歴史の皮肉と書いたが、これからお話しするホームスクーリングについても似た歴史の流れがある。

ホームスクーリング home schooling とは、保護者が子どもを学校に行かせないで、学校に代わる教育を自ら行うことによって義務教育と見なされる制度である。現在の日本で保護者は、就学義務を子どもが学校に就いて学ぶことができるようにすることで果たすが、学校ではなく保護者に就いて学ぶことで教育の義務を果たすということである。アメリカでは学校制度などは州ごとに定められるが、ほとんどの州法にこのホームスクーリングが明記されている。ホームスクーリングを行う保護者は手続きを行い、子どもたちは必要な試験などを受けて進学などに支障が生じないようになっている。大草原や森林に一家族だけが暮らすときにはこのホームスクーリングが不可欠である。実際には地域の学校の教育方針などとの違い、とりわけ学校の治安や宗教上の問題から都市部でもホームスクーリングが選択されることがある。このホームスクーリングのマニュアルや教材は、現在ではインターネットで入手することも容易である。

歴史的に考えてみると、義務教育制度は近代学校のスタイルによりすべての子どもたちに開かれた公教育として普及することによって成り立っているものである。その義務教育制度も、親権の長い歴史を前提として成立するものであるから、近代の産物であるとともに、人類の歴史の産物と言ってよいだろう。この第一義的な保護者の義務としての教育と公教育としての学校の関係を明確に描き出しているのが、イギリスからの独立権を争うなかで一九三七年に制定されたアイルランド憲法である。改正を経た二〇一〇年公布の現行憲法より教育に関する条項を引用する。(1)

教育

第四十二条

1 国は、子どもの第一次的な自然の教育者は家族であることを承認し、その資力に応じて、子どもの宗教的並びに道徳的、知的、身体的及び社会的教育を用意する両親の不可譲の権利及び義務を尊重することを保障する。

2　両親は、この教育を、その家庭、私立学校又は国が承認し若しくは設置した学校で自由に行うことができる。

3　一　国は、両親の良心及び適法な選択権を侵害して、国の設置した学校又は国の指定する特定の類型の学校に子どもを入学させるように、両親に強制してはならない。

二　前項の規定にかかわらず、国は、共通善の保護者として、実際の条件に照らして、子どもが一定の最小限の道徳的、知的及び社会的教育を受けることができるように要求するものとする。

4　国は、無料の初等教育を提供し、個人又は団体による教育上の発意を補助し、及び合理的な援助を与え、共通善が求めるときは、特に宗教的及び道徳的形成に関する事項については両親の権利を適当に尊重しつつ、他の教育施設又は教育制度を提供するものとする。

5　両親が身体的又は道徳的理由から、その子に対する義務を履行しない例外的な場合には、国は、共通善の擁護者として、子どもの自然的かつ時の経過により変わることのない権利を適正に尊重しつつ、適正な手段を用いて両親の地位を補うよう努めるものとする。

フランス革命で確立して普及した親権の規定を第一項で踏まえて両親の教育権を規定している。第二項で四つの教育の類型を列記し、第三項第一号で両親にその類型から選ぶ**選択権**を明示しつつ、第二号で国としての最低限の義務の要求を記している。第四項では無償の初等教育を規定して、第五項では両親が義務を行わない場合の国による援助などを記している。そうした意味では、日本国憲法や教育基本法の義務教育の規定とも類似するが、今までの視点から目を引くのが、第二項の「その家庭、私立学校又は国が承認し若しくは設置した学校」という表現である。家庭、私立学校、国の認可した学校、国の設置した学校と四つを列記している。第三項はこの「家庭」という類型も含めて選択肢にする選択権を認めるのだから、アイルランドは家庭での教育を学校の教育と同等のものとして憲法で保障していることになる。カトリック教徒が多数を占めるこの国では、両親による子どものトータルな教育としてのホームスクーリングという伝統が現在も憲法に生きているのである。

実は明治期の日本にもこのホームスクーリングの規定があった。一八七九（明治一二）年の自由教育令と呼ばれた教育令は第十七条で「学校ニ入ラスト雖《いえど》モ別ニ普通教育ヲ受クルノ途《みち》アルモノハ就学ト做《みな》スヘシ」と明確に定めた。つまり法令に定めた学校以外に両親や家庭教師などが普通教育を行ってよいのである。それが就学と同じものと見なされる。自由教育令では就学が達成されないとして、翌一八八〇（明治一三）年に改められた改正教育令と呼ばれた教育令では、第十七条でこの規定を、「学齢児童ヲ学校ニ入レス又巡回授業ニ依《よ》ラスシテ別ニ普通教育ヲ授ケントスルモノハ郡区長ノ認可ヲ経ヘシ　但郡区長ハ児童ノ学業ヲ其町村ノ小学校ニ於テ試験セシムヘシ」とした。学校や教師が地域を回る巡回授業にも参加せずに、家庭での教育を受けることを認めていることには変わりがない。ただし、郡長や区長がその子どもの学業を試験によって判定する。自由教育令の自由主義的なおおらかさが失われたが、試験制度の導入によって学校制度との連続性が明確になった。当時の文部省はこうした制度を**家庭教育**と呼んでいる。教育基本法第十条に規定するものが現在の日本の家庭教育だが、確かにアイルランド憲法のように読み取ると、学校教育に代わる選択肢として対置される家庭教育という概念を使うこともできる。明治の日本人もそう考えていたのである。文部大臣森有礼がかかわった一八八六（明治一九）年の小学校令では該当規定が不明確だが、一八九〇（明治二三）年の小学校令の第二十二条では、市町村立小学校と代用する私立小学校に並んで、「家庭又ハ其他ニ於テ尋常小学校ノ教科ヲ修メシメントスルトキハ其市町村長ノ許可ヲ受クヘシ」と規定していて、一九〇〇（明治三三）年に全部改正された小学校令第三十六条でも同様に家庭教育の規定が継承された。

そしてこの家庭教育の規定がなくなるのが、一九四一（昭和一六）年の国民学校令である。両親自ら教育したい家庭も、家庭教師で教えたい裕福な家庭も、すべて一律に「皇国ノ道」による国民学校で教育することになった。そして、国民学校令で廃止された後、ここで言う家庭教育あるいはホームスクーリングの規定は、戦後の学校教育法を含めて復活することはなかったのである。

現在の日本の法律で本当に家庭教育は不可能かどうかを考えてみよう。民法第八百二十条に定める親権は「子の監護及び教育をする権利を有し、義務を負う」というものだから、この権利や義務の範囲で家庭教育を行うことができる。つまり、アイルランド憲法第四十二条の言う教育の類型についての選択権を持っていると解釈できる可能性がある。しかし上位法規の日本国憲法第二十六条第二項はその保護者に義務教育についての就学義務を規定しており、その「普通教育」は他の法律で定められる。その規定は、教育基本法第五条と学校教育法の第十六条より第二十一条までに小学校や中学校などの教育として定められている。学校教育法第十八条の「病弱、発育不完全その他やむを得ない事由」のその他に家庭教育が入らないかという理屈を考えてみたいが、それは家庭教育が選択肢として存在した小学校令の時代からある規定であり、子どもの失踪などしか該当しない。それに、家庭教育が就学免除や就学猶予であったら子どもは就学と見なされないことになって、その後の進学などに不利益が残ることになる。

ここまでの法令と歴史の説明は、義務教育の例外を見ることで、義務教育の可能性を考えることであった。そして、ホームスクーリングを含めた選択権が認められる国があることを確認し、かつての日本もそうだったことも確認した。小学校就学段階で現在の親権者が有する選択権は、公立の小学校にするか、私立の小学校にするかといった選択に過ぎないということになるが、保護者の持つ第一義的な責任からはさらにどんなことが考えられるだろうか。こうした視点は、次章で検討する今後の教育を模索するときにも大切なものとなっていく。

（1）国立国会図書館調査及び立法考査局『調査資料二〇一一―一―b　基本情報シリーズ⑧　各国憲法集（2）アイルランド憲法』国立国会図書館、二〇一二年。

第22章　不登校と多様な教育のルート

すべての子どもに学校に行くことが保障されるための義務教育の原則は、例外としての就学猶予や就学免除を減少させることで実質化していった。しかし、親権を有する父母などの保護者の持つ教育の義務や権利は第一義的なものであるから、子どものために教育を選ぶ**選択権**という側面が含まれる。幼児期の教育を幼稚園にするか、保育園にするか、行かないか、小中学校を私立にするか公立にするかなどは、子どもが自分の意志で進路を主張するまで多くの判断が子どもの利益を考える保護者にゆだねられている。学校教育に代わるホームスクーリングによる義務教育という選択肢は、過去の日本や世界の国々では認められているが、現在の日本で公式には認められていない。しかし、親権は子どもの利益のためにあるのだから、その子どもが学校教育による義務教育を受けることが困難になったときに、保護者はどうするべきだろうか。ここに不登校の問題を考える必要がある。

また、このテーマに連動して、不登校の対応に加えて、学校の就学や卒業を断念せざるをえなかった人たちのルート、特別支援学校以外の特別支援教育を通常の学校で受けるルートについても説明しておきたい。

第一節　旧来の不登校の対策

不登校の児童生徒の現在の実数について確認しておいてほしい。学校基本調査では毎年、その前年度の「長期欠席児童生徒数」が調査されていたが、現在は「児童生徒の問題行動・不登校等生徒指導上の諸課題に関する調査結果に

		小学校（人）	不登校者数を各数値で割った数値	中学校（人）	不登校者数を各数値で割った数値
長期欠席		180,875		232,875	
	病気	22,307		34,652	
	経済的理由	7		12	
	不登校	81,498		163,442	
	新型コロナウィルスの感染回避	42,963		16,353	
	その他	34,100		18,416	
学校数（小中学校のみ）		19,336	4.215	10,076	16.221
学級数（小中学校のみ）		272,842	0.299	119,980	1.362
児童生徒数		6,262,256	0.013	3,266,896	0.050
就学免除者		1,919		1,015	
就学猶予者		744		367	

表8　2021（令和3）年度間の長期欠席児童生徒の状況（文科省調査と学校基本調査により作成）

ついて」として詳しく発表されている。本書執筆時における最新データは、二〇二二（令和四）年に文部科学省が発表した二〇二一（令和三）年度間を対象とした統計である。表8には学校基本調査を加工して、比率などを示した。

第21章で考えた就学免除や就学猶予の人数と比べても、現代では不登校者数は一桁ほど違う大きい問題であることがわかる。ここで言う**長期欠席**とは、一九九〇（平成二）年度までは年度間の通算五〇日以上の欠席を集計したものだが、それでは実態がわからないので平成三年度間以後は通算三〇日以上の欠席をした児童生徒をカウントする。三〇日でも第20章で見た学校教育法施行令が定める連続七日間の欠席に関する校長から市町村教育委員会への通知と比べて、日数が大きい。つまりこの統計の長期欠席児童生徒数は、深刻な長期欠席のみをカウントしていると見てよい。事由では病気によるものも多くを占め、また本来ならばあってはならない経済的理由も中学校では二桁の数で存在している。しかし、現在の長期欠席の多数を占めるのは、不登校である。

この不登校者数を学校数、学級数、児童生徒数で割ってみた。ここでは義務教育学校や中等教育学校を除外して、学校数で割れば、平均して小学校には四人以上、中学校には一六人以上不登校者がいることがわかる。学級数で割ると小学校は比率が小さくなるが、中学校では一学級一・三人となって、一クラスに一人いる状態に近い。児童生徒数と比べると、小学校では一・三パーセントだが、中学校では五・〇パーセントとなり、決して少なくない。統計にあらわれた深刻な不登校は、クラス単位でも、子どもたちの人間関係でも、決して珍しいことではないのだ。もちろん、この統計で省かれる年間二九日以下の不登校者を含めれば、教師や保護者にとって普通に考えるべき課題であることが理解できる。不登校者の比率は、毎年増加して、二〇二一（令和三）年で最高値を更新した。これは確かに深刻な問題だが、単純に否定的に考えるのはどうだろうか。不登校の実態を顕在化して把握できることは教師として重要であるし、保護者や子どもが不登校でも多様なチャンスがあることを知ったうえで学校に行かない選択がなされているならば、不登校をまるで撲滅するべき社会問題のように考えるのは一面的である。

長期欠席の児童生徒は昔からいた。ただし義務教育の普及以前は、経済的理由などによる不就学と比べて、論じられにくかった。**不登校**は、近年でも「**学校嫌い**」や、現在も使用される「**登校拒否**」という言葉で論じられて、子どもの意志の問題としてイメージされがちだった。学校嫌いと言うと、好き嫌いの問題となってしまう。登校拒否では子どもが拒否という強い意思を表していることになる。もちろん、この二つの言葉があてはまる子どもたちも少なくない。しかしこれとは異なって、学校に行きたいと思っているし、学校を拒否したいわけでもないのに、それでも学校に行こうとすると気分が暗くなり、「ずる休み」を計画したわけでもないのに頭痛や嘔吐《おうと》などの身体上の支障が生じたりするという子どもたちも多い。このために、単に学校に登校していないことを意味する不登校という言葉で、あらゆるケースを包括して把握することが広まって現在に至るのである。先に見た学校基本調査では長期欠席の分類としての「学校嫌い」を、一九八八（昭和六三）年度から「不登校」に改めた。

私が教育学部学生や大学院学生だった一九八〇年代も「登校拒否」が普通の言葉で、教育心理学などの講義でも、知っておくべき課題として論じられていた。この頃の有力な対応としては、行動主義心理学による**行動療法**があった。**条件反射**という言葉は、一九〇四（明治三七）年にノーベル賞を受けたロシアの心理学者パブロフ（Ivan Petrovich Pavlov, 一八四九〜一九三六）の犬の実験で知られている。肉に対して犬が唾液を出すように、刺激に対する反射という概念で心理を捉えて、それを応用すれば肉とともに聞かせていたベルだけでも犬の唾液が流れるようになることを、条件反射という概念で提唱した。これをアメリカのワトソン（John Broadus Watson, 一八七八〜一九五八）も取り入れて、刺激と反応の結合で意識を説明する**行動主義** Behaviorism という心理学説を一九一三（大正二）年に提唱した。さらにアメリカのスキナー（Burrhus Frederic Skinner, 一九〇四〜九〇）は、この理論をもとにして、ネズミがテコを押してエサをもらうことを学ぶ実験装置を活用して、主体の動きを重視したオペラント条件づけ（道具的条件づけ）という概念を提唱した。心理学の説明は私の専門を超えるのだが、ともかくこうした理論を応用したものが行動療法である。

高等学校の生物の授業で犬が唾液を流す牧歌的な挿絵で説明されていた条件反射学派の学説について、大学に入って図書館で専門書を読んだら、実は犬に手術をして唾液の分泌量を測定する残酷な実験だったことを知って、あの学説が嫌いになった。ロシアの心理学と軌を一にしたアメリカの行動主義やそれに従う日本の行動療法についても、大学の講義で教わった次の実例集から、不信感を持ったことも事実である。

当時読んだテキストから事例を紹介しよう。(1) ある県の児童相談課という、本来ならば児童の権利を保護するべき立場にいるカウンセラーが、「現実的脱感作法《だっかんさほう》」による事例を説明する。小学校四年生の女子児童は担任教師に「学級委員もできず、学校を休む者は〇〇だ」という言葉を浴びせられて、学校に行けなくなったという。原文で注意なく記された差別用語は伏せておいた。この相談を受けたカウンセラーは、「児童は困難な場面に遭遇すると、それを解決して乗り越えるのではなく、むしろ回避して家庭のなかで安定を図ろうとする行動様式を身につけ、また両親は、それを受け入れてきた」と分析を記した。

いや、違うでしょう。読んだとき、すぐにそう思った。児童の証言からは暴言を浴びせた教師に原因が考えられ、事実なら教師への改善指導や、再発防止のための児童の権利保護が先である。当時も現在もそう思うのだが、ともかく一九八〇年代の行動主義心理学者はそう思っていなかった。なぜか児童と両親のみを分析する。そして、刺激を徐々に与えると感じなくなるという脱感作法にもとづき徐々に学校へと接近させて、そのたびにほめるというオペラント条件づけによって、学校に登校ができたという結論である。

根本的原因が教育者の問題行動にあっても、子どもと保護者に不登校の責任が転嫁されている。本来であれば地方公務員として児童福祉を専門としているこのカウンセラーは、児童の権利保護について保護者に説明して、教育委員会や学校に人権侵害の事実の確認や対応を求めて児童が就学できない原因を除去できるようにするべきである。しかし、一見科学的に見える引用した分析の文書は、権利侵害をした教師の責任を述べずに、それを児童と保護者に転嫁したものになっている。このほかの事例でも、「登校拒否には親は毅然とした態度で対処すべきである」とか、「保健室が教室の逃げ場とならないようにして、本児が保健室にきても、すぐに教室へ追い返す」といった表現が続き、「家庭の中での確固とした父親像を打ち立てる機会」といった行動主義とさえ関係がないマッチョな人生論や、職員室で正座といった体罰に相当する指導が並んでいる。心理学の名をもって子どもと保護者の心理を踏みにじっているとしか思えなかった。

条件反射学説や行動主義は、哲学的に心理を考える流れに抵抗して、条件反射や刺激と反応というモデルによって人間の行動をいわば装置のように科学の対象としたことが大きな貢献であるが、それを無批判にカウンセリングの現場に持ち込むと科学の名をかたった人権抑圧と責任転嫁という最悪の結果になる。もちろんこうしたカウンセラーのおかげで学校に行くことができたと感謝する児童や保護者もいるだろうし、脱感作法その他の技法を現在においても否定するつもりはない。しかし、児童の権利や教育のあり方という根本を見据えたうえで技術を論じなければ、教育の課題に挑んだことにはならないのである。

もちろん当時の動向に対して、心理学や医療の立場からも強く異論が提起されはじめた。学校論や教育論まで論じたものとしては、精神科医師の渡辺位《わたなべたかし》の提起が注目を集めた。(2) 彼は行動主義心理学の用語を使って、「**登校刺激**を加えないこと」を対応として強調した。子どもに学校に行けと保護者や教師が畳みかけても、学校に行こうと思っても行けない子どもたちの解決にはならない。それどころか子どもを葛藤状況に追い込んで、問題を大きくすることもある。卒業の資格や進学や就職の問題で理知的に説明しても、行動療法などの技術を尽くしても、それがその子にとっての根本的に必要なものになるのかという学校教育への疑問が背景に存在する。

渡辺たちの論理は、不登校の子どもの対応に悩む保護者や教育者の共感を受けた。しかしながら、現実の社会と学校制度の改革がないならば、その提起は、周知の近代学校の問題を説くだけになってしまう。子どもの利益を考えた制度改革が必要なのである。こうした現場を巻き込んだ葛藤のなかで、一九九〇年代からは制度の改革が進められることになる。

第二節　不登校への制度的対応

保健室登校という言葉がある。登校の場が教室ではなく保健室だということは、教室の授業は受けられず、登校したら保健室に駆け込んで養護教諭に相談を始めるというものである。身体上の理由ではなく、不登校で悩む末にこうした選択を児童生徒がとることがある。一九九〇（平成二）年と一九九六（平成八）年の文部省の委託調査では、調査時点で該当者がいる学校は小学校が七・一パーセントから一二・一パーセントへ、中学校は二三・二パーセントから三七・一パーセントへ増加していた。(3)

不登校の対応に乗り出すきっかけとなるのは、文部省が一九八九（平成元）年に学校不適応対策調査研究協力者会議を発足させ、一九九二（平成四）年三月一三日の報告書「登校拒否（不登校）問題について」が出されたことである。この報告書の要点を踏まえて、文部省は、同年九月二四日に初等中等教育局長通知「登校拒否問題の対応について」を教育委員会などに発した。ここでは、「登校拒否はどの児童生徒にも起こりうるものである」という認識に立って、「いじめや学業の不振、教職員に対する不信感など学校生活上の問題が起因して登校拒否になってしまう場合がしばしばみられる」として学校が原因となるケースを認めて、学校教育の課題として取り組むことを求めた。

この一九九二（平成四）年の通知が提起した具体的な制度の柔軟な運用は、**適応指導教室**の設置である。教育委員会による支援策として学校以外の場に不登校の児童生徒が集まる場を設け、指導員などが支援と相談を行うのである。この教育委員会による適応指導教室は、現在では**教育支援センター**の名称が一般的である。

さらにこの通知は、この適応指導教室のほか、学校教育法上の学校ではない民間の施設も含めて、校長が認める場合はその施設での相談や指導を指導要録上の**出席扱い**としてよいことを認めたのである。**指導要録**は児童生徒ごとに学籍に関する情報と成績や出席などが記載されたもので、第30章で法令に定める学校の表簿類として説明をする。この学校として重要な指導要録に校長が出席扱いとして記入することを文部省が公認するということは、その児童生徒が学校に出席しなくても施設などの出席をもって進級や卒業を可能にするという、制度運用上の大きな変化を示すものである。「児童生徒の問題行動・不登校等生徒指導上の諸課題に関する調査」の二〇二一（令和三）年度の数値では、地方自治体による教育支援センター・適応指導教室は一七七四施設であり、学校外の機関等で相談・指導等を受けて指導要録上出席扱いとした児童生徒数は、小学校七二三七人、中学校二万七六〇人にのぼり、さらにＩＣＴを活用した自宅学習で指導要録上出席扱いとした児童生徒数は小学校四七五二名、中学校六七八九名にのぼる。

また、**中卒認定**と略称される**中学校卒業程度認定試験**は、規則名を「就学義務猶予免除者等の中学校卒業程度認定規則」（昭和四十一年七月一日文部省令第三十六号）と言うとおり、就学免除や就学猶予が適用されて中学校の卒業ができなかった者について、各種の資格や高等学校の入学などのために中学校卒業程度の学力を国が認定する制度である。こうした経緯から、この認定試験は一六歳以上の者しか受験できなかったが、一九九七（平成九）年からは年齢を引き下げて中学校三年に相当する年齢から受験できることになった。二〇二二（令和四）年一〇月に実施された試験についての文部科学省の受験資格の説明でも、「就学義務猶予免除者である者又は就学義務猶予免除者であった者」など従来からの対象者に加えて、「保護者が就学させる義務の猶予又は免除を受けず、かつ、令和五年三月三十一日までに満十五歳に達する者で、その年度の終わりまでに中学校を卒業できないと見込まれることについてやむを得ない事由があると文部科学大臣が認めたもの」を挙げる。わかりにくい書き方だが、不登校の指導要録上の出席扱いでも救済されない子どもや、適応指導教室や校長が認める民間施設への出席をせずに自宅などで学力を形成した一五歳の子どもたちに、一年待つことなく高等学校進学の機会が開かれることになる。このことは、実質的なホームスクーリングが子どもの利益という点では保障されたと解釈することも可能である。なお近年の試験は、毎年一一月頃に文部科学省が都道府県ごとに試験場を指定して行われている。試験科目は中学校の国語、社会、数学、理科、外国語（英語）の五教科である。

実際の高等学校進学では、第30章で説明するが、法令に基づいて中学校が提出する**調査書**が登場し、これにともなう点数が入学試験でも活用されることが多い。また中学校からの推薦によって行う入試もある。こうした点で、指導要録の出席扱いの卒業者や調査書がない中学校卒業程度認定試験の合格者は、不利になることが予想される。このため、調査書を求めない学力検査を設定したり、不登校経験者の自己申告制度を導入するなどの改革も見られる。ただ、競争としての試験ゆえに受験する当事者にとっては悩みが多いことも事実である。

なお、義務教育ではない高等学校については、ここで論じている義務教育とは範囲が異なるが、高校全入と言われる高等学校の進学率を踏まえると、高等学校でも「不登校」という言葉が使われていることもまたうなずける。「児童生徒の問題行動等生徒指導上の諸問題に関する調査」では、二〇二一（令和三）年度の高等学校での不登校等を一一万八二三二人、全体の三・九パーセントとしている。高等学校を卒業しない者が大学を受験するためには、**大検**と呼ばれた**大学入学資格検定試験**があったが、二〇〇五（平成一七）年度からは**高卒認定**と呼ばれる**高等学校卒業程度認定試験**に改められた。高等学校卒業程度認定試験規則（平成十七年一月三十一日文部科学省令第一号）により文部科学省が近年では毎年二回行う試験であり、合格者は大学などの入学試験や各種資格試験の受験資格などを得ることになる。各教科・科目から選択して八教科または九教科に合格する必要がある。受験は一六歳から可能なので大学入試が繰り上がるかに誤解しやすいが、大学の入学時期は同年齢の生徒と同様である。

不登校の児童生徒のために教育の機会を学校とは異なる形で支えようとする民間の動きは、**フリースクール**と呼ばれる。学校教育法第一条に定める学校ではないが、学齢児童や学齢生徒が在籍する学校の校長の権限で出席扱いとなることが可能である。近年のフリースクールの運動では、ＮＰＯ法人などによるものや、学校教育法上の学校への移行にのりだすものなど様々な動きがある。保護者と教育関係者の熱意によるこうした教育運動の存在により、不登校になった子どもたちの権利が守られていると言える。**通信制高等学校**は通信教育を行う学校教育法第一条の定める高等学校の一つであるが、不登校の生徒が転学するケースも多い。また、予備校や学習塾が、高卒認定を含めた大学入学試験や通信制高等学校の補習のために、**サポート校**という名称で事業を行うことも増えている。ただしこうした教育が広がるなか、無資格の指導者が行うことの多いフリースクールの教育水準の問題や、通信制高等学校のサテライト教室などの教育環境の不十分さなどをめぐって批判があることも、付言しておかないと不公平であろう。

ここまで不登校をめぐる現在の法令のなかで、その運用の変化を述べてきた。この変化は、一九九二（平成四）年の文部省の通知という、厳密には法的拘束力のない文書によって始まった。しかし学校の努力と保護者や民間の活動が連携することによって、不登校の子どもたちにとっては大きな変化が訪れたことになる。この不登校をめぐる対応では学校教育法などの法律の改正は一つも行われなかった。法律ではなく、省令改正や制度運用の改善によって教育が大きく変化していった例と言える。

ここに、二〇一七（平成二九）年二月に施行された、不登校の子どもや夜間中学で学ぶ成人の支援を定めた**教育機会確保法**と略称される「義務教育の段階における普通教育に相当する教育の機会の確保等に関する法律」の画期的意義がある。その第一条を次に掲げる。

義務教育の段階における普通教育に相当する教育の機会の確保等に関する法律（平成二十八年十二月十四日法律第百五号）

（目的）

第一条　この法律は、教育基本法（平成十八年法律第百二十号）及び児童の権利に関する条約等の教育に関する条約の趣旨にのっとり、教育機会の確保等に関する施策に関し、基本理念を定め、並びに国及び地方公共団体の責務を明らかにするとともに、基本指針の策定その他の必要な事項を定めることにより、教育機会の確保等に関する施策を総合的に推進することを目的とする。

教育機会確保法は第一条で、教育基本法や児童の権利に関する条約に基づいて、**教育機会の確保**という目的を明確にした。第二条では法律として初めて**不登校児童生徒**を定義して、「相当の期間学校を欠席する児童生徒であって、学校における集団の生活に関する心理的な負担その他の事由のために就学が困難である状況として文部科学大臣が定める状況にあると認められるものをいう。」とした。事実としての学校の欠席とともに、学校生活での困難を含めて定義した。そして第三条では基本理念として、不登校の子どもへの支援と多様な学習活動への支援を定めている。こうして、不登校の子どもたちの多様な学習の機会としてのフリースクールの位置づけも可能になった。さらに「義務教育の段階における普通教育に相当する教育を十分に受けていない者の意思を十分に尊重しつつ、その年齢又は国籍その他の置かれている事情にかかわりなく、その能力に応じた教育を受ける機会が確保されるようにする」として、戦前戦後の混乱や海外からの帰国や外国からの移住などによって義務教育が十分ではない人について、国籍や年齢を問わず教育機会を確保するという**夜間中学**の根拠を明確にしたのである。[4] これをうけて文部科学省は二〇一七（平成二九）年三月に「基本指針」を示して具体的な促進を行った。二〇二二（令和四）年の文部科学省発表（同省ウェブページ「夜間中学の設置・検討状況」）では夜間中学は四〇校となり、さらに設置の検討が進んでいる。

　保護者の親権に含まれる教育の権利と義務は、子どもの利益を考えて教育のあり方を選ぶ選択権としての意味を持つ。そして現在の学校教育の枠組みのなかでも、教育がより豊かに運用される可能性を理解できる。学校の責任を論じることなしに児童生徒や保護者の心理だけで問題を解決しようとした、かつての行動療法の傾向が誤りであったことは明らかである。それに対置される登校刺激を与えないという発想もまた保護者や教育者が十分に考えながら取り組む必要がある。子どもを葛藤に追い込むような登校刺激が危険であることは明白だが、学校について話題にしないとか、学業や進路について話さないということだけであれば、子どものこれからの成長の可能性を削《そ》いでしまう危惧もある。不登校に対応する制度と慣習が整ってきた現在では、たとえ自宅のなかで学んでも「ひきこもり」と問題視されるのではなく、多様な社会参加が可能となった。さらに、たとえ中高年になっても夜間中学という選択肢が開かれていることも重要である。これまで述べた多様なルートは、子どもが学び成長して社会に参加していくための保障である。特定の学校での教育が不登校の原因だったとしても、次へと進むときには新たな教育の選択肢を考えなければならない。

第三節　認定特別支援学校就学

これまでの話題と少し異なるテーマだが、第18章で検討した教育基本法第四条第二項に言う障害のある者に対応する特別支援教育や、第20章で見た学齢簿と就学時健康診断、さらには第21章で見た障害者の排除であったかつての就学猶予や就学免除の問題を踏まえて、不登校をめぐって論じた義務教育における**選択権**の課題を、特別支援教育の分野でも考えてみたい。認定就学の制度が、認定特別支援学校就学の制度へと選択権が広がっていく動向を見る。

一九七九（昭和五四）年施行の養護学校の設置義務をめぐっては、それまで通常の学校の教育を受けていた障害のある児童生徒までを一律に養護学校に就学させるということへの危惧や混乱があった。実際には、小学校や中学校における特殊学級つまり現在の**特別支援学級**や、通常の学級に学ぶ障害のある子どもたちの**通級指導**が充実されていった。また障害のある子どもとない子どもが同じ学校や教室で学ぶ**統合教育**の可能性が模索されていった。そして従来の概念では障害として把握されなかった学習障害なども含めて、多様なニーズに対応する**特別支援教育**が提起されて、学校教育法改正により二〇〇七（平成一九）年四月から**特別支援学校**が発足した。

この特別支援学校に先立って開始されたのが、**認定就学**の制度である。これは障害があって特別支援学校に就学するべき基準に当てはまる学齢児童や学齢生徒であっても、小学校や中学校で適切な教育を受けることができると市町村教育委員会が判断する場合は、小学校や中学校への就学を認めるという制度である。認定就学となった場合は、小学校や中学校の特別支援学級や通常の学級に所属して通級指導を受けることになる。

二〇〇二（平成一四）年に学校教育法施行令の一部改正（平成十四年四月二十四日政令第百六十三号）により、九月一日から認定就学制度が施行された。学校の法令は四月一日施行が多いが、九月一日施行というのは学齢簿に関するからである。学齢簿は通常は一〇月一日から市町村教育委員会で作成が始まり、一一月から子どもたちの**就学時健康診断**が始まる。この改正では、近年の障害に関する医学的知見を踏まえて障害の程度の規定である**就学基準**を改め、障害のある児童の就学先の決定にあたっては教育学、医学、心理学などの専門家の**意見聴取**を義務づけた。これに基づく文部科学省の通知により、市町村教育委員会では障害の種類や程度について専門家が審議する**就学指導委員会**が位置づけられることになった。

さらに二〇〇七（平成一九）年に特別支援学校の発足に伴って、学校教育法施行令の一部改正（平成十九年三月二十二日政令第五十五号）が行われた。新たに第十八条の二において、専門家の意見聴取に加えて、保護者からの意見聴取も義務づけた。

「その保護者及び教育学、医学、心理学その他の障害のある児童生徒等の就学に関する専門的知識を有する者の意見を聴くものとする。」として市町村教育委員会が保護者と専門家の双方に、児童の就学についての意見を聞く義務を定めたものである。わかりやすく言うと、一一月頃に就学時健康診断を行った結果に基づいて、就学の基準によって、特別支援学校小学部に就学するか、それとも小学校に認定就学するかについて、専門家とともに保護者にも意見聴取をするという規定である。

念のため言うと法令上の意見聴取とは、あくまでも意見のヒアリングであって、決定権はなく、最後は市町村教育委員会が決定するのである。それでも法令上の手続きとして保護者が意見を述べることは、ここで強調した保護者の選択権として大きな意味がある。

さらに障害者の権利の国際的な展開が日本でも大きな影響を与えた。**障害者権利条約**と略称される障害者の権利に関する条約（Convention on the Rights of Persons with Disabilities, 平成二十六年一月二十二日条約第一号）は、衆参両院の全会一致で締結が承認され、二〇一四（平成二六）年二月一九日から国内で発効した。この条約の締結に先立って国内の法律が整備され、二〇一一（平成二三）年には障害の有無にかかわらず共生する社会という**共生社会**の基本理念を定めて、**障害者基本法**（昭和四十五年五月二十一日法律第八十四号）を改正した。二〇一二（平成二四）年には障害者への自立支援給付などを定めて**障害者総合支援法**と略称される「障害者の日常生活及び社会生活を総合的に支援するための法律」（平成十七年十一月七日法律第百二十三号）が改正された。二〇一三（平成二五）年には不当な差別的取扱の禁止と**合理的配慮**などを定めた**障害者差別解消法**と略称される「障害を理由とする差別の解消の推進に関する法律」（平成二十五年六月二十六日法律第六十五号）の制定や、雇用の分野における障害者と障害者でない者との均等な機会及び待遇の確保を求めた**障害者雇用促進法**と略称される「障害者の雇用の促進等に関する法律」（昭和三十五年七月二十五日法律第百二十三号）の改正が行われた。障害者基本法の理念を踏まえて共生社会や障害者差別解消法が学校などに求める合理的配慮は、障害者への保護や支援だけではなく、障害のある者もない者もともに学ぶ場を求めるものである。障害者権利条約の第二十四条は、**インクルーシブ教育システム**（inclusive education system, 条約では「包容する教育制度」など）と呼んでいる。

こうした一連の改革に連動して、二〇一二（平成二四）年七月二三日に中央教育審議会初等中等教育分科会報告「共生社会の形成に向けたインクルーシブ教育システム構築のための特別支援教育の推進」が出され、就学基準に該当する児童生徒が特別支援学校に就学する仕組みについて、総合的な観点から就学先を選択する仕組みへと変更することを提起した。そして、学校教育法施行令の一部改正（平成二十五年八月二十六日政令第二百四十四号）が行われた。

二〇一三（平成二五）年の改正では、これまでの認定就学では特別な事情で障害のある子どもが通常の小学校や中学校に認定就学者として就学するというものだが、この原則を改めて、障害のある子ども本人や保護者の教育的ニーズを尊重して特別支援学校に就学するという原則として、**認定特別支援学校就学者制度**とした。わかりにくいかもしれないが、障害のある子どもは特別支援学校に行くのが原則で、小中学校に行く認定就学者が例外であるという原則から、本人の特別な教育的ニーズで特別支援学校に認定特別支援学校就学者として行くという原則へと転換したのである。この原則から、特別支援学校と小中学校の間の転学や学区外の小中学校への就学など、選択の幅を広げる制度改革がなされた。また就学指導委員会の名称も、就学前後を含めて総合的に支援するために**教育支援委員会**などの名称に改められた。都道府県教育委員会が主導した改革として、障害のある児童生徒が特別支援学校と同時に小中学校にも在籍するという**二重在籍**の制度も進み、東京都で副籍、埼玉県では支援籍と呼ばれている。こうした改革で、障害のある子どももない子どもも、ともに学び合う機会が増えていくことは、共生社会にむけたインクルーシブ教育の前提となる。

保護者の持つべき選択権の整備として、認定特別支援学校就学における保護者の意見聴取の規定に注目した。実際にはこの規定だけで障害のある子どもの権利が守られるのではなく、その子どもの障害に応じて必要な特別支援教育を保護者も教育者も外部の専門家も考えていく必要がある。保護者は専門家や教育者の意見を理解して、その地域の特別支援学校、特別支援学級、通級指導などの実際を把握して、慎重な判断を行う必要があるだろう。保護者の持つべき選択権は、民法に定める親権者による教育の権利と義務によるのだから、つねにそれは子どもの利益のためでなくてはならない。

（1）上里一郎編『登校拒否　行動療法ケース研究　第二集』岩崎学術出版、一九八五年。
（2）渡辺位編著『登校拒否　学校に行かないで生きる』太郎次郎社、一九八三年。
（3）文部省体育局学校健康教育課「保健室利用状況に関する調査結果の概要について」一九九九年（日本学校保健会調査による発表）。
（4）戦後の夜間中学校をめぐる歴史的経緯は大多和雅絵『戦後夜間中学校の歴史—学齢超過者の教育を受ける権利をめぐっ

て』六花出版、二〇一七年に詳しい。

第23章　中等教育の格差と一元化

中等教育は何かというのは、難しい問いである。初等教育は近代の公教育の基本となり、義務教育とともに確立してきた。日本では小学校教育と義務教育が同じ意味である時代が長く続いた。しかし一九四七（昭和二二）年の教育基本法と学校教育法は、普通教育としての中学校教育までを九年の義務教育の範囲に含めて、現在に至っている。世界的にも中等教育までを義務教育とするのが現在の状態である。

中等教育 secondary education は、初等教育の次にある教育である。第14章で単線型と複線型の問題を説明した。中等教育は、初等教育の次の段階にあるから、入り口では制度としての学校と学校の間の**接続** articulation の問題、子どもにとっては入学試験の関門が発生する。ヨーロッパで中等教育は大学などの高等教育の準備教育である文法学校などとして発足したので、上から降りてくるようなエリート教育の形成過程であった。その一方で、多くの子どもに開かれた公教育の次の段階としての中等教育の形成過程がある。ここに多様な中等教育が社会階層の固定化や人材配分のシステムとして機能していくヨーロッパで見られる複線型の教育システムが問題として発生するのである。そしてその解決としての中等教育の様々な学校系統を整理して一元化していく**統合** integration の課題が発生することになる。

第一節　中等教育における男女の格差

「ねえ、読んだ。」「うん、泣いちゃった。」「そうだよね、私も。」という会話が、しばらく小学校の教室の女子児童のあいだで続いていた。学年は覚えていないが一九七〇年代前半の、神戸の公立小学校である。回し読みしている本のタイトルは『野菊の墓』であった。タイトルからして、泣くほど怖い小説であることがわかる。痛いのと怖いのが大嫌いな小学生であった私は、当然にこの本に近づくまいと思った。次に会話として聞いたのは、大学院学生として千葉の習志野市の市史編纂に関わっているとき、地域で活躍する年上の先生から「千葉の中学校と言えば、『野菊の墓』は読んだよね。」という話題であった。さすがに文学史の知識として伊藤左千夫（一八六四〜一九一三）の名前は知っていたので、曖昧に返事して、岩波文庫の『野菊の墓』を帰路で買って読んだ。ありがたいことにホラー小説ではなく、子ども向けのリライト版でも泣きたくなる理由はよくわかった。そしてこの小説が、実は教育の歴史に関する知識なしには読み解けない貴重な小説であることもわかったのである。

後《のち》の月という時分が来ると、どうも思わずには居られない。幼い訣《わけ》とは思うが何分にも忘れることが出来ない。もはや十年余《よ》も過去った昔のことであるから、細かい事実は多くは覚えて居ないけれど、心持だけは今なお昨日の如く、その時の事を考えてると、全く当時の心持に立ち返って、涙が留めどなく湧《わ》くのである。悲しくもあり楽しくもありというような状態で、忘れようと思う事もないではないが、寧《むし》ろ繰返し繰返し、考えては、夢幻的の興味を貪《むさぼ》って居る事が多い。そんな訣から一寸《ちよつと》物に書いて置こうかという気になったのである。

冒頭から語り手である主人公が泣き始めた。もう、涙ぬきでは語れない。一〇年余り前を回想するにしては涙腺がゆるすぎる序幕だが、淡々と農村の日常風景が続くと、知らない間に主人公の視点になってしまう。「後の月」とは、陰暦の九月一三日の月である。陰暦八月一五日の中秋の名月に次いで月見などの行事があるが、言うまでもなく伏線である。太陽暦が一八七二（明治五）年に施行されても、農作業と祭礼に連続した陰暦が時間を規定する明治期の農村部の様子を象徴している。
伊藤左千夫の『野菊の墓』は、一九〇六（明治三九）年一月の文学雑誌『ホトトギス』に掲載された。作者は上総《かずさ》国殿台村《とのだいむら》（後の成東町《なるとうまち》、現在の山武市）の農家の四男に生まれて、明治法律学校、現在の明治大学を退学している。殿台村は千葉でも九十九里浜沿いだが、この小説の舞台と同じ千葉県である。「十年余」の回想であるから、初出の読者にとって舞台は一八九六（明治二九）年の少し前であることがわかる。もちろんその後に読んでも内容は明治中期のことことわかっただろう。

僕の家というのは、松戸から二里ばかり下って、矢切《やぎり》の渡《わたし》を東へ渡り、小高い岡の上でやはり矢切村と云ってる所。矢切の斎藤と云えば、この界隈《かいわい》での旧家で、里見の崩れが二三人ここへ落ちて百姓になった内の一人が斎藤と云ったのだと祖父から聞いて居る。屋敷の西側に一丈五六尺も廻るような椎《しい》の樹が四五本重なり合って立って居る。村一番の忌森《いもり》で村じゅうから羨《うらや》ましがられて居る。

次の段落で主人公の斎藤政夫の自己紹介が始まる。第9章では戦場で家系を述べる武士の名乗りを見たが、それと軌を一にする。千葉県北部の松戸市の矢切の渡しは有名だが、矢切村は仮想の設定である。里見の崩れとは、滝沢馬琴の『南総里見八犬伝』のモチーフになって有名だが、戦国大名の里見氏の没落を指す。里見氏は清和源氏の末裔であるが、斎藤氏ならば藤原氏の末裔だろう。里見家臣の落武者が祖先だという自慢である。屋敷森を持つ村一番の名家の息子だから、将来が嘱望されていることになる。
さらに病気がちの母と、千葉県市川の親戚から住み込みで手伝いに来ている従姉妹《いとこ》の民子が登場する。彼女がヒロインである。

僕は小学校を卒業したばかりで十五歳、月を数えると十三歳何ヶ月という頃、民子は十七だけれどそれも生れが晩《おそ》いから、十五と少しにしかならない。

第20章で見た学齢と年齢計算の説明で述べたことを知らないと、これは暗号のような文章であるが、読者はきちんと読解できる。時期設定は、一八九六（明治二九）年の少し前である。一九〇二（明治三五）年の「年齢計算ニ関スル法律」の前だから月単位で満年齢を考える。一九四九（昭和二四）年の「年齢のとなえ方に関する法律」の前だから**数え年**が社会では一般的である。主人公の斎藤政夫は数え年で「十五歳」であり、**満年齢**で、月数で表示して「十三歳何ヶ月」ということである。小説が発表された年に「年齢計算ニ関スル法律」は施行されているが、ここは回想だから「月を数える」という文学的な表現が法令的にもぴったりする。

また政夫は「小学校を卒業したばかり」と言うが、その**小学校**は、第13章で見たとおり一八九〇（明治二三）年の小学校令によるものであるから、尋常小学校は三年制または四年制、高等小学校は二年制または三年制または四年制とずいぶんと幅があった。一般的なものは、四年の尋常小学校と二年の高等小学校の合計六年である。義務教育が尋常小学校の六年制になると高等小学校に行かずに**中学校**へと進むが、このときは高等小学校も卒業してから中学校へ進む。政夫が満六歳の学齢の始期ですぐに小学校に入学したならば、満一二歳から一三歳になった頃に高等小学校を卒業するので、卒業後に満一三歳だとすると計算が合う。

ヒロインの民子は数えで「十七歳」である。「それも生れが晩いから、十五と少しにしかならない」というなかで「生まれが晩い」というのは、学年に関する早生まれや遅生まれではないだろう。数え年は生まれた年を一歳として、次の元旦で一歳を加算するから、一一月や一二月に生まれた子が早く年を取るということである。どうでもよいことだが、政夫は民子が年上であるから、二年の差を気にして、「十五と少しにしかならない」と年齢差を小さく見せる表現をしたのだろうか。

勿論僕とは大の仲好しで、座敷を掃くと云っては僕の所をのぞく、障子をはたくと云っては僕の座敷へ這入《はい》ってくる、私も本が読みたいの手習がしたいのと云う、たまにはハタキの柄で僕の背中を突いたり、僕の耳を摘まんだりして逃げてゆく。僕も民子の姿を見れば来い来いと云うて二人で遊ぶのが何より面白かった。

母からいつでも叱られる。

「又民やは政の所へ這入ってるナ。コラアさっさと掃除をやってしまえ。これからは政の読書の邪魔などしてはいけません。民やは年上の癖に……」

などと頻《しき》りに小言を云うけれど、その実《じつ》母も民子をば非常に可愛がって居るのだから、一向に小言がきかない。私にも少し手習をさして……などと時々民子はだだをいう。そういう時の母の小言もきまっている。

「お前は手習よか裁縫です。着物が満足に縫えなくては女一人前《いちにんまえ》として嫁にゆかれません」

政夫は中学校進学の勉強をしている。「僕の座敷」と言うのだから勉強部屋が与えられている。しばらくあとで「来月から千葉の中学へ行くんじゃないか」という言葉があるので、すでに進学は決定しているのだろう。学習は高いレベルを意識させる「読書」や近世的な初歩の「手習」と表現されている。政夫は進学を前に勉強中であるが、民子は住み込みの家事手伝いである。そこで二人のコミュニケーションは、家事労働中の民子が学習中の政夫に邪魔をするという形態で行われる。「私にも少し手習をさして」と言う民子の要求は、一緒に遊びたいという素朴な感情に、一緒に学びたいという要素が重なっている。

そこに民子をかわいがる母から、「お前は手習よか裁縫です」という言葉が発せられる。この理由として「着物が満足に縫えなくては女一人前として嫁にゆかれません」という言葉が続く。この母親の言葉が、当時の中等教育をめぐる大人の認識を代弁しているだろう。作中に兄の妻も登場するから、小作人をかかえる安定的な斎藤家は兄たちが継承するだろう。政夫の進路は農業以外の独立の道として、中学校進学を母も希望して勉強部屋を与えている。一方で民子には「一人前」の女性として「嫁」となることが想定され、そのためには手習いによる学力ではなく、裁縫などの家事労働の技術力が求められるのである。母はそれが民子のためだと思って善意で説得していることになる。

なお、一八九〇（明治二三）年の小学校令の全面実施で小学校の学年の四月一日開始が広まっているから政夫は三月に卒業して自宅にいる。一方で中等教育や高等教育は、今の言葉で言う秋入学が一般的だから九月や一〇月になってから入学することになる。この数箇月のブランクの存在があってはじめて、この小説の中心になる二人の心情の交流の期間が成立する。すべての学校の学年の開始が四月に統一されると、初等教育の三月の終期と中等教育の四月の始期で、ブランクが存在しなくなる。

このあと、小説は二人の感情を日常のなかで描写する。そして「陰暦の九月十三日」つまり冒頭に出た「後の月」の日に二人は畑作業に出て、政夫は手折った野菊を民子に渡した。「私なんでも野菊の生れ返りよ。野菊の花を見ると身振いの出るほど好《この》もしいの。どうしてこんなかと、自分でも思う位」「道理でどうやら民さんは野菊のような人だ」といった会話を交わす。しかし二人の仲を気にする家族たちは、政夫を早く千葉の中学校に入学させることを判断して、陰暦の「十一月へ入って直ぐ学校へやる積り」だったところを前倒しして、千葉に向かわせる。政夫は十月十六日付けで冬期の休みに会いたいという手紙を記して、翌日に民子に別れを告げる。

しかし冬期休業で帰宅しても民子の姿は家になく、民子は市川の家に戻ったという。時がたって、政夫が中学校にいたとき実家から「スグカエレ」という電報が来た。実家に戻ると民子が結婚して産後の肥立ちが悪くて死亡したことを告げられる。そして市川の親類を訪ねて墓参する。この後半は、政夫の家族も民子の家族もひたすら泣きながら語るのであって、冒頭の涙ながらの回顧が浮き立たないほどに読者を引き込んでしまう。それは私の筆力をはるかに超えるので、是非とも原作を読んでほしい。最後の二段落を引用する。

毎日七日《なぬか》の間市川へ通って、民子の墓の周囲には野菊が一面に植えられた。その翌《あ》くる日に僕は充分母の精神の休まる様に自分の心持を話して、決然学校へ出た。

民子は余儀なき結婚をして遂に世を去り、僕は余儀なき結婚をして長らえている。民子は僕の写真と僕の手紙とを胸を離さずに持って居よう。幽明遥《はる》けく隔つとも僕の心は一日も民子の上を去らぬ。

「決然学校へ出た。」という表現は、実家とは隔絶された千葉の中学校の寮生活へ戻ることを意味するのだろうが、同時に農村部の生活とは異なる近代化した生活、さらに中学校卒業後に想定される話者である政夫自身の一〇年後の生活への連続を意味するのだろう。大家族や住み込みの縁者をかかえた近世的な生活を決然と捨てて、中等教育や学校での学習を経て家系や土地に縛られない近代的な都市生活へと彼は進んだのである。

第二節　中等教育の一元化

『野菊の墓』の発表年一九〇六（明治三九）年と、作品の舞台はその「十年余」前であるが、「余」では不都合なので一〇年として、一〇年刻みで比べると表9のようになる。

政夫はもちろん、おそらく民子も小学校を卒業しているだろうが、小学校就学率がようやく半分を超えた頃である。

	小学校			中学校		高等女学校	
	学校数	児童数	就学率	学校数	生徒数	学校数	生徒数
1886（明治 19）年	28,556	2,802,639	46.33	56	10,300	7	898
1896（明治 29）年	26,835	3,877,981	64.22	121	40,778	19	4,152
1906（明治 39）年	27,296	5,514,735	96.56	281	108,531	114	35,876
1916（大正 5）年	25,613	7,654,047	98.73	325	147,467	378	101,965
1926（大正 15）年	25,490	9,287,662	99.44	518	316,759	862	326,208
1936（昭和 11）年	25,840	11,566,912	99.59	559	352,320	985	432,553
1946（昭和 21）年	25,188	12,308,195	99.67	793	707,878	1,413	948,077

表９　『野菊の墓』（1906 年）から見た学校数などの比較

作品が発表された一九〇六（明治三九）年には九割後半に至り、統計上は義務教育が定着した状態である。作品の舞台となる一八九六（明治二九）年は男子の中学校は決して多くない。一八七八（明治一一）年に千葉師範学校に中学校が置かれ、これが政夫の就学した千葉の中学校のモデルである。男子一二一校に対して女子一九校、男子四万七七八人に対して女子四一五二人であるから、一桁違うのである。

ところがこの表を見てみると、作品が書かれた時期にはずいぶんと高等女学校が増えてきた。そして大正期には中学校と肩を並べ、一九二六（大正一五）年には学校数も生徒数も女子が男子を上回る。一九三六（昭和一一）年と戦後の一九四六（昭和二一）年では中学校生徒は三五万人から七〇万人へ、高等女学校生徒は四三万人からほぼ九五万人へとそれぞれ倍増するが、この女性優位の傾向は変化なく、一九四七（昭和二二）年の学校教育法に至るのである。

大正デモクラシーは女性の権利が主張される時期でもあるが、のちに日本国憲法や教育基本法が定める男女同権や男女共学の実態へと進んでいたということだろうか。その読みは当たっているようで当たっていない。男子の中学校と女子の高等女学校という男女の格差は、その後の高等教育進学の格差、男女による複線型の格差として厳然と維持されている。それでも女子が上回った背景には、もう一つの中等教育機関である実業学校では男子が多数だったことや、その実業学校で実科高等女学校と分類される数万人が高等女学校に加算されている実態もある。ただそれにしても女性優位の原因を考えるには、あの政夫の母の言葉を理解しなければならない。

「お前は手習よか裁縫です。着物が満足に縫えなくては女一人前として嫁にゆかれません」という言葉は、普通教育としての学力よりも家庭労働のための技術力が女性に必要であり、それが専業主婦などとしての将来を左右するという話である。そして民子は政夫と離されて、財産家の子どもと結婚した。

これが高等女学校の普及によって変化する。高等女学校は、高等普通教育の場であるが、その教育目的は**良妻賢母**になることだとされた。良き妻になり賢き母になる、つまり良き専業主婦になるということである。念のために言うが良妻賢母とは、高等女学校令にもどこにも書いていない。しかし、教科には男子の中学校にはない「家事」や「裁縫」があり、各教科の教科書も男子の中学校と異なることが多かった。あの作品から一〇年、あるいは二〇年たっていたら、政夫の母は民子にこう言うはずである。「お前は手習も裁縫も必要です。着物が満足に縫えなくては女一人前として嫁にゆかれません。だから高等女学校に行きなさい」と。家庭における妻役割や母役割を重視する立場からも、高等女学校の存在が肯定されることになる。

ここで、第11章から第13章で説明した中等教育の歴史を駆け足でまとめておこう。必要に応じて読み直しや巻末資料の学校系統図による確認をしてほしい。一八七二（明治五）年の**学制**は、全国を八つの大学区に分け、それを三二の中学区に分け、それを二一〇の小学区に分けようとした。すなわち、全国には八と三二を掛けて二五六の中学区に、一校ずつの中学ができる。もちろんそんなことは不可能で、一八七三（明治六）年には二〇校である。それが一八七九（明治一二）年には七八四校まで増えるのだが、実際には統廃合されて減少して、先ほどの一八八六（明治一九）年の五六校になる。一八七五（明治八）年創立の女性教員の養成機関である女子師範学校（のち東京女子師範学校、東京女子高等師範学校、現在のお茶の水女子大学）には、一八八二（明治一五）年に附属高等女学校が置かれた。それ以前も女学校の名称の学校はあるが、高等女学校と名乗って五年制をとったのはこれが最初である。

その後も中等教育の制度が整備されていったが、一八八六（明治一九）年に文部大臣森有礼がかかわった中学校令は、五年制の**尋常中学校**と、その卒業者が進学する二年制の**高等中学校**を整備した。さらに一八九四（明治二七）年に高等学校令が定められ、一八九九（明治三二）年に中学校令が定められる。こうして五年制の**中学校**から三年制の**高等学校**へと進学して、帝国大学へと進む男子のコースが確定する。同じ一八九九（明治三二）年には高等女学校令により四年制の**高等女学校**が位置づけられ、同年の実業学校令により実業に進む男女のための**実業学校**が位置づけられた。こうして中等教育は、男子の中学校、女子の高等女学校、男女の実業学校の三つに区分され、拡充されて複線型の学校システムが中等教育段階でできあがる。これらの勅令では中学校も高等女学校も教育の目的は**高等普通教育**と同じものであった。しかしながら大学に進学する可能性は男子に限られ、女子高等教育は少数ながら専門学校が引き受けることとなった。

大正期から昭和戦前期にかけては、表9のとおり中等教育の拡大が進められていたことになる。世界的な新教育の動向は初等教育を中心に第13章で見たが、中等教育での世界的な動向は「すべての者に中等教育を」secondary education for all という言葉に象徴される、制度上の**中等教育一元化**と中等教育の量的拡大の動きであった。複線型のヨーロッパの国々でも多くの制度改革が行われる。日本では臨時教育会議の検討を経て、五年制の中学校と三年制の高等学校を併せて七年に短縮して、一九一八（大正七）年より**七年制高等学校**が制度化されたが、実際には進学コースの増設に過ぎなかった。抜本的な制度改革は、太平洋戦争のただなかの、一九四三（昭和一八）年の中等学校令であり、従来の中学校令、高等女学校令、実業学校令を廃止して、あらたに国民学校初等科を卒業して入学する修業年限四年の**中等学校**という学校種別を明示した。しかしながら、国民学校令同様に「皇国ノ道」の教育理念による統一を図りつつも、中学校、高等女学校、実業学校という学校種別は中等学校の類型として存続して、実際の制度改革とはならなかった。また、これらの学校に進まない若年のための青年学校は、この中等教育の枠外に置かれた。しかしながら、総力戦下の「皇国ノ道」のもとの形式的な中等教育一元化が、この勅令を廃止した一九四七（昭和二二）年の学校教育法で実質的に実現したのである。

一九四七（昭和二二）年の学校教育法に基づく中等教育制度は、第14章で述べた教育基本法以後でたびたび説明しているので、ここでは補足のみをする。

現在の学校教育法が基本とする教育システムは、歴史的に、二〇世紀の世界的な新教育における自由な流れと、戦時下の総力戦体制の合理性と、日本国憲法のもとでの国民主権の流れがあわさった産物と見られることになる。そして六・三・三・四制の単線型の学校教育のシステムは、個人の立場からの自由さにおいても、合理的な人材配分においても、それを通じての民主主義社会の形成という点においても現代的な意義を持っている。

巻末資料の学校系統図8と9で、一九四七（昭和二二）年段階のものと現在のものとを比較しておいてほしいが、高等専門学校、中等教育学校という新しい学校種別の創設においても原則として単線型のシステムが今日も進学の機会の均等という点では維持されていると考えられる。

今まで詳しく言及しなかった中等教育の夜間部や通信教育課程について、説明を付け加えたい。これらは、中学校の就学や卒業の機会がなかった青年や社会人を受け入れる学校教育法第一条に定める学校として、単線型のシステムを様々な年齢やキャリアの人々に開く機能を持っている。戦後教育改革ではすでに学齢を終えて勤労している社会人や働きながら学ぶ生徒が想定されていたが、時代とともに入学者は多様化している。

旧制中学校の時代でも夜間の授業が行われていたが、戦後教育改革では二部授業が校舎施設の活用のためにも一般化し、その後は中学校教育を受ける機会を逸した青年や成人のための教育の場となった。この**夜間中学**（夜間中学校とも言う）は学校教育法施行令第二十五条と学校教育法施行規則第九条に言う「二部授業」として夜間に行われるものであり、戦後の中学校教育の機会が得られなかった人々に加え、現在では外国から戻った日本人、日系人や新しく日本に来た外国籍の社会人のための教育機関としての役割を果たしており[1]、さらに**教育機会確保法**と略称される「義務教育の段階における普通教育に相当する教育の機会の確保等に関する法律」（平成二十八年十二月十四日法律第百五号）によって、今日も明確な位置づけを得ている。

中学校通信教育は学校教育法附則第八条と中学校通信教育規程（昭和二十二年十月二十九日文部省令第二十五号）によるもので、勤労しながら中学校教育を受ける場として活用されてきた。しかし現在では二校のみと少なくなった。

高等学校は学校教育法第五十三条の定める**定時制**の課程、同第五十四条や高等学校通信教育規程（昭和三十七年九月一日文部省令第三十二号）の定める**通信制**の課程が働きながら学ぶ社会人のための学校としての役割を果たしている。近年の通信制の高等学校は、全日制の高等学校の退学者が学びを続ける場としての社会的ニーズにも対応している。

第三節　中等教育を見る視点

歴史の事実と法令の文言に注目して中等教育を論じてきたが、その教育を観察して分析していくためには、現在の**教育社会学**で使われている基本的な用語について述べておきたい。教育社会学は教育の広範な分野を対象とする社会学だが、特に中等教育の分析のためには教育社会学の概念が使われることが多い。

日本国憲法第二十六条第一項や教育基本法第四条の教育の機会均等という原則は、「その能力に応じた教育」と言うように、能力の概念が機会の平等とセットになっている。これは、歴史的には社会における身分や階層などによる不平等に対置される概念であり、教育における差別をなくし格差を解消するために現代においても意義のある概念である。**社会階層**をどう捉えるかは経済学や社会学の大きな課題であるが、その社会階層が血統による身分や財産の相続によって固定化されているのかどうかが大きな問題となる。職業を階層であると捉えたときに、それはそれだけでは差別的な格差ではないが、その職業が血統による身分や財産による相続で制限されていると差別的な格差と言えよう。これを分析するためには、人生のなかや親子の世代間で、社会階層がどう変化したかという**社会移動**を分析することになる。

一方でこれを突き放してみると、その能力による格差はどうなのかという問題がある。これを把握するために、イギリスの社会学者**ヤング**（Michael Young, 一九一五〜二〇〇二）は**メリトクラシー** meritocracy という用語を示した。個人の能力や業績による支配と言ってよい。単線型の学校を持つアメリカは、アメリカンドリームという言葉に象徴されるように誰もが成功しうる機会均等が正義とされるが、それは能力と業績による成功者の支配をも意味するだろう。

フランスの社会学者**ブルデュー**（Pierre Bourdieu, 一九三〇〜二〇〇二）は、身につけた習慣を表す**ハビトゥス** habitus というラテン語を用いて格差についての分析を行った。血統による身分や財産による相続というはっきりと理解できる条件だけではなく、**文化資本**として家庭の習慣や環境に注目し、大学進学が特定の社会階層に偏るのは、文化資本が偏って存在するからだという**文化的再生産**を論じた。**子どもの貧困対策法**と略称される「子どもの貧困対策の推進に関する法律」（平成二十五年六月二十六日法律第六十四号）が制定された経緯からわかるように、現在の日本でも子どもの貧困は決して過去の課題ではないが、この対策としては経済的な支援とともに、教育の支援が求められるのは文化的再生産の問題からも明らかであろう。

私は毎年度の教職課程の「教師論」の授業で匿名式のアンケートを行い、「父又は母が教員（又は教員経験者）である。」「父又は母が美術家・デザイナーなどである。」というデータをとっている。二〇二二（令和四）年度も前者が三割、後者が二割であった。全体では少数であるが社会全体における教員や美術家の人数を考えても、文化的再生産が行われていることになる。実業学校である農学校を卒業した園芸商の父親に育てられた私も、小学校に入る前は本といえば植物図鑑と園芸書しか見なかったから、父親の文化資本によって大学進学は農学部か生物系以外は考えなかったのだが、親不孝にも文化的再生産は達成できなかった。

隠れたカリキュラム、**ヒドゥン・カリキュラム** hidden curriculum という言葉もよく用いられる。明示された教育課程とは異なって、教育内容以外の学校の規律などを内面化したり、さらに授業やコースの自由な選択が実は社会移動に連動するコースの選択になっていたりするケースなどである。法令では中学校も高等女学校も高等普通教育なのに、高等女学校が良妻賢母を目指していると理解されていたことがヒドゥン・カリキュラムである。

さて、補足的にいくつかの概念を紹介したが、第24章では、中等教育の宿命と言える接続問題で問われる試験や学力についての歴史と現状を見ていきたい。

（1） 大多和雅絵『戦後夜間中学校の歴史　学齢超過者の教育を受ける権利をめぐって』六花出版、二〇一七年。

第24章　中等教育と試験

通過儀礼という言葉を、第8章で集団における教育の分析概念として考えた。学校における通過儀礼は、入学式や卒業式のような学校行事として行われるが、実質をともなった通過儀礼は試験であろう。学制期の小学校の進級試験は厳しかったが、義務教育が整備されてからは中等教育にかかわる入学試験や次の高等教育への試験が将来の人生を大きく変えるものとなる。中等教育機関が教育の機会均等の保障として整備されても、つねに能力に応じた公正さによって、試験が子どもの前に関門として置かれることになる。

第23章で教育社会学の簡単な用語説明をしたが、義務教育と教育の機会均等が少なくとも制度的な原則として確立した現代の日本では、社会移動において中等教育段階の入学試験や次の大学等の入学試験が、社会の人材配分でも個人の人生でも大きな意味を持つ。学歴だけでは人生は決まらない、学力だけが人間の能力ではないという話題は巷《ちまた》にあふれている。それを実証するデータや経験談も多いのだが、それらも保護者や子どもには気休めとしか聞こえない。**学歴**は学習の経歴であり、法令に定める学校種別ごとの卒業等の経歴を意味するはずであり、進学や資格試験や求人募集などでは法令に定める学校種別の卒業の経歴が問われていく。しかし実際には社会的威信などで序列化された個別の学校が存在するなかで、学校種別の卒業歴ではなく、どの学校を卒業したかという学校歴として学歴が意味を持つと考えられている。こうした前提で**学歴社会**という言葉が、教育社会学の分析用語と言うよりも現代社会を表示する用語として使われて久しいのである。

そうした社会がどのように形成されたかを考えながら、試験の問題を考えていきたい。

第一節　試験をめぐって

入学や卒業、資格等に関する試験があれば、それにまつわる競争とトラブルがあることは、中国の科挙でも日本の大学寮の試験でも知られている。いくら競争が激しくても一部の恵まれた階層の青年だけの競争と試験であれば社会全体の問題とはならないが、義務教育の普及により中等教育への進学が多くの保護者と子どもの悩みとなると、それが社会問題として認識される。報道や法令上の動きとしても、大正期や戦前昭和期には「入学難」や「試験地獄」などの言葉がジャーナリズムを賑《にぎ》わして中学校などの入試改革が取り組まれていく(1)。

明治期の小学校は、その施設や就学率の高さが地域における小学校のステータスであるが、中学校、高等女学校、実業学校への進学が広がる大正期頃になると、その進学者数や進学率が保護者や子どもの関心事になる。東京府の伝統ある公立小学校には進学に有利だからと越境入学者が出てくるし、地域の公立小学校も学校を挙げて競争に取り組む。習志野市の教育の歴史の編纂に参加している頃、地域の小学校の自慢をたくさん高齢者から伺ったが、昭和期は受験の話が多い。一九三四（昭和九）年尋常小学校卒業の女性の回顧談を引用する。

教えていただいた先生方の中には、校長先生や教育長さんや県下で名だたる名先生になられた方も、たくさんいらっしゃいますが、私が直接教えていただいた先生は、皆女性で熱心な先生たちでした。六年の受験期には、寒い電灯のない教室で懐中電灯をつけて補習してくださいました。あるとき「消して！」という先生の声に、あわてて電灯を消し息をひそめました。県視学の巡視でもあったのでしょうか。その後、たくさんの子持ちの先生が、学区に下宿して補習をしていたようですが、その熱心さが遂に津田沼小開校以来の合格となり、私たちの組

と、S先生の男子組は、府立・県立へ殆ど全員入学できました。(2)

津田沼小学校創立百周年の記念誌に寄せられた文章であるが、郷土と母校への誇りを持って入学試験前の緊張感がみごとに再現されている。今の感覚でわかりにくいと思うことは、公立の小学校の多くの子どもと教員が試験対策をしているということである。今は私立中学校受験のための小学生の学習塾が盛んだが、当時も東京府立や千葉県立などの中学校、高等女学校、実業学校に入学するためには、尋常小学校六年生で受験することになる。保護者たちは入試問題集や分厚い参考書を買い込むが、受験塾は普及していないから、小学校教員が正規の授業時間以外に補習として受験勉強を指導するのだ。

この文章の緊張感は「消して!」である。なぜそうするかと言うと、このときすでに小学校教員による補習は競争を助長する弊害のあるものとして禁止されており、千葉県が取り締まっていた。小学生もそのことを知っていたのだろう。子どもと教師が県官吏に隠れて学習しているのである。そして学校施設での補習が規制されると、通勤している教員は学区内に下宿して、その下宿で受験する児童の補習指導をしたと回想されている。今日の法令や規則でも違反する行為であるが、人生のかかった子どもたちが地域の誇りや教師への感謝として記憶していることは無視できない。

もちろん、尋常小学校六年生の多数が夜分まで勉強することは、子どもの健康によくないし、保護者や教員の負担も大きい。東京府では五、六倍の競争率で、複数受験も多いという現在の大学入試のような状況であった。こうした対策として、文部省は一九二七(昭和二)年に「中等学校試験制度改正ニ対スル入学者選抜方法ニ関スル準則」(昭和二年十一月二十二日文部次官通牒)を発する。中等学校という学校種別が勅令で確立するのは一九四三(昭和一八)年の中等学校令だが、中学校、高等女学校、実業学校の総称としてはすでに使われている。小学校長は最終二学年分の

「学業成績、身体ノ状況、特性其ノ他」などを記したものを、中等学校長に送って試験資料にあてることとして、筆記試験廃止が求められた。この進学先に送る書類が**内申書**と言われる。二一世紀には法令上は**調査書**しかないはずだが、今でも内申点、内申書と言うのは、このときの名残である。また「常識、素質、性行等」についての人物考査つまり面接試験や、身体検査も併せて行うことになっている。

一見合理的な改革であるが、一九三〇（昭和五）年度の入試では筆記試験が再開されている。実際には内申書は受験をさせて合格させたい小学校側がつくるのだから、基準や公正さに中等学校は疑問を持っている。人物考査は、常識を問うのだから結局は口頭試問ということであり、受験技術上は大変な訓練が必要である。身体検査まで合否判定の対象になると健康管理も大変である。この改革に前後して、試験内容を教科書から出題するといった原則から考えると当然の工夫や、大正期の新教育の流れを受けてビネー式の知能検査などの新しい能力判定を取り入れた問題が出される中学校なども増えているが、こうした改革も実際にはその試験対策をするための受験勉強の激化を引き起こす。

一番の対応は、希望する児童全員が進学できるように中学校、高等女学校、実業学校を増設することであり、第23章の表9で見たような一九三六（昭和一一）年から一九四六（昭和二一）年への中学校などの生徒数の倍化は、そうした実際の進学ニーズと受験競争の激化を背景にしている。そう考えると、戦後の義務教育を中学校まで含めたことは、小学校児童の受験競争の弊害を解消したものと言えよう。もちろん、現在も、私立中学校への進学希望の強い東京などの地域では、夜間に学習塾へ通う児童の姿が珍しくないのだが。

ともあれ一九四七（昭和二二）年の教育基本法と学校教育法は、小学校と中学校などの九年の普通教育を義務教育として保障して、中学校を含めて市町村に学校設置義務を課したので、公立中学校に行けなくなる子どもは制度上はいないことになった。私立中学校の受験が不合格でも、公立中学校は権利として入学ができる。

そうすると中学校を卒業した次の段階、高等学校への進学で問題が発生する。表10は学校基本調査による高等学校等進学率で、各年三月の中学校卒業者数に占める高等学校等への進学者数から示したものである。

旧制の中学校、高等女学校、実業学校の修業年限は時期により異なるが四年から五年であったから、新制の中学校よりも長い。また旧制の中学校などは、新制の中学校ではなく、新制の高等学校へと移行していった。こうしたことから、一九五〇（昭和二五）年三月卒業者から四割という高い高等学校進学率を示している。これが着実に伸びて、一九七五（昭和五〇）年には九割を超えて、現在に至ることになる。

戦後教育改革のなか、旧制の中学校などが新制の**高等学校**に再編されるときは、**男女共学制**、**総合制**、**小学区制**が強調された。実際には関東以北では男女別学の公立高校が残り、総合制は普通課程に商業課程や農業課程を併置する形で西日本で多く見られたが全国的ではなく、一学区一高等学校の小学区制は少数にとどまった。この男女共学制、総合制、小学区制を典型的に行ってきた京都府のケースが教育関係者に再認識されて、高等学校の増設などを考えるときに**高校三原則**と称されることになった。この原則どおりであれば、男女や進路や職業の格差を小さくして、受験競争も緩和できるはずである。

中学校卒業年	高等学校 進学率（%）
1950（昭和 25）年	42.5
1955（昭和 30）年	51.5
1960（昭和 35）年	57.7
1965（昭和 40）年	70.7
1970（昭和 45）年	82.1
1975（昭和 50）年	91.9
1980（昭和 55）年	94.2
1985（昭和 60）年	93.8
1990（平成 2）年	94.4
1995（平成 7）年	95.8
2000（平成 12）年	95.9
2005（平成 17）年	96.5
2010（平成 22）年	96.3
2015（平成 27）年	96.6
2020（令和 2）年	95.5

表 10　高等学校等進学率

＊高等学校等進学率には高等専門学校等を含む。長期の統計のある「高等学校の通信制課程（本科）への進学を除く」数値による。2020 年は通信制を含むと 98.8% となる。

実際には高等学校の増設は進学希望者に追いつかず、進学を断念する者や高校浪人が発生することになったので、高等学校の増設が地域の社会的課題となる。一九六二（昭和三七）年四月には高校全員入学問題全国協議会が結成されて、高等学校の増設が高校三原則とともに主張された。こうした課題を略して**高校全入**

と言う。高校全入の運動は保護者や市民による運動や教職員による教員組合運動として進められたために、文部省と日本教職員組合との対立で教育のあり方が争われる構図の一つとなった。しかし、現実に進学できない子どもたちが発生するなかで地方自治体による高校増設が進んでいき、現在では高校全入という言葉さえ聞かない時代になったのである。

一九五六（昭和三一）年から文部省が実施した**全国学力調査**は学力テスト、学テと呼ばれて、全国の小学校、中学校、高等学校の児童生徒の学力を調査するためのものであった。一九六一（昭和三六）年に中学校三年生対象の五パーセント抽出調査を二年生と三年生全員対象の悉皆《しっかい》調査に変更したときに、国民所得倍増計画という政府の政策と連動して位置づけられたため、教育の国家統制であるとする日本教職員組合などの反発を招いて、学テ裁判と呼ばれる裁判までが起こる事態となった。

この試験結果は、全国的な教育施策を検討したり、地域や学校の教育の到達を比較して改善に活用したりするために活用されるものである。したがって、客観的に実施されることで、入学試験のような子どもたちの競争をあおり立てる要素はないはずである。ところが実際には地域や学校の評価に連動すると受け止められて、競争が激化して、平均点を上げるための不正までが報じられるようになる。一九六四（昭和三九）年に「三年連続日本一」となった香川県では、県ぐるみで対策を行っており、ある公立中学校では生徒が朝七時に登校して自習を行ったり、授業後も夕方六時まで課外で授業を行ったり、保護者の負担で全員に「ワークブック」を購入させたりという状況が報告されている。(3) 子ども個人の人生には影響がないのに、まるで戦前の尋常小学校の受験指導のような様相であった。

こうした弊害が指摘されるなか、高等学校では一九六二（昭和三七）年度を最後として、翌年からは能力開発研究所の「能研テスト」に切り替えられて一九六八（昭和四三）年度まで行われた。一九六五（昭和四〇）年度には中学校の悉皆調査が抽出調査に戻され、小学校と中学校では一九六六（昭和四一）年度で最後となった。ただし、次節で見るように全国学力調査がグローバル化した時代に対応して、再び二一世紀の教育界で注目を集めることになる。

なお、高等学校から大学に進学するときの入学試験についても、様々な改革の動向があった。一九四九（昭和二四）年から各大学の入学試験に加えて、**進学適性検査** scholastic aptitude test が実施され、一九五四（昭和二九）年度を最後に廃止された。これはアメリカで一九〇一（明治三四）年から始まり現在も行われている **SAT**（Scholastic Assessment Test）をもとにしたもので、言語的推理能力と数学的推理能力を診断するものである。新制大学にふさわしい試験内容による門戸の開放がうたわれたが、受験生の負担になるとして高等学校から批判が出された。各教科に依拠しない学力がわかるはずだが、実際には練習効果が顕著であり、本来の試験科目にもう一つ加わったような意味しかなかった。

その後の大学入学試験の動きでは、一九七九（昭和五四）年度から、**共通一次試験**と略称される国公立大学の共通第一次学力試験が開始された。これは高等学校教育で達成された学力をマークシートの形態で解答させて、その結果を各大学の入学試験の一部として活用するものである。さらに私立大学も含めて参加が可能な**大学入試センター試験**と一九九〇（平成二）年度から改称された。さらに二〇二一（令和三）年度大学入学者選抜（二〇二一年一月実施）から**大学入学共通テスト**と名称を変更して現在に至っている。この大学入学共通テストは、思考力・判断力・表現力等をみる入試としての改革が強調されたもので、記述式試験の導入や英語民間試験の活用も検討されたが、試験の公平性や現実性から断念された。

一九九二（平成四）年に表面化したものとして、**業者テスト**の問題がある。一九五五（昭和三〇）年頃から公立中学校で高校進学補習のために業者テストを活用する例が見られ、一九六〇年代には高等学校への進学指導のための資料として業者テストで算出される偏差値の活用が普及していった。これは高等学校進学希望の増加により中学校の進路指導の資料が必要となったことによるが、次第に私立高等学校に対して公立中学校から業者テストの結果を提出するケースが広がり、私立高等学校への推薦入試と連動して定着していった。私立高等学校への進学者の多い埼玉県では、中学校三年の一二月はじめの「事前相談」において、中学校が業者テストの偏差値など成績一覧を私立高等学校に提出して、事実上は業者テストによる推薦入試が行われる実態であった。県内の業者テストを北辰《ほくしん》図書という民間企業が独占し、その試験を公立中学校で教員が実施した。実際には試験実施日が学校で異なるために試験問題が学習塾を通じて売買されるという問題までが存在した。

一九九二（平成四）年一〇月に埼玉県教育委員会は業者テストの結果を提出しないように中学校を指導した。不公正な学校の慣行を改める当然の判断である。ところが私立高等学校側が反発して保護者にも不安が広がり、一一月には文部省が緊急の全国調査を行って業者テストの自粛を要請した。そして翌一九九三（平成五）年一月に文部省は一切禁止をする方向を固めて、二月二二日に業者テストへの関与を禁止する「高等学校入学者選抜について」（平成五年二月二十二日文部次官通知）を発した。重要な文書だと考えるので、該当部分を引用する。

3　業者テストの偏差値を用いない入学者選抜の改善について

(1)　高等学校の入学者選抜は公教育としてふさわしい適切な資料に基づいて行われるべきものであり、業者テストの結果を資料として用いた入学者の選抜が行われることがあってはならないこと。

また、中学校における進路指導は日ごろの学習成績や活動の状況等による生徒の能力・適性、興味・関心等に基づき総合的に行われるべきものであり、業者テストによる偏差値等に依存した進路指導は行わないこと。

(2)　入学者選抜に関し一切、中学校にあっては、業者テストの結果を高等学校に提供しないよう、また、高等学校にあっては、業者テストや学習塾の実施するテストの偏差値の提供を中学校に求めないよう、平成六年度入学者選抜から直ちに改善すること。

さらに、高等学校は、業者テストの実施者はもとより、学習塾に対しても資料の提供を求めたり、保護者や生徒から業者テストの偏差値等を求めたりするようなこともあってはならず、併せて直ちに改善すること。

(3) 中学校は業者テストの実施に関与することは厳に慎むべきであり、授業時間中及び教職員の勤務時間中に業者テストを実施してはならないし、また、教職員は業者テストの費用の徴収や監督、問題作成や採点に携わることがあってはならないこと。そのため、学校の管理運営及び教職員の服務の適正が図られるよう直ちに改善すること。

また、業者テストの偏差値等に依存して、中学校において生徒の適性や希望などを無視して生徒が志望する高等学校を受験させないよう指導したりすることがないよう、直ちに改善すること。

(4) 公益法人や校長会の行うテストについては、学校が連携協力して問題作成や採点に携わるなどそれぞれの学校が教育活動として行う性質のものであれば、一つの方策であるが、このようなテストも進路指導の一参考資料を得るために行うものであり、選抜の資料として用いられるべきものではなく、高等学校に対しその結果の提供を行うものであってはならないこと。

また、学校が連携協力して問題作成や採点に携わるなどそれぞれの学校が教育活動として行う性質のものでない限り、中学校が授業時間中や教職員の勤務時間中にテストを実施するなどその実施に関与することは厳に慎むべきであること。

これらの点について、直ちに改善すること。

この一九九三（平成五）年二月の通知は3(1)に「公教育」という言葉を用いているように、学校教育法第一条に定める学校教育のあり方に基づいて、業者テストに対する原則を明記したものである。高等学校には業者テストを入学者選抜に用いることを禁止し、中学校には業者テストの偏差値への依存を正して、こうした情報のやりとりを禁止した。とりわけ教職員が勤務として業者テストに関与したり、集金、出題、実施、採点などにかかわることを服務上の禁止事項として明確にした。また公益団体などが行うテストについても入学者選抜として用いることを禁止した。

なお、当時はこの通知が「偏差値廃止」と言われたが、統計学上の理論を用いて成績を分析することは次に述べる国際学力調査を含めて普通のことである。正しくは、業者テストによる偏差値に依存した進路指導や入学試験を禁止したと言うべきであろう。

法令上は文部次官通知には法的拘束力はないが、学校教育法の公教育の原則や教育公務員特例法などの有権解釈を示したものとして効力を発揮して、業者テストの禁止は徹底された。一方で学校が関与しない業者や学習塾による「会場テスト」が盛んになった。少子化の時代をむかえて、かつての高校全入の課題とは異なる高等学校側の生徒確保の課題が浮上するなかで公立学校も含めた推薦入試などが進行した。

いずれにせよ、この文部次官通知を読み直すと、法令が整備されて教育の公正性を求める声があるなかでも、学校教員が業者テストを業務として行い、それを中学校の進路指導はおろか高等学校の事実上の入学試験として活用するという問題が放置されていたことがわかる。学校教育を豊かにするためにも民間事業者との連携は否定されるべきではないが、公教育の原則を踏み外さないためにも、今後もこの通知の意味と過去の歴史を知っておく必要があるだろう。

第二節　国際学力調査の動向

二〇世紀の新教育は世界的な教育改革の潮流として歴史に刻まれているが、この二一世紀のグローバル化した時代では世界各国が学力競争にしのぎを削る状態となっている。すべての国がそう見ているとは思えないのだが、少なくとも日本国では、国際学力調査の結果が全国紙の一面に掲載され、教育界はもとより社会がその国際順位に注目して、その対応が法令や学習指導要領に反映する時代になっている。

国際学力調査と言っても、国際比較を行う世界的な学力調査は過去も現在も多くあったのだが、現在注目を集めるのは二つである。

早く始まったのは、TIMSS（ティムズ）国際数学・理科教育動向調査 Trends in International Mathematics and Science Study である。「ティムス」と語末を濁らない発音もあるが、近年の文部科学省の表現に従い「ティムズ」と濁る。一九五九（昭和三四）年に設立され、オランダのアムステルダムに本部を置くIEA国際教育到達度評価学会 The International Association for the Evaluation of Educational Achievement が実施している。この学会は、一九六四年に第一回国際数学教育調査、一九七〇年に第一回国際理科教育調査、一九八一年に第二回国際数学教育調査、一九八三年に第二回国際理科教育調査を行ったが、このときの日本の順位は一位や二位というものであり、文部省の通史『学制百二十年史』は、「この調査結果は、日本の数学・理科教育、ひいては教育全体の水準の高さを示すものとして国際的にしばしば引用されるようになった。」[4]と記している。

その後、オランダのIEAは、一九九五（平成七）年に両方の調査を併せて第三回国際数学・理科教育動向調査 The Third International Mathematics and Science Study というTIMSSを行い、一九九九（平成一一）年に第二段階調査として理科だけを行った。そして二〇〇三年には現在の名称に変えた。つまりTにあたる「第三回」を「トレンド」に置き換えてTIMSSというわかりにくい略称を続けたかったようだが、何か蘭学的に深い理由でもあるのだろうか。その後、二〇〇七年、二〇一一年、二〇一五年、二〇一九年に実施された。

この調査は、数学と理科の教育到達度を調査するもので、各国に共通する基本的な知識や技能を見ることができる。

表 11　TIMSS の得点と順位の推移

小学校 4 年 算数	1995	1999	2003	2007	2011	2015	2019
参加国／地域	26	実施せず	25	36	50	49	58
日本順位	3 位		3 位	4 位	5 位	5 位	5 位
日本点数	567 点＊		565 点	568 点	585 点	593 点	593 点
第 1 位	シンガポール		シンガポール	香港	シンガポール	シンガポール	シンガポール
第 2 位	韓国		香港	シンガポール	韓国	香港	香港
第 3 位	日本		日本	台湾	香港	韓国	韓国
第 4 位	香港		台湾	日本	台湾	台湾	台湾
第 5 位	オランダ		ベルギー（フラマン語圏）	カザフスタン	日本	日本	日本

小学校 4 年 理科	1995	1999	2003	2007	2011	2015	2019
参加国／地域	26	実施せず	25	36	50	47	58
日本順位	2 位		3 位	4 位	4 位	3 位	4 位
日本点数	553 点＊		543 点	548 点	559 点	569 点	562 点
第 1 位	韓国		シンガポール	シンガポール	韓国	シンガポール	シンガポール
第 2 位	日本		台湾	台湾	シンガポール	韓国	韓国
第 3 位	アメリカ		日本	香港	フィンランド	日本	ロシア
第 4 位	オーストリア		香港	日本	日本	ロシア	日本
第 5 位	オーストラリア		イングランド	ロシア	ロシア	香港	台湾

中学校 2 年 数学	1995	1999	2003	2007	2011	2015	2019
参加国／地域	41	38	46	49	42	39	39
日本順位	3 位	5 位	5 位	5 位	5 位	5 位	4 位
日本点数	581 点＊	579 点	570 点	570 点	570 点	586 点	594 点
第 1 位	シンガポール	シンガポール	シンガポール	台湾	韓国	シンガポール	シンガポール
第 2 位	韓国	韓国	韓国	韓国	シンガポール	韓国	台湾
第 3 位	日本	台湾	香港	シンガポール	台湾	台湾	韓国
第 4 位	香港	香港	台湾	香港	香港	香港	日本
第 5 位	ベルギー（フラマン語圏）	日本	日本	日本	日本	日本	香港

＊ 1995 年の小学校 3、4 年生と中学 1、2 年生を合わせた数値では、小学校算数 597 点、理科 574 点、中学校数学 605 点、理科 571 点となる。

中学校2年理科	1995	1999	2003	2007	2011	2015	2019
参加国／地域	41	38	46	49	42	39	39
日本順位	3位	4位	6位	3位	4位	2位	3位
日本点数	554点*	550点	552点	554点	558点	571点	570点
第1位	シンガポール	台湾	シンガポール	シンガポール	シンガポール	シンガポール	シンガポール
第2位	チェコ	シンガポール	台湾	台湾	台湾	日本	台湾
第3位	日本	ハンガリー	韓国	日本	韓国	台湾	日本
第4位	韓国	日本	香港	韓国	日本	韓国	韓国
第5位	ブルガリア	韓国	エストニア	イングランド	フィンランド	スロベニア	ロシア

文部科学省及び国立教育政策研究所発表データより作成

また学校や家庭の学習環境などもあわせて調査されている。各国の第四学年と第八学年が対象なので、日本では小学校四年生と中学校二年生が対象となり、国立教育政策研究所によりサンプリング調査で行われる。発表される点数は一九九五年調査の基準点を五〇〇として、経年や国別の比較ができるようにしたものである。

栄枯盛衰は世の理《ことわり》であり、徐々に日本の順位が低下した。表11にTIMSSと名付けられてからのデータを掲げた。本当は過去四回分も付けるべきだが、一九九五年以来を比較することが文部科学省の発表でも新聞でも一般的のようである。二〇一一年調査についての文部科学省の発表は「平均得点が有意に上昇」「習熟度の高い児童の割合が増加」(5)などとなっており、『朝日新聞』の一面は「小4算数・理科が過去最高点　国際調査　脱ゆとり効果か」となっている。上昇したことが強調されているが、過去最高が何を意味するかわかりにくい。どうも小学校のみを順位ではなく点数部分だけで読み取るとそうなるようだ。大見出しで書くような話ではない気がする。後継のPISAに比べると上位になるので、TIMSSについては好成績を強調したい気持ちになるのだろう。どうも大本営発表という感じがする。二〇一五年調査は順位と点数ともに上昇傾向、二〇一九年調査はほぼ維持傾向である。

次に**PISA**（ピザ）「生徒の学習到達度調査」Programme for International Student Assessment である。これも諸文献には「ピサ」と「ピザ」の両方の読みがあるので、洋学に強い伊《い》東《とう》毅《たけし》教授とどう授業で読むべきかを話し合って、マルガリータと間違えるからピザはやめて斜塔のピサと言うことにしたが、最近はピザが多いので本書もピザと読む。食べ物ではない。

一九六〇（昭和三五）年にパリを本部に創設され、日本も一九六四年に加盟した**OECD**（経済協力開発機構 Organization for Economic Cooperation and Development）が、PISAを実施する。OECDは三八の先進工業国が構成する国際機関だが、経済成長や開発途上国の援助や貿易の拡大をする目的から、非加盟国も含めてこの調査を実施し、二〇一八（平成三〇）年調査では七九の国と地域が調査に参加している。調査は一五歳が対象で、日本では高等学校一年生が相当する。この調査は**リテラシー**という考え方を打ち出して、**読解力** Reading Literacy、**数学的リテラシー** Mathematical Literacy、**科学的リテラシー** Scientific Literacy という三つの分野を設定して三年周期で調査を行う。読解力では文章を読み解くだけではなく、それを解釈して利用する能力が求められる。数学的リテラシーでは数学的根拠に基づいて判断する能力が求められる。科学的リテラシーでは科学の概念の理解だけではなく疑問を解決して証拠に基づいた結論を導くことが求められる。

　こうしたリテラシーとしての学力の把握は、**PISA型学力**と呼ばれて、知識や技能にとどまらず、それを応用して問題を解決して表現するという能力論として理解され、第25章で述べる二一世紀段階の学力論に大きな影響を与えた。また関連してOECDが提唱する**キー・コンピテンシー** key competency（主要能力）という概念があり、果たして教育学に定着するかは不明であるが、社会的・文化的・技術的ツールを相互作用的に活用する能力（個人と社会との相互関係）、多様な社会グループにおける人間関係形成能力（自己と他者との相互関係）、自律的に行動する能力（個人の自律性と主体性）というように整理されている。

　PISAは二〇〇〇年、二〇〇三年、二〇〇六年、二〇〇九年、二〇一二年に実施され、二〇一五年からコンピュータ使用型調査に移行して、二〇一八年、二〇二二年（本書執筆段階では結果未発表）も実施された。あわせて学

表 12　PISA の得点と順位の推移

読解力	2000	2003	2006	2009	2012	2015	2018
全参加国内順位	8 位／32	14 位／41	15 位／57	8 位／65	4 位／65	8 位／72	15 位／79
OECD 加盟国内順位	8 位／28	12 位／30	12 位／30	5 位／34	1 位／34	6 位／35	11 位／37
日本点数	522 点	498 点	498 点	520 点	538 点	516 点	504 点
第 1 位	フィンランド	フィンランド	韓国	上海	上海	シンガポール	北京・上海・江蘇・浙江
第 2 位	カナダ	韓国	フィンランド	韓国	香港	香港	シンガポール
第 3 位	ニュージーランド	カナダ	香港	フィンランド	シンガポール	カナダ	マカオ
第 4 位	オーストラリア	オーストラリア	カナダ	香港	日本	フィンランド	香港
第 5 位	アイルランド	リヒテンシュタイン	ニュージーランド	シンガポール	韓国	アイルランド	エストニア

数学的リテラシー	2000	2003	2006	2009	2012	2015	2018
全参加国内順位	1 位／32	6 位／41	10 位／57	9 位／65	7 位／65	5 位／72	6 位／79
OECD 加盟国内順位	1 位／28	4 位／30	6 位／30	4 位／34	2 位／34	1 位／35	1 位／37
日本点数	557 点	534 点	523 点	529 点	536 点	532 点	527 点
第 1 位	日本	香港	台湾	上海	上海	シンガポール	北京・上海・江蘇・浙江
第 2 位	韓国	フィンランド	フィンランド	シンガポール	シンガポール	香港	シンガポール
第 3 位	ニュージーランド	韓国	香港	香港	香港	マカオ	マカオ
第 4 位	フィンランド	オランダ	韓国	韓国	台湾	台湾	香港
第 5 位	オーストラリア	リヒテンシュタイン	オランダ	台湾	韓国	日本	台湾

科学的リテラシー	2000	2003	2006	2009	2012	2015	2018
全参加国内順位	2 位／32	2 位／41	6 位／57	5 位／65	4 位／65	2 位／72	5 位／79
OECD 加盟国内順位	2 位／28	2 位／30	3 位／30	2 位／43	1 位／34	1 位／35	2 位／37
日本点数	550 点	548 点	531 点	539 点	547 点	538 点	529 点
第 1 位	韓国	フィンランド	フィンランド	上海	上海	シンガポール	北京・上海・江蘇・浙江
第 2 位	日本	日本	香港	フィンランド	香港	日本	シンガポール
第 3 位	フィンランド	香港	カナダ	香港	シンガポール	エストニア	マカオ
第 4 位	イギリス	韓国	台湾	シンガポール	日本	台湾	エストニア
第 5 位	カナダ	リヒテンシュタイン	エストニア	日本	フィンランド	フィンランド	日本

	2003年 問題解決能力	2009年のみ実施 デジタル読解力調査	2012年 問題解決能力	2015年のみ実施協同 問題解決能力調査
全参加国内順位	4位／41	4位／19	3位／44	2位／52
OECD加盟国内順位	3位／30	4位／16	2位／28	1位／32
日本点数	547点	519点	552点	552点
第1位	韓国	韓国	シンガポール	シンガポール
第2位	香港	ニュージーランド	韓国	日本
第3位	フィンランド	オーストラリア	日本	香港
第4位	日本	日本	マカオ	韓国
第5位	ニュージーランド	香港	香港	カナダ

これらの表で「全参加国内順位」「OECD加盟国内順位」は、日本の順位とすべての国と地域の数を示す。
文部科学省及び国立教育政策研究所発表データより作成(6)

校と生徒の環境についても調査された。日本では国立教育政策研究所が実施する。得点はOECD加盟国生徒の平均得点を五〇〇点とし、標準偏差を一〇〇として統計処理した点数である。表12は、これを整理したものである。問題解決能力は二〇〇三年と二〇一二年に実施されたが方法の違いから比較はできないとされており、実施国が限定されたデジタル読解力は二〇〇九年のみ、コンピュータとのチャットの形式で実施した協同問題解決能力は二〇一五年のみの数値である。

第25章で見る「ゆとり」批判の**学力低下論**として、こうしたデータが論拠となった。高順位のフィンランドに教育学研究者が詣でて多くの報告がなされた。科学分野では自他ともに認めていたドイツが高位に入らなかったこともドイツでは深刻に受け止められた。ただ、アメリカなどの大国は高順位には入らず、地域レベルの参加が上位となり、OECD加盟国内の順位も発表されている。

いずれにせよ、一九九九（平成一一）年のTIMSS調査と二〇〇〇（平成一二）年のPISA調査が、二〇〇三（平成一五）年の学習指導要領の一部見直しの前提となった。このため、二〇〇九（平成二一）年のある程度の回復は、見直しの効果があったと言われたのである。その後も日本は高位を保ち、国立教育政策研究所発表で長期の傾向は「平坦」とされている。

こうした混乱のなか廃止された全国学力調査が、学力低下論と国際学力調査の動向を受けて復活した。すなわち二〇〇七（平成一九）年度より**全国学力・学習状況調査**が実施されることになった。小学校第六学年と中学校第三学年を対象とし、国語、算数・数学が実施された。問題は主として「知識」に関する問題がA問題と呼ばれ、主として「活用」に関する問題がB問題と呼ばれて、このB問題がPISA調査で言うリテラシーの応用的な能力に対応するものであった。二〇〇九（平成二一）年度までは悉皆調査で実施され、二〇一〇（平成二二）年度からは抽出調査及び希望利用方式に変更されて、二〇一一（平成二三）年度は東日本大震災により実施が見送られた。二〇一三年（平成二五）年度は「きめ細かい調査」として調査対象を増やし、二〇一四（平成二六）年度からは悉皆調査に戻っている。また、二〇一二（平成二四）年度から理科を追加（以後三年に一度程度）、二〇一九（平成三一）年度から英語を追加（以後三年に一度程度）となり、問題の形式は二〇一九（令和元）年度から「知識」と「活用」を一体的に問う問題形式となった。

この調査は、全国の児童生徒の学力や学習状況を把握して、教育の継続的な検証改善サイクルを確立するものと理解されたので大きな混乱はないはずであったが、かつての全国学力調査の混乱の教訓を踏まえずに、情報公開一般論理から個別の地域や学校のデータの公表などが論じられていることもある。

人生を左右する入学試験はもちろん、それ以外の試験でも挑戦する意欲が高められることは、事実である。しかし、教育を計画したり、現場を担ったりする立場の者は、実施する試験の意図や技術的な公平性、予想される問題の対応をあらかじめ考えて、本来の教育の目的に合致した活用が図られるようにしなければならない。試験にかかわるのは出題者や監督者と子どもたちだけではなく、それを見守る保護者や地域の人々も含めての公教育としての行為であることを改めて強調しておきたい。

（1）米田俊彦『資料にみる日本の中等教育の歴史』東京法令出版、一九九四年。寺﨑昌男『日本の教育課題　第六巻　選抜と競争』東京法令出版、一九九四年。

（2）土屋妟子「在学時代を偲んで」創立百周年記念事業実行委員会『あゆみ　創立百周年を記念して』習志野市立津田沼小学校、一九七五年、七一頁。

（3）香川県教師集団編『学テ日本一物語』明治図書出版、一九六五年。

（4）文部省編『学制百二十年史』ぎょうせい、一九九二年。

（5）文部科学省「国際数学・理科教育動向調査（TIMSS二〇一一）のポイント」二〇一二年一二月一一日。「小4算数・理科が過去最高点　国際調査　脱ゆとり効果か」『朝日新聞』二〇一二年一二月一二日（朝刊）。

（6）国立教育政策研究所編『生きるための知識と技能　OECD生徒の学習到達度調査（PISA）二〇〇〇年調査国際結果報告書』ぎょうせい、二〇〇二年ほかが多数刊行されている。PISAとTIMSSともにデータの概要は国立教育政策研究所のウェブページで公開されている。

第25章　教育改革と学力論

一九八〇年代から現在までの四〇年以上の期間は、教育改革の時代と言える。そのなかでは制度とともに学力論が焦点となってきた。学力は個人が獲得するものでもあるが、学校教育の社会的課題として教育政策のなかで論じられる。第23章と第24章では中等教育を中心に考えながら初等教育と高等教育の接続にも言及してきたが、この第25章も同じように中等教育を中心に教育改革や学力論を述べることで、関連する学校教育全体について述べることになる。

第一節　一九八〇〜九〇年代の教育改革

一九七〇年代はじめに高度経済成長が終わり、オイルショックなどの波乱があっても、社会や経済の戦後改革で形成された枠組みは機能していった。戦後教育改革も、教育基本法や学校教育法による枠組みが大きく変化することなく、高等学校にほぼ全員が進学するという量的な拡大を実現しながら一九八〇年代を迎えることになる。

一九八四（昭和五九）年に臨時教育審議会設置法（昭和五十九年八月八日法律第六十五号）により臨教審と略称された**臨時教育審議会**が設置され、内閣総理大臣の**諮問機関**として教育を審議することとなった。諮問機関とは、特定のテーマを**諮問**として与えられて、それを**審議**して、結論を**答申**として提出する合議制の機関である。

戦後の教育政策は、一九五二（昭和二七）年からは文部大臣の諮問機関としての**中央教育審議会**が数々の答申を出してきた。現在も文部科学大臣の諮問機関としての中央教育審議会がその機能を果たしていることを第27章でも述べる。

このときは、内閣総理大臣の中曽根康弘（一九一八～二〇一九、在任一九八二～八七）のもと、「戦後政治の総決算」が掲げられた。すでに一九八一（昭和五六）年には戦後二度目の設置で第二臨調と呼ばれた臨時行政調査会が行政制度全般にかかわる審議を開始しており、この臨時教育審議会は「我が国における社会の変化及び文化の発展に対応する教育の実現を期して各般にわたる施策に関し必要な改革を図るための基本的方策について」という包括的な諮問を受けて、戦後教育全般を見直すものとなり、四度の答申を提出した。

一九八五（昭和六〇）年六月二六日の第一次答申は、その後の教育改革のキーワードとなる個性重視、基礎・基本の重視、生涯学習体系への移行などを述べ、徳育の重視なども強調した。学歴社会の是正として、大学入試改革や六年制中等学校や単位制高等学校の設置などを述べた。一九八六（昭和六一）年四月二三日の第二次答申は、初等中等教育や高等教育について教育改革の課題の全体像を示し、さらに教員の初任者研修制度の創出などの教員制度の見直しなどを述べた。教育基本法の意義を肯定したが、国家意識や伝統の継承をあわせて述べ、徳育の充実や社会奉仕を強調した。一九八七（昭和六二）年四月一日の第三次答申は、第二次答申で残された教育課題を論じて教科書検定制度の見直しや大学教員の任期制導入などを述べた。同年八月七日の最終の第四次答申は、生涯学習への対応を述べて全体のまとめを述べた。こうした文書で述べられた論点は要約しにくいほど総花的であるが、主要な提案がその後に実現されていく。しかし、教育行政や教育の現場から距離のある審議会であるがゆえに、実現まで多くの年月が必要なものが多かった。

臨時教育審議会で出されたキーワードは、**教育の自由化**である。これは個性化や多様化といった言葉でも論じられたが、第四次答申の言葉では、個性重視の原則、生涯学習体系への移行、変化への対応と三つにまとめて説明した。こう考えると、これらは教育基本法が教育の目的に掲げる教育の理念とつながったものであるが、行政改革全体が**規制緩和**をキーワードとして語られるなか、異なるニュアンスを持つ。自由化や個性という論点が、教育の機会均等や個人の尊厳よりも強調された。また国家との関係では道徳や伝統が強調されて、さらに競争や企業の論理を学校に持ち込むものとして、教育界には警戒感があった。

いずれにせよ、この一九八〇年代から、**教育改革**という言葉が継続的に使われている。第27章で見るが、現在の文部科学省設置法第四条に掲げる文部科学省の所管事項の筆頭は、「豊かな人間性を備えた創造的な人材の育成のための教育改革に関すること。」である。つまり教育改革自体が政治や行政の最重要課題となって現在に至るのである。

一九八〇年代を教育学部の学生や大学院学生として過ごした頃、いつまでも教育改革という言葉が出続けることに違和感を持った。当時は教育政策の情報は『文部時報』や臨時教育審議会の『臨教審だより』という雑誌メディアで供給されていたが、こうした雑誌を読んでは、実際の実践や理論における現実感のなさを感じていた。ただ、こうした議論を二〇年や三〇年の歴史として把握すると、臨時教育審議会からの極めてリアルな影響力を見ることができる。

この臨時教育審議会の答申の影響下で、一九八九（平成元）年三月に**学習指導要領**の全面的な改正が行われる。学習指導要領は、書籍のように**改訂**や**改定**と書くことも多いが、法令としては告示の**改正**であるから、ここでは改正と書いておく。今から言えば、三つ前の学習指導要領ということになる。この改訂も、改定も、改正も、二〇一七（平成二九）年三月からの学習指導要領の全部改正にあたって、新聞報道でも、文部科学省や教育委員会の文書でも併用されている。この学習指導要領については第30章でまとめて流れを整理するが、学習指導要領はほぼ一〇年ごとの全面的な改正がある。このときの学校教育法施行規則改正や学習指導要領は、小学校低学年の生活科の新設や高等学校の社会科の地理歴史科と公民科への再編成、家庭科の男女必修化など、子どもたちの目に見える改革となり、子どもたちの教育のための学力論を改革するものともなった。

ここで登場したのが**新しい学力観**または新学力観という言葉である。この言葉自体が一九八九（平成元）年の学習指導要領に書かれているのではないが、学習指導要領やそれに伴う指導要録の記載事項の見直しにおいて、知識や技能だけではなく、自ら学ぶ意欲の育成や思考力、判断力、表現力などの能力の育成に重点を置くことが明確になるよう強調された。とりわけ新しく学ぶ意欲としては**関心・意欲・態度**という三つの言葉の組み合わせとして表現された。つまり、児童生徒が学習内容に関心を持ち、学習の意欲を高め、それが学習態度にも示されるというものである。指導要録や調査書に記載される**観点別学習状況**の評価項目として、つまり教科・科目の成績評価の基準を示す観点ごとの項目として、関心・意欲・態度の言葉が盛り込まれることによって、学校教育の現場に定着したのである。こうした新しい学力観の枠組みは、次の学習指導要領でも、また現行の学習指導要領でも継承されているから、新しい学力観という言葉が三〇年以上経過して陳腐化して使われなくなっても、関心・意欲・態度という言葉は維持されていることになる。

臨時教育審議会の教育改革で個性重視の原則として強調されたものが、この新しい学力観にも反映している。進学や成績評価の判断を知識や技能やその応用のみで点数化したり、それを統計処理した偏差値だけで考える時代は終わりを告げようとしていた。ここに個性という言葉が強調されることになる。**個性**という言葉は個人の性能を意味する言葉であって、身体能力でも知的能力でも測定可能なものとして大正自由教育に前後して教育界に普及した用語である。本来、ユニークであることは、肯定も否定も意味する言葉である。しかし、この個性を個人の尊厳のイメージと重ねると価値的に肯定するニュアンスが強くなる。それは自由化された競争を生き抜く児童生徒の個性となる。しかし偏差値などで数値化できる知識や技能の学力の尺度だけでは、いわゆる「おちこぼれ」と呼ばれる層と受験競争を生きぬく層を分ける勝敗だけの学力観となるし、自由化だけではその競争を激化させるだけである。これに対して、関心・意欲・態度という尺度を導入することで、数値化できる知識や技能の学力だけでは評価されなかった個性が評価可能となるのである。

このように捉えると、関心・意欲・態度は、知識や技能やその応用に加えて、新しい評価の観点をもたらしたものだから、確かに新しい学力と言える。しかし、関心や意欲や態度を考えずに教育に携わった者が人類の歴史のなかにいただろうか。明治の一斉教授の導入は言うに及ばず、近代の教育思想も、古代の教育思想も常にこうした課題にかかわっていた。するとここで新しい学力観と言える理由は、それが評価項目として明示され、さらにはそれが学力として表示されていくという新しさなのである。授業態度はもちろん、学校にかかわる活動が評価対象となる時代となったのである。

こうして新しい学力観の定着に伴って、内申点と呼ばれる調査書の評価記載による点数を上げるためにも、学校内の試験成績だけではなく、毎日の授業態度や、授業科目以外の部活動、児童会や生徒会の活動、さらにはボランティア活動をすることが進学のためにも推奨される時代へと変化して今日に至るのである。

第二節　「生きる力」の登場

一九九六（平成八）年七月一九日には、今日の学校教育では日常語となった「生きる力」という言葉を定着させた中央教育審議会答申「二一世紀を展望した我が国の教育の在り方について」（第一次答申）が出された。従来の中央教育審議会答申は頻繁には出なかったから第何回答申や何年答申と呼ばれていたが、現在では頻繁に出るので個々の答申名で呼ばれる。ただこの答申は第一次答申と第二次答申という名前が付されたので、第一次答申と言われることが多い。副題は「子供に［生きる力］と［ゆとり］を」である。この答申はこの副題や本文も印刷所でブランケットと呼ぶ［　］の記号を多用する不思議さがあるが、原文に従う。ここで打ち出された「**生きる力**」と「**ゆとり**」が一九九八（平成一〇）年の小中学校の学習指導要領と翌年の高等学校の学習指導要領の改正の前提となった。

この答申で打ち出された生きる力という言葉を最初に聞いたときは、明治期の徳育論争で前提になった社会ダーウィニズムのような生存競争のことかと思って怖さを感じた。しかし答申は生きる力を「全人的な力」として、「これからの変化の激しい社会において、いかなる場面でも他人と協調しつつ自律的に社会生活を送っていくために必要となる、人間としての実践的な力」とする。これはすでに新しい学力観で出されていた概念を生涯学習社会の範囲に広げた概念であることがわかる。答申では「自分で課題を見つけ、自ら考え、自ら問題を解決していく資質や能力」といった応用的な能力、倫理観や道徳、健康や体力など、知育、徳育、体育に関わる全体的な能力像を描いている。こうなると、これまでの教育で考えられた能力論がすべて含まれることになる。しかし、それだけではこの答申の特徴をつかんだことにはならない。答申の第二部第一章「これからの学校教育の在り方」で「[1] これからの学校」に続いて、「[2] 教育内容の厳選と基礎・基本の徹底」と題された項目の前半を、そのまま引用する。

[2] 教育内容の厳選と基礎・基本の徹底

[1]で述べたように、これまでの知識の習得に偏りがちであった教育から、自ら学び、自ら考える力などの[生きる力]を育成する教育へとその基調を転換していくためには[ゆとり]のある教育課程を編成することが不可欠であり、教育内容の厳選を図る必要がある。

教育内容の厳選は、[生きる力]を育成するという基本的な考え方に立って行い、厳選した教育内容、すなわち、基礎・基本については、一人一人が確実に身に付けるようにしなければならない。豊かで多様な個性は、このような基礎・基本の学習を通じて一層豊かに開花するものである。この意味で、「あまりに多くのことを教えることなかれ。しかし、教えるべきことは徹底的に教えるべし」というホワイトヘッド(一八六一―一九四七イギリスの哲学者)の言葉を改めてかみしめる必要がある。

教育内容の厳選は、学校で身に付けるべき基礎・基本は何か、各学校段階や子供たちの心身の発達段階に即して適当なものは何かを問いつつ、徹底して行うべきであり、教育内容の厳選を、これからの学校の教育内容の改善に当たっての原則とすべきである。

また、学校教育に対しては、社会の変化等に伴い、絶えずその教育内容を肥大化・専門化させる要請があると考えられるが、学校教育で扱うことのできるものは、時間的にも、内容の程度においても、一定の限度があることは言うまでもない。したがって、新たな社会的要請に対応する内容を学校教育で扱うこととすることについては、教育内容を厳選するという原則に照らし、学校外における学習活動との関連も考慮しつつ、その必要性を十分吟味する必要がある。そして、新たな内容を学校教育に取り入れる場合は、その代わりに、社会的な必要性が相対的に低下した内容を厳選する必要がある。

ここに答申の眼目がある。教育内容の厳選と**基礎・基本**の徹底ということがあってはじめて、生きる力とゆとりという概念が理解できる。つまり、広範な能力を生きる力として把握したうえで、確実に身につける内容を基礎・基本と呼び、その教育内容を厳選していき、基礎・基本の徹底として学校教育を位置づけるのである。学校教育で伝える教育内容も時間数も少なくなるから、それがゆとりと呼ばれるのである。生きる力は必要であるが、学校教育では教育内容を厳選して基礎・基本の徹底を眼目として行い、それによって生じたゆとりによって、生涯学習でさらなる生きる力を育むのである。

第一部から見てきた教育の概念や教育の歴史を踏まえても、これは正論と言える。ここで述べられている教育論を否定することは難しい。しかし、あらゆる教育論は時代の産物であり、この答申にもまさにそうした性格がある。この答申は教育の理念が大いに語られて首尾一貫しているが、本当の時代の要請、言わばこの答申がこのときに出されなくてはいけない本音の説明が後半になって書かれる。最初から言わないのは、残念と言うよりも不親切である。それはこの答申の第二部第五章で、「学校週五日制については、平成四年九月に月一回の学校週五日制が導入され、平成七年四月に月二回の学校週五日制が実施に移されるという形で段階的に進められ、これまでおおむね順調に実施されてきた。」という段階的な学校週五日制の流れと、二〇〇二（平成一四）年四月からすべての土曜を休日とする完全学校週五日制の導入が急務であるという**学校週五日制**の要請である。労働時間の短縮が勤労者の権利として語られ、公務員の週休二日制を学校にも導入するためには、他の産業分野と異なって学校の授業時間自体を削減しなければならないという時代の要請があった。念のために言うと私立学校は今も土曜日に授業をしているところが多いし、私の勤務する武蔵野美術大学も同様である。

この答申は教育理念を堂々と掲げているが、同じく堂々と掲げてよいはずの完全学校週五日制の議論を付記のように書いてしまったので、生きる力に表現された教育理念からゆとりのために教育内容を厳選して時間数を削減するものだと理解されてしまった。ただしこれも全くの誤解とも言えない。それは生きる力の理念から新たな「**総合的な学習の時間**」の設定を提言して、他の教科・科目の時間数削減に拍車をかけたからである。これは一九八九（平成元）年の学習指導要領改正にともなって小学校低学年に導入された生活科を維持しつつ、新たに小学校三年生から高等学校までの各学年に設定された。これは大正自由教育の合科教授や戦後のコア・カリキュラムなどの教育の経験を踏まえたものである。この答申を受けて具体化した一九九八（平成一〇）年の小中学校と翌年の高等学校の学習指導要領の改正に連動して、学校教育法施行規則の定める授業時数が三割減となるときに、新設の「総合的な学習の時間」は週あたり時間数で言えば小中学校でおよそ三時間程度という多くの時間が設定された。私はこの「総合的な学習の時間」の新設自体を高く評価するが、現実の学校現場では多くの時間をもてあまして、自習や他教科の時間に転用された実態の深刻さも感じるところである。

一九九七（平成九）年六月二六日には同じタイトルで、「二一世紀を展望した我が国の教育の在り方について」（第二次答申）が提出される。この第二次答申は、第一次答申で触れていない課題として、大学や高等学校の入学者選抜の改善や中高一貫教育などを提起したものである。

中高一貫教育はすでに私立の中学校と高等学校で行われていたが、ここでは公立学校でも行うことが提起された。この答申を受けて一九九八（平成一〇）年に学校教育法の一部改正（平成十年六月十二日法律第百一号）により、一九九九（平成一一）年四月から施行された。新たな学校種別として成立したのが、一つの学校で中高一貫教育を行う六年制の**中等教育学校**であり、その教育目的や教育目標は第17章で確認した。同一の設置者による中学校と高等学校を接続するものは**併設型**の中学校・高等学校と呼ばれ、異なる設置者間で接続するものは**連携型**の中学校・高等学校と呼ばれる。中学校は市町村立、高等学校は都道府県立が多いので、この連携型という中高一貫教育も認められているのである。

この中高一貫教育、とりわけ中等教育学校の利点は高等学校受験がなくなることで、一九九六（平成八）年の第一次答申が示したゆとりを実現することになる。また六年間を一貫した教育課程で行うことで生きる力の教育理念を実現するための計画を行うことも可能である。すでに多くの私立の中学校と高等学校は、事実上の中高一貫教育を行うことで計画的に大学受験で有利な教育課程を提供しており、私立進学校、エスカレータ校と言われるものが古い伝統のある公立高等学校をしのぐ勢いを示していた。こうした威信の低下する公立学校の教育の立て直しという側面が存在した。このため、中等教育学校入学段階の受験競争の激化や、新しい学校種別による事実上のエリート校が形成されて複線型の学校システムが形成されるという批判が出された。

こうした批判や危惧を受けて、公立の中等教育学校や併設型中学校においては入学者選抜のための学力検査を行わないことが学校教育法施行規則に定められた。試験を行わないというのは大胆な発想と思えるが、こうした発想の原点となったのは、戦前の唯一の官立七年制高等学校である東京高等学校の後を受けて置かれた東京大学教育学部附属中学校・高等学校で採られていたシステムであり、抽選等を用いた入学者の決定の実績があった。同校も二〇〇〇（平成一二）年四月に中等教育学校となった。中等教育学校は徐々に増加して、二〇二二（令和四）年には全国に五七校となっている。

この一九九七（平成九）年の第二次答申は、特に優れた資質を有する学生が高等学校を卒業しなくても大学に入学できる**飛び入学**をも提唱した。数学と物理の分野で高校二年生からの大学進学を認める制度を一九九七（平成九）年の学校教育法施行規則の一部改正（平成九年十一月二十七日省令第八十号）によって位置づけ、一九九八（平成一〇）年春には千葉大学で入学試験が行われた。二〇〇一（平成一三）年には学校教育法の一部改正（平成十三年七月十一日法律第百五号）により分野の限定がなく実施可能となった。しかし、二〇二二（令和四）年現在で実施しているのは八大学にとどまり、日本の教育に定着した制度とは言えない。

この制度は「その能力・適性に応じ、才能を一層伸張し、個性を最大限引き出す」と答申で述べられたが、臨時教育審議会の教育の自由化の発想が選別的な形で現れたものとして受験競争の激化も心配された。しかし、不人気が目立つ理学系学部の受験生確保の救済策のように受け取られ、競争の激化もせず救済策にもならなかった。当時は焦点のように語られた理数系や芸術系の大学教育の分野でも、高等学校教育を中断してまで大学教育を行うような必要があるという主張は少なく、むしろ速成のエリート教育への危惧が述べられた。現実に取り組んでいる教員と学生もいるのだから言うのが申し訳ないが、現場を知らない思い違いの教育改革と言ってよい。

第三節　確かな学力とゆとりの修正

一九九六（平成八）年の第一次答申を受けて二〇〇二（平成一四）年四月から学校週五日制がすべての週にわたっ

て実施され、一九九八（平成一〇）年と翌年の学習指導要領も、二〇〇二（平成一四）年度から小学校と中学校で、翌年度から高等学校で実施された。こうした流れに前後して教育内容の厳選により教科書が薄くなり授業時間数が減ることに対して、**学力低下論**として危惧が語られていた。ここに第24章で見たとおり、一九九九（平成一一）年に高位を誇っていたIEAの**TIMSS**調査で順位を下げ、二〇〇〇（平成一二）年のOECDの**PISA**調査では読解力で八位になるなど、学力低下論に根拠が与えられた。年次で考えるとこれらの低下は旧課程の教育の調査なのだが、これらの調査は実施二年後あたりに集計発表がされるために、学力低下を危惧する世論が強まることになる。とりわけ一九九六（平成八）年の第一次答申の言う教育内容の厳選という考え方の見直しが教育政策の課題となった。

これを受けて、早くも二〇〇三（平成一五）年五月一五日には「今後の初等中等教育改革の推進方策について」と題して文部科学大臣から中央教育審議会への諮問が行われた。この「諮問理由説明」には「近年の国際的な調査」として国際学力調査の動向が言及されて、学習指導要領の「基準性」という見直しの焦点が述べられていた。一〇年周期で見直されていた学習指導要領について、実施の翌年に見直しが提起されるという異例の諮問であった。この審議は短期間で行われ、同年一〇月七日には答申「初等中等教育における当面の教育課程及び指導の充実・改善方策について」が中央教育審議会から出された。長い引用になるが、この答申の第一章「新学習指導要領や子どもたちに求められる学力についての基本的な考え方等」の「1　新学習指導要領についての基本的な考え方」から重要な箇所と、答申や概要に添付されて有名になった説明図を掲載する。

(3)　新学習指導要領の下での［確かな学力］の育成を

今後の社会においては、少子高齢化社会の進行と家族・地域の変容、高度情報化・グローバル化の進展、科学技術の進歩と地球環境問題の深刻化、国民意識の変容といった歴史的変動の潮流のなかで既存の枠組みの再構築

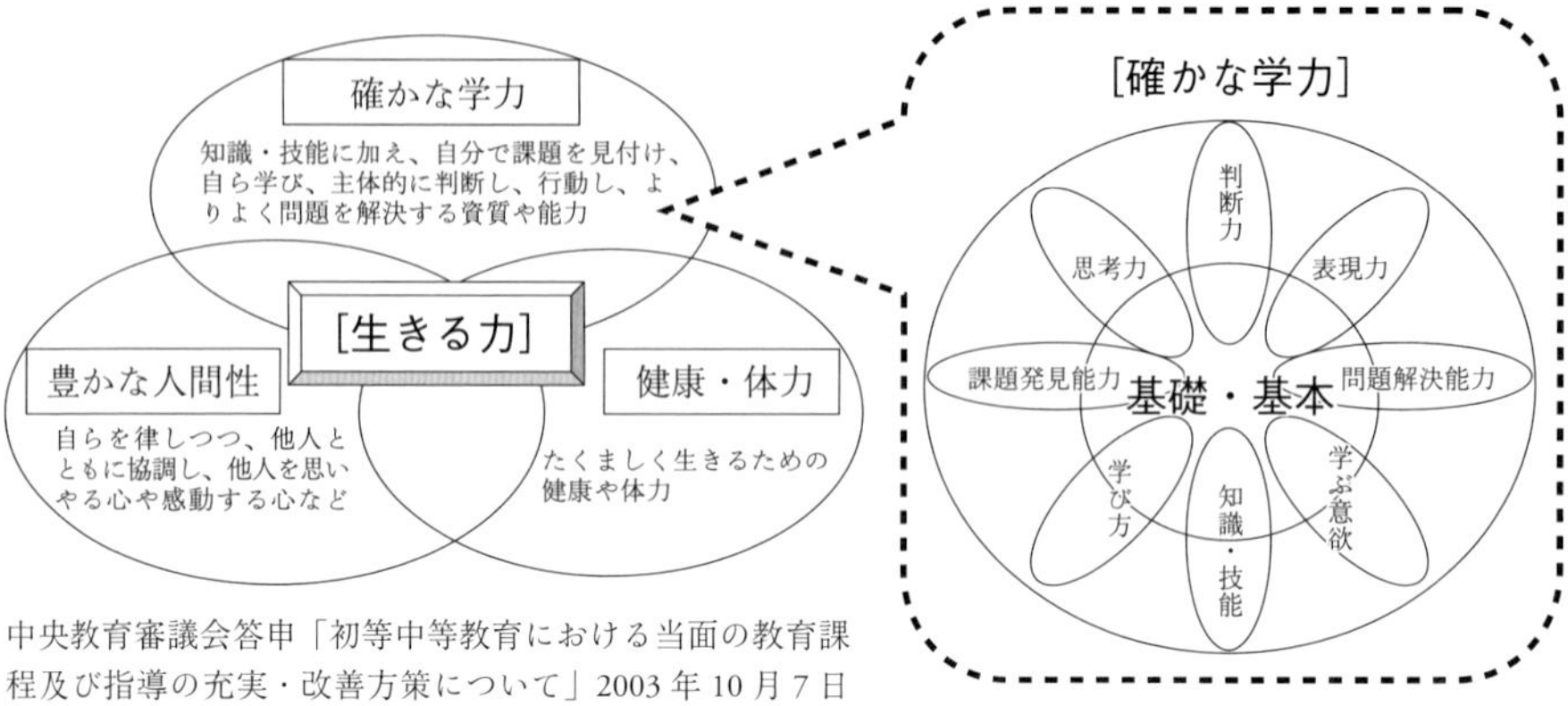

中央教育審議会答申「初等中等教育における当面の教育課程及び指導の充実・改善方策について」2003年10月7日の説明図より

が急速に進むものと考えられる。こうした状況にあって学校教育の果たすべき役割を考えたとき、学校・家庭・地域社会の連携の下、新学習指導要領の基本的なねらいである、基礎・基本を徹底し、自ら学び自ら考える力などを育成することにより、[確かな学力]をはぐくみ、豊かな人間性やたくましく生きるための健康や体力なども含め、どのように社会が変化しても必要なものとなる[生きる力]の育成を進めることがますます重要となってきている。

本審議会としては、このような観点に立ち、今回の当面の充実・改善方策についての答申においては、まずは[生きる力]を知の側面からとらえた[確かな学力]をはぐくむため、学習指導要領に示されている共通に指導すべき基礎的・基本的な内容を確実に定着させること、各学校における創意工夫を生かした特色ある取組を充実させることを提案する。

このために、各学校において、学習指導要領に示された基礎的・基本的な内容の確実な定着、個性を生かす教育の充実を目指して、教えるべき内容・考えさせるべき内容に応じて教員が必要な指導を行い、個に応じた指導などの工夫をした「わかる授業」を一層推進するとともに、「総合的な学習の時間」などを通じて体験的・問題解決的な学習活動を展開することを求めたい。

なお、言うまでもなく、このように子どもたちに[確かな学力]、豊かな人間性やたくましく生きるための健康や体力などからなる「生きる力」をはぐくもうとする考え方は、平成八年の中央教育審議会答申（第一次答申）以来、本審議会としての一貫した考え方である。

義理堅い文章である。最後に「平成八年の中央教育審議会答申（第一次答申）以来、本審議会としての一貫した考え方」と書いて、一貫性を主張している。答申を読み解く鍵は、書かれていることと書かれていないことを読み解くことである。義理堅い一貫性の強調は、現場に軌道修正への批判もあり動揺もあるから、変化がないことを強調して基本概念である「生きる力」を繰り返して、基礎・基本という考え方を強調するものである。ところがすでに読んだとおり、生きる力はゆとりとセットであり、教育内容の厳選によって実現するはずのものである。そのことは引用箇所には言及されずに後景に退く。そして**確かな学力**という表現を突出させて、基礎・基本を中心に置きながら、ＰＩＳＡ調査で重要となるリテラシーに連動する**思考力・判断力・表現力等**を強調するのである。引用した説明図を見ると確かな学力の強調したい点がよくわかる。一九九六（平成八）年の第一次答申は、臨時教育審議会の提起や、一九八九（平成元）年の学習指導要領で登場した新しい学力観を踏まえて、総花的に知育や徳育や体育にわたって生きる力を定義していた。だから、学力低下論の批判に応答しつつ、ＰＩＳＡ型学力にまで対応するような再解釈が可能となったのである。この答申は義理堅いのだが、あくまでも生きる力の再解釈としての「確かな学力」を強調する趣旨変更なのである。

答申はさらに学習指導要領の「**基準性**」という表現を明確にして、学習指導要領を最低基準として、基準を超える内容も指導できることを明示した。また、教育課程を適切に実施するために必要な指導時間の確保を強調した。補充的な学習や発展的な学習などの「**個に応じた指導**」の充実も認めた。さらに批判の強かった「総合的な学習の時間」については、指導の計画性などを強調して立て直しを図ろうとした。これを受けて同二〇〇三（平成一五）年一二月に小中高ともに学習指導要領の一部改正が行われた。小中学校では実施二年目、高等学校では実施一年目の改正であった。学校教育法施行規則に定める授業時間数などは変化しなかったが、答申が強調した学習指導要領の内容を超えた学習などを行う可能性が認められて、教育内容の厳選やゆとりとは異なる方向性が示されたことになる。

一〇年周期の学習指導要領の全面的な改正は、二〇〇八（平成二〇）年一月一七日の中央教育審議会答申「幼稚園、小学校、中学校、高等学校及び特別支援学校の学習指導要領等の改善について」により提起される。この答申も一九九六（平成八）年の中央教育審議会答申「二一世紀を展望した我が国の教育の在り方について」（第一次答申）で出された生きる力や基礎・基本の概念を継承し、さらに二〇〇三（平成一五）年の答申「初等中等教育における当面の教育課程及び指導の充実・改善方策について」の確かな学力と学習指導要領の基準性という考えを受け継ぎ、二〇〇六（平成一八）年の教育基本法全部改正による教育理念を反映した。引き続き低迷する国際学力調査の結果を受けて、従来からの「生きる力」の理念を共有して基礎・基本の知識・技能の習得とともに、ＰＩＳＡ型学力に対応する思考力・判断力・表現力等の育成を強調した。そして確かな学力を確立するために必要な時間数の確保を提起した。また、小学校段階の外国語活動の提起などが注目を集めた。

これを受けて二〇〇八（平成二〇）年には学校教育法施行規則の一部改正（平成二十年三月二十八日文部科学省令第五号）が行われた。たとえば、中学校では三年間の総時間数が二九四〇時間から三〇四五時間に増加して、選択科目をなくして総合的な学習の時間を減少することで、国語、社会、数学、理科、外国語などの時間数を増加させた。学習指導要領の基準性を明確にするために、これ以上の内容に触れてはならないという**はどめ規定**と呼ばれた文言が原則として削除された。

二〇〇八（平成二〇）年から翌年にかけて**全部改正**が**告示**された**学習指導要領**と基本となる施行日は次のとおりであった。施行する時期、つまり子どもたちが実際に学ぶ内容が変更される時期は、教科用図書の検定などの準備が必要であるから、教科用図書のない幼稚園から始まって、小学校、次に中学校と全学年で全面実施され、高等学校では第一学年から進む**年次進行**でする。このずいぶんと施行の幅がある通例が、このときも定められた。

・**幼稚園教育要領**（平成二十年三月二十八日文部科学省告示第二十六号）：平成二一年度から施行
・**小学校学習指導要領**（平成二十年三月二十八日文部科学省告示第二十七号）：平成二三年度から施行
・**中学校学習指導要領**（平成二十年三月二十八日文部科学省告示第二十八号）：平成二四年度から施行
・**高等学校学習指導要領**（平成二十一年三月九日文部科学省告示第三十四号）：平成二五年度入学者から年次進行
・**特別支援学校幼稚部教育要領**（平成二十一年三月九日文部科学省告示第三十五号）：平成二一年度から施行
・**特別支援学校小学部・中学部学習指導要領**（平成二十一年三月九日文部科学省告示第三十六号）：小学部平成二三年度・中学部平成二四年度から施行
・**特別支援学校高等部学習指導要領**（平成二十一年三月九日文部科学省告示第三十七号）：平成二五年度入学者から年次進行

学習指導要領と一言で言うが、告示としては七つあり、幼稚園では**教育要領**と呼ぶ。施行年度はめやすとして記載したが、実際には一部の学校や一部の教科などで早く実施できる移行措置などが別の告示で定められている。また常用漢字表の改定（平成二十二年十一月三十日内閣告示第二号）があったのでこれに関係する学習指導要領の**一部改正**もその後に行われている。

二〇一五（平成二七）年には従来の「道徳」を改めて「**特別の教科である道徳**」という名称で小学校と中学校の教育課程に追加する学校教育法施行規則の一部改正（平成二十七年三月二十七日文部科学省令第十一号）が行われ、実施のために、小学校学習指導要領の一部改正（平成二十七年三月二十七日文部科学省告示第六十号）と中学校学習指導要領の一部改正（平成二十七年三月二十七日文部科学省告示第六十一号）と特別支援学校小学部・中学部学習指導要領の一部改正（平成二十七年三月二十七日文部科学省告示第六十二号）については、「**特別の教科　道徳**」という名称で行われた。これが小学校では二〇一八（平成三〇）年度から、中学校では二〇一九（平成三一）年度から実施され、略称の**道徳科**の名称も用いられる。

このほか、幼稚園教育要領と、厚生労働省による**保育所保育指針**（平成二十年厚生労働省告示第百四十一号）との整合性を図って、幼保連携型認定こども園の教育課程や教育及び保育の内容については、**幼保連携型認定こども園教育・保育要領**（平成二十六年四月三十日内閣府文部科学省厚生労働省告示第一号）が定められた。

つぎに二〇一七（平成二九）年から翌年にかけて、ほぼ一〇年に一度の学習指導要領の全部改正が行われた。特別の教科である道徳はこの全部改正前の、現行の学習指導要領で施行が定められているので、予定どおりの二〇一八年度の小学校と二〇一九年度の中学校から実施されて、二〇一七年と二〇一八年に告示された現在の学習指導要領でも継続されている。なお、これら学習指導要領のうち、特別支援学校高等部のみは二〇一九（平成三一）年が告示年であるが、本書では「二〇一七（平成二九）年と二〇一八（平成三〇）年に告示された現在の学習指導要領」と一括しておく。

・**幼稚園教育要領**（平成二十九年三月三十一日文部科学省告示第六十二号）：平成三〇年度から施行
・**幼保連携型認定こども園教育・保育要領**（平成二十九年三月三十一日内閣府文部科学省厚生労働省告示第一号）：平成三〇年度から施行
・**小学校学習指導要領**（平成二十九年三月三十一日文部科学省告示第六十三号）：令和二年度から施行

・**中学校学習指導要領**（平成二十九年三月三十一日文部科学省告示第六十四号）：令和三年度から施行
・**高等学校学習指導要領**（平成三十年三月三十日文部科学省告示第六十八号）：令和四年度入学者から年次進行
・**特別支援学校幼稚部教育要領**（平成二十九年四月二十八日文部科学省告示第七十二号）：平成三〇年度から施行
・**特別支援学校小学部・中学部学習指導要領**（平成二十九年四月二十八日文部科学省告示第七十三号）：小学部令和二年度・中学部令和三年度から施行
・**特別支援学校高等部学習指導要領**（平成三十一年二月四日文部科学省告示第十四号）：令和四年度入学者から年次進行

第四節　学力論をめぐって

「生きる力」という概念は、従来の様々な能力論を踏まえて生涯学習社会にふさわしい形態で包括的に成立したので、これからも学校教育の現場で活用がなされていくだろう。

第18章で触れた教育基本法第六条第二項と、第17章で教育の目的や目標を論じるなかで触れた学校教育法第三十条第二項については、もう一度確認しておきたい。

教育基本法（平成十八年十二月二十二日法律第百二十号）

（学校教育）

第六条

2　前項の学校においては、教育の目標が達成されるよう、教育を受ける者の心身の発達に応じて、体系的な教育が組織的に行われなければならない。この場合において、教育を受ける者が、学校生活を営む上で必要な規律を重んずるとともに、自ら進んで学習に取り組む意欲を高めることを重視して行われなければならない。

これが教育基本法における学校教育法第一条で定める学校つまり一条校の学力論と言える。教育の目標や体系的で組織的な教育課程を持つ学校において、学習者は「学校生活を営む上で必要な**規律**を重んずる」ことと、「自ら進んで学習に取り組む**意欲**を高めること」が求められる。これが第一節で見た一九八九（平成元）年の学習指導要領における**新しい学力観**を踏まえていることは明白であろう。**関心・意欲・態度**という文言そのままではないが、告示としての学習指導要領などではなく、教育の最高法規である教育基本法に足場のある学力観として規定されているのである。

学校教育法（昭和二十二年三月三十一日法律第二十六号）

第三十条

2　前項の場合においては、生涯にわたり学習する基盤が培われるよう、基礎的な知識及び技能を習得させるとともに、これらを活用して課題を解決するために必要な思考力、判断力、表現力その他の能力をはぐくみ、主体的に学習に取り組む態度を養うことに、特に意を用いなければならない。

これは小学校教育の規定であるが、中学校、高等学校、中等教育学校にも準用されている。生涯学習社会を見据えた**生きる力**を提起した一九九六（平成八）年の中央教育審議会「二一世紀を展望した我が国の教育の在り方について」（第一次答申）が前提となり、さらに二〇〇三（平成一五）年一〇月の答申「初等中等教育における当面の教育課程及び指導の充実・改善方策について」における**確かな学力**としてＰＩＳＡ型学力を意識した**思考力・判断力・表現力等**が、法律の文言として登場している。「**主体的に学習に取り組む態度**」は教育基本法第六条第二項を踏まえて書かれ、評価の**三観点**にそのまま用いられている。こうして答申で提起されて学習指導要領に反映された学力論が、法令にふさわしい文言に整理されて含まれていることがわかる。確かに、生きる力という言葉は、大ざっぱだから法令の文言には使えない。

このように、教育基本法と学校教育法の整備のなかで、学力が法令で規定される時代、学力論が法律論として論じられる時代となったのである。

本来的には**学力**は、学ぶ力、学んだ力、つまり学問や知識や技術に関する力として、教育思想や教育理念に基づいて多様に論じられてきたものである。近年の答申や法令で強調された学力についての概念も、実は古くから論じられてきたものばかりである。どの時代でも学校では試験や能力の判定がもとめられることが多いが、学問が発展して教育評価を数量的に捉えて分析することが盛んになるとき、とりわけ新教育の時代には心理学者たちも参加して多様な学力論が論じられることになるのである。

実質陶冶 materiale Bildung と**形式陶冶** formale Bildung という言葉は近年では余り現場では使わなくなったが、伝統的に重要な教育概念である。この場合の陶冶は第6章で見た海後《かいご》宗臣《ときおみ》の学校教育という意味の陶冶ではなく、学力の形成といった意味である。教育内容に基づく学力が獲得できるというのが実質陶冶であり、ある意味では当たり前のことである。これに対して形式陶冶はその教育内容にとどまらない能力が獲得できて、その能力が他の分野にも転移が可能だという概念である。従来の教育思想をめぐる学力の言説を古代から並べてみると、この類型で説明ができることが多い。新教育では心理学者たちが実験を駆使して、形式陶冶による能力の転移の証明に挑んだりもした。古くは哲学がすべての学問の基礎であったり、ラテン語が教養の基礎であったりという議論は、形式陶冶を重視していると言える。今日の多くの大学の入学試験で英語を課しているのにも類似した発想が見られる。ＰＩＳＡ型学力も文化に依拠しないでリテラシーが測定できると考えているから形式陶冶説に分類できよう。しかし本当に形式陶冶だけであれば、学ぶべき範囲はどんどんと狭くしてもよいことになり、文化や教養の伝達としての教育の意味はどうなるかという問題もある。

もちろん漢字でもローマ字でも読み書きそれ自体は実質陶冶だろう。本来は素朴な読み書きの学習や識字運動で用いられたリテラシーという用語が、二一世紀のPISA型学力ではむしろ応用的な能力として語られているのも、なにか不思議な気がする。

もともと経験を重視した**デューイ**の哲学の流れは、日本の戦後教育改革における経験主義的な学習方法に影響し、地域の課題に根ざして社会科などを中心にカリキュラムを構成する**コア・カリキュラム**の教育運動を形成していった。教育課程の編成が地域の学校や教育委員会にゆだねられていた時代には、戦前の合科教授の流れを踏まえて、こうした地域の教育が大きな流れを作り出した。しかし、読んだり書いたりするための基本的な知識や学問の体系や、教科や科目を区分して教授可能な分野は、体系的に整理された**系統学習**がなければ成立しない。このコア・カリキュラム運動にも、学力低下論が批判として投げかけられた。

知識と技能とその応用によって学力を考える現在の学力論は十分な広がりを持っているが、実際の学校教育は**教科**やさらに細分化した**科目**という個別の学問や技術の体系が前提になっていく。学力論は人間の能力に関する抽象的な議論であるとともに、文化を踏まえた具体的な議論でもある。

すこし補足的に学力論の概念を説明したが、学力や教育の評価は、教育の理念やあり方に依拠するものである。だから教育政策や法令で定めるだけでなく、教育実践と教育学を考える必要があることを、付け加えておく。

二〇一七（平成二九）年と翌年に全部改正された学習指導要領の方向を打ち出したのは、二〇一六（平成二八）年一二月二一日の中央教育審議会答申「幼稚園、小学校、中学校、高等学校及び特別支援学校の学習指導要領等の改善及び必要な方策等について」である。この答申は、引きつづき**生きる力**をキーワードとしつつ、**予測困難な時代**という認識で、激動する国内外の状況が今後もどうなるかわからないという状況認識を前提に論じたことに特徴がある。情報化は人工知能の活用へと進み、これまでの職業のあり方をも変えていく。このなかでは、「何ができるようになるか」として、育成を目指す資質・能力を明確にし、「何を学ぶか」という、教科等を学ぶ意義や教科等間・学校段階間のつながりを踏まえた教育課程を編成し、さらに「どのように学ぶか」という、学習・指導の改善・充実が必要となる。「どのように学ぶか」という点で提起されたアクティブ・ラーニングは、次節に詳論する。こうした時代に通用する学校教育は、学校が積極的に計画と実施と点検と改善を行う**PDCAサイクル**（Plan, Do, Check, Action の頭文字）を含めて、**カリキュラム・マネジメント**を実施できるものでなければならない。そして、地域や世界を見極めて将来の子どもたちが生きる力を育み、学校内部でとどまらない、**社会に開かれた教育課程**として実施できるものであることが求められる。

学校教育によって「何ができるようになるか」という点は、ここまで論じてきた教育基本法や学校教育法第三十条第二項を前提として、三つに整理される。第一に「何を理解しているか、何ができるか」という、生きて働く**知識及び技能**の習得である。これは、**基礎・基本**とも言えるし、**TIMSS**によっても重視されてきたものである。第二に、「理解していること・できることをどう使うか」ということで、未知の状況にも対応できる**思考力・判断力・表現力等**の育成である。これは基礎・基本となる**知識及び技能**を活かしていく**応用**とも言えるし、**PISA**によっても重視されてきたものでもある。第三に、「どのように社会・世界と関わり、よりよい人生を送るか」という点であり、学びを人生や社会に生かそうとする、**学びに向かう力・人間性等**の涵養《かんよう》である。教育基本法第一条の教育の目的でうたわれた人格の完成も、新しい学力観として強調された**関心・意欲・態度**も含まれる。子どもがまさに学んでいる教室のなかから、卒業後の生涯学習による人生を通じたあり方まで広がっていく。

簡単にまとめると、第一の**知識及び技能**と、第二の**思考力・判断力・表現力等**と、第三の**学びに向かう力・人間性等**が、学校教育を通じて培われるべき**資質・能力の三つの柱**となる。この資質・能力の三つの柱はどの教科等でも目指されていくので、各教科の評価は、これを前提とした**三観点**によって構成される。すなわち、資質・能力の三つの柱の文言とそれぞれ微妙に異なるが、**知識・技能**、**思考・判断・表現**、**主体的に学習に取り組む態度**という概念である。もちろん教科などの特質は、**見方・考え方**として、教科ごとに明確にされる。こうして教科による見方・考え方という独自性や専門性を活かしつつ、資質・能力の三つの柱が、学習を評価する三観点として貫かれるので、学校教育全体を通じたカリキュラム・マネジメントが**チームとしての学校**として実施可能になるのである。この**チーム学校**については、第28章で再論するが、決して閉ざされた教員集団の結束ではなく、地域の要望や学校以外の専門家や非常勤職員も含めたオープンなものであり、それ故に社会に開かれた教育課程を担うことが可能なのである。

第五節　アクティブ・ラーニング

新しい学習指導要領では、資質・能力の三つの柱として、知識及び技能の習得、思考力・判断力・表現力等の育成、学びに向かう力・人間性等の涵養を打ち出したが、予測困難な時代で生きる力を育むための方法として、**アクティブ・ラーニング**つまり**主体的・対話的で深い学び**という新たなキーワードを打ち出した。正確に言えば、二〇一六（平成二八）年一二月二一日の中央教育審議会答申「幼稚園、小学校、中学校、高等学校及び特別支援学校の学習指導要領等の改善及び必要な方策等について」の到達は、従来から多様に語られてきたアクティブ・ラーニングという言葉に、主体的・対話的で深い学びという定義を与えた点にある。

アクティブ・ラーニングという言葉は、アメリカの高等教育の授業改善、さらに日本の高等教育の改善で用いられてきた。欧米はまだギリシャ・ローマ以来の雄弁術の伝統があるが、それでも大衆化する大学教育の改善として、意図的に現実的な課題や教室での対話が率先して試みられた。このような流れから、現実の社会の課題を理論や歴史に傾きがちな大学教育に持ち込むための試みとして理解された。たとえば、企業や行政と連携して、現実の課題解決を学生に考えさせることが、アクティブ・ラーニングの定義とされたこともある。(1)

またデューイが、教育改革のために教員研修の方法として提起したワークショップは、進歩主義教育運動のみならず、企業研修や芸術分野にまで広がっていき、日本でも戦後に教員研修や、さらには美術館などの分野で意識的に導入された。このワークショップという手法は、参加者を重視して、参加者の間の討議や合意形成、さらには協同作業などを重視することが特徴である。教師や研究者による専門テーマの交流はもちろん、年齢や立場を超えた対話へと広がり、企業の会議や地域の話し合いなど様々な場面で活躍する。さらに美術館における鑑賞、障害者や高齢者を参加者とした造形ワークショップなどへと展開している。(2)

また、学習指導要領では、二〇〇八（平成二〇）年と翌年の学習指導要領において、言語活動が、国語のみならず、すべての教科にわたって強調されたことも関連する。事実や自分の意見を言語で記述するだけではなく、教室で子どもが発表したり、討議したりすることが重視された。そして二〇一五（平成二七）年に学習指導要領の一部改正として特別の教科である道徳が導入される際に、「考え、議論する道徳」というキーワードが強調されたことが、今回のアクティブ・ラーニングの先行スタイルとなった。読み物教材を読んで感動するだけの授業が批判され、異なる価値観や判断を子どもたちが出し合って、多様な価値観に触れて、いじめなどの身近な問題から、生きる力となる道徳性を育んでいくことになる。

アクティブ・ラーニングの定義としては、主体的な学びや、対話的な学びという側面を中心に語られていたが、ただ子どもたちが活発に議論しているだけという批判を招くこともあった。私自身も二〇年間にわたって、障害者や高齢者を参加者とした造形ワークショップから美術教育の改善を試みてきたのだが、現職の教師からは「デッサン力はどうなるのだ」とか、「知識や技術の軽視ではないか」といった批判を受けることが多かった。皮相に流れやすいワークショップの動向を考えると、こうした批判は私も共有したい。しかし、ここに**深い学び**の側面が位置づくことで、主体的に考えて、活発に議論していったことが、すでに述べた資質・能力の三つの柱や各教科独自の見方・考え方をも深めるものとして展開しうる。たとえば、絵画を見て思った感想を主体的に述べて対話する**対話型鑑賞**でも、意見発表のくりかえしになると、しばらくすると子どもも教師も飽きてくる。他教科も含めて知っている知識や美術の鑑賞の視野を広げて、作品を制作する視点をも含めて考え直して、基礎・基本となる**知識及び技能**を踏まえて、**思考力・判断力・表現力等**を動員していくことで、深い学びへと進んでいくのである。ここには美術と不可分の社会と人間のあり方を踏まえた人間性の課題へと深めていくことができるだろう。

このように、二〇一七(平成二九)年と翌年の学習指導要領で、主体的・対話的で深い学びとしてのアクティブ・ラーニングが位置づけられたことは、学校の教育活動全体を通じて重要な改革となる。このアクティブ・ラーニングを重視した改革は、従来から取り組んできた基礎・基本を重視した学びの重要性を否定するものではない。すでに学校の教育方法は、第13章で見たとおり、二〇世紀の**新教育**、**大正自由教育**を踏まえた改革がされており、ワークショップもその経緯で生まれてきた教育改革運動である。教師や教育を学ぶ人は、現在までの教育実践に自信を持ち、さらに改善を進めるためのキーワードとしてアクティブ・ラーニングを把握したい。

(1) 日本私立学校振興・共済事業団「平成二八年度私立大学等改革総合支援事業調査票入力要項」二〇一六年。
(2) 高橋陽一『ファシリテーションの技法　アクティブ・ラーニング時代の造形ワークショップ』武蔵野美術大学出版局、二〇一九年、高橋陽一編『造形ワークショップ入門』武蔵野美術大学出版局、二〇一五年。

第26章　高等教育をめぐって

世の教育原理や教育学概論の教科書を見ると、**大学**について述べていないものが多い。大学の教職課程のテキストは、教員免許状との関係で、幼稚園、小学校、中学校、高等学校、さらにすべてに関連する特別支援教育が中心になるのは道理である。二〇二二（令和四）年現在で、大学は八〇七校で学部学生は約二九〇万人、短期大学は三〇九校で約九万人が在籍する。小中高の段階の教育の対象は同年齢のほぼ「全員」と言えるが、大学などはほぼ「半分」すこし（進学率五六・六パーセント）の人たちの教育に留まっていることも事実である。

大学以外のことをすべて研究するのが大学だという言い方を聞いた。もちろん、現在、それでは通用しない。大学教育を研究する研究者は増加したし、多くの大学は**自校教育**という概念で、自分自身の属する大学の歴史や目的を対象とした教育を学生に行っている。自校教育が自慢話で終わって学生に辟易《へきえき》されるという例もあるようだが、国や地域に関する教育が一方的な愛国心や郷土愛の教育であってはならないのと同様に、大学もまた批判的な学問研究の対象になってはじめて教育としての意義がある。

さらに大学進学が何の特権でもなくなった時代には、どの学校教員も、進路指導のために大学教育についての知識を持たざるを得ない。学校教員は教育職員免許法により大学で養成されることが原則であるから、学校教員は出身大学や短期大学や大学院での経験を持っている。しかし自分自身の経験だけで教育を語ることができないのは、初等教育や中等教育とともに、**高等教育**も同様である。そのためにも、大学教育のあり方について述べておきたい。

第一節　大学の形成

個体発生は系統発生を繰り返すというのがドイツの生物学者ヘッケル（Ernst Heinrich Haeckel, 一八三四～一九一九）の学説だが、その前に、ドイツの哲学者ヘーゲル（Georg Wilhelm Friedrich Hegel, 一七七〇～一八三一）は『精神現象学』などで人類全体の歴史を人間個人の発達になぞらえて説明している。二〇〇七（平成一九）年の学校教育法の改正で一条校を幼稚園から始まる配列にした発想からすると、人類の歴史も幼児期の教育からスタートするとすっきりする。家庭や社会での教育を含めて考えると、人類の歴史が始まって以来、教育は幼児期の家庭から始まったと推測してよいだろう。しかし、学校の歴史については学校という教育組織の成立の順番であるから、現在の子どもが初等教育、中等教育、高等教育と進学するのとは逆に、高等教育から始まるものである。

本書の第8章から第15章までは教育全般の歴史に関する記述となっているから、ここで大学または高等教育の歴史を簡単に整理しつつ、強調しなかった論点を中心に述べておきたい。

日本教育史上の学校は、六七〇年頃に成立した**大学寮**をもって始まる。中国の太学《たいがく》などをモデルにした高等教育機関が、貴族として官職に就く前の青年のために成立した。高等教育の使命として、高度に専門的な学問を学ぶという**専門教育**の性格と、専門職に就くための**職業教育**としての性格がある。古代大学寮であれば儒教の古典から文学や歴史や法律などを学び、高度の文書管理ができる位階と官職を持った貴族が輩出されるのである。幼児期からの貴族の教育は家庭では家族や乳母《めのと》が行っていたが、その後、寄宿舎としての**別曹**に入学前の予備教育の機能が加わっていく。学校のある古代の貴族社会とは異なり、武士たちが力を持つ中世は学校のない社会であり、寺院がその代わりを果たして、例外的に大学と比定される足利学校も寺院教育の延長線上に存在した。しかし同じ武家社会だったはずの近世には、武士も民衆も文字学習が必要となって、江戸に**昌平坂学問所**が旗本など武士たちの高等教育機関として成立した。トップにいる林家の歴代当主は古代にならって大学頭《だいがくのかみ》を官職とした。

西洋古代でも、ギリシャやローマの哲学者のまわりには、古代市民社会の政治の中心になる若者達が集まった。プラトンの**アカデメイア**は、学会や大学を意味するアカデミー academy の語源となった。西洋中世の大学の多くは現在も存続して社会的権威を持ち、今日に至るヨーロッパの複線型の学校の系統をなす原因となっていることを第14章でも述べた。一二世紀頃から大学の創建が始まった。ヨーロッパ最古の**ボローニャ大学**は、ローマ法の注釈を行ったイルネリウス（Irnerius, 一〇五〇頃～一一三〇頃）の講義を聴くために学生がイタリアの町に集まったことが起源となる大学であり、一〇八八年を設立とする説が最も早く、一一五八年には神聖ローマ帝国皇帝から勅許状をもらっている。**パリ大学**は司教座の学校のあるパリに、アベラール（Pierre Abélard, 一〇七九～一一四二）たちが住んで学生を教授したことから始まるもので、一二世紀半ばに体裁を整えて一三世紀にはローマ教皇から勅許状をもらっている。イギリスの**オクスフォード大学**も一二世紀に成立して、そのオクスフォードの学生が一二〇九年に移転したことで**ケンブリッジ大学**も一三世紀に成立している。日本古代の大学寮よりもヨーロッパの大学のほうが、設立年代には異説が多いので、年代の目安として理解してほしい(1)。

こうした大学は、**七自由学科** seven liberal arts（文法、修辞学、論理学、算術、幾何学、天文学、音楽）を基礎として、神学、法学、医学、文学などを学ぶ場であった。すべてラテン語が基礎だから、中世の大学は、他の現代語で言わずに、**ウニウェルシタス** ūniversitās と言うのがよい。正しくはウーニウェルシタースと長音を区別するべきかもしれないが、そう書いた日本語文献はあまり見ない。本書は多くのラテン語の辞書にならって長音を区別して添えているが、ラテン語文献を読む西洋人は発音を知っているのだから長音記号をつけない書き方が一般的である。古代風の書き方なら、UとVさえ区別せずに全部大文字でVNIVERSITASと書くことになる。

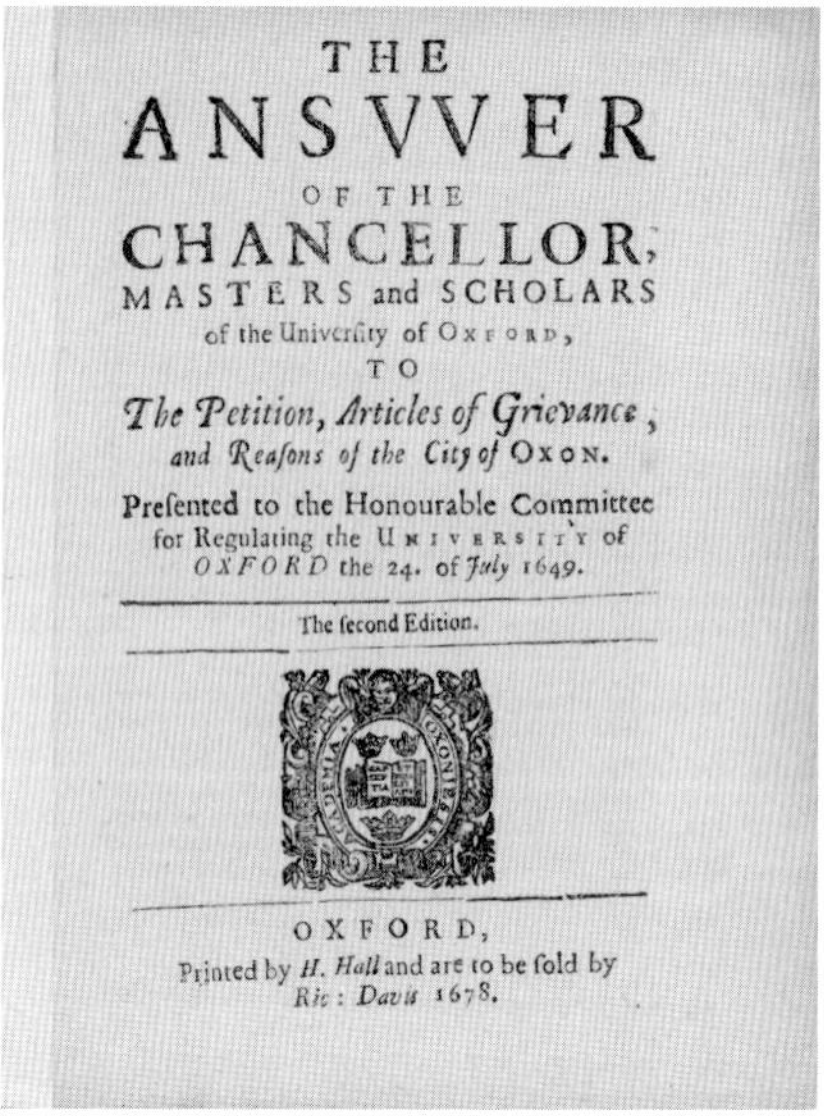
THE
ANSVVER
OF THE
CHANCELLOR,
MASTERS and SCHOLARS
of the Univerſity of OXFORD,
TO
The Petition, Articles of Grievance,
and Reaſons of the City of OXON.
Preſented to the Honourable Committee
for Regulating the UNIVERSITY of
OXFORD the 24. of *July* 1649.

The ſecond Edition.

OXFORD,
Printed by *H. Hall* and are to be ſold by
Ric: Davis 1678.

図18　オクスフォード大学からオクソン市への回答書（1678年第2版）、家鴨文庫蔵。

このウニウエルシタスの語源は、全体や普遍を意味する形容詞 ūniversus（ウーニウェルスス）であろうが、さらに一つという意味の ūnus（ウーヌス）に至る。他方、イギリスの大学で発達する学寮 college は、ラテン語の同僚や団体 collēga（コレーガ）、collēgium（コレーギウム）を語源とする。教師の団体や学生の団体が学校を構成したのがウニウエルシタスの成り立ちであり、まず学ぶ人と教える人が集まって、そのうえでローマ教皇や国王の特許状をもらって特権的制度を確立するという順序になる。

　都市の商人や職人がギルドなどの同業団体をつくって特権を確保することが、自治の重んぜられる中世社会の特徴だが、大学もそうした形態をとった。日本でも近代から現在に至るまで**大学自治**ということが、教授会の自治や学生の自治といった言葉とともに語られ続ける。これは戦後では日本国憲法の学問の自由を根拠として主張されるが、中世の名残という見方もできる。もちろん、中世の大学は、同業団体として租税の免除から独自の裁判権まで自治都市と同様の自治を持つものであった。

　日本では古代の律令国家制度でも近代の制度でも、大学は国家の機関や国家の許認可によるものとして位置づけられるが、ヨーロッパでは自治的性格が本質をなす。オクスフォード大学の正式名称を図18の表題から読み取ってほしい。近隣都市との争いで大学側の主張を述べたこの小冊子の表紙に書かれた大学の名前は、六行目のオクスフォード大学だけではない。三行目から始まって、「オクスフォード大学のチャンセラー（総長）と修士と学者」The Chancellor, Masters and Scholars of the University of Oxford と長い名前になっている。教員集団が大学の実体であることを意味する名称なのである。

こうした同業団体が中心となったヨーロッパの大学も、近代に入ると変化していく。近代ヨーロッパの大学のモデルとなったのは、一八一〇年創立のプロイセンの**ベルリン大学**である。この大学も、中世以来の神学部、法学部、医学部、哲学部で構成されたが、二つの点で大きく異なっていた。一つは新人文主義の立場に立つ哲学者**フンボルト**（Karl Wilhelm Freiherr von Humboldt, 一七六七〜一八三五）が設立に関与して、体系を重んじた学問観から**総合大学**という理念を打ち立てたことである。フンボルトといえば、フンボルトペンギン Spheniscus humboldti（スペニスクス フンボルデティ）を思い出す人もいるだろうが、こちらはフンボルト海峡でも知られる弟の地理学者フンボルト（Friedrich Heinrich Alexander Freiherr von Humboldt, 一七六九〜一八五九）にちなむ名であるから間違えないようにしたい。

もう一つは、大学を国家の機関として位置づけて、大学教員をプロイセン国王が任命したことである。教員たちや学生たちの自治的な団体としてではなく、国家の機関としての大学で、国家の官吏としての教員が教えるという形である。フンボルトら当時の哲学者たちは教授や学習の自由を大学の原則として位置づけたが、それが国家の官吏やエリートたちの自由を意味するという構造である。その後のヨーロッパの大学では、しばらく理学（自然科学）が哲学の一分野にとどまり、工学や農学などの自然科学や科学技術の研究が大学に位置を占めにくく、大学の歴史の短いアメリカに後れを取ることとなる。

日本では明治維新により、昌平坂学問所や洋学の開成所や西洋医学の医学所が維新政府に接収され、一八六九（明治二）年には大学校、さらに大学と改める。この**大学校・大学**の本校は国学者と漢学者の対立のなかで休校とされ、行政機能のみを引き継いで、一八七一（明治四）年には文部省が設置される。本校は廃止されたが、残った洋学部門を引き継いで一八七七（明治一〇）年には**東京大学**が創立され、法学部、理学部、医学部、文学部の四学部構成となった。この東京大学が、初代文部大臣森有礼の時代の一八八六（明治一九）年の帝国大学令により、**帝国大学**となり、学部に相当する法、医、工、文、理の五つの分科大学を置いた。こうした構成はドイツのベルリン大学をモデルとした大学構想であり、総合大学としての体裁を整えていったが、理学部や工学部を最初から置いた点にアメリカを見習った新しさがあった。

この帝国大学が国内七校、植民地二校と昭和期にかけて増加するが、法令上の大学と卒業者の学士号を帝国大学のみで独占する時代が続く。一九〇三（明治三六）年の専門学校令によって、私立や分野ごとの高等教育機関として**専門学校**の制度が確立した。これにより芸術や宗教の分野、女性のための高等教育機関も成立した。なお、大学進学にむけた中等教育としての性格を持つ高等学校も、ほぼ全員が帝国大学へ進むのだから高等教育として分類されることが多い。

一九一八（大正七）年の**大学令**により、ようやく帝国大学だけの独占が終わり、一つの学部だけの単科大学と公立や私立の大学が認められることとなった。

ここで帝国大学令と大学令の第一条の目的の規定を比べてみよう。

帝国大学令（明治十九年三月二日勅令第三号）

第一条　帝国大学ハ国家ノ須要ニ応スル学術技芸ヲ教授シ及其蘊奥ヲ攷究スルヲ以テ目的トス

大学令（大正七年勅令第三百八十八号）

第一条　大学ハ国家ニ須要ナル学術ノ理論及応用ヲ教授シ並其ノ蘊奥ヲ攻究スルヲ以テ目的トシ兼テ人格ノ陶冶及国家思想ノ涵養ニ留意スヘキモノトス

森有礼のかかわる勅令と、大正自由教育の空気のなかでできた勅令が驚くほど似ているのは、言うまでもなく大学令が帝国大学令を下敷きにしたからである。「学術技芸」や「学術ノ理論及《および》応用」の教授や、さらに「蘊奥《うんのう》ヲ攷究《こうきゅう》スル」や「蘊奥ヲ攻究スル」という研究も、帝国大学令と大学令に共通する。大正期の精神は教育基本法にも通じる大学令の「人格ノ陶冶」に現れるが、これが「国家思想ノ涵養《かんよう》」とセットにされているのである。確かに大学令は、私立大学や単科大学などを大学教育に位置づけたが、同時に「国家ノ須要《すよう》」を掲げる帝国大学の理念が、法令上はそのまま私立大学にまで及ぶことを意味したのである。それでも特権的な世界として学問の自由を日本国憲法の以前に享受できたのが大学である。しかし、その学問自体も帝国大学がモデルとなり、大学令第二条第二項は「学部ハ法学、医学、工学、文学、理学、農学、経済学及商学ノ各部トス」として神学や芸術などは学部として想定されていなかったのである。

冒頭で自校教育のあり方について述べたが、武蔵野美術大学の講義では、こうした大学の歩みにあわせて、武蔵野美術大学の前身校たる帝国美術学校の歴史を比較するようにしている。(2) 一九二九（昭和四）年一〇月三〇日創立の帝国美術学校は、「教養を有する美術家養成」を建学の精神として誕生した。名前こそ立派ではあるが、学校種別は各種学校である。美術分野では専門学校令とともに官立の東京美術学校は専門学校になっており、一九〇〇（明治三三）年創立の女子美術学校も男女の格差を乗り越えて、一九二九（昭和四）年には女子美術専門学校へと昇格している。帝国美術学校も専門学校昇格を目指したが困難が続き、ついには一九三五（昭和一〇）年に学内の紛争が起きて、多摩帝国美術学校（後の多摩美術大学）が分裂して二校となり、果たすことができなかった。こうした美術や音楽を専門とする学校が大学となるのは、戦後の学校教育法を待たなければならなかったのである。

これからの大学教育のあり方を考えるには、過去の歴史を考えておくことが大切である。教育史学者の寺崎昌男(3)や教育社会学者の天野郁夫(4)の歴史研究が今日の大学論で絶えず言及されるのは、そうした必要からであろう。

第二節　現在の大学

現在の大学制度は、戦後の**教育基本法**（昭和二十二年三月三十一日法律第二十五号）と**学校教育法**（昭和二十二年三月三十一日法律第二十六号）に基づいて、戦前の大学と専門学校、さらに高等学校や師範学校が新制の大学へと移行することによって形成された。

学校教育法は大学教育の目的として、「大学は、学術の中心として、広く知識を授けるとともに、深く専門の学芸を教授研究し、知的、道徳的及び応用的能力を展開させることを目的とする。」と定めた。ここには大学令に見られる国家の須要や国家思想という言葉はなく、国家への奉仕ではなく**学問の自由**が重んぜられ、**学術の中心**としての位置づけが明記された。ここにある**学芸**という言葉は、帝国大学令第一条にあった学術技芸という言葉と同義語とも考えてよいが、戦前の帝国大学令や大学令では想定されていなかった美術や音楽などの芸術や、戦前では旧制の高等学校で終わっていた教養教育をも含んだものと理解できる。この学校教育法第五十二条の規定が、二〇〇七（平成一九）年六月の学校教育法改正で第八十三条第一項となり、さらに二〇〇六（平成一八）年の教育基本法全部改正（平成十八年十二月二十二日法律第百二十号）により第七条（大学）の規定を受けて社会貢献の規定が学校教育法第八十三条第二項に加えられた。これらの条項については、第17章と第18章でそれぞれ解説したので、ここでは重複を避ける。そこでも述べたが、他の学校種別と違って、大学については法令で目的を定めても目標は定められておらず、学問分野や大学の建学の精神に基づいて、大学、学部、学科ごとの目的を明示することが求められることを確認しておきたい。

今日の**高等教育**の学校種別を簡単に整理しておこう。学校教育法第一条に定める**一条校**では、**大学**と、一九六一

（昭和三六）年の学校教育法一部改正で追加された**高等専門学校**が該当する。大学は、学校としては、大学、大学院、短期大学に区分される。**大学**は、多くは四年の**修業年限**であり、医学、歯学、薬学や獣医学の学部学科では六年の就業年限で、修士課程などと対比して**学士課程**と呼ばれる。教育課程は大きな学問ごとの**学部**とそれを細分した**学科**に分かれている。大学によっては、さらに公式の専攻や任意のコースなどに分かれ、学類などの大学が独自に定める組織も認められている。大学院は、修業年限二年の**修士課程**と五年の**博士課程**がある。博士課程は博士前期課程の二年間を修士課程として、後半の三年間の博士後期課程を博士課程と呼ぶことが多い。**短期大学**の修業年限は二年又は三年であり、幼稚園教諭と保育士の養成は三年制課程が多い。**高等専門学校**も高等教育に分類されるが、中学校卒業を入学資格とする修業年限五年の教育課程であるから、最初の三年間は中等教育である高等学校に相当する教育も行われる。

学位規則（昭和二十八年四月一日文部省令第九号）によって、**学位**が与えられる。大学院のみを学位と言って、学士は称号と呼んでいたが、一九九一（平成三）年の学校教育法の一部改正（平成三年四月二日法律第二十五号）と学位規則の一部改正（平成三年六月三日文部省令第二十七号）が同年七月一日から施行されて同年度卒業者からは、学位と呼んでいる。また「文学士」や「芸術学士」と呼んでいた称号も、大学の学部学科ごとに専門分野を学位として学士に（　）で付記して「学士（文学）」や「学士（造形）」となり、修士や博士の学位も、「法学修士」や「医学博士」が、「修士（法学）」や「博士（医学）」となった。大学の学部を**卒業**すると**学士**となり、大学院の修士課程を**修了**すると**修士**となり、博士課程を修了すると**博士**となる。なお、広く学校の教育課程の修了を卒業というが、大学院は修了と言うので覚えておいてほしい。短期大学や高等専門学校を卒業しても以前は学位がなかったが、一九九一（平成三）年七月一日から**準学士**が称号となり、二〇〇五（平成一七）年一〇月一日からは学位規則に定める学位としての**短期大学士**となった。したがって、高等専門学校の卒業者は、準学士の称号のままである。

高等教育には、初等教育や中等教育を踏まえて、深く専門の分野を学ぶ**専門教育**や、その専門の学術技芸を社会に活かすための**職業教育**や、広く高等教育の段階の基礎となる多様な学問や技能を修得する**教養教育**という多様な側面が含まれている。大学院においては、教養教育よりも専門教育と職業教育という側面が多くを占めるが、一九九九（平成一一）年には学校教育法の一部改正（平成十一年五月二十八日法律第五十五号）により、学校教育法第九十九条第二項に「高度の専門性が求められる職業を担うための深い学識及び卓越した能力を培うことを目的」として定めて、**高度専門職業人**の養成を目的にして**専門職大学院**が定められ、二〇〇三（平成一五）年度より設置された。この専門職大学院は、経営学など様々な分野があるが、二〇〇四（平成一六）年度からは法曹養成制度改革に連動して**法科大学院**が三年の修業年限を定めて開始され、二〇〇八（平成二〇）年度からは**教職大学院**が始まった。専門職大学院の学位は、経営学修士（専門職）、法務博士（専門職）、教職修士（専門職）という（専門職）が付記されたものが大学院ごとに定められている。高度専門職業人という考えは、その専門職に就けるかどうかが、深刻に問われることになる。司法試験を受けることを前提として法科大学院が多数設置されたが、不合格が重なる法科大学院の募集停止も相次いだ。

また、二〇一七（平成二九）年には学校教育法の一部改正（平成二十九年五月三十一日法律第四十一号）により、**専門職大学**と**専門職短期大学**が定められて、二〇一九（平成三一）年度から開始された。第八十三条の二に「前条の大学のうち、深く専門の学芸を教授研究し、専門性が求められる職業を担うための実践的かつ応用的な能力を展開させることを目的とするものは、専門職大学とする。」として、**専門職**という職業教育の重視を明確にした。既存の大学や短期大学でも資格や免許状と結合した専門職の養成を掲げるものが多いなかで、制度改革の意義を疑問視されることもあるが、専門学校の組織改革として積極的に取り組もうとする動きが背景になっている。二〇二二（令和四）年現在で、専門職大学一五校、専門職短期大学三校、四年制の大学に置かれた専門職学科一学科である。

学校が大学として認められるプロセスに、戦前の大学令では私立大学も含めて最終的に天皇が裁可する段階が組み込まれていた。戦後の体制ではアメリカにならって大学団体による自主的な基準づくりが考えられ、一九四七（昭和二二）年には各大学が組織する大学基準協会が発足した。しかし実際の許認可は学校教育法のもとに**大学設置基準**を定めて行うこととなり、現在の高等教育段階では次の九つの設置基準が文部科学省令として定められている。

大学設置基準（昭和三十一年十月二十二日文部省令第二十八号）
大学院設置基準（昭和四十九年六月二十日文部省令第二十八号）
短期大学設置基準（昭和五十年四月二十八日文部省令第二十一号）
大学通信教育設置基準（昭和五十六年十月二十九日文部省令第三十三号）
短期大学通信教育設置基準（昭和五十七年三月二十三日文部省令第三号）
専門職大学院設置基準（平成十五年三月三十一日文部科学省令第十六号）
専門職大学設置基準（平成二十九年九月八日文部科学省令第三十三号）
専門職短期大学設置基準（平成二十九年九月一日文部科学省令第三十四号）
高等専門学校設置基準（昭和三十六年八月三十日文部省令第二十三号）

これらの基準によって、新たに大学が設置されるときには文部科学大臣から大学設置・学校法人審議会に対して諮問が行われ、経費や施設設備から教員の研究教育の業績に至るまでが審査されて、認可の可否が答申されることとなる。またこの基準は認可のときだけではない。一九九一（平成三）年の大学設置基準などの改正では、あらゆる大学について「自己点検・評価」と呼ばれる大学自らによる水準の維持のための点検と評価が求められている。さらに二〇〇二（平成一四）年の学校教育法改正（平成十四年十一月二十九日法律第百十八号）では、**認証評価**と呼ばれるプロセスが定められ、大学基準協会などの認証評価機関から大学が教育研究や組織運営、施設設備などの評価を受けることが義務づけられ、その評価結果も公表されるようになった。

大学は他の学校種別と比較してチェックがゆるいという印象を持たれているが、法令の整備状況を見ると他の学校種別に先だって義務としての点検や評価が実施されている。たとえば私は毎年四月に過去一年間の研究や教育の業績調書を作成して大学に提出し、大学はすべての専任教員の調書をとりまとめてこの自己点検・評価の資料として分析し、報告書を作成する。さらにこれが七年に一度の認証評価に向けて集約されていくという形である。教員ごとの主要な研究業績一覧はインターネットで公表される。通学でも通信教育でも授業科目ごとに学生による授業評価が行われ、個別公表はされないが、大学が集計して活用する。また私が担当しているのは教育職員免許法による科目であるから、必要に応じて担当授業科目の適否について文部科学省による教員審査を受けなければならない。

さて教員の話になったので、学校教育法第九十二条を掲げる。

学校教育法（昭和二十二年三月三十一日法律第二十六号）

第九十二条　大学には学長、教授、准教授、助教、助手及び事務職員を置かなければならない。ただし、教育研究上の組織編制として適切と認められる場合には、准教授、助教又は助手を置かないことができる。

2　大学には、前項のほか、副学長、学部長、講師、技術職員その他必要な職員を置くことができる。

3　学長は、校務をつかさどり、所属職員を統督する。

4　副学長は、学長の職務を助ける。

5　学部長は、学部に関する校務をつかさどる。

6　教授は、専攻分野について、教育上、研究上又は実務上の特に優れた知識、能力及び実績を有する者であって、学生を教授し、その研究を指導し、又は研究に従事する。
7　准教授は、専攻分野について、教育上、研究上又は実務上の優れた知識、能力及び実績を有する者であって、学生を教授し、その研究を指導し、又は研究に従事する。
8　助教は、専攻分野について、教育上、研究上又は実務上の知識及び能力を有する者であって、学生を教授し、その研究を指導し、又は研究に従事する。
9　助手は、その所属する組織における教育研究の円滑な実施に必要な業務に従事する。
10　講師は、教授又は准教授に準ずる職務に従事する。

小学校その他の学校を支える教員の構成は第28章で説明するが、ここでは大学の教員の規定を挙げた。学長、副学長、学部長、教授、准教授、講師、助教、助手と法律上の職位だけでも八つもある。大学の教員は上下の階層構造であることから、学校教育法の一部改正（平成十七年七月十五日法律第八十三号）により改められた。すなわち、二〇〇七（平成一九）年度から若手教員の教育研究の自律性を明確にするために、助教授を准教授に変えて、新たに助教が置かれたのであるが、この条文を見るといっそう複雑になったように思える。以前は、小学校などの職制は明治以来簡略だと、この条項を示した後に説明したが、現在では小学校もこれに匹敵するほどの教員の階層構造ができている。

大学ではこうした学長以下の教員が一つの集団を形成して教育に当たることになる。中世のウニウェルシタスが同業団体としての性格を持ったように、学校教育法第九十三条では「大学には、重要な事項を審議するため、教授会を置かなければならない。」という他の学校種別にはない規定がある。これが大学自治の根拠となっている。

さて、大学の教員は第六項の**教授**を基準として、それに準じる形で准教授以下が規定される。教授の資格は「専攻分野について、教育上、研究上又は実務上の特に優れた知識、能力及び実績を有する者」となっている。分野は教育か研究か実務かどれか一つでもよいので、一般的には研究分野だが、小学校の現場の教育経験を積んだ人もいるし、実業分野の仕事の実績を積んだ人もいる。ただしどの分野でも、特に優れた知識と能力と実績がすべて求められることになる。日本では有史以来、大学教員免許状という制度は存在しないから、個人ごとの審査となり、先ほど述べたように、文部科学省や大学の教授会や大学外部の認証評価機関などで、個人調書が行き交うわけである。

注目してほしいのは、「学生を教授し、その研究を指導し、又は研究に従事する。」という三つの行為が重なる文章の構造である。第一に「学生を教授し」というのは、教授が学生を教授することである。この動詞の「教授し」は、小学校の規定で「教諭は児童の教育をつかさどる。」と言うときの教育と同義語と考えてよい。大学教育の目的を定めた学校教育法第八十三条でも第一項で「教授研究」、第二項で「教育研究」とあって、この同義語の紛らわしさがある。第二に「その研究を指導し」とあるのは、学生が行う研究を教授が指導するということである。第三に「又は研究に従事する。」は、教授自身が研究を行うことである。この三つの行為は「又は」でつながれているから、どれか一つでもよい。たいていの大学の教授はこの三つを行っているが、国立大学の研究所などには、授業も担当せず研究指導を担当する学部学生も大学院学生もおらず、研究のみに従事している教授もいる。

ここで出てきた**研究**とは、専門分野について研《と》いで究めていくことである。第6章で見た海後宗臣の教育の定義を使えば、教授とは教授という教員と学生の間の**陶冶**であるが、研究は主体のみが行う**教化**である。様々な対象物を自ら研鑽して自ら探究する。海後宗臣の教化の定義でも学習者を見守る人を措定したように、学生の研究を見守るのが教授という教員である。つまり、大学教育は、学生への教授と、学生への研究指導という両方がなくてはいけないのである。研究と言うと、人文科学や自然科学の専門的な探究のみが意識されるが、芸術や体育などの分野における制作や実技なども当然、研究に含まれるものである。たとえば、技法などを教授という教員が教えるのは教授という行為だが、それをつかみ取って自ら制作したり実演したりするのは学生自身による研究である。実は芸術や体育などの分野の大学教育のほうが、学生の研究は目に見えて存在している。

さて、昔からこの条文を教育原理の授業で扱っているのだが、このあたりのお話では、研究しなさいという説教くさい内容だという雰囲気が講義室に漂う。それはそうなのだが、人生訓や学生の心得のような話ではなく、この教育と研究の関係が次のように大学設置基準では時間計算まで明記されているという話なのである。大学生ならば**単位**という言葉を知っている。教育原理Ⅰが二単位、教育原理Ⅱが二単位というあの単位の定義である。

大学設置基準（昭和三十一年十月二十二日文部省令第二十八号）

（単位）

第二十一条　各授業科目の単位数は、大学において定めるものとする。

2　前項の単位数を定めるに当たつては、一単位の授業科目を四十五時間の学修を必要とする内容をもつて構成することを標準とし、第二十五条第一項に規定する授業の方法に応じ、当該授業による教育効果、授業時間外に必要な学修等を考慮して、おおむね十五時間から四十五時間までの範囲で大学が定める時間の授業をもつて一単位として単位数を計算するものとする。ただし、芸術等の分野における個人指導による実技の授業については、大学が定める時間の授業をもつて一単位とすることができる。

3　前項の規定にかかわらず、卒業論文、卒業研究、卒業制作等の授業科目については、これらの学修の成果を評価して単位を授与することが適切と認められる場合には、これらに必要な学修等を考慮して、単位数を定めることができる。

先に述べておこう。大学令の時代は美術や音楽は大学教育の枠外に置かれていたので、現在の法令でも無視されているのではないかという危惧を持つ人がいるが、この規定は明確に美術と音楽を意識している。第二項の但書きで「芸術等の分野における個人指導による実技の授業」は、たとえば音楽における個人レッスンを意味しているし、第三項の「卒業制作」は美術大学の卒業時に行われる作品制作である。つまり、あらゆる専門分野の大学において単位として授与する場合は、この規定によって行うことになる。

まず第一項では各授業科目の単位を大学で定めることを規定している。これを受けて、各大学では学則で単位の基準や授業科目ごとの単位数を規定している。

第二項では、「一単位の授業科目を四十五時間の学修を必要とする内容をもつて構成する」という一単位四五時間という標準を定める。どんな大学のどんな学部のどんな授業でも、すべて一単位は四五時間なので、単位としての互換性がある。四年制大学なら卒業までに一二四単位以上を学修する。「第二十五条第一項に規定する授業の方法」とは、大学設置基準第二十五条(授業の方法)において、第一項で「授業は、講義、演習、実験、実習若しくは実技のいずれかにより又はこれらの併用により行うものとする。」と定めているものである。ここに引用した大学設置基準は二〇二二(令和四)年の一部改正(令和四年九月三十日文部科学省令第百三十号)を経たものであるが、それ以前は講義と演習は一五から三〇時間、実験と実習と実技は三〇時間から四五時間という標準が明記されていた。現在もこの標準的な時間が多くの大学では用いられている。そのうえで、「授業時間外に必要な学修等」という学生の自習を含めて計算することを規定する。

第三項では、卒業論文、卒業研究、卒業制作等の単位計算を例外として規定している。これは学生が自主的に研究して発表する内容を審査するので時間計算が単純ではないからである。

さて、この書籍が教科書として使用される教育原理Ⅱを例に説明しよう。通学課程ではこの授業は**講義**である。教授や講師などが教室で多数の学生に授業することが講義である。本来は古典テキストの正しい意味を解釈することに義を講じる講義の意味があるが、この教科書のような現代のテキストでもよいし、画面にパワーポイントの画像を映し出してもよい。二〇二二（令和四）年度後期にこの箇所を講義した教育原理Ⅱは、約一〇〇人のメディア授業による講義のクラスであった。こういう大人数が大学での講義にはふさわしい。武蔵野美術大学学則にはこの授業科目を二単位と定めてあり、また文部科学省も教育職員免許法に基づく課程認定においてそれを認定している。武蔵野美術大学では講義の一単位は一五時間であるからこの授業は三〇時間のはずである。一五コマの授業として計算してみよう。

九〇分×一五コマ＝二二時間三〇分

間違った。小学校の一時間は四五分、中学校と高等学校は五〇分、そして大学も多くの場合は小学校と同じである。つまり九〇分は二時間である。

二時間×一五コマ＝三〇時間

これで第二項とも計算があった。もう一度、第二項の本文を見てほしい。一単位は四五時間であるから、二単位は九〇時間である。つまり第二項からこうした計算ができる。

九〇時間－三〇時間＝六〇時間＝「授業時間外に必要な学修等」

つまり、大学で二単位の講義を受けるためには、講義に三〇時間（時計では二二時間三〇分）出席して聴講するだけでなく、授業時間外に必要な学修等をしなければならないのだ。ちなみに「**学修**」とあるのは誤字ではなく、「学習」と同義と見てよいが、本来は「習う」だけではなく、「修める」ことまでを含んだ重い言葉である。

なお、大学設置基準第二十五条（授業の方法）に定める実験や実習や実技では、授業として行う時間数が長くなる。

これが講義とゼミや語学などの**演習**が多い文科系大学よりも、理科系の実物を用いて行う**実験**、芸術系のモチーフを用いて技法を習得する**実習**、体育系の実際に動いて技法などを学ぶ**実技**などの授業のある理工系・医薬系・芸術系・体育系大学で授業時間数が長い理由である。演習は、語学の授業のように小人数で教育したり、ゼミナールなどと称して学生がテキストを互いに読解して討議や発表をしたり、美術大学ではデザインなどで教員の課題説明や技術指導を踏まえて課題に取り組む授業などの形式がある。またこの第二項では、「大学は、文部科学大臣が別に定めるところにより、前項の授業を、多様なメディアを高度に利用して、当該授業を行う教室等以外の場所で履修させることができる。」として、インターネットなどの通信手段を活用する**遠隔授業**または**メディア授業**と呼ばれる方式でも可能であることを定めている。この方式では、Zoomなどのソフトで同時双方向に行うことも、オンデマンド動画配信で非同時双方向でも可能だが、必ず毎回の質疑応答や小テストなどの確認が必要であることなどが定められている。

通信教育課程では、**スクーリング**（面接授業）でこの基準と同一の時間数の計算を行う。現在読まれているこの書籍を武蔵野美術大学の通信教育課程では**通信授業**（印刷教材等による授業）で用いる。通信授業でも教育原理Ⅰは二単位、教育原理Ⅱは二単位だから、それぞれ九〇時間分の授業である。しかし、自宅などで本書を読み、レポートに取り組み、科目試験を受ける学生にとっては、実際に必要な時間は多様であって当然であろう。ただ、それだけでは客観性がないから、「大学通信教育設置基準等の制定について」（昭和五十六年十月二十九日文部次官通達）において、「四十五時間の学修を必要とする印刷教材の分量は、教科書、学修指導書等を合わせおおむねA5判一〇〇ページ程度」とする文部省の解釈を示している。これに従って現在も日本のすべての大学で通信教材の頁数が設計されている。本書の場合は教育原理Ⅰと教育原理Ⅱの合計四単位であるから、次の計算となる。

一〇〇頁×四単位＝四〇〇頁

読者は本書が法令に準拠しているかどうかを頁数で確認してほしい。ただ、頁が多いという苦情より、得をしたと解釈したほうが気分もよいと思う。

なお、通信教育課程の学生にとっては常識だが、他の方に説明しておくと、通信授業は印刷教材を読むだけではなく、レポートや科目ごとの科目試験が行われることになる。教育原理Ⅰでは二回のレポート添削と一回の科目試験、教育原理Ⅱでも二回のレポート添削と一回の科目試験がある。この教科書がいかに分厚いと言っても合計一八〇時間も読解の時間がかかる訳がなく、他の課題や試験準備の時間も合わせての計算である。なお美術大学の実技系の通信授業では、制作自体に多くの時間が必要となるので、教材の読解にその制作時間を合計して設定されるのが通例である。

話が長くなったが、学生に課された「授業時間外に必要な学修等」が、ここで論じている研究である。もちろん講義の予習や復習もあるだろうが、自分自身が発見したテーマで自由に研究して、それをレポートなどで発表することもある。この研究が有名無実化しないために、大学には必ず図書館がある。そこには本があるだけではなく読む場所もなければならない。大学設置基準第三十六条は「図書館」などの学生自身の研究に必要な施設を定めているのである。私の大学のお話ばかりで恐縮だが、武蔵野美術大学は図書館と美術館が一体となっていることが自慢である。

もちろん、どんな研究をするかは、最終的には学生自身の考え方にまかされる。そして大学の教員もまたその自由な研究を本来の業務として行っていく。日本国憲法第二十三条に定められた「学問の自由」とは、そのことでもある。もちろん、学問の自由は学生と大学教員だけの特権ではなくすべての人のものである。そのことを考えて、大学にいる者は自らの研究を行っていく必要がある。

第三節　社会に開かれた大学

学校教育法第一条の学校はすべて公の性質を持つものであるから、本来的に公教育として社会に開かれている。それは大学も同様である。しかし大学は古代から閉ざされた特権的な性質を持ってきた。教育基本法第七条第一項において「これらの成果を広く社会に提供することにより、社会の発展に寄与するものとする。」と規定され、学校教育法第八十三条第二項において「大学は、その目的を実現するための教育研究を行い、その成果を広く社会に提供することにより、社会の発展に寄与するものとする。」と規定されていることは、ゆえに大きな意義がある。

社会に開かれた大学であるためには、学術の中心としての研究成果が社会に還元されて生かされていくとともに、初等中等教育の学校でも取り組まれている地域連携や、大学情報の積極的な公表など多くの課題がある。学校教育法第百七条に定める**公開講座**も、大学の研究成果を社会人の教養や職業人の専門性を高めるものとして、現在の社会に定着している。

大学の閉鎖性は、入学段階における審査が閉鎖的になるときに生じる。古代大学寮のように祖父や父の位階が入学資格だった時代は論外として、近代日本の大学も門戸は狭く、女性は原則として入学できなかった。これに対して旧法の教育基本法第三条は**教育の機会均等**として差別の禁止を明示して、現在の教育基本法第四条もそれを継承している。ただし、本当に大学教育が入学を希望するあらゆる人々に開かれるためには、高等学校や中等教育学校や特別支援高等部などを卒業してすぐの若者だけではなく、多様な年齢、多様な職業等の人々にも開かれていなくてはならない。第23章では中学校や高等学校の夜間や通信の教育について語ったが、中等教育を終えた人が多数を占めるなか、**生涯学習**としての大学教育の機会を考える必要がある。さらに、高等教育を経験した卒業者が再び大学などに就学する**社会人の学び直し**を含めた、働きながら学ぶことができる夜間や通信による教育の意義も大きい。
このため、学校教育法は一九四七（昭和二二）年の段階から大学の夜間と通信による教育について規定し、二〇〇七（平成一九）年六月の改正では次のように定められている。

学校教育法（昭和二十二年三月三十一日法律第二十六号）
第八十四条　大学は、通信による教育を行うことができる。
第八十六条　大学には、夜間において授業を行う学部又は通信による教育を行う学部を置くことができる。

先に第八十六条で規定する**夜間学部**について述べておく。戦前から多くの実例があったが、学校教育法によって認められた大学の夜間学部は、昼間の職業を有する社会人に開かれた大学教育として意義を持つものである。夜間に授業を行う学部などの名称は、それぞれ学則において夜間部や二部など様々に定められている。大学院設置基準の改正では、一九七四（昭和四九）年には大学院修士課程の夜間の授業を可能とし、一九八九（平成元）年には夜間を主とした修士課程を認め、さらに一九九三（平成五）年には博士課程にも認めた。二〇二二（令和四）年現在で、学生数は全国の学部・大学院で二万三八八八人であり、夜間の学部は五九学部となり、減少傾向にある。
私がはじめて大学に奉職したのが、一九九四（平成六）年からの中央大学の夜間部であり、最終時間帯の七時間目担当の非常勤講師（中央大学では兼任講師と言う）としてであった。当時はまだモノレールもなかった多摩キャンパスで、午後九時過ぎまで道徳教育論の講義を行った。戦前や終戦直後の「苦学」としての夜学の雰囲気はなかったが、職業を持ちながら寸暇を惜しんで努力する社会人学生としての熱意が伝わってきた。生涯学習社会を迎えて、夜間の授業は学部、大学院、短期大学ともに社会人の学ぶ機会を広げている。

大学通信教育も、戦前から私立学校で取り組みがあったが、一九四七（昭和二二）年の学校教育法で規定され、現在は同第八十四条で規定されたものである。第14章でも述べたが、一九五〇（昭和二五）年から六校で開始され、二〇二二（令和四）年では六五大学になり、学生数は学部二二万二九六四人、大学院七〇〇七人、短期大学二万一三三〇人に達している。当初は、大学進学の機会がなかった社会人が新たに機会を得る場であったが、現在では大学等の卒業者が改めて編入学するケースが六〜七割を占めており、生涯学習社会における社会人の新しいキャリア獲得や学び直しの機会としての役割が大きくなっている。

戦後の大学通信教育は実績のある私立大学が社会人に門戸を開くものであったが、一九八一（昭和五六）年には放送大学園法が成立して、二年後に国立の放送大学が設置されて一九八五（昭和六〇）年からテレビやラジオの放送授業を開始した。また一九九四（平成六）年からは新しい大学が次々と参入して、社会福祉や情報など新しい専門分野が広がった。一九九八（平成一〇）年にはテレビ会議方式のメディア授業が位置づけられ、二〇〇一（平成一三）年にはインターネットを活用した非同時双方向のメディア授業も認められた。一九九九（平成一一）年からは大学院の修士課程、さらに二〇〇二（平成一四）年からは博士課程についても通信教育が可能となった。

大学通信教育は、独自に大学通信教育設置基準や短期大学通信教育設置基準が定められており、文部科学省の認可が必要となる。これらの基準で授業の方法等も厳密に定められている。戦後当初からの**通信授業**と言われる「印刷教材等による授業」と**スクーリング**を通称とする「面接授業」、放送大学が開始した「**放送授業**」、さらにテレビ会議方式の同時双方型と、インターネット活用の非同時双方向型の二つの型の**メディア授業**と言われる「メディアを利用して行う授業」の、合計四つの方式である。

今後もメディアの技術革新と発達によって、様々な展開が期待されるが、長く大学通信教育に携わった立場から言うと、メディアの技術の発達や制約に教育現場が振り回されている間はメディア授業は未熟であり、教員も学生もそれを普通の道具として扱って初めて教育が成り立つ。この教育におけるメディアの意義を取り違えると、教育の水準自体も危うくなるのでここに書いておく。

一九四七（昭和二二）年の学校教育法において、二年または三年の大学として定められた**短期大学**は第17章で見たように、独自の目的を規定する大学として位置づけられた。女性の高等教育進学と社会進出の基盤となった短期大学であるが、二〇〇二（平成一四）年と二〇二二（令和四）年の二〇年間を比較すると、学校数は五四一校から三〇九校へ、学生数は二六万七〇八六人から九万四七一三人へと三分の一近くに激減している。しかしながら、保育士養成などの分野では安定した社会的役割を果たしている。

体験談ばかりで恐縮だが、私も武蔵野美術大学短期大学部の教員をつとめて、一九九九（平成一一）年の学生募集停止や造形学部新学科への改組のプロセスにかかわってきた。二年間の美術の大学教育では短すぎるというのが在学生も含めた当時の実感であった。短期大学部出身の美術家や美術教員は現在も社会で活躍していて、私は短期大学が美術の専門教育に果たした役割を高く評価しているが、一方で二一世紀を迎えた高等教育の修業年限をめぐる変化を感じざるを得ない。

このほか、高等教育に分類されるものとしては、一九六一（昭和三六）年に学校教育法の一条校に追加された**高等専門学校**も重要である。こちらも第17章で目的等を確認したが、二〇〇二（平成一四）年と二〇二二（令和四）年の二〇年間を比較すると、学校数は六二校から五七校へと減少しつつも安定している。学生数は五万七三四九人から五万六七五四人へと安定している。国立五一校を中心にして五七校が堅実な役割を果たしていることがわかる。

高等学校などを卒業した段階では一八歳になるが、少子化に伴う**一八歳人口**の減少により、大学へ進学しやすくなるか、あるいは大学の経営基盤に危機をもたらすかと長らく議論されている。二〇二一（令和四）年の三年前の中学校などの卒業者数を分母にして計算すると、大学進学率は五六・六パーセントである。短期大学進学者を加算して六〇・四パーセントになる。**大学全入**が言われる時代ではあるが、これは大学全体の募集定員が拡大して進学希望者と接近してきたという意味では妥当な表現であるが、中等教育で論じた高校全入とは「全員入学」の分母と分子が異なる話である。二〇〇七（平成一九）年に五割を超えてから進学率の増加は微少と言える。この「進学率」を最大に見せる数値は、高等専門学校の四年次への進級や専門学校進学を加えた場合で、こうすると進学率は八三・八パーセントとなって、八割と言える。

大学が教育の機会均等を保障するためにも、学術の中心として専門的な教育と研究を推進してその成果を社会に還元するとともに、入学の門戸を若者にも、また中高年を含む社会人にも開いていく努力を続けなければならない。

（1） 梅根悟編『世界教育史大系二六 大学史Ⅰ』講談社、一九七四年。ハンス＝ヴェルナー・プラール、山本尤訳『大学制度の社会史』法政大学出版局、一九八八年。ヴィヴィアン・H・H・グリーン、安原義仁ほか訳『イギリスの大学』法政大学出版局、一九九四年。

（2） 創立六〇年史編集委員会『武蔵野美術大学六〇年史 一九二九—一九九〇』武蔵野美術大学、一九九一年。武蔵野美術大学八〇周年記念誌編集委員会『武蔵野美術大学のあゆみ 一九二九—二〇〇九』武蔵野美術大学出版局、二〇〇九年。

（3） 寺﨑昌男『日本における大学自治制度の成立』評論社、一九七九年ほか多数。寺﨑は、東京大学百年史編集委員会編『東京大学百年史』全一〇巻、東京大学出版会、一九八四—一九八七年の編纂で知られる。

（4） 天野郁夫『試験の社会史』東京大学出版会、一九八三年。天野郁夫『高等教育の日本的構造』玉川大学出版部、一九八六年。天野郁夫『近代日本高等教育研究』玉川大学出版部、一九八九年ほか多数。

第27章　教育行政の組織と機能

教育を論じるときに、教育行政のあり方のテーマは不可欠である。近代や現代の教育は、教育の法律と行政施策を中心に語ることで説明できるし、実態や動向を示す統計も教育行政を通じて集計されて発表される。もちろん、教育行政は近代学校とセットになった近代の産物であって、それ以前には独立して存在しない。文部省の統廃合論は明治期にも何度も見られるし、教育委員会廃止論を主張する政治論は近年にもある。ただそうした言説が、ユートピア的な無政府主義ぐらいの空想論や理想論として響くほどに、教育行政は教育の現場にリアリティーを持っている。

教育行政の基本に関しては、第14章で旧法の教育基本法第十条について、第19章で現在の教育基本法第十六条と第十七条について、すでに考えた。田中耕太郎の言う教育権の独立を支えるのが教育の現場とともに教育の行政である。不当な支配をなくすことは、教育者も教育行政家もともに、努力するところであり、またみずから自戒しなければならないものである。そして教育にかかわるすべての人々が、教育行政に関心を持って、それぞれの立場で関与していく必要があろう。

第一節　文部省と文部科学省

日本の教育の歴史を概観すると、第8章の古代と第10章で述べた近世は学校のある時代だが、教育行政が独立しては存在しない。この国の最初の学校行政のトップは、六七〇年頃に学職頭《ふんやのつかさのかみ》に就任した鬼室集斯《きしつしゅうし》である。律令制度では**大学寮**のトップは大学頭《だいがくのかみ》の名称となり、江戸時代の**昌平坂学問所**もこれにならうのである。ただし、養老律《ようろうりつ》令《りょう》の職員令《しきいんりょう》の大学寮条で定められた頭《かみ》の職務権限は「掌簡試学生及釈奠事。」（学生《がくしょう》を簡《えら》び試《こころ》みむことと及び釈奠《せきてん》の事を掌《つかさど》らむこと。）とあって、大学寮学生の試験と孔子を祭る釈奠などの学校行事ということで大学寮内部の行政に限られる。これに対して大学寮を監督する**式部省**《しきぶしょう》は、頭の職務権限に「学校」を定めている。文官の採用から考課まで人事一般を扱う式部省が包括的な教育行政機関だと言えないこともないが、古代の公式の学校とは大学寮と国学であるから、結局は律令制の官吏の人事一般を所管したという範囲である。

明治維新で、昌平坂学問所は維新政府に接収され、一八六九（明治二）年には大学校、さらに大学となるが、それは国学者と漢学者の対立のなかで休校となる。**大学校・大学**が近代の高等教育史のみならず、教育行政史にも登場するのは学校であるとともに教育行政を行う官庁でもあるからで、大学規則や中小学校規則を制定した。そしてこの行政機能のみを引き継いで、一八七一（明治四）年には「大学ヲ廃シ文部省ヲ被置《おかれ》候事」（明治四年七月十八日太政官布告）として**文部省**が設置される。

近世の昌平坂学問所で林家当主が大学頭と名乗ったのは、大学寮のイメージからだが、一方で近代の文部省は式部省をイメージしたようだ。式部省は七五八（天平宝字二）年八月二五日から七六四（天平宝字八）年九月二二日の六年余りだけ文部省と呼ばれた前例がある。式部の官名は一八七一（明治四）年に式部寮として宮中の儀礼を掌る官庁に使われるので、重複を避けたことになる。藤原仲麻呂《ふじわらのなかまろ》（七〇六～七六四）、改名して恵美押勝《えみのおしかつ》は、道鏡《どうきょう》（？～七七二）に破れるまで、天平宝字といった四文字の年号や官庁名称を唐風に改称することを推進しており、この一環として式部省を文部省に改めたのである。明治維新は王政復古であり、官名には律令制の復古が尊ばれた。政争のなかの短い時期の官名は縁起がよくない気もするが、由緒のある官名ではある。

文部省のトップは文部卿《もんぶきょう》であり、文部卿職制（明治四年七月日闕（日付けなしということ））では「掌総判教育事務管大小中学校」（教育事務を総判し、大小中学校を管することを掌《つかさど》らむこと。）と定められているから、権限は教育と学校全般に及ぶ。初代文部卿は佐賀藩出身の大木喬任《おおきたかとう》（一八三二～九九）、次官は佐賀の乱を起こした文部大輔江藤新平（一八三四～七四）である。内閣制では大臣がトップになるから森有礼が初代文部大臣だが、それ以前には文部卿がいたのである。

文部省は設置翌年に、さっそく統廃合の対象となる。「文部教部両省被合併候事」（文部教部両省、合併され候ふ事。）（明治五年十月二十五日太政官布告第三百二十二号）となった。学制を推進する文部省と教導職の三条教則による説教を推進する教部省の合併であるから、今風に言えば生涯学習的な構想である。しかし、現実には幹部の兼任など人事のみの統合で、実際には別々の官庁であった。

その後も文部省は同じ官名で日本の教育行政を行っていくことになる。実施の所轄事項や省内の構成はめまぐるしく変化したので簡単に述べたい。高等教育を管轄する専門学務局、初等中等教育を管轄する普通学務局は長い期間継続した。実業教育を管轄する実業学務局や教科書を管轄する図書局も目立つ局である。一九一三（大正二）年に内務省から移管された宗教行政についての宗教局、一九二九（昭和四）年からは社会教育局が設置されている。学生部や思想局を経て、一九三七（昭和一二）年に教学局が**外局**という独立的な位置づけで置かれて、戦時下の思想統制を担った。外局には長官が置かれて、実際の予算などは文部省と一体であるが、独自に文書を発するなどの機能がある。

戦後は日本国憲法と教育基本法のもとで、文部省設置法（昭和二十四年五月三十一日法律第百四十六号）が公布される。このときは本省に大臣官房と初等中等教育局、大学学術局、社会教育局、調査普及局、管理局を置いた。注目するべきことは第六条第二項で「文部省は、その権限の行使に当つて、法律（これに基く命令を含む。）に別段の定《さだめ》がある場合を除いては、行政上及び運営上の監督を行わないものとする。」と記された点である。法律に根拠を持って行政を行うことは民主主義国家の基本であろうが、戦前は勅令に基づいて教育行政を行っていたのだから、ここに**勅令**

主義に代わる**法律主義**が明記されたことは、教育基本法が禁じた**不当な支配**とならないためにも大きな意義を持つものである。

一九六八（昭和四三）年六月には、**外局**として**文化庁**が置かれた。ここでは芸術、文化、著作権、宗教、国際交流などを所管して現在に至る。なお、二〇一八（平成三〇）年には文部科学省設置法の一部を改正する法律（平成三十年六月十五日法律第五十一号）により文化に関する施策の総合的推進を理由として、「学校における芸術に関する教育の基準の設定に関する事務」が文化庁に移管された。今後は美術や音楽などの学習指導要領なども文化庁が関与していくことになる。

省庁再編のなか、一八七一（明治四）年から一三〇年続いた文部省は、一九五六（昭和三一）年に設置された総理府の外局の**科学技術庁**と統合されて、**文部科学省**となる。文部省組織法を廃止して、一九九九（平成一一）年に文部科学省設置法が公布され、ちょうど二一世紀となった二〇〇一（平成一三）年一月の、元日ではなくて六日より施行された。どうでもよいことだが、この省庁改編で大蔵省も廃止されて、中央官庁では律令制の名残をとどめるのが文部や宮内ぐらいになってしまった。

文部科学省設置法に定める文部科学省の任務は次のとおりである。

文部科学省設置法（平成十一年七月十六日法律第九十六号）

（任務）

第三条　文部科学省は、教育の振興及び生涯学習の推進を中核とした豊かな人間性を備えた創造的な人材の育成、学術及び文化の振興、科学技術の総合的な振興並びにスポーツに関する施策の総合的な推進を図るとともに、宗教に関する行政事務を適切に行うことを任務とする。

2　前項に定めるもののほか、文部科学省は、同項の任務に関連する特定の内閣の重要政策に関する内閣の事務を助けることを任務とする。

3　文部科学省は、前項の任務を遂行するに当たり、内閣官房を助けるものとする。

旧文部省と外局の文化庁のほか、旧科学技術庁の事項が加わっている。当初は文部科学省にスポーツ・青少年局があったが、二〇一一（平成二三）の**スポーツ基本法**（平成二十三年六月二十四日法律第七十八号）ですべての国民のスポーツの機会などの施策の必要がうたわれ、二〇一三（平成二五）年九月に二〇二〇年の東京オリンピック・パラリンピック競技大会の開催が決定した経緯があり（開催は二〇二一年）、二〇一五（平成二七）年一〇月には外局としての**スポーツ庁**が置かれた。文部科学省設置法第四条（所掌事務）では「豊かな人間性を備えた創造的な人材の育成のための教育改革に関すること。」をはじめとして全九三号の所管事務が記されている。文化庁は外局として存続した。文部科学省組織令（平成十二年六月七日政令第二百五十一号）により、文部科学省には大臣官房のほか、生涯学習政策局、初等中等教育局、高等教育局、科学技術・学術政策局、研究振興局、研究開発局が置かれている。

第二節　中央教育審議会

戦前の日本の教育行政でも大正期の臨時教育会議や昭和期の教育審議会など、教育行政の方針を検討するために教育や教育学に知見のある有識者を委員とした審議会が数多く開催されている。一般に**審議会**は、大臣などが委員を任命し、この審議会に**諮問**して、これを**審議**し、**答申**するというスタイルである。こうした合議制の機関を**諮問機関**と言う。委員の任命や答申のとりまとめには所管する官庁がかかわり、国民一般の意見が間接的に反映する議会のような機能はないが、行政の施策に様々な立場の専門家の意見を反映させる機能が期待される。

とりわけ大臣に政治家が任命されて、そのもとで多くの実務を官僚が行う一般の行政のスタイルにおいて、教育権の独立や政治的中立性が確保されるためには、この審議会を置く意義は決して小さくない。

第14章で述べたように、戦後の教育改革では一九四六（昭和二一）年に内閣に**教育刷新委員会**が置かれて、教育関係者や学者が参加し、教育基本法を作り上げるための中心となった。これが一九四九（昭和二四）年には**教育刷新審議会**と改称された。この審議会は教育のための恒常的な諮問機関の設置の必要性を主張して、一九五二（昭和二七）年に文部省設置法の一部改正（昭和二十七年六月六日法律第百六十八号）により文部省に**中央教育審議会**が設置された。中教審と略称することが広く定着している。文部大臣が二〇名以内の学識経験者を内閣の承認を経て委員に任命して、文部大臣の諮問により教育に関する基本的な重要施策について審議を行う。

この中央教育審議会の答申は、戦後日本の教育行政に大きな方向性を示した。一九五三（昭和二八）年の答申から、二〇〇〇（平成一二）年一二月まで委員任期にして一七期の間に、次の三四の答申を行っている。なお、語末の「（答申）」は省いたが、「についての答申」といった語末が印刷物によって若干の違いがある。

第一回答申　「義務教育に関する答申」一九五三（昭和二八）年七月二五日
第二回答申　「社会科教育の改善に関する答申」一九五三（昭和二八）年八月八日
第三回答申　「教員の政治的中立性維持に関する答申」一九五四（昭和二九）年一月一八日
第四回答申　「医学および歯学の教育に関する答申」一九五四（昭和二九）年二月八日
第五回答申　「義務教育学校教員給与に関する答申」一九五四（昭和二九）年八月二三日
第六回答申　「大学入学者選考およびこれに関連する事項についての答申」一九五四（昭和二九）年一一月一

五日

第七回答申　「特殊教育ならびにへき地教育振興に関する答申」一九五四（昭和二九）年一二月六日
第八回答申　「かなの教え方についての答申」一九五四（昭和二九）年一二月二〇日
第九回答申　「私立学校教育の振興についての答申」一九五五（昭和三〇）年九月一二日
第一〇回答申　「教科書制度の改善方策についての答申」一九五五（昭和三〇）年一二月五日
第一一回答申　「教育・学術・文化に関する国際交流の促進についての答申」一九五六（昭和三一）年七月九日
第一二回答申　「公立小・中学校の統合方策についての答申」一九五六（昭和三一）年一一月五日
第一三回答申　「短期大学制度の改善についての答申」一九五六（昭和三一）年一二月一〇日
第一四回答申　「科学技術教育の振興方策について」一九五七（昭和三二）年一一月一一日
第一五回答申　「勤労青少年教育の振興方策について」一九五八（昭和三三）年四月二八日
第一六回答申　「教員養成制度の改善方策について」一九五八（昭和三三）年七月二八日
第一七回答申　「育英奨学および援護に関する事業の振興方策について」一九五九（昭和三四）年三月二日
第一八回答申　「特殊教育の充実振興についての答申」一九五九（昭和三四）年一二月七日
第一九回答申　「大学教育の改善について」一九六三（昭和三八）年一月二八日
第二〇回答申　「後期中等教育の拡充整備について」一九六六（昭和四一）年一〇月三一日
第二一回答申　「当面する大学教育の課題に対応するための方策について」一九六九（昭和四四）年四月三〇日
第二二回答申　「今後における学校教育の総合的な拡充整備のための基本的施策について」一九七一（昭和四六）年六月一一日
第二三回答申　「教育・学術・文化における国際交流について」一九七四（昭和四九）年五月二七日

第二四回答申「教員の資質能力の向上について」一九七八（昭和五三）年六月一六日
第二五回答申「地域社会と文化について」一九七九（昭和五四）年六月八日
第二六回答申「生涯教育について」一九八一（昭和五六）年六月一一日
第二七回答申「教科書の在り方について」一九八三（昭和五八）年六月三〇日
第二八回答申「生涯学習の基盤整備について」一九九〇（平成二）年一月三〇日
第二九回答申「新しい時代に対応する教育の諸制度の改革について」一九九一（平成三）年四月一九日
〔三〇〕「二一世紀を展望した我が国の教育の在り方について（第一次答申）」一九九六（平成八）年七月一九日
〔三一〕「二一世紀を展望した我が国の教育の在り方について（第二次答申）」一九九七（平成九）年六月二六日
〔三二〕「新しい時代を拓く心を育てるために　次世代を育てる心を失う危機」一九九八（平成一〇）年六月三〇日
〔三三〕「今後の地方教育行政の在り方について」一九九八（平成一〇）年九月二一日
〔三四〕「初等中等教育と高等教育との接続の改善について」一九九九（平成一一）年一二月一六日

中央教育審議会答申は第何回答申と称されていたので、整理がしやすかったが、「**生きる力**」を提唱した第三〇回の「二一世紀を展望した我が国の教育の在り方について」が「第一次答申」と称されたときから通し番号では呼ばれなくなった。ここでは整理のために、〔三〇〕～〔三四〕回までの番号を付けておく。また答申を年数で言うことも多い。一九七一（昭和四六）年の第二二回答申「今後における学校教育の総合的な拡充整備のための基本的施策について」は**四六答申**《よんろく》と言われる。四六答申は教員給与の改善や、研修の充実として教員に大学院修士課程の教育を与える兵庫教育大学、上越教育大学、鳴門教育大学の設置につながり、養護学校設置義務や、さらに一九七七（昭和五二）年からの学習指導要領改定にまで影響を与えたものであった。また、一九六六（昭和四一）年の第二〇回答申「後期中等教育の拡充整備について」のように答申本体よりも、「別記」として発表された「**期待される人間像**」のほうが有名になった答申もある。

いわゆる生きる力の第一次答申と第二次答申は第25章で概説したが、その後の三つの答申を簡単に説明しておきたい。一九九八（平成一〇）年の答申「新しい時代を拓く心を育てるために　次世代を育てる心を失う危機」は、前年二月から五月に神戸で起こった連続児童殺傷事件を受けて緊急に諮問されたもので、**スクールカウンセラー**の充実の契機となった。しかし心にまで関与することなので様々な波紋を投げかけたことは、『道徳科教育講義』でも触れた。一九九八（平成一〇）年の答申「今後の地方教育行政の在り方について」は、**地方分権**の見地から教育委員会と学校の在り方の見直しを提言した。この答申が述べた教育委員会制度の見直しは本章第三節で説明する。学校教育法施行規則に校長が主宰する**職員会議**の法的位置づけを明確にして、校長の求めに応じて意見を述べる有識者としての**学校評議員**を位置づけた。一九九九（平成一一）年の答申「初等中等教育と高等教育との接続の改善について」は、生きる力の立場から「自ら学び、自ら考える力」と「課題探求能力」を強調し、大学入学試験の改善としてアドミッション・オフィス入試などを提言した。

二〇〇一（平成一三）年に文部省が文部科学省となった省庁再編により、文部省の中央教育審議会や課題ごとに置かれていた審議会が再編された。新たに文部科学省組織令（平成十二年六月七日政令第二百五十一号）の第八十五条により、**中央教育審議会**と**教科用図書検定調査審議会**と**大学設置・学校法人審議会**が置かれた。科学技術庁に置かれていた六つの審議会も統合され、**科学技術・学術審議会**として文部科学省に設置された。外局である文化庁が所管する諮問

文部省	文部科学省　2001（平成13）年1月6日～
	（現）**中央教育審議会** 【「令和の日本型学校教育」を担う教師の在り方特別部会】【教育振興基本計画部会】
（旧）**中央教育審議会**	教育制度分科会
生涯学習審議会	生涯学習分科会
理科教育及び産業教育審議会 教育課程審議会 教育職員養成審議会	初等中等教育分科会 【教育課程部会】【教員養成部会】【学校安全部会】【個別最適な学びと協働的な学びの一体的な充実に向けた学校教育の在り方に関する特別部会】【幼児教育と小学校教育の架け橋特別委員会】
大学審議会	大学分科会 【大学院部会】【質保証システム部会】【大学振興部会】【法科大学院等特別委員会】【認証評価機関の認証に関する審査委員会】
保健体育審議会	スポーツ庁　2013（平成25）年10月1日～
	スポーツ審議会（中央教育審議会スポーツ・成年分科会より移行） スポーツ基本計画部会　健康スポーツ部会 スポーツ国際戦略部会

表13　中央教育審議会などの変化

【　】は第11期中央教育審議会（2022年6月）における部会名。このほか文化庁の諮問機関には、文化審議会と宗教法人審議会がある。

機関では、常用漢字や文化功労者の審議で注目されることの多い**文化審議会**や、中立性が求められる宗教行政については宗教法人法に関係して**宗教法人審議会**が置かれている。二〇一五（平成二七）年一〇月に外局としてスポーツ庁が設置されたので、中央教育審議会のスポーツ・青少年分科会が新たに**スポーツ審議会**という諮問機関に移行した。

中央教育審議会令（平成十二年六月七日政令第二百八十号）によって委員は三〇名以内の二年任期である。表13に見られる分科会は、旧来の審議会が移行してきたもので、中央教育審議会が巨大化したことがわかる。現在の中央教育審議会は、以前の中央教育審議会など合計六つの審議会をその分科会として包括している。このもとに、さらに部会が置かれていく。また、この表では表すことのできない調査研究協力者会議などの多くの会議が連動することとなる。

中央教育審議会は、分野ごとの部会や専門家による協力者会議等の審議を踏まえて慎重に新しい教育政策を答申することが教育行政の一般的スタイルであるが、それと異なるパターンで教育行政が行われることもある。これらは、教育関係者などの有識者が主導する中央教育審議会に対比して、内閣総理大臣をはじめとする政治家のイニシアティブが目立つ。

中曽根康弘内閣で総理府に設置された内閣総理大臣の諮問機関である**臨時教育審議会**は、一九八四（昭和五九）年八月から一九八七（昭和六二）年八月まで置かれて、「個性重視の原則」「生涯学習体系への移行」「変化への対応」を打ち出し、四次にわたる答申を提出した。ここで語られた教育の自由化や規制緩和は、その後の教育改革の指針となった。また、二〇〇〇（平成一二）年三月に内閣総理大臣小渕恵三、次いで内閣総理大臣森喜朗のもとに置かれた諮問会議である**教育改革国民会議**は、二〇〇〇（平成一二）年一二月に「教育改革国民会議報告―教育を変える一七の提案―」を提出し、**教育基本法**の改正や教育振興基本計画の必要を提言した。この提言は、中央教育審議会の審議を経て実現した。

教育基本法の全部改正（平成十八年一二月二十二日法律第百二十号）と連動して、安倍晋三内閣のもとで**教育再生会議**が二〇〇六（平成一八）年一〇月一〇日の閣議決定により内閣に設置され、福田康夫内閣のもとで**教育再生懇談会**が二〇〇八（平成二〇）年二月二六日の閣議決定により内閣に設置されている。しかしこれらの諮問機関は顕著な影響は与えなかった。この二つの組織を意識した名称で新たに安倍晋三内閣のもとで**教育再生実行会議**が二〇一三（平成二五）年一月一五日の閣議決定により内閣に設置された。この教育再生実行会議が次々と出した提言は、提言の趣旨を改めて中央教育審議会に諮問したり、現実の教育政策に反映したりすることで、大きな影響を与えている。二〇一三（平成二五）年二月二六日の第一次提言「いじめの問題等への対応について」は、二〇一一年一〇月の大津市立中学校でのいじめ自殺を契機にしたもので、提言の四か月後に議員立法により**いじめ防止対策推進法**（平成二十五年六月二十八日法律第七十一号）の成立に至った。法律は、いじめの定義を定めて、学校や教職員などのいじめ防止と早期発見の責務を定めた。文部科学大臣、地方公共団体、学校はそれぞれ、いじめ防止基本方針を定めて、学校にいじめ防止等の対策のための組織を置くこととなり、二〇一三（平成二五）年一〇月に文部科学省は「いじめの防止等のための基本的な方針」を定めた。また、提言された道徳の教科化は、中央教育審議会の答申を経て、**特別の教科である道徳**として実現した。現在までの一二の提言を列記する。

第一次提言「いじめの問題等への対応について」二〇一三（平成二五）年二月二六日
第二次提言「教育委員会制度等の在り方について」二〇一三（平成二五）年四月一五日
第三次提言「これからの大学教育等の在り方について」二〇一三（平成二五）年五月二八日
第四次提言「高等学校教育と大学教育との接続・大学入学者選抜の在り方について」二〇一三（平成二五）年一〇月三一日
第五次提言「今後の学制等の在り方について」二〇一四（平成二六）年七月三日
第六次提言「「学び続ける」社会、全員参加型社会、地方創生を実現する教育の在り方について」二〇一五（平成二七）年三月四日
第七次提言「これからの時代に求められる資質・能力と、それを培う教育、教師の在り方について」二〇一五（平成二七）年五月一四日
第八次提言「教育立国実現のための教育投資・教育財源の在り方について」二〇一五（平成二七）年七月八日
第九次提言「全ての子供たちの能力を伸ばし可能性を開花させる教育へ」二〇一六（平成二八）年五月二〇日

第一〇次提言「自己肯定感を高め、自らの手で未来を切り拓く子供を育む教育の実現に向けた、学校、家庭、地域の教育力の向上」二〇一七（平成二九）年六月一日

第一一次提言「技術の進展に応じた教育の革新、新時代に対応した高等学校改革について」二〇一九（令和元）年五月一七日

第一二次提言「ポストコロナ期における新たな学びの在り方について」二〇二一（令和三）年六月三日

二〇一二（平成二四）年一二月二六日からの安倍晋三内閣が長期政権となるなかで、教育再生実行会議から中央教育審議会を経て教育政策や法令改正等がなされるというスタイルが確立した。永田町の首相官邸にある内閣総理大臣の諮問機関と、虎ノ門の文部科学省にある文部大臣の諮問機関が重複する図式である。しかし、実際の教育再生実行会議の事務局は虎ノ門の文部科学省の建物にあって、中央教育審議会の審議との連携がはかられている。この教育再生実行会議は二〇二一（令和三）年で終了した。最後の第一二次提言は、コロナ禍の初等中等教育でも高等教育でも**遠隔授業**が進展したことを見越して、その後の**ポストコロナ**の教育として**ICT活用**を提起した。

二〇二一（令和三）年一二月三日には、首相官邸には教育再生実行会議にかわって、**教育未来創造会議**が置かれ、二〇二二（令和四）年五月一〇日には「我が国の未来をけん引する大学等と社会の在り方について（第一次提言）」を発表している。

以前から、教員を目指す学生は、教育政策の動向を知るためにも中央教育審議会答申の内容の理解が必要だった。教員採用選考の試験にも出るからである。校長などの管理職の試験でもさらに高いレベルでこうした理解が求められた。ところが、二〇〇一（平成一三）年以後の巨大化した中央教育審議会では、膨大な諮問と答申などが行き交うために、それをすべて把握することは不可能である。すべての答申はインターネット上で公開されており、毎回の議事

録や配付資料までが閲覧可能となっている。たとえば、この二〇一二（平成二四）年一〇月に出された中央教育審議会答申「専門職大学院設置基準の改正について」は、二〇世紀であれば大学審議会が出していたはずの答申である。しばらくは答申の通し番号は付けずに発表されたが、二〇〇九（平成二一）年からは再び通し番号が付されて発表されており、この答申は「中教審第一五七号」となっている。この番号が明示されて発表されたものは（中教審第〇号）と本節では付記しておく。

このような形なので、かつての文部省の中央教育審議会のように答申のリストをすべて掲げることは余り意味がない。しかし語弊があるかもしれないが、重要な答申と重要ではない答申がある。正確に言えば、大学のみの答申などを除いて、学校教育全般にとって重要と思われる中央教育審議会答申だけを、簡単に紹介していきたい。

二〇〇二（平成一四）年二月二一日の答申「新しい時代における教養教育の在り方について」は、大学教育などで軽視を危惧されていた**教養教育**について、あらためて教養を強調して幼少年期から成人までの教養教育を提言した。

同日の二〇〇二（平成一四）年二月二一日の答申「今後の教員免許制度の在り方について」は、後に導入されることになる**教員免許更新制**をこの段階では検討継続として、隣接校種免許状取得などの弾力化を提起した。

二〇〇二（平成一四）年七月二九日の答申「青少年の奉仕活動・体験活動の推進方策等について」は、二〇〇〇（平成一二）年一二月の「教育改革国民会議報告　教育を変える一七の提案」の提言した**奉仕活動**や体験活動が、第17章で見たとおり二〇〇一（平成一三）年七月に学校教育法に規定されるに至ったことを踏まえて、学校や社会での推進方策を提起した。

二〇〇三（平成一五）年三月二〇日の答申「新しい時代にふさわしい教育基本法と教育振興基本計画の在り方について」も、「教育改革国民会議報告　教育を変える一七の提案」を受けた審議で、第16章で見たように**教育基本法**の改正の必要性と教育振興基本計画の策定を提言して、教育基本法の全部改正へと進んだ。

二〇〇三（平成一五）年一〇月七日の答申「初等中等教育における当面の教育課程及び指導の充実・改善方策について」は、「二一世紀を展望した我が国の教育の在り方について」の第一次答申の言う**生きる力**を受け継ぎながら、**確かな学力**の概念で教育政策の見直しを図ったものであることは、第25章で説明した。

二〇〇四（平成一六）年一月二〇日の答申「食に関する指導体制の整備について」は、新たに食に関する指導と学校給食の管理を職務とする**栄養教諭**を提起し、栄養教諭の免許状の創設を提唱した。これを受けて二〇〇四（平成一六）年に学校教育法と教育職員免許法が改正されて二〇〇五（平成一七）年四月より栄養教諭が置かれ始めた。

二〇〇四（平成一六）年三月四日の答申「今後の学校の管理運営の在り方について」は、第19章でも言及したが、アメリカの**コミュニティ・スクール**をモデルとした**学校運営協議会**を提言したものである。教育委員会の判断により地域運営学校（指定学校）として学校を指定し、保護者等を含めた学校運営協議会を置いて、校長が編成する教育課程について承認したり、学校の運営について教育委員会や校長に意見を述べたりする制度を提言した。同年に「地方教育行政の組織及び運営に関する法律」が改正されて、二〇〇五（平成一七）年度から指定が始まった。

二〇〇五（平成一七）年一月二八日の答申「子どもを取り巻く環境の変化を踏まえた今後の幼児教育の在り方について」は、「子どもの最善の利益のために幼児教育を考える」を副題として中央教育審議会初等中等教育分科会幼児教育部会の審議に基づいて答申されたもので、**幼保一元化**の流れに対応したものである。答申時に、幼稚園に約一七五万人、保育所に約一九七万人の幼児がおり、五歳児に限ると幼児の約九七パーセントがいずれかの施設に在園している状況を捉えたものである。保育所も含めて広く幼児に対する教育機能を担う施設を「幼稚園等施設」と呼んで、幼稚園と保育所の連携の推進を主張した。この内容が、二〇〇八（平成二〇）年告示の幼稚園教育要領に反映し、幼稚園における**預かり保育**と子育て支援の強調がなされている。幼稚園の保育は短い時間で設定されていたが、預かり保育として長時間の保育を行う施設が増えている。

二〇〇五（平成一七）年一〇月二六日の答申「新しい時代の義務教育を創造する」は構造改革により義務教育の費用負担の地方への委譲を含めた政策が論じられるなか、国の責務として、**義務教育**の根幹である機会均等、水準確保、無償制の三つを保障することが、「国家・社会の存立基盤」だとして、文部科学省の立場から提言したものである。

二〇〇五（平成一七）年一二月八日の答申「特別支援教育を推進するための制度の在り方について」は、すでに第18章で詳しく障害と特別支援教育に関連して説明した。特殊教育や盲学校、聾学校、養護学校の制度を見直して、**特別支援教育**と**特別支援学校**を提唱したものである。これを受けて学校教育法が改正され、二〇〇七（平成一九）年度から特別支援学校という学校種別が創出されて現在に至っている。

二〇〇六（平成一八）年七月一一日の答申「今後の教員養成・免許制度の在り方について」は、教員の養成、採用、研修等の改革を総合的に進める必要があるとした答申である。大学の教職課程に教職実践演習（二単位）を新設して質的向上を求め、高度な専門性を備えた力量ある教員を養成する**教職大学院**の創設を提起し、二〇〇二（平成一四）年二月の答申では結論の出なかった**教員免許更新制**について教員免許状の有効期限を一〇年間として三〇時間の講習を求める提言をした。二〇〇七（平成一九）年六月に教育職員免許法が改正され、二〇〇九（平成二一）年四月より免許状更新講習が実施された（二〇二二年度廃止）。

二〇〇七（平成一九）年三月一〇日の答申「教育基本法の改正を受けて緊急に必要とされる教育制度の改正について」は、**教育基本法**の全部改正を受けて**学校教育法**の改正として一条校の配列や、義務教育の目標の新設、幼稚園から大学までの各学校段階の目的や目標の見直しなど第17章で見た大幅な変更を提起したものである。また第28章で説明する副校長、主幹教諭、指導教諭などの職の創設を提言し、教員免許更新制の導入と「指導が不適切な教員」の対応などを論じた。これに関連する学校教育法などの改正案が国会に提出され、二〇〇七（平成一九）年六月二〇日に成立して、一部改正（平成十九年六月二十七日法律九十六号）が公布された。

二〇〇七（平成一九）年三月二九日の答申「今後の教員給与の在り方について」は、二〇〇六（平成一八）年に公布された「簡素で効率的な政府を実現するための行政改革の推進に関する法律」（平成十八年六月二日法律第四十七号）に対応して、公立学校の教職員の給与のあり方に関する検討を行い、教員給与のあり方や時間外勤務の縮減に取り組むことを提言した。

二〇〇八（平成二〇）年一月一七日の答申「子どもの心身の健康を守り、安全・安心を確保するために学校全体としての取組を進めるための方策について」は、中央教育審議会スポーツ・青少年分科会での検討に基づいて、学校の保健教育や**養護教諭**の役割、専門家との連携の重要性を強調した。また**食育**の推進を学校教育全体に位置づけ、**栄養教諭**の配置促進を求めた。また学校安全計画の策定などを強調した。これを受けて、学校保健法等の一部改正（平成二十年六月十八日法律第七十三号）により旧来の学校保健法（昭和三十三年四月十日法律第五十六号）は**学校保健安全法**と名称を改めて、養護教諭を中心とした保健指導などの学校保健の充実と、事故や自然災害にも対応した総合的な学校安全の充実が定められた。また**学校給食法**（昭和二十九年六月三日法律第百六十号）は第一条に「学校における食育の推進」が掲げられ、食育の観点からの学校給食の目標や栄養教諭による食に関する指導の推進などが記された。

同日、二〇〇八（平成二〇）年一月一七日の答申「幼稚園、小学校、中学校、高等学校及び特別支援学校の学習指導要領等の改善について」は、学習指導要領の改正についての答申で、内容は第25章で確認した。**生きる力**の理念を踏まえつつ、基礎的・基本的な知識・技能の習得、思考力・判断力・表現力等の育成を強調した。背景には国際学力調査の順位の低迷があり、**確かな学力**を確立するために必要な時間数の確保を提起した。小学校段階の外国語活動の提起も注目を集めた。この答申を受けて現行の学習指導要領が告示された。

二〇〇八（平成二〇）年二月一九日の答申「新しい時代を切り拓く生涯学習の振興方策について　知の循環型社会の構築を目指して」は、中央教育審議会生涯学習分科会で検討されたものである。教育基本法の改正を受けた生涯学習のあり方として、国民一人ひとりの生涯を通じた学習への支援が社会全体の教育力の向上になるというモデルを示して「知の循環型社会」を提唱した。このため生涯学習・社会教育関係法令の改正や、図書館司書や博物館学芸員の見直しを提起して実施された。

二〇〇八（平成二〇）年四月一八日の答申「教育振興基本計画について 「教育立国」の実現に向けて」は、教育基本法の全部改正において政府が定めることとなった教育振興基本計画について提起したものとして第19章でも説明した。今後の**知識基盤社会**において、一人ひとりの充実した人生と我が国の社会の持続的な発展を実現するため、改めて「教育立国」を宣言することを求めた。そのうえで、二〇〇八（平成二〇）年度より一〇年間を通じて目指すべき教育の姿を提言するとともに、二〇一二（平成二四）年度までの五年間に総合的かつ計画的に取り組むべき具体的な施策を明らかにした。これを受けて第一期の**教育振興基本計画**が閣議決定された。

二〇一一（平成二三）年一月三一日の答申「今後の学校におけるキャリア教育・職業教育の在り方について」は、キャリア教育と職業教育について、幼稚園から大学まで、各学校段階ごとに推進の方策を明示した。**キャリア教育**は「一人一人の社会的・職業的自立に向け、必要な基盤となる能力や態度を育てることを通して、キャリア発達を促す教育」として幼児期から高等教育までの基礎的・汎用的な能力とし、**職業教育**は「一定又は特定の職業に従事するために必要な知識、技能、能力や態度を育てる教育」として実践的なものとして定義した。

二〇一一（平成二三）年三月一一日の東日本大震災は災害における学校の役割を再認識させたが、二〇〇八（平成二〇）年の答申「子どもの心身の健康を守り、安全・安心を確保するために学校全体としての取組を進めるための方策について」を踏まえた検討が九月二二日に諮問され、二〇一二（平成二四）年三月二一日にこれについての答申「学校安全の推進に関する計画の策定について」が出された。答申は「学校における安全教育」により安全文化を構築し、「学校における安全管理」により事件・事故、災害による被害減少を提言することなど、五年間で取り組む施策を示した。

二〇一二（平成二四）年八月二八日の答申「教職生活の全体を通じた教員の資質能力の総合的な向上方策について」は、教職生活の各段階で求められる専門性の基盤となる資質能力を着実に身に付けられる教員養成や教員免許制度のあり方を検討して、教職生活の全体を通じて教員の資質能力の向上を保証する仕組みの構築や、教育委員会や大学の取り組みなどを提起した。答申では「改革の方向性」として、教員養成の「修士レベル化」を求めて、仮称として一般免許状（修士レベル）、基礎免許状（学士レベル）、専門免許状（特定分野の専門性）という新しい制度を提起した。さらに、第二期の教育振興基本計画に盛り込む法令改正によらない取り組みとして、教育委員会や大学による養成、採用、初任者・現職・管理職の研修に至る「当面の改善方策」が提示された。この答申は、政権交代後の第二期教育振興基本計画にも反映したが、実際には法令改正には至らなかった。中央教育審議会の答申が無視されたのは、近年珍しいケースである。

二〇一三（平成二五）年一月二一日の答申「今後の青少年の体験活動の推進について」（中教審第一六〇号）は、青少年の体験活動の意義や効果を整理するとともに、社会を生き抜く力の養成を強調した。**体験活動**を、生活・文化体験活動、自然体験活動、社会体験活動（ボランティア活動、職場体験活動、インターンシップ）に区分したもので、独立行政法人国立青少年教育振興機構などの意義など、青少年施設の活性化を特筆している。

二〇一三（平成二五）年四月二五日の答申「第二期教育振興基本計画について」（中教審第一六三号）は、二〇一一（平成二三）年六月の諮問によるもので、二〇〇八（平成二〇）年から五年間の**第一期教育振興基本計画**に次いで二〇一三（平成二五）年度からの五年間の教育振興基本計画を審議したものであるが、政権の交代と関連して答申は遅れて、すでに二〇一三（平成二五）年度に入ってから答申が出された。答申は、「自立・協働・創造に向けた一人一人の主体的な学び」を強調し、基本的方向性として、四つのビジョンとして、①社会を生き抜く力の養成、②未来への飛躍を実現する人材の養成、③学びのセーフティネットの構築、④絆づくりと活力あるコミュニティの形成等を定めて、八つのミッション、三〇のアクションを列記した。これに基づいて、二〇一三（平成二五）年六月一四日の閣議決定により**第二期教育振興基本計画**が二〇一三～一七年度のものとして定められた。しかし、教育再生実行会議が提言して中央教育審議会が答申として具体化するというプロセスが形成されて、この第二期教育振興基本計画の教育行政における位置づけは高いとは言えなかった。

二〇一三（平成二五）年一二月一三日の答申「今後の地方教育行政の在り方について」（中教審第一六六号）は、二〇一三（平成二五）年四月一五日の教育再生実行会議の第二次提言に基づいて教育委員会制度の見直しについて諮問がなされ、**地教行法**と略称される「地方教育行政の組織及び運営に関する法律」（昭和三十一年六月三十日法律第百六十二号）の改正を審議したものである。この答申を受けて改正法案が閣議決定され、従来の教育委員長（非常勤）と教育長（常勤）の役割を一本化した新しい**教育長**を置き、自治体の首長による**総合教育会議**を置き、文部大臣の指示事項の明確化などを行った。この内容は、次節に詳説する。

二〇一四（平成二六）年一〇月二一日の答申「道徳に係る教育課程の改善等について」（中教審第一七六号）は、教育再生実行会議の第一次提言を踏まえて文部科学省に懇談会を置いて道徳の教科化を検討、従来の「道徳の時間」を「**特別の教科　道徳**」の仮称で位置づけ直して、数値による評定ではない評価の実施などの指導の改善を求めたものである。これを受けて、二〇一五（平成二七）年三月に**特別の教科である道徳**を小学校と中学校の教育課程に位置づける学校教育法施行規則の一部改正（平成二十七年三月二十七日文部科学省令第十一号）が行われ、さらに小学校と中学校と特別支援学校の学習指導要領が一部改正されて、「**考え、議論する道徳**」という方法や多様な価値観が強調された。

二〇一四（平成二六）年一二月二二日の答申「新しい時代にふさわしい高大接続の実現に向けた高等学校教育、大学教育、大学入学者選抜の一体的改革について～すべての若者が夢や目標を芽吹かせ、未来に花開かせるために～」

（中教審第一七七号）は、教育再生実行会議の第四次提言と並行して審議したもので、現在の**大学入試センター試験**に代わる新テストを打ち出したものである。生きる力などを前提とした高等学校から大学への進学つまり高大接続の観点から、高等学校基礎学力試験（仮称）や「思考力・判断力・表現力」に基づく大学入学希望者学力評価テスト（仮称）などを提起した。二〇一五年一月には文部科学省から高大接続改革実行プランが出されて、実施に向けての準備が進められている。

二〇一四（平成二六）年一二月二二日の答申「子供の発達や学習者の意欲・能力等に応じた柔軟かつ効果的な教育システムの構築について」（中教審第一七八号）は、教育再生実行会議の第五次提言を踏まえて、小中一貫教育の制度化として、九年間の一貫した教育課程を備えた小中一貫教育学校（仮称）を提言し、小学校と中学校の教育の接続の円滑化などを述べている。さらに高等学校卒業段階の大学飛び入学をした者への高等学校卒業資格の授与や、留学生受け入れのための要件の緩和、高等学校専攻科から大学への編入学などの課題を提起している。答申に基づいて**義務教育学校**が学校教育法改正（平成二十七年六月二十四日法律第四十六号）として公布され、二〇一六（平成二八）年度から開始された。

二〇一五（平成二七）年一二月二一日の答申「これからの学校教育を担う教員の資質能力の向上について〜学び合い、高め合う教員育成コミュニティの構築に向けて〜」（中教審第一八四号）は、教育再生実行会議の第七次提言を踏まえて諮問されたものである。これから**カリキュラム・マネジメント**やアクティブ・ラーニングを担うチーム学校の一員としての教員が、**学び続ける教員**として資質能力を向上させるために、養成・採用・研修を通じ改革を提起した。具体的には、都道府県の教員育成協議会や、採用段階の共通問題の作成、教員養成では学校インターンシップの位置づけなどを提起している。これを踏まえた大学での教員養成の新課程は二〇一九（平成三一）年度から実施された。本書もまた、この答申の内容を踏まえたものである。

前期答申と同じ二〇一五(平成二七)年一二月二一日の答申「チームとしての学校の在り方と今後の改善方策について」(中教審第一八五号)は、**チームとしての学校**つまり**チーム学校**というあり方を打ち出した。これからは「社会に開かれた教育課程」の理念から、アクティブ・ラーニングの視点を踏まえた不断の授業方法の見直し等による授業改善と**カリキュラム・マネジメント**を通した組織運営の改善に一体的に取り組むことが重要であるとした。また、子どもの貧困の状況が先進国のなかでも厳しいことや、国際調査等によると教員の勤務時間が長いという結果を踏まえた。専門性に基づくチーム体制の構築として心理や福祉等の専門スタッフとしての**スクールカウンセラー**や**スクールソーシャルワーカー**を充実すること、学校のマネジメント機能の強化として主幹教諭の配置の促進や事務機能の強化を行うこと、教職員一人ひとりが力を発揮できる環境の整備をすることなどが提唱された。第28章でも説明する。

さらに同じ二〇一五(平成二七)年一二月二一日の中央教育審議会答申「新しい時代の教育や地方創生の実現に向けた学校と地域の連携・協働の在り方と今後の推進方策について」(中教審第一八六号)は、教育再生実行会議の第六次提言を踏まえて諮問されたもので、二〇一五(平成二七)年四月段階で二三八九校に増加した**学校運営協議会**を置く学校つまり**コミュニティ・スクール**のあり方について答申した。「地域とともにある学校」へとコミュニティ・スクールを一層推進して、すべての公立学校で可能とする方向を打ち出した。社会教育との地域学校協働活動を位置づけて、地域住民と学校をつなぐ地域学校協働本部を置くことを提唱した。この内容は第28章で改めて説明する。

二〇一六(平成二八)年一二月二一日の答申「幼稚園、小学校、中学校、高等学校及び特別支援学校の学習指導要領等の改善及び必要な方策などについて」(中教審第一九七号)は、二〇一四(平成二六)年一一月二〇日に新しい学習指導要領のあり方を含めて諮問されて、二〇一七(平成二九)年と翌年に全部改正された学習指導要領の基本的な内容を提起したものである。社会に開かれた教育課程を強調して、学校によるカリキュラム・マネジメントを課題として位置づけ、学校教育法第三十条第二項に示されたいわゆる学力の三要素から、**資質・能力の三つの柱**を示し、**ア**

クティブ・ラーニングを「主体的・対話的で深い学び」とする定義をした。この内容は第25章に記した。

二〇一六（平成二八）年五月三〇日に答申「個人の能力と可能性を開花させ、全員参加による課題解決社会を実現するための教育の多様化と質保証の在り方について」（中教審第一九三号）は、教育再生実行会議の第五次提言と第六次提言で述べられた新しい高等教育機関や職業人の育成について、高等教育と生涯学習の二つのテーマを審議したものである。具体的には、質の高い専門職業人養成のための新たな高等教育機関の制度化を提言して、**専門職大学**と**専門職短期大学**が新たに制度化された。この内容は第26章に記した。また、**社会人の学び直し**としての課題では、生涯学習が活用されるためのプラットフォームの整備や検定試験の質保証のあり方を提言した。

二〇一七（平成二九）年二月三日の答申「第二次学校安全の推進に関する計画の策定について」（中教審第一九九号）は東日本大震災を踏まえた第一次計画に次いで、第二次の学校安全の推進に関する計画の五年間（二〇一七年度から二〇二一年度まで）における施策の基本的方向を提示したものである。耐震対応のほか、チーム学校での課題、研修や教員養成の課題も提起した。この内容は第28章で改めて説明する。

二〇一八（平成三〇）年三月八日の答申「第三期教育振興基本計画について」（中教審第二〇六号）は、二〇一八年度から五年度間の第三期の教育振興基本計画の方向を打ち出したものである。この内容は第19章に述べた。

二〇一九（平成三一）年一月二五日の答申「新しい時代の教育に向けた持続可能な学校指導・運営体制の構築のための学校における働き方改革に関する総合的な方策について」（中教審第二一三号）は、教員の勤務実態が二〇一三（平成二五）年実施のOECDの国際教員指導環境調査（TALIS）により、国際的にも日本は授業時間以外の業務などの時間が多く、最も長時間であることから、**教員の働き方改革**として時間外労働の規制を提起した。答申に併せて「公立学校の教師の勤務時間の上限に関するガイドライン」を提示し、一般的な労働法制の勤務時間（休憩時間を除く）を学校に合わせて、授業時間以外の多様な学校の業務や課外活動の引率などを含めて在校等時間と呼んで、超過勤務が年三六〇時間・月四五時間以上にならないように教育委員会に求めた。

二〇二一（令和三）年一月二六日の答申「「令和の日本型学校教育」の構築を目指して〜全ての子供たちの可能性を引き出す、個別最適な学びと、協働的な学びの実現〜」（中教審第二二八号）は、義務教育、高等学校教育、外国人児童生徒の教育、教師のあり方や教育環境の整備等を提起した。二〇一九（平成三一）年四月一七日に諮問されたもので、諮問と答申でタイトルが異なる。この答申は知徳体を一体で育む学校教育として**「令和の日本型学校教育」**を提唱して、多くの概念を提起したので、説明をしておく。まず、政府の答申類に登場した**Society 5.0**という概念を導入して、狩猟社会、農耕社会、工業社会、情報社会の次の社会としているが、早くから提起されていた高度情報化社会などの議論との違いや「.0」という表現など、謎は多い。また、広く社会で用いられたデジタル技術による改変としての**DX加速**という用語も用いている。Digital Transformation の略語であるが、Xという文字は含まれておらず不思議な略語である。さらには、コロナ禍で推進された**GIGAスクール構想**を提起したが、**「一人一台端末」**のICT活用という意義がありながら、そもそもGIGAという一〇億の意味も謎のままである。教育の把握では、**STEAM教育**（Science, Technology, Engineering, Art, Mathematics）として、科学技術など理数系の教育と並んで美術を採り入れた。教育のあり方では、従来の「個に応じた指導」や「主体的・対話的で深い学び」を整理して、新たに**個別最適な学び**と**協働的な学び**が一体的に実現されることを提唱した。

二〇二一（令和三）年三月一二日の諮問「「令和の日本型学校教育」を担う教師の養成・採用・研修等の在り方について」は、本書改訂時に審議中であるが、教員免許更新制について先行して審議され、同年一一月一五日に中央教育審議会「「令和の日本型学校教育」を担う教師の在り方特別部会」の「審議まとめ」が発表され、教員免許更新制の発展的解消が提起された。これを受けて教育職員免許法の一部改正が行われて、二〇二二（令和四）年度から廃止となった。二〇二二年一二月一九日には「「令和の日本型学校教育」を担う教師の養成・採用・研修等の在り方について～「新たな教師の学びの姿」の実現と、多様な専門性を有する質の高い教職員集団の形成～」（中教審第二四〇号）が答申され、上述の「令和の日本型学校教育」を担う教員について総体的に提案された。

二〇二二（令和四）年二月七日の答申「第三次学校安全の推進に関する計画の策定について」（中教審第二三三号）は二〇二二年度から五年度間の計画を提起したが、この内容は第28章で改めて説明する。

二〇二二（令和四）年二月七日の「次期教育振興基本計画について」（諮問）については第19章にも記したが、二〇二三（令和五）年度からの五年間のものとして本書改訂の二〇二三年一月現在、中央教育審議会において審議中である。同年に答申を受けて、閣議決定となる予定である。

教育行政が有効に機能するためには、教育行政家や教育者だけではなく、主権者たる国民が関心を持ち、それぞれの考えや立場に応じて意見を述べたり、話し合ったりすることも大切である。現在は答申などの重要な文書や施策の実施にあたって、文部科学省は行政手続法（平成五年十一月十二日法律第八十八号）に基づく意見公募の手続きとして、ホームページなどで意見の公募を行う**パブリックコメント**を励行している。知識基盤社会と言われる時代にふさわしいスタイルでの教育行政への幅広い参画が期待される。

第三節　教育委員会

教育委員会は戦後の制度であるが、それ以前には学制期の学区取締やその後の**学務委員**の制度などがあり、住民による選挙も行われていたことを第11章で述べた。旧法の教育基本法第十条が想定した教育行政を地方で担う組織が、地方行政一般からも独立性を持った**教育委員会**である。このために一九四八（昭和二三）年には教育委員会法が公布された。

教育委員会法（昭和二十三年七月十五日法律第百七十号）

（この法律の目的）

第一条　この法律は、教育が不当な支配に服することなく、国民全体に対し直接に責任を負つて行われるべきであるという自覚のもとに、公正な民意により、地方の実情に即した教育行政を行うために、教育委員会を設け、教育本来の目的を達成することを目的とする。

このように教育基本法第十条に依拠して不当な支配の除去と**住民参加**が目的としてうたわれた。この教育委員会法は廃止されたのであるが、ここで考えられた教育の**政治的中立**や非専門家の住民が意思決定に加わる**レイマン・コントロール layman control** という考え方は、多くの法令の変化を経て現在も重視されている。レイマンは素人を意味する言葉だが、教育行政家や教師などの教育の専門家とともに、住民の代表が教育委員会に参加することに住民参加としての意義があるという考えである。こうした考えは法曹による高度の専門知識が不可欠の裁判に、陪審員を参加させたり、最高裁判所裁判官に国民投票を実施したりする考え方とも通底する。

当初の法律で都道府県は七名、市町村は五名の委員が教育委員会を構成する。任期は四年で二年ごとに半数が改選される。うち一名は地方議会で議員から選挙されるが、それを除く全員は住民による選挙である。第十六条には立候補ではなく、六〇名以上の推薦人が署名して推薦する候補者を届け出る手続きを定めている。委員会は教育長を任命するが、教育長は後に制定された教育職員免許法で教育長免許状を有する者となる。つまり住民の代表である委員と教育の専門職としての教育長がバランスをとる形で教育行政を担うのである。

選挙は実際に一九四八（昭和二三）年から合計三回実施されたが、この選挙が混乱を招いて摩擦が生じるとして教育委員会法を廃止し、一九五六（昭和三一）年に地方教育行政法や**地教行法**と略される「**地方教育行政の組織及び運営に関する法律**」（昭和三十一年六月三十日法律第百六十二号）が定められる。選挙が混乱を招くのだとすると、議会の議員も選挙できなくなる理屈だが、教育の中立性の確保のために、その中立性を地方の上位にある国が担保するという構造でこの法律となった。

　当初の教育委員は五名の四年任期で、委員が委員長を互選し、委員のなかから教育長が任命された。委員は首長が議会の同意を得て任命する任命制になった。また、教育長の任命にあたって都道府県では文部大臣が、市町村では都道府県教育委員会が任命を承認する規定があった。また、文部大臣から教育委員会への是正処置要求制度や指導助言が規定される。こうして国と都道府県と市町村との関係が、上意下達の関係として表現される教育委員会制度になった。

　これにたいして**地方分権**の動きが強まり、一九九五（平成七）年には地方分権推進法（平成七年五月十九日法律第九十六号）や「地方分権の推進を図るための関係法律の整備等に関する法律」（平成十一年七月十六日法律第八十七号）により国と地方の関係の整備が進められた。一九九八（平成一〇）年九月二一日の中央教育審議会答申「今後の地方教育行政の在り方について」は、国と地方、都道府県と市町村の関係を見直して改正すべき点を明確にした。これを受けて、一九九九（平成一一）年に「地方教育行政の組織及び運営に関する法律」の一部改正（平成十一年七月十六日法律第八十七号）が行われ、国が地方公共団体に委任する**機関委任事務**という考え方が改められて、国が都道府県に、都道府県が市町村に対して行う教育長の任命の承認制度や是正処置要求の規定が削除されるなど、地方分権に基づく大幅な改正が行われた。また都道府県と政令指定都市の教育委員は六名、町村では三名とすることが可能となった。教育基本法全部改正を受けた二〇〇七（平成一九）年の一部改正（平成十九年六月二十七日法律第九十七号）では、都道府県と市も「六人以上」、町村は「三人以上」と委員定数が弾力化されたが、一方で文部科学大臣が教育委員会に是正・改善の指示や是正の要求ができることが明示された。

　こうした改革のあとに、いじめ問題の対応などで教育委員会と首長の考えが異なるなど、教育委員会の執行体制や地方自治体の首長との関係から見直しを求める動きが進んだ。二〇一三（平成二五）年四月一五日に教育再生実行会議は第二次提言「教育委員会制度等の在り方について」を提出した。ここで、責任ある体制を強調して、教育行政の責任者としての教育長の位置づけを強調した。これを受けて中央教育審議会は、二〇一三（平成二五）年一二月一三日の答申「今後の地方教育行政の在り方について」（中教審第一六六号）で、地教行法の改正を提起した。実際に「地方教育行政の組織及び運営に関する法律の一部を改正する法律」（平成二十六年六月二十日法律第七十六号）によって改正されて、二〇一五（平成二七）年四月一日から施行された要点は、次のとおりである。第一に、非常勤の教育委員会の代表者としての教育委員長と、教育委員会の事務局を統率する常勤の教育長の関係を見直して、新たに教育委員会の代表者であり、事務局の指揮監督者である新しい**教育長**を置いて、自治体の首長が議会の同意を得て任命する任期三年の役職とした。このことで責任関係を明確にした。第二に、教育委員会を自治体の首長が議会の同意を得て任命する任期四年の**教育委員**四名（都道府県と政令指定都市は五名以上、町村は二名とすることも可能）と、新しい教育長の合計五名で構成して、常勤の教育長が招集する会議とした。このことで会議の活性化や透明化を可能とした。第三に、首長と教育長と教育委員によって構成される**総合教育会議**を置いた。このことで、首長の責任の明確化や教育委員会との協議調整を可能とした。第四に、総合教育会議で審議して首長が策定する**大綱**を定めることとし、教育基本法第十七条に定める教育振興基本計画との関係を明確にした。

　教育委員会の**職務権限**は次のとおりである。


地方教育行政の組織及び運営に関する法律（昭和三十一年六月三十日法律第百六十二号）

（教育委員会の職務権限）

第二十一条　教育委員会は、当該地方公共団体が処理する教育に関する事務で、次に掲げるものを管理し、及び執行する。

一　教育委員会の所管に属する第三十条に規定する学校その他の教育機関（以下「学校その他の教育機関」という。）の設置、管理及び廃止に関すること。

二　教育委員会の所管に属する学校その他の教育機関の用に供する財産（以下「教育財産」という。）の管理に関すること。

三　教育委員会及び教育委員会の所管に属する学校その他の教育機関の職員の任免その他の人事に関すること。

四　学齢生徒及び学齢児童の就学並びに生徒、児童及び幼児の入学、転学及び退学に関すること。

五　教育委員会の所管に属する学校の組織編制、教育課程、学習指導、生徒指導及び職業指導に関すること。

六　教科書その他の教材の取扱いに関すること。

七　校舎その他の施設及び教具その他の設備の整備に関すること。

八　校長、教員その他の教育関係職員の研修に関すること。

九　校長、教員その他の教育関係職員並びに生徒、児童及び幼児の保健、安全、厚生及び福利に関すること。

十　教育委員会の所管に属する学校その他の教育機関の環境衛生に関すること。

十一　学校給食に関すること。

十二　青少年教育、女性教育及び公民館の事業その他社会教育に関すること。

十三　スポーツに関すること。

十四　文化財の保護に関すること。

十五　ユネスコ活動に関すること。
十六　教育に関する法人に関すること。
十七　教育に係る調査及び基幹統計その他の統計に関すること。
十八　所掌事務に係る広報及び所掌事務に係る教育行政に関する相談に関すること。
十九　前各号に掲げるもののほか、当該地方公共団体の区域内における教育に関する事務に関すること。
（長の職務権限）
第二十二条　地方公共団体の長は、大綱の策定に関する事務のほか、次に掲げる教育に関する事務を管理し、及び執行する。
一　大学に関すること。
二　幼保連携型認定こども園に関すること。
三　私立学校に関すること。
四　教育財産を取得し、及び処分すること。
五　教育委員会の所掌に係る事項に関する契約を結ぶこと。
六　前号に掲げるもののほか、教育委員会の所掌に係る事項に関する予算を執行すること。

このように見ると、教育委員会は、国における文部科学省のひな形のように、教育全般にかかわる事項を扱う。都道府県や市町村の機関でありながら、都道府県や市町村に対し独立性を持って学校教員の任免などを行うことになる。一方で地方公共団体の長つまり自治体の首長は、第二十二条に基づいて、教育に関することでありながら、大学、幼保連携型認定こども園、私立学校、教育財産についての権限を別個に有している。このあたりの分担は地方自治体によって異なっているが、東京都では東京都教育委員会は私立学校を扱わず、東京都生活文化局私学部が私立学校を所管するという区分がなされている。

法律の上では、一九九九（平成一一）年の地方分権の変化は大きく、二〇一四（平成二六）年の教育委員会改革も非常に大きく、数年を経て新制の教育委員会へと移行している。こうした制度改革とともに、不当な支配を排除した政治的中立や住民参加のレイマン・コントロールという原則からも、都道府県や市町村の住民として自覚する必要を強調しておきたいと思う。

第28章　チーム学校と地域との連携

チーム学校という言葉は、急速に学校現場に定着した。これは、二〇一五（平成二七）年一二月二一日の中央教育審議会答申「チームとしての学校の在り方と今後の改善方策について」のタイトルになったキーワードである。また、学校と地域との連携も、進んでいる。こうしたなか、教員の働き方改革の取り組みが急務の課題として位置づけられる時代となった。

学校と学校を支える人について考えてみたい。大学の教職課程では、教員の理念と法令や実際の進路選択までの包括的な内容を、教師論などの名称の二単位の授業として履修することになるので、ここでは学校について基本的な事項のみを述べておく。教師論などを学ぶときは、実践の場で求められる服務について、教育基本法の規定を確認したうえで、国公立の学校の教員のために制定された**教育公務員特例法**（昭和二十四年一月十二日法律第一号）や、国立学校の公務員として適用される**国家公務員法**（昭和二十二年十月二十一日法律第百二十号）や、公立学校の公務員として適用される**地方公務員法**（昭和二十五年十二月十三日法律第二百六十一号）の規定を確認して、私立学校でもこれらの法令を踏まえて学校法人が規則を制定することなどを、知ることになる。なお、国立の学校の教職員は、国立大学法人の職員という法的地位に変更された。教員の働き方改革のための制度と慣行の見直しが進んでいることは、教科書『チーム学校の教師論』に記したので参考にしてほしい。なお大学教員の規定については第26章で述べたのでここでは省略する。

第一節　教員をめぐって

子どもたちにとって、学校にいる大人は「先生」である。私の経験で小学校中学年では担任の先生以外に様々な役割の大人がいて、先生と呼ばれる人とそうでない人がいることや、実は教諭などの肩書きが書類に書いてあることがわかり始めた。しかし職位は法令に定めてあるものだから、実在の人物の肩書きだけではなく、その職務を理解する必要がある。

教員という法令上多く使用される言葉も微妙な類似語がある。**教育職員免許法**（昭和二十四年五月三十一日法律第百四十七号）の言う**教育職員**と同義と見てよいが、これは免許のための法律だから、免許制度外の大学教員などは対象外である。教育公務員特例法の**教育公務員**は、国や地方自治体の公務員としての教員に限られる。地方公務員法や国家公務員法でも使われる**職員**という言葉は、私立学校でも使用される。初等中等教育では「職員室」が普通に部屋名として使われる。職員は教室での教育に直接に当たらない事務職員を含めて用いるが、事務職員のみを職員と呼ぶことが多いため、教員も事務職員も含めた両方を強調するために**教職員**という言葉もある。校長は一般の教員と異なり教室での教育を直接に担当しないので、校長を教員の範囲外に区別して「校長及び教員」と書き分けることも多い。法令では使われないが、広く教育者を示すときに日常語の**教師**を用いることも多い。学習指導要領では学校の道徳教育の連絡調整に当たる担当の教員を**道徳教育推進教師**と呼ぶことになっている。ただし、戦前から宗教行政では宗教ごとに呼称が異なる宗教指導者を総称するために、教師という用語を用いて現在に至っている。ちなみに訓導も大教院の教導職の多数を占める階級なので、「維新の頃に訓導だった教師」と言うと、明治期の住職や神職だったりする。なお**先生**は法令に用いない日常語であるが、古代から先生《せんしょう》は教育者や先任者を表す言葉や敬称として用い、今も中国や日本では年長者や専門家への敬称として多用されている。

教員の**職位**は、これから説明する学校教育法で現在のものが確定したが、日本の近代では教諭に当たる職員が異なっていた。この制度的変遷は複雑だが、一言で言えば、幼稚園では**保姆**《ほぼ》、小学校では**訓導**、中等学校や師範学校では現在と同じ**教諭**であった。保姆が現在の幼稚園の教諭であるが、**保母**と書くと保育所の職員の名称となり、一九九九（平成一一）年から男女の雇用機会均等を踏まえて**保育士**になった。幼保連携型認定こども園の教員は、幼稚園教諭の免許と保育士の資格を持ち、**保育教諭**と呼ばれる。

中学校などでも準用される小学校の教員の規定を掲げる。

学校教育法（昭和二十二年三月三十一日法律第二十六号）

第三十七条　小学校には、校長、教頭、教諭、養護教諭及び事務職員を置かなければならない。

2　小学校には、前項に規定するもののほか、副校長、主幹教諭、指導教諭、栄養教諭その他必要な職員を置くことができる。

3　第一項の規定にかかわらず、副校長を置くときその他特別の事情のあるときは教頭を、養護をつかさどる主幹教諭を置くときは養護教諭を、特別の事情のあるときは事務職員を、それぞれ置かないことができる。

4　校長は、校務をつかさどり、所属職員を監督する。

5　副校長は、校長を助け、命を受けて校務をつかさどる。

6　副校長は、校長に事故があるときはその職務を代理し、校長が欠けたときはその職務を行う。この場合において、副校長が二人以上あるときは、あらかじめ校長が定めた順序で、その職務を代理し、又は行う。

7　教頭は、校長（副校長を置く小学校にあつては、校長及び副校長）を助け、校務を整理し、及び必要に応じ児童の教育をつかさどる。

8　教頭は、校長（副校長を置く小学校にあつては、校長及び副校長）に事故があるときは校長の職務を代理し、校長（副校長を置く小学校にあつては、校長及び副校長）が欠けたときは校長の職務を行う。この場合において、教頭が二人以上あるときは、あらかじめ校長が定めた順序で、校長の職務を代理し、又は行う。

9　主幹教諭は、校長（副校長を置く小学校にあつては、校長及び副校長）及び教頭を助け、命を受けて校務の一部を整理し、並びに児童の教育をつかさどる。

10　指導教諭は、児童の教育をつかさどり、並びに教諭その他の職員に対して、教育指導の改善及び充実のために必要な指導及び助言を行う。

11　教諭は、児童の教育をつかさどる。

12　養護教諭は、児童の養護をつかさどる。

13　栄養教諭は、児童の栄養の指導及び管理をつかさどる。

14　事務職員は、事務をつかさどる。

15　助教諭は、教諭の職務を助ける。

16　講師は、教諭又は助教諭に準ずる職務に従事する。

17　養護助教諭は、養護教諭の職務を助ける。

18　特別の事情のあるときは、第一項の規定にかかわらず、教諭に代えて助教諭又は講師を、養護教諭に代えて養護助教諭を置くことができる。

19　学校の実情に照らし必要があると認めるときは、第九項の規定にかかわらず、校長（副校長を置く小学校にあつては、校長及び副校長）及び教頭を助け、命を受けて校務の一部を整理し、並びに児童の養護又は栄養の指導及び管理をつかさどる主幹教諭を置くことができる。

全一九項にのぼる異例に長い規定である。教育基本法の改正を受けた二〇〇七（平成一九）年六月の学校教育法の一部改正（平成十九年六月二十七日法律第九十六号）で、二〇〇八（平成二〇）年度から副校長、主幹教諭、指導教諭を置いたことで、以前よりも長くなった。第三十七条の一部や全部が中学校、義務教育学校、高等学校、中等教育学校、特別支援学校で準用される。

第一項は必置の職員を定める。小学校では「校長、教頭、教諭、養護教諭及び事務職員」である。うち養護教諭は学校教育法附則第七条で「当分の間」置かないことができると定められている。学校教育法第七十九条により特別支援学校に寄宿舎を置く場合は寄宿舎指導員も必置となる。学校教育法第二十七条第一項で幼稚園では「園長、教頭及び教諭」が必置である。同第六十条第一項により高等学校では養護教諭が必置ではなく任意となる。

第二項は「置くことができる。」として、任意に置く職員を定める。小学校では「副校長、主幹教諭、指導教諭、栄養教諭その他必要な職員」である。その他は様々あるが、幼稚園では副園長、高等学校では実習助手や技術職員が、小学校にいない職員である。

第三項は「置かないことができる。」として、任意に第一項の必置の職員を省略できる規定である。簡単に言うと、副校長が教頭に代わり、養護をつかさどる主幹教諭が養護教諭に代わる場合や、学校の規模が小さいなどの「特別の事情」があると、教頭や事務職員が削られることになる。

第四項は**校長**の職務を定めて、「校務をつかさどり、所属職員を監督する。」とある。**校務**とは学校全体の仕事、学校の職員が行う職務のすべてである。幼稚園では学校教育法第二十七条第四項の**園長**が校長に相当する。そして所属職員全員を監督する。監督とは職務が行われているか監視するだけではなく、法令等に定められた指揮命令や許可承認など様々なものがある。学校の職員についても、施設設備についても、運営についても全般にわたり校長が責任を持つことになる。児童生徒の懲戒から卒業証書の授与まで学校を代表して行う事項も少なくない。校長は教室での教育は担当しない。だから子どもたちは朝礼や学校儀式で校長の訓話などを聞いて貴重な教育を受けるのである。

第五項の**副校長**は、東京都で教頭に代わって置かれた副校長の制度を法律に位置づけて、二〇〇七（平成一九）年六月の改正で加えられたものである。幼稚園では学校教育法第二十七条第五項の**副園長**が副校長に相当する。第一項で教頭は必置だが、第二項で副校長を置く場合は、第三項で教頭を置かないことができるという形となる。校長は本当に大変な職務であるから、「校長を助け、命《めい》を受けて校務をつかさどる。」という補佐が必要となる。第七項で見る教頭も「校長を助け」るのは同様だが、副校長は校長から「命を受けて」具体的な権限を委譲されることで校長と同様に「校務をつかさどる。」ことになる。解釈としては、校長からの命を受けた場合に、所属職員への命令など校長が行う権限と同じことを行うことができる。

第六項は、職務代理の規定である。校長になんらかの事故があって職務が行えないときに、副校長が代理する。副校長は二人以上のときもあるので、事前に校長は職務代理の順位を定めておく。縁起でもない規定だと思うかもしれないが、トップ不在の混乱を防ぐためにも大切な規定である。

第七項は**教頭**の規定である。教頭は教諭ほか直接に教室で教育に当たる教員のリーダーであるから教頭という。一九五七（昭和三二）年に学校教育法施行規則の一部改正（昭和三十二年十二月四日文部省令第二十一号）で位置づけられて、当時はまだ教諭のまま任じられる役割だった。一九七四（昭和四九）年に学校教育法の一部改正（昭和四十九年六月一日法律第七十号）で独立した職位となった。歴史は意外と短いことになる。副校長と同じく校長を補佐するが、仮に校長も副校長も教頭もいる学校ならば、教頭は副校長をも補佐することになる。これが「校長（副校長を置く小学校にあつては、校長及び副校長）を助け」という文言である。教頭の職務に「校務を整理し」とあるが、別に文書をファイルに綴じたりする仕事ではなく、校長の行う職務を補佐して所属職員との中間に位置することになる。法解釈上は教頭が校長に代わって所属職員を監督して命令を発することも可能であるが、校長と同等に近い位置に副校長が置かれたことで副校長の下位に位置づけられた。教頭の「必要に応じ児童の教育をつかさどる。」というのは人手が足りないときの付け足しのようにも思えるが、管理職が専業の副校長と比べて、児童生徒の教育と直接にかかわることが文言でも明確にされている教頭の職務の規定は、重要な内容を持っている。

第八項は、校務を整理する教頭もまた、校長に代わる者として、校長の事故の場合の職務代理が規定されている。仮に校長も副校長も教頭もいる学校ならば、副校長の次に教頭が職務代理となる。

第九項は、**主幹教諭**の規定である。東京都では後に説明する主任制度にかわって主幹を位置づけていたが、こうした実例から主幹教諭が二〇〇七（平成一九）年六月の学校教育法改正で位置づけられた。主幹教諭も管理職としての位置づけとなる。「校長（副校長を置く小学校にあっては、校長及び副校長）及び教頭を助け」とあるので、校長、副校長、教頭と上位の三つの役職者を補佐することになる。そして、「命を受けて校務の一部を整理し」とあるので、校長などから命を受けた校務について整理するので教頭に並ぶ業務となるが、教頭が「校務」の全般を整理して校長と教諭の中間に位置するのに対して、主幹教諭は「校務の一部」とあって範囲を定めることが前提になっている。法解釈上は主幹教諭が校長などに代わって所属職員を監督して命令を発することも可能である。主幹教諭については副校長や教頭などの職務代理の規定は置かれていないが、上位職に万一のことがあれば当然、所属職員を監督していくことになるだろう。「児童の教育をつかさどる。」は、教頭のように「必要に応じ」と書かれていないので、日常的に直接、教室などで教育を行う。実際に小学校の学級担任や中学校と高等学校の教科担任として活躍することが多い。

第十項も、二〇〇七（平成一九）年六月の学校教育法改正で新たに位置づけられた**指導教諭**の規定である。教諭同様に「児童の教育をつかさどり」ということが最初にあって、続いて「教諭その他の職員に対して、教育指導の改善及び充実のために必要な指導及び助言を行う。」という指導教諭独自の職務が規定されている。もちろん、校長ほかも指導助言する。**指導助言**というのは、教育についての専門性が求められる教員における上下のコミュニケーションとして、指揮命令だけでは無理がある教育内容や教育方法の分野についてアドバイスをして合意を大切にしながら行われてきた行為である。なお、第27章で見た教育委員会にも「地方教育行政の組織及び運営に関する法律」第十九条に規定する**指導主事**という学校教育の専門的事項の指導を職務とする専門家を置いている。これは現場経験を豊かに積んだ管理職クラスの教員が指導助言のために任じられてきた。学校のなかで自ら教育に携わりながら、同時に同僚の教諭などに、この指導助言を行って、教育指導の改善や充実を期待されるのがこの指導教諭という新しい教員である。なお、従来から学生の教育実習を指導する教諭を指導教諭と呼んできたが、それとは異なることは注意しておきたい。

第十一項が、教員の最も多数を占める**教諭**である。規定は単純明瞭で「児童の教育をつかさどる。」となる。もちろん学校教育法第二十七条第九項の幼稚園の教諭は「幼児の保育をつかさどる。」となるし、中学校や高等学校や中等教育学校では「生徒の教育をつかさどる。」と読み替える。特別支援学校なら幼稚部から高等部までそれぞれ読み替える。教育をつかさどるとは大きな職務である。学校教育が教科指導だけでなく、生活指導などを含めた全般にわたることは言うまでもない。さらに教室での教育だけでなく学校の運営にも**校務分掌**などで定められた役割を発揮していくことになる。

第十二項は**養護教諭**の規定である。「児童の養護をつかさどる。」とは、健康や安全に関する事項全般を指す。**学校保健安全法**（昭和三十三年四月十日法律第五十六号）第七条には「学校には、健康診断、健康相談、保健指導、救急処置その他の保健に関する措置を行うため、保健室を設けるものとする。」とあるが、学校に必ず置く**保健室**において養護に当たるのがこの養護教諭である。子どもたちは「保健室の先生」と呼ぶが、職務を端的に言い表している。戦前から学校に看護婦（現在の看護師）を置くケースがあったが、一九四一（昭和一六）年の国民学校令（昭和十六年三月一日勅令第百四十八号）第十五条で必置ではないが、養護訓導としてはじめて明記された。教育職員免許法（昭和二十四年五月三十一日法律第百四十七号）では養護教諭の免許状を定めており、養護教諭養成の課程認定を受けた大学で学んだり、保健師や看護師の免許を受けた者がさらに養護教諭養成機関で学ぶことが必要となるように、専門性の高いものである。

第十三項は、**栄養教諭**の規定である。学校給食をはじめとした食に関する指導の充実が二〇〇四（平成一六）年一月二〇日の中央教育審議会答申「食に関する指導体制の整備について」で提起され、同年に学校教育法の一部改正（平成十六年五月二十一日法律第四十九号）により新たに栄養教諭が新設された。「児童の栄養の指導及び管理をつかさどる。」という職務は、食に関する指導と学校給食の管理の両方を一体として行っていくことを示している。**食育基本法**（平成十七年六月十七日法律第六十三号）では、学校における**食育**の推進が強調された。さらに二〇〇八（平成二〇）年一月一七日の中央教育審議会答申「子どもの心身の健康を守り、安全・安心を確保するために学校全体としての取組を進めるための方策について」を受けて、**学校給食法**（昭和二十九年六月三日法律第百六十号）の第一条に「学校における食育の推進」が掲げられた。**教育職員免許法**（昭和二十四年五月三十一日法律第百四十七号）では栄養教諭の免許状を定めており、この免許の取得は、管理栄養士や栄養士の免許を受けた者が課程認定を受けた大学等で学ぶ必要がある専門性の高いものである。

第十四項は、**事務職員**の規定である。「事務に従事する。」とあったが、第三節で述べるチーム学校としての事務職員の位置づけを重視する立場から、学校教育法の一部改正（平成二十九年三月三十一日法律第五号）により、「事務をつかさどる。」と改められた。人事事務、会計事務、施設管理などの重要な職務が含まれ、校長などの監督のもとで事務を行うことになる。学校教育法施行規則の一部改正（平成二十一年三月二十六日文部科学省令第五号）では、事務長に加えて事務主任も置くことができるようになった。

第十五項は、**助教諭**の規定である。助教諭は教育職員免許法の臨時免許状を受けた者が採用される。「教諭の職務を助ける。」は、教諭の補佐を意味するが、臨時免許状は普通免許状を持つ者がいないときに授与される臨時の処置で、まれなケースである。実際には教諭とのチーム・ティーチングを意味するのではなく、独自に学級を担当することが多い。

第十六項は**講師**の規定である。「教諭又は助教諭に準ずる職務に従事する。」とあるのであるから、教育をつかさどることになる。教諭などと異なって非常勤の者も任用ができる。また特定の領域では例外として、教員免許状を持たない者を法令に定める手続きを経て非常勤講師に登用できることが教育職員免許法第三条の二に規定されている。

第十七項の**養護助教諭**に、「養護教諭の職務を助ける。」とあるのは、第十五項の助教諭と同様で、養護助教諭の臨時免許状を受けた者となる。

第十八項は、第十五項と第十六項と第十七項を踏まえて、第一項で必置である教諭に代えて助教諭や講師を、養護教諭に代えて養護助教諭を、置く場合である。これは必置規定に関する例外だから、助教諭、講師、養護助教諭のみの学校のことである。こうした「特別の事情のあるとき」とは、普通免許状の取得者がいないなど、まさに特別な事情であろう。後に見るように学校教育法制定当時と異なり、多くの免許状を持つ者が養成されたことで、助教諭や養護助教諭は少人数であり、臨時免許状を受けた者も普通免許状へと免許状の上進を選ぶ者が多かった。

第十九項は、単独では暗号のような規定であるが、ここまで見た各項を比較すると理解できる。「学校の実情に照らし必要があると認めるとき」という文言は、何度か出てきた「特別の事情のあるとき」のようなマイナスの状況とは限らない。「第九項の規定にかかわらず」とは、第九項に定めた**主幹教諭**の例外を規定するということである。なにが例外かを探して読むと意図が明確になる。「校長（副校長を置く小学校にあつては、校長及び副校長）及び教頭を助け、命を受けて校務の一部を整理し」という文言は、第九項の主幹教諭の職務と全く同じである。ところが第九項の「児童の教育をつかさどる。」がなくて、かわりに「児童の養護又は栄養の指導及び管理をつかさどる。」となっている。「児童の養護」は第十二項の養護教諭、「栄養の指導及び管理」は第十三項の栄養教諭という専門性の高い特別な教諭である。そして「主幹教諭を置くことができる。」となる。これでこの第十九項は養護教諭や栄養教諭を主幹教諭に昇任させるための規定であることがわかる。養護教諭や栄養教諭は他の教諭と同様に教職課程で教職に関する科目を学んでいるが、教科ではなく養護や栄養の教育の専門であるから「児童の教育をつかさどる」という部分は含まれていない。学級担任や教科担任ではなく本来の職務として養護や栄養の指導と管理をしながら、校長などを助けて学校全体の校務で力を発揮することになる。第三項にあった「養護をつかさどる主幹教諭」もこのケースを指す。

なお、**幼保連携型認定こども園**については、**認定こども園法**と略称される「就学前の子どもに関する教育、保育等の総合的な提供の推進に関する法律」（平成十八年六月十五日法律第七十七号）において、幼稚園をもとにした職位が定められている。つまり、第十四条（職員）において、第一項で「幼保連携型認定こども園には、園長及び保育教諭を置かなければならない。」という必置の職員を定め、第二項で「幼保連携型認定こども園には、前項に規定するもののほか、副園長、教頭、主幹保育教諭、指導保育教諭、主幹養護教諭、養護教諭、主幹栄養教諭、栄養教諭、事務職員、養護助教諭その他必要な職員を置くことができる。」というその他の職位を定めている。幼稚園教諭免許状と保育士資格を持つ**保育教諭**が園児の教育と保育をつかさどることになる。

ここまでが、学校の教員についての重要な規定である学校教育法の条文である。実際の人数などは、学校教育法施行規則や幼稚園設置基準、小学校設置基準、中学校設置基準、高等学校設置基準によって規定されていく。

さらに公立学校では、**義務教育標準法**と呼ばれる「公立義務教育諸学校の学級編制及び教職員定数の標準に関する法律」（昭和三十三年五月一日法律第百十六号）や、**高校標準法**と呼ばれる「公立高等学校の適正配置及び教職員定数の標準等に関する法律」（昭和三十六年十一月六日法律第百八十八号）によって**学級編成**や**教職員定数**が定められる。たとえば、小学校の一学級は四〇名を下回る人数で学級編成を行う。この学級数に基づいて、教員定数が計算される。この法律を基本として、都道府県や市町村の教育委員会の施策によって実際の学校の教員などが配置される。たとえば学級数二〇の小学校を義務教育標準法で単純計算すると校長一人、教頭一人、教諭二二・四人、養護教諭一人、事務職員一人の合計二六人余りであるが、実際には都道府県や市町村が独自に任用した専任や非常勤の職員が加わって、学校名簿では倍以上になるのが普通である。

　ここで登場した以外に職員には、学校保健安全法第二十三条ですべての一条校で必置になる**学校医**、大学以外の一条校で必置となる**学校歯科医**と**学校薬剤師**がある。これらの専門家は非常勤であるが、学校に所属して日常的な健康や安全にかかわることになる。また学校図書館法（昭和二十八年八月八日法律第百八十五号）は、小学校、中学校、高等学校、中等教育学校、特別支援学校に**学校図書館**の設置義務を規定しており、**司書教諭**を置くことを義務づけた。実際には教諭等が司書教諭の講習を受けて資格を得ることになる。このほか臨床心理士などが非常勤で着任することが多い**スクールカウンセラー**や、社会福祉の専門家である**スクールソーシャルワーカー**や、地方ごとの実情に応じて、学校を警備する学校警備員や、児童の登下校の安全確保に当たる学童擁護員などがいる。また、本章第三節で述べるチーム学校としての課外活動の充実のために、**部活動指導員**も法令上の位置づけが明確になった。

　さて、学校教育法第三十七条を見ると、現在の学校が職位による階層構造になっていることがわかるが、長い間、校長と訓導または教諭だけの平準化された世界であった。もちろん専門職としての養護訓導または養護教諭や、栄養教諭の登場もあるが、教育者が平等に助け合う組織が成り立っていた。ただし、戦前の学校の名簿でも主任や主事という役職を多く見るし、戦後も任意に教諭に役職の付与がなされていた。一人だけの管理職の校長の激務を助けるために、一九七四（昭和四九）年の学校教育法改正で教諭兼務ではなく専任の職位としての教頭ができたあとに、学校ごとに任意の主任などを法制化する動きが進み、一九七五（昭和五〇）年の学校教育法施行規則の一部改正（昭和五十年十二月二十六日文部省令第四十一号）によって**主任制**と呼ばれる制度整備がはかられた。当時は管理強化に反対する運動が起きたほどであった。現在はこの制度を残したまま、二〇〇七（平成一九）年六月の学校教育法の改正ですでに見た副校長、主幹教諭、指導教諭を置いたので、独立した職位としての主幹教諭などと、教諭等が教諭という職位のまま主任になる、いわゆる「**充《あ》て職《しょく》**」として任ぜられる者とが、両方ありうることになる。わかりにくいことだが、たとえば主幹教諭は教諭でないが、教務主任は教諭が教諭のままで充て職として任ぜられるという形である。なお東京都教育委員会では主任教諭という主任相当の教諭を任用するので、これは充て職ではなく職位となる。

主幹教諭などとの関係で複雑になった現在の小学校の教務主任、学年主任、保健主事の規定を見てみよう。

学校教育法施行規則（昭和二十二年五月二十三日文部省令第十一号）

第四十四条　小学校には、教務主任及び学年主任を置くものとする。

2　前項の規定にかかわらず、第四項に規定する教務主任の担当する校務を整理する主幹教諭を置くときその他特別の事情のあるときは教務主任を、第五項に規定する学年主任の担当する校務を整理する主幹教諭を置くときその他特別の事情のあるときは学年主任を、それぞれ置かないことができる。

3　教務主任及び学年主任は、指導教諭又は教諭をもつて、これに充てる。

4　教務主任は、校長の監督を受け、教育計画の立案その他の教務に関する事項について連絡調整及び指導、助言に当たる。

5　学年主任は、校長の監督を受け、当該学年の教育活動に関する事項について連絡調整及び指導、助言に当たる。

第四十五条　小学校においては、保健主事を置くものとする。
2　前項の規定にかかわらず、第四項に規定する保健主事の担当する校務を整理する主幹教諭を置くときその他特別の事情のあるときは、保健主事を置かないことができる。
3　保健主事は、指導教諭、教諭又は養護教諭をもつて、これに充てる。
4　保健主事は、校長の監督を受け、小学校における保健に関する事項の管理に当たる。

この第四十四条と第四十五条は逐条の解説をせずに、簡単に言うが、**教務主任**は学校全体の教育計画などを担当する主任であり、**学年主任**は一学年の教諭たちをまとめる主任である。主幹教諭、指導教諭として任用された者の職務と重なる。そこで主任を置かないこともできるし、指導教諭が主任を兼ねることもできる。**保健主事**は養護教諭と重なる。一般には保健主事は養護教諭がなればよいように思えるが、保健室に一人しかいない養護教諭を助けるために他の教諭がなることも多い。

この第四十四条と第四十五条は、中学校、高等学校、中等教育学校、特別支援学校にも準用される。また第四十六条では事務職員から事務長や事務主任を、第四十七条では他の校務を分担する主任を、置くことができるとしている。第七十条では中学校については、指導教諭か教諭が充てられる**生徒指導主事**を規定する。生徒指導やその連絡調整や他の教員への指導助言を行う。第七十一条では指導教諭か教諭が充てられる**進路指導主事**を規定する。生徒の職業選択の指導など進路指導を担当して、その連絡調整や他の教員への指導助言にあたる。生徒指導主事と進路指導主事は高等学校などにも準用される。また、主幹教諭が担当するときは置かないこともできる。

また第八十一条では専門教育を行う高等学校について、学科ごとの**学科主任**や、農業に関する専門教育では**農場長**を置くことを定めている。

第二節　組織としての学校

ここまでの話を見ると、学校も一般企業と同様に上下関係のある組織であるという印象になる。ただ、大きく異なることは直接に教室で教えない校長や副校長も含めて、一人残らず教育者として子どもたちの前で教育力を発揮することが求められるということである。その意味では、将と兵の役割分担のある軍隊や、経営者と労働者の役割分担のある企業よりも過酷な平等主義であり、教育者は一人残らず教育力を試される。法令の規定がどうであれ、現場に接する時間が少なくなる園長も校長も一人残らず教育者であって、その短い時間で子どもや保護者に信頼される講話や行動が求められる。だから子どもや保護者から「先生」と呼ばれる者は、職位にかかわらず同じ使命を自覚して助け合うことになるのだ。

校長などの職務に記された**校務**は、学校全般にわたるものであって、学校教育の目的に基づいて教育の目標を実現するために、人材や施設設備や経費も含めてあらゆる範囲が含まれていく。これを**学校経営**と言い換えてもよい。これは明治期には学校管理法という言葉で研究され、また師範学校で学ばれてきた。学級を担任する教員も、**学級経営**が求められる。教育に関する年間の指導計画が実現されるためには、学習指導だけでなく、人材や施設設備や教材、経費も含めて総合的な学級経営が必要になる。経営 management と言うとなにか商学や経済学の分野のように思いがちだが、ここで言う経営はもっと広義の概念である。

校務全般や学校経営は校長だけの仕事ではなく、すべての教員がかかわることになる。その役割分担は**校務分掌**と呼ばれて、次のように定められている。

学校教育法施行規則（昭和二十二年五月二十三日文部省令第十一号）

第四十三条　小学校においては、調和のとれた学校運営が行われるためにふさわしい校務分掌の仕組みを整えるものとする。

言うまでもなく、中学校などでも準用される。学級担任や教科担任だけではなく、すべての教員が学校全体のなかでなんらかの役割を分担して果たしていくのである。具体的には、校長のもとに、副校長、教頭、主幹教諭、指導教諭や主任・主事などが責任者となって、学年や教科ごとの会合や、生活指導部、進路指導部、特別支援教育部、地域連携部といった課題ごとの部会を形成していく。学校種別や学校の規模、地域の特性や年間指導計画に基づく目標など実際の校務分掌のスタイルは多様である。一人の教諭がいくつもの部会で役割を果たすことになる。

さて、学校という組織は、社会のなかにある組織ではあるが、一つの独立した空間や時間を形成している。中世のウニウェルシタスの自治のようなものでなくても、どんな学校も教育課程を計画していくなかで、独自の時間の問題が出てくる。古代から暦や時間の支配は、大きなテーマだった。そう言えば第23章で紹介した『野菊の墓』は、旧暦と太陽暦、数え年と満年齢という二重化した時間をめぐる、明治の農村の小説としても読解可能であった。学校が教育課程を計画する前提となる学年、学期、休業日などの時間の設定についての諸規定を見ていきたい。

学校教育法施行令（昭和二十八年十月三十一日政令第三百四十号）

（学期及び休業日）

第二十九条　公立の学校（大学を除く。）の学期及び夏季、冬季、学年末、農繁期等における休業日は、市町村又は都道府県の設置する学校にあつては当該市町村又は都道府県の教育委員会が、公立大学法人の設置する高等専門学校にあつては当該公立大学法人の理事長が定める。

学校教育法施行令は政令として学齢や学校の設置廃止などの重要な事項を定めているが、公立学校の**学期**と**休業日**は、その公立学校を設置する教育委員会が定める事項として位置づけている。授業を行う三五週間を前提に、その地域の季候などにあわせて夏期休業、冬期休業、学年末休業などを考慮して、学期の始期と終期を定めることになる。明治風だが農繁期休業の規定は現在も残っている。なお、区域の広い都道府県などは当該事項について学校長に委任して学校ごとに定めるケースもある。

続いて学校教育法施行規則の規定を見ていく。

学校教育法施行規則（昭和二十二年五月二十三日文部省令第十一号）

第五十九条　小学校の学年は、四月一日に始まり、翌年三月三十一日に終わる。

学年の概念は第20章でも見たとおり、学校に学習者が就学するための基本的な規定である。ここで見る第五十九条から第六十三条は小学校の規定であるが、中学校などの学校にも準用される。大学は第百六十三条により大学ごとに別に定めて、秋入学なども可能であり、大学通信教育では広く実施されている。ただ多くの学校種別でこの規定が適用されていることで、第23章で見た『野菊の墓』のような空白の月日は生じない。

第六十条　授業終始の時刻は、校長が定める。

授業終始つまり毎日の授業の開始と終了を定める権限は校長にある。同じ市町村の公立の学校でも、通学距離や主要な交通手段などが異なるから学校ごとに定めるのである。実際には開始と終了だけでなく休憩や昼食などの時間も定めていく。

なお、授業の一単位時間は学校教育法施行規則第五十一条別表第一備考一で小学校四五分、第七十三条別表第二備考一で中学校五〇分と定められている。

第六十一条　公立小学校における休業日は、次のとおりとする。ただし、第三号に掲げる日を除き、特別の必要がある場合は、この限りでない。

一　国民の祝日に関する法律（昭和二十三年法律第百七十八号）に規定する日

二　日曜日及び土曜日

三　学校教育法施行令第二十九条の規定により教育委員会が定める日

休業日の規定であり、法令に定める休業日と先に見た教育委員会の定める休業日などである。**学校週五日制**、とりわけ二〇〇二（平成一四）年度からの完全学校週五日制とは、この第六十一条第二号に「土曜日」と記すことを意味した。

第六十二条　私立小学校における学期及び休業日は、当該学校の学則で定める。

第六十一条は他の学校種別に準用されるが、公立学校についての規定である。この第六十二条では私立小学校は学校ごとに学則で定めることになっている。他の私立学校も同様である。つづいて、臨時休業などの規定は、第29章で述べるのでここでは省略する。

次に経済的な学校経営に関する事項を確認しておきたい。学校教育法では学校の**経費**や管理は学校の設置者に求められている。

学校教育法（昭和二十二年三月三十一日法律第二十六号）

第五条　学校の設置者は、その設置する学校を管理し、法令に特別の定のある場合を除いては、その学校の経費を負担する。

学校設置者が最終的な管理や経費負担の責任を負っている。公立学校を設置した都道府県や市町村では各教育委員会が、国立学校を設置した国では文部科学省が、必要な経費の予算を要求して、首長や内閣総理大臣が、地方議会や国会に予算案を提出していくことになる。学校の校長は直接に予算にかかわっていないが、実際には教育委員会などとの間で多くの書類が往復していく。私立学校では、学校法人が学校の維持管理のための経営を行う。

第六条　学校においては、授業料を徴収することができる。ただし、国立又は公立の小学校及び中学校、中等教育学校の前期課程又は特別支援学校の小学部及び中学部における義務教育については、これを徴収することができない。

この学校教育法第六条については**授業料**という学校の収入について定めている。義務教育の授業料を徴収しない根拠は、第14章と第18章で教育基本法に関連して説明した。一方で学校法人の設置する私立学校や、国立大学法人が設置する大学などでは、授業料収入が学校経営において大きな位置を占めている。

公立の小学校や中学校の入学は、第20章で見たとおり、義務教育を受ける権利の保障として行われるものであるから、学校による入学の許可の手続きはなく、最後には学校教育法施行令第二十二条に定めるとおり校長が学齢簿を管理する市町村教育委員会に対して、毎学年ごとに教育課程の修了を通知することになる。

児童生徒に対しては、学年ごとに課程の修了や卒業を評価する。全課程の修了にあたっては**卒業証書**として、校長が児童生徒に対して授与する。次の規定は小学校について定めているものだが、中学校などにも準用される。

学校教育法施行規則（昭和二十二年五月二十三日文部省令第十一号）

第五十七条　小学校において、各学年の課程の修了又は卒業を認めるに当たつては、児童の平素の成績を評価して、これを定めなければならない。

第五十八条　校長は、小学校の全課程を修了したと認めた者には、卒業証書を授与しなければならない。

一方で、高等学校は義務教育ではないので、学校教育法施行規則第九十条の規定に基づいて、**学力検査**を行い、校長が入学許可を行う手続きが定められている。同様に、転学、留学、休学、退学や全課程の修了として卒業を認めることも、校長の権限に属する事項となっている。もちろん、現実には多くの教員がかかわるのであるが、その最終的な書類は校長の職位と氏名が記される事項となるわけである。

第三節　チームとしての学校

チームとしての学校、略して**チーム学校**という言葉は、歴史的に考えてみると、第12章で登場した文部大臣森有礼の時期の師範学校令（明治十九年四月十日勅令第十三号）の第一条に、従順を意味する順良、友情を意味する信愛、威圧感に通じる重みを持つ威重という**三気質**が掲げられた時代からの、古い議論と言える。近世の手習塾や、明治初年の教員数名の小さな小学校では組織論は不要かもしれないが、学校が大きくなり教員が組織化されていくと、校長などの上位者に順良となり、教員が互いに信愛の情を持ち、児童や下位者には威重が必要だという議論が起こってくる。教員の職位を見ると、校長と訓導や教諭だけだった戦前の学校組織のほうがフラットで、戦後から現在にかけて、校長、副校長、教頭、主幹教諭、指導教諭、教諭といった上下の秩序が強化されてきた。明治時代の順良や威重とは異なるだろうが、職位の階層化は一体感を失わせる効果もある。こういう議論は、膨大な階級制度を持つ近代の軍隊で部隊ごとの一体感を持たせる改革や、二十一世紀の企業で取り組まれる部・課・係などの組織をグループやチームにしようとする改革など、枚挙にいとまがない。そのような意味で、スポーツ用語はもちろん、古代中国の伍や帝国陸軍の班に相当する軍隊用語や、課や係に相当する企業用語でもある**チーム** team が浮上してきた文脈がある。

まずは、二〇一五（平成二七）年一二月二一日の中央教育審議会答申「チームとしての学校の在り方と今後の改善方策について」が掲げる定義は、「**チームとしての学校**」像として「校長のリーダーシップの下、カリキュラム、日々の教育活動、学校の資源が一体的にマネジメントされ、教職員や学校内の多様な人材が、それぞれの専門性を生かして能力を発揮し、子供たちに必要な資質・能力を確実に身に付けさせることができる学校」となっている。わかりにくいかもしれないが、校長のリーダーシップと学校内の教員ほか多くの職員の一体感が強調されていることが読み取れる。

答申によれば、チームとしての学校が求められる背景は、教育活動の更なる充実を実現するために、組織のあり方を見直す必要があるということになる。

すでに本書で何度も説明した、社会に開かれた教育課程、アクティブ・ラーニング、カリキュラム・マネジメント、さらにコミュニティ・スクールを含めた地域との連携が強調されている。多様な地域人材等と連携・協働して、家庭や地域社会を巻き込み、教育活動を充実していくことが大切である。

さらに、学校の課題が複雑化し、多様化した状況を描き、子どもの貧困も含めた生徒指導や特別支援教育などが述べられる。そして、この答申の実質的な背景と言える教員の勤務実態として、授業に関する業務が大半を占めている欧米の教員と比較して、授業や生徒指導など様々な業務を行う日本の教員の勤務時間が国際的に見て長いという事実が描かれる。

答申の具体的な提起は、三つの視点としてまとめられた。第一に「専門性に基づくチーム体制の構築」として教員が本来の学習指導や生徒指導等に取り組むために心理や福祉等の専門スタッフの充実を求め、第二に「学校のマネジメント機能の強化」として校長のリーダーシップのために主幹教諭の配置の促進や事務機能強化などのマネジメント体制の充実を求め、第三に「教職員一人一人が力を発揮できる環境の整備」として養成や研修などの充実を求めている。

二〇一五（平成二七）年のこの答申は、教育行政や教育現場に影響を与えて、様々な改革が振興した。チーム学校のなかに、教員とは異なる専門スタッフの配置や派遣が進められている。心理学分野の専門家である**スクールカウンセラー**は多くは非常勤職員として配置が進んでいるが、まだ配置のない学校や勤務時間が少ない場合も多い。社会福祉士や精神保健福祉士等の福祉に関する専門的な資格を有する者が学校で子どもや保護者の相談にあたる、**スクール**

ソーシャルワーカーはさらに配置が遅れている。文部科学省では、災害等に対応した緊急支援も含めて、配置をすめる自治体への補助金などを予算化して促進をしている。

また答申では授業等において教員を支援する専門スタッフとして、情報通信技術つまりＩＣＴ活用のスキルを持ったＩＣＴ支援員、効果的なチーム・ティーチングが可能となるよう外国語指導助手、特別支援教育に関する専門スタッフなどの充実を求めた。また部活動等の指導・助言や各部活動の指導、顧問、単独での引率等を行うことを職務とする職員を部活動指導員と、学校内において地域との連携の推進を担当する教職員を地域連携担当教職員として法令上に位置づけることを求めた。

この答申を実現するために二〇一七（平成二九）年には、「義務教育諸学校等の体制の充実及び運営の改善を図るための公立義務教育諸学校の学級編制及び教職員定数の標準に関する法律等の一部を改正する法律」（平成二十九年三月三十一日法律第五号）により、学校教育法を含む多くの法律が改正され、四月一日より施行された。**義務教育標準法**と略称される「公立義務教育諸学校の学級編制及び教職員定数の標準に関する法律」（昭和三十三年五月一日法律第百十六号）では、障害に応じた特別の指導（**通級による指導**）のための基礎定数（児童生徒一三人に一人）が新設され、日本語能力に課題のある児童生徒への指導のための基礎定数（児童生徒一八人に一人）が新設され、初任者研修のための基礎定数（初任者六人に一人）が新設され、少人数指導等の推進のための基礎定数（学校の児童生徒数に応じて算定）が新設され、教職員定数の加配事由に複数の学校を担当する「共同学校事務室」が明示された。また、教育機会確保法と略称される「義務教育の段階における普通教育に相当する教育の機会の確保等に関する法律」（平成二十八年十二月十四日法律第百五号）を具体化するために、**義務教育費国庫負担法**（昭和二十七年八月八日法律第三百三号）の一部改正として、都道府県が設置する義務教育諸学校のうち、不登校児童生徒を対象とするものと、夜間その他特別な時間に授業を行うものの教職員給与に要する経費を国庫負担の対象に追加した。また、学校教育法（昭和二十二年三月三十一日法律第二十六号）の一部改正として、**事務職員**の規定を「事務をつかさどる。」と重視する変更を行った。地教行法に関連する改正は、第五節に述べる。

また、**部活動指導員**の法令化については、学校教育法施行規則の改正（平成二十九年三月十四日文部科学省令第四号）が公布され、同年四月一日より施行された。スポーツ、文化、科学などの教育課程以外の教育活動である部活動の指導は教員が勤務時間外に行うことが大半で、私立学校や特別に理解された分野で地域のボランティアや不安定な雇用関係の「監督」などで担われていたが、法令上の位置づけができたことで地方自治体の予算化においても促進される。

学校教育法施行規則（昭和二十二年五月二十三日文部省令第十一号）

第七十八条の二　部活動指導員は、中学校におけるスポーツ、文化、科学等に関する教育活動（中学校の教育課程として行われるものを除く。）に係る技術的な指導に従事する。

余談であるが、この法令の文言に「スポーツ、文化、科学等」とあることは、教育行政の世界では意味がある。この法令改正を教育委員会に知らせる通知（二八ス庁第七〇四号）は、文部科学省だけでなく、外局の**スポーツ庁**と**文化庁**との連名で行われた。スポーツや文化の振興と相まって学校における課外活動の充実が期待される。

また教職員の業務環境の改善については、すでに文部科学省は「学校現場における業務改善のためのガイドライン」（平成二七年七月二七日公表）を冊子として公表し、教職員のメンタルヘルス対策検討会議が二〇一三（平成二五）年三月二九日に「教職員のメンタルヘルス対策について（最終まとめ）」（平成二十五年）を公表した。こうした資料を教育委員会や学校で見直しの参考にすることを呼びかけている。

この議論の前提になった忙しすぎる教員というデータは、OECD国際経済協力開発機構が二〇一三（平成二五）

年に三四か国・地域を対象に行ったＴＡＬＩＳ（タリスと読む。Teaching and Learning International Survey, 国際教員指導環境調査）である。文部科学省と国立政策科学研究所がおこなった発表によれば[1]、教員の勤務時間は他の参加国よりも特に長く、人材の不足感も大きいということになる。比較としては、日本の教員の一週間当たりの勤務時間は参加国最長（日本五三・九時間、参加国平均三八・三時間）である。授業時間は参加国平均と同程度である一方で、課外活動（スポーツ・文化活動）の指導時間が特に長く、日本の七・七時間は参加国平均二・一時間の三倍である。また事務業務（日本五・五時間、参加国平均二・九時間）、授業の計画・準備に使った時間（日本八・七時間、参加国平均七・一時間）等も長いとなっている。また、文部科学省の二〇一六（平成二八）年度の教員勤務実態調査も、このデータを裏づける格好となっている。

こうしたなか、政府が進める**働き方改革**と連動して、**教員の働き方改革**が進行している。二〇一七（平成二九）年六月二二日に文部科学省は再び中央教育審議会に諮問して、二〇一九（平成三一）年一月二五日の答申「新しい時代の教育に向けた持続可能な学校指導・運営体制の構築のための学校における働き方改革に関する総合的な方策について」（中教審第二一三号）を受けた。ここでは、二〇一三（平成二五）年実施のＯＥＣＤの国際教員指導環境調査（ＴＡＬＩＳ）により判明した国際的にも授業時間以外の業務などの時間が多い教員の勤務実態と、教員をめぐる労働法規と実態が再検討された。なお、この働き過ぎの傾向は二〇一八（平成三〇）年実施の同調査でもまだまだ大きな改善が進んでいない実態が再確認されている。

教員の給与をめぐる問題は複雑で、『チーム学校の教師論』に概説を書いておいたので参考にしてほしい。簡単に言えば、一九七一（昭和四六）年に**給特法**と呼ばれる「公立の義務教育諸学校等の教育職員の給与等に関する特別措置法」（昭和四十六年五月二十八日法律第七十七号）が定められて、一般の公務員と異なって教員自身の裁量による勤務の実態から時間外手当などを支払わずに、代わりに教職調整額が加算される制度となった。それでも、超勤四項目と呼ばれる校外実習や修学旅行や職員会議や非常災害など、特別の場合のみに勤務時間以外の業務に当たることになっていた。しかし、実態としては、教育の準備や事務作業のために時間外労働をしているということになってしまったのである。

話を戻して、二〇一九(平成三一)年の答申は、答申に併せて**上限ガイドライン**と呼ばれる「公立学校の教師の勤務時間の上限に関するガイドライン」を提示して、教員の働き方改革のための数値目標を明示した。授業時間以外の多様な学校の業務や課外活動の引率などを含めて**在校等時間**と呼んで学校が把握するべきものとし、超過勤務が年三六〇時間・月四五時間以上にならないように教育委員会に求めた。

働き方改革の背景には、マスコミでも多く報じられたブラック企業という呼称での労働環境について告発運動があったが、ブラック部活という言葉をはじめ、学校の労働環境についての告発も相次いだ。新しい教員を採用して継続して任用していく教育委員会も事態を深刻に受け止めて、チーム学校の手法による部活動の見直しと部活動指導員の登用や、教員の事務作業の軽減と支援員の配置などに努めている。

教員のあるべき姿として、**学び続ける教員**として、研修制度の充実が教育基本法に定められた重要な課題である。この研修自体が教員の負担になったり、意欲の減少となってはならない。第27章で中央教育審議会の動向を説明したが、二〇〇九(平成二一)年度から導入された教員免許更新制には、既存の研修制度との重複や教員の自己負担の問題が大きく、さらに導入の経緯から教員バッシングの世論によるものと理解されていたことも事実である。こうしたなかで、教員免許更新制の発展的解消が中央教育審議会から提起され、教育職員免許法の一部改正が行われて、二〇二二(令和四)年度から廃止となったことも、教員の働き方改革の一環であると理解できる。

第四節　地域と学校

地域と学校は、切っても切れない関係にある。これは学校が地域の人材養成を特化して担う機能を持つからである。古代日本の国学の所在は資料的にも考古学的にも不明な点が多いが、国府や郡司の行政文書を作成するための大きな役割を果たした。朝廷の大学寮でも、日本を一つの地域と見れば、地域の中堅貴族のための学校である。近世の藩校も、都市や農村の手習塾も、その地域の武士や庶民の教育を担った。ヨーロッパ全域の放浪学生を受け入れた中世の大学は、地域性がない事例と思えるが、これもラテン語を学術用語としたヨーロッパ文化圏があってはじめて成立する地域の学校である。多くの遊学者を受け入れた私塾や、遊行の修行僧を受け入れる学林もまた、地域性と切り離せない。

いわば牧歌的な地域と学校の関係が、ダイレクトな制度となったのは近代学校の産物であろう。一八七二（明治五）年の学制が提起した、大学区、中学区、小学区の制度は、学校に就学する者の地域を確定する**学区**であるだけではなく、学校を維持する資金を調達する単位でもあった。さらに市町村の制度が整備されるなかで、市町村立学校はその市町村の大きな期待とともに、大きな負担も出てくる。学校の場所、その設置と廃止、学区の変更は、明治から現在まで、実利と感情の交差する問題である。一見すると地域と関係のないはずの帝国大学や高等学校が設置される場所までが、論争的な課題であり、戦後に各都道府県に一つ以上の国立大学を置くことになった。

このような歴史から始めるのは、**学校と地域との連携**という現代的課題は、本来的には学校教員から呼びかける課題というよりも、地域が納税者として公立学校を維持し、様々な利害関係を持つステークホルダーとして関わっているという点からである。私立学校にもまた、授業料負担者としての保護者がいるし、どんな学校にも卒業者という生涯にわたって記憶を持ち、履歴書などに記載するステークホルダーが存在し続けるのである。
教育基本法（平成十八年十二月二十二日法律第百二十号）第十三条の「学校、家庭及び地域住民等の相互の連携協力」、略して学校と地域との連携については、保護者の学校参加としてＰＴＡが戦後に広がったことをすでに第19章で述べた。二〇〇〇（平成一二）年の学校教育法施行規則の一部改正（平成十二年一月二十一日第三号）によって校長に意見を述べる有識者としての**学校評議員**が置かれた。さらに二〇〇四（平成一六）年の地教行法の一部改正（平成十六年六月九日法律第九十一号）により地域住民や保護者が公立学校の運営に委員として参加できる**学校運営協議会**を置くことが可能になった。また学校と地域をつなぐための情報として、二〇〇七（平成一九）年の学校教育法の一部改正（平成十九年六月二十七日第六十九号）により、学校が自ら**学校評価**を行い、保護者や地域住民に**情報提供**することが定められたことなどを述べた。
こうした一連の改革に対比して、いわば昔からの学校と地域との連携を示す規定を次に示しておきたい。

学校教育法（昭和二十二年三月三十一日法律第二十六号）
第百三十七条　学校教育上支障のない限り、学校には、社会教育に関する施設を附置し、又は学校の施設を社会教育その他公共のために、利用させることができる。

この規定は、明治初年以来の地域と学校の慣例を、戦後の法律のなかに明記したものである。二〇〇七（平成一九）年の大幅な学校教育法の一部改正（平成十九年六月二十七日第六十九号）で条項の番号が変化するまでは第八十五条であった。これは長い間、公務員試験や教員採用試験で出題されやすいポイントと言われてきた。教育基本法などの定める教育の政治的中立と関連して、**学校施設利用**は、範囲が限定されるという内容である。公職選挙で言えば、選挙管理委員会の投票所には利用させてよいが、特定の候補者への貸し出しはできないという解釈である。

この学校施設利用の広く見られるケースは、**校庭開放**である。以前は単なる時間を定めての開放としてどの小学校でも見られたが、児童生徒が学校に居残ることも多く、ＰＴＡが協力して見守る活動なども広がっている。また「**社会教育**に関する施設を附置し」という規定は、歴史的経緯から公民館などを兼ねているケースが多かったが、少子化で空き教室が増えるなかで、新たな社会教育施設を設置する事例も増えている。さらには**学校建築**の課題として、セキュリティが求められる学校本体と、地域住民に開放される公民館や図書館等を隣接して建築する事例もある。

こうした地域と学校との連携について、広く行われている取り組みについて述べておきたい。実際の事例は、各学校のウェブページや広報物で積極的に情報提供されているし、また、顕著な事例は新聞の地域欄などでも伝えられることが多くなった。

明治初年から現代まで引き継がれている学校への保護者の参加としては、授業への**保護者参観**がある。保護者が参加しやすい土曜日や日曜日に設定することが多い。学校行事として、運動会、学芸会などに保護者が出席することも多い。運動会が地域全体の行事として定着しているケースもある。入学式や卒業式の保護者参加は、言うまでもないだろう。

学校の学習活動への参加も広がっている。東京などで広がっている積極的なＰＴＡ参加として、朝の読み聞かせを保護者が担当するケースがある。**総合的な学習の時間**にゲストとして地域住民や保護者を依頼する実践や、子どもが体験学習するための場として商店街や社会福祉施設に依頼する実践も増えている。総合学習でのこうした実践では、商店街が複数の学区と重なったり、小学校と中学校が同一課題で重なったりするため、様々な調整が必要である。(2)

私は担当する免許状更新講習の課題として、受講する現職教員に自分が実践している地域と学校との連携を報告するように求めていたが、実に多彩な実践がプライドをもってレポートされてきた。私立学校では地域連携は積極的ではないという受講者もいたが、それでも学園祭に多数の来場者があったり、卒業生が県全域で支えたりする実態があった。児童生徒の公共交通機関や通学路でのマナーなど、実際には近隣住民との対応は**クレーム処理**であるというリアルな報告も多かった。しかし、こうした苦情への真摯な対応が、地域住民の学校への信頼感を醸成していく。

第五節　コミュニティ・スクール

コミュニティ・スクール Community School とは、公立学校に保護者や地域住民が運営参加する会議を置くもので、一九三〇（昭和五）年代のアメリカの**オルセン**（Edward Gustave Olsen, 一九〇八〜二〇〇〇）が提唱した教育改革運動として広まった。日本の戦後教育改革でも知られて、海後宗臣《かいごときおみ》が主導した中央教育研究所と埼玉県川口市の「川口プラン」をはじめとして、地域教育計画運動でも生かされていた。その後は停滞していたが、生涯学習社会が論じられるなかで、あらためて教育行政上の注目がはじまった。

二〇〇四（平成一六）年三月四日の中央教育審議会答申「今後の学校の管理運営の在り方について」では、コミュニティ・スクールをモデルとした学校運営協議会を提言した。教育委員会の判断により地域運営学校として学校を指定し、保護者等を含めた**学校運営協議会**を置いて、校長が編成する教育課程について承認したり、学校の運営について教育委員会や校長に意見を述べたりする制度を提言した。

早くも同年に**地教行法**と略称される「地方教育行政の組織及び運営に関する法律」（昭和三十一年六月三十日法律第百六十二号）の一部改正（平成十六年六月九日法律第九十一号）が行われ、地域住民や保護者が公立学校の運営に委員として参加できる学校運営協議会を置くことが可能になった。学校運営協議会の主な役割として、校長が作成する学校運営の基本方針を承認すること、学校運営に関する意見を教育委員会又は校長に述べることができること、教職員の任用に関して、教育委員会規則に定める事項について、教育委員会に意見を述べることができることがある。これは学校評議員のように意見を述べるだけではなく、基本方針の承認や教職員の任用にまで範囲が広がっている。

さらに、二〇一五（平成二七）年一二月二一日の中央教育審議会答申「新しい時代の教育や地方創生の実現に向けた学校と地域の連携・協働の在り方と今後の推進方策について」では、二〇一五（平成二七）年四月段階で二三八九校に増加したコミュニティ・スクールを「地域とともにある学校」として一層推進して、すべての公立学校で可能とする方向を打ち出した。社会教育として地域学校協働活動を位置づけて、地域住民と学校をつなぐ**地域学校協働本部**を置くことを提唱した。

この答申をもとに、二〇一七（平成二九）年には、「義務教育諸学校等の体制の充実及び運営の改善を図るための公立義務教育諸学校の学級編制及び教職員定数の標準に関する法律等の一部を改正する法律」（平成二十九年三月三十一日法律第五号）により、地教行法と社会教育法が改正され同年四月一日より施行された。地教行法では、教育委員会に対する学校運営協議会の設置を単に可能とするのではなく、努力義務とした。また学校運営への支援について協議事項に位置づけ、委員に**地域学校協働活動推進員**を加えるなどの規定を見直した。この地域学校協働活動推進員についでは、**社会教育法**（昭和二十四年六月十日法律第二百七号）を改正して、ここに地域学校協働活動に関する連携協力体制の整備を行い、地域学校協働活動推進員に関する規定を明記した。

この二〇一七（平成二九）年三月改正による地教行法の該当条項は次のとおりである。

地方教育行政の組織及び運営に関する法律（昭和三十一年六月三十日法律第百六十二号）

第四節　学校運営協議会

第四十七条の六　教育委員会は、教育委員会規則で定めるところにより、その所管に属する学校ごとに、当該学校の運営及び当該運営への必要な支援に関して協議する機関として、学校運営協議会を置くように努めなければならない。ただし、二以上の学校の運営に関し相互に密接な連携を図る必要がある場合として文部科学省令で定める場合には、二以上の学校について一の学校運営協議会を置くことができる。

2　学校運営協議会の委員は、次に掲げる者について、教育委員会が任命する。

一　対象学校（当該学校運営協議会が、その運営及び当該運営への必要な支援に関して協議する学校をいう。以下この条において同じ。）の所在する地域の住民

二　対象学校に在籍する生徒、児童又は幼児の保護者

三　社会教育法（昭和二十四年法律第二百七号）第九条の七第一項に規定する地域学校協働活動推進員その他の対象学校の運営に資する活動を行う者

四　その他当該教育委員会が必要と認める者

3　対象学校の校長は、前項の委員の任命に関する意見を教育委員会に申し出ることができる。

4　対象学校の校長は、当該対象学校の運営に関して、教育課程の編成その他教育委員会規則で定める事項について基本的な方針を作成し、当該対象学校の学校運営協議会の承認を得なければならない。

5　学校運営協議会は、前項に規定する基本的な方針に基づく対象学校の運営及び当該運営への必要な支援に関し、対象学校の所在する地域の住民、対象学校に在籍する生徒、児童又は幼児の保護者その他の関係者の理解を深めるとともに、対象学校とこれらの者との連携及び協力の推進に資するため、対象学校の運営及び当該運営への必要な支援に関する協議の結果に関する情報を積極的に提供するよう努めるものとする。

6　学校運営協議会は、対象学校の運営に関する事項（次項に規定する事項を除く。）について、教育委員会又は校長に対して、意見を述べることができる。

7　学校運営協議会は、対象学校の職員の採用その他の任用に関して教育委員会規則で定める事項について、当該職員の任命権者に対して意見を述べることができる。この場合において、当該職員が県費負担教職員（第五十五条第一項又は第六十一条第一項の規定により市町村委員会がその任用に関する事務を行う職員を除く。）であるときは、市町村委員会を経由するものとする。

8　対象学校の職員の任命権者は、当該職員の任用に当たつては、前項の規定により述べられた意見を尊重するものとする。

9　教育委員会は、学校運営協議会の運営が適正を欠くことにより、対象学校の運営に現に支障が生じ、又は生ずるおそれがあると認められる場合においては、当該学校運営協議会の適正な運営を確保するために必要な措置を講じなければならない。

10　学校運営協議会の委員の任免の手続及び任期、学校運営協議会の議事の手続その他学校運営協議会の運営に関し必要な事項については、教育委員会規則で定める。

第四十七条の六にコミュニティ・スクールの規定が詰め込まれているので、読みにくいかもしれないが、説明する。第一項で教育委員会が学校運営協議会を置くのだが、「努めなければならない。」とあるのが、努力義務である。このことで、コミュニティ・スクールの設置が促進される。第二項では学校運営協議会の委員を定めるが、第一号が**地域住民**、第二号が**保護者**、第三号が新たな地域学校協働活動推進員、第四号がその他である。社会教育の代表者が含まれることで地域の教育活動との連携が期待される。第三項が校長による委員の推薦である。第四項は学校の基本的な方針が学校運営協議会の承認を必要とする事項であるという重要な規定である。第五項は地域住民や保護者への情報提供の努力義務を定める。第六項は一般的に教育委員会と校長への意見の提示で、第七項は学校職員の任用に関する意見提示である。この任用の意見提示は、第八項で任命権者に尊重する義務がある。第九項では学校運営協議会のトラブルに教育委員会が対応できることを明示した。また第十項で教育委員会が規則として定める事項を明示している。

コミュニティ・スクールは二〇二一（令和三）年五月一日現在で毎年のように増加して、一万一八五六校（導入率三三・三パーセント）にのぼっている。内訳は、幼稚園二六七園、小学校七〇五一校、中学校三三三九校、義務教育学校九五校、中等教育学校四校、高等学校八〇五校、特別支援学校二八六校である。

今後も増加が期待されるが、少人数とはいえ委員を務める地域住民、保護者、社会教育関係者の負担は増えるし、また、学校側の運営の努力も増すであろう。こうした努力に見合った効果が子どもの教育にも、そして地域にもあってはじめて成功と言える。こうした努力が生かされる場としての学校運営協議会の成長が期待される。

（1）国立教育政策所編『教員環境の国際比較　ＯＥＣＤ国際教員指導環境調査（ＴＡＬＩＳ）二〇一三年調査結果報告書』明石書店、二〇一四年。

（2）高橋陽一編『総合学習とアート』武蔵野美術大学出版局、二〇一九年。

第29章　学校安全への対応

学校は子どもたちが成長する場として安全でなければならない。このことは二〇二〇（令和二）年からの新型コロナウイルス感染症対策としても急務の課題となった。第1章でも述べたが、二〇一九（平成三一）年度からの教職課程のカリキュラムでは、教育職員免許法施行規則（昭和二十九年十月二十七日文部省令第二十六号）が一部改正されて、教育原理Ⅱに相当する内容は「教育に関する社会的、制度的又は経営的事項（学校と地域との連携及び学校安全への対応を含む。）」として、**学校と地域との連携**と、**学校安全**への対応を授業内容に含むことになった。ここでは学校の管理下で発生する事件、事故、災害などを考え、伝染病対応を含めた学校保健や、さらには学校教員による深刻な犯罪である体罰の問題なども考えていきたい。

第一節　学校安全

学校安全は、**学校の管理下**で起こる事件や事故などへの対応である。授業中など教育課程はもちろんだが、登下校や課外活動も含めて、広範に及ぶために、学校と地域との連携、第一義的な責務を負う保護者との関係が非常に重要になる。とくに課外活動のスポーツなどでは事故が起こりやすいし、**登下校**は交通事故の防止のための**交通安全教育**をはじめ、学校安全の古くて新しい課題である。

第28章で見たように、学校教育法（昭和二十二年三月三十一日法律第二十六号）第三十七条第四項によって、「校長は、校務をつかさどり、所属職員を監督する。」と定められた**校長**が学校安全という校務をつかさどる責任をもつ。第三十七条第六項では**副校長**について「副校長は、校長に事故があるときはその職務を代理し、校長が欠けたときはその職務を行う。この場合において、副校長が二人以上あるときは、あらかじめ校長が定めた順序で、その職務を代理し、又は行う。」とあり、第八項では**教頭**について、「教頭は、校長（副校長を置く小学校にあつては、校長及び副校長）に事故があるときは校長の職務を代理し、校長（副校長を置く小学校にあつては、校長及び副校長）が欠けたときは校長の職務を行う。この場合において、教頭が二人以上あるときは、あらかじめ校長が定めた順序で、校長の職務を代理し、又は行う。」とある。ここで「事故があるとき」というのは、文字通りの重大な事故も含むが、単純にその責任を果たすべき瞬間に不在であるのも事故である。

少なくない読者は、子どもの頃に「台風だから学校は休みです。自宅で安全に過ごしなさい。」という経験があると思う。地震や台風などの緊急事態を**非常変災**といい、その他様々な差し迫った事態を含めて、**急迫の事情**と呼ぶ。こうした対応は校長にゆだねられている。

学校教育法施行規則（昭和二十二年五月二十三日文部省令第十一号）

第六十三条　非常変災その他急迫の事情があるときは、校長は、臨時に授業を行わないことができる。この場合において、公立小学校についてはこの旨を当該学校を設置する地方公共団体の教育委員会（公立大学法人の設置する小学校にあつては、当該公立大学法人の理事長）に報告しなければならない。

この規定は第28章で見た教育委員会が予め定める休業日とは異なって、天災などの**臨時休業**の権限であり、校長にゆだねられている。例えば津波がやってきて瞬時の避難の判断を要するときに校長が不在であれば、その場にいる副校長や教頭が、「今すぐ教職員は児童生徒を引率して裏山に逃げなさい」という職務命令を発するわけである。学校教育法の定める職務権限の委譲の規定はここまでだが、校長も副校長も教頭も不在というのはよくあることだから、だれが責任者になるか事前に決めておく必要がある。校外の引率や土日の課外活動で、児童生徒の前にいるのが非常勤講師の一人だけだったとしても、これは学校の管理下であるから、その非常勤講師が安全のための判断をしなければならない。第六十三条の「この場合において」で始まる後段は、こうした校長などの現場の判断の後で、教育委員会に事後報告すると定められている。

非常変災は、文字通りに滅多に起こらないからそう言うのだが、実際にはよく発生している。例えば、通学時の事故が想定される台風などについても、予め時刻や警報の種類などを定めて臨時休業の基準を保護者に知らせることも広まっている。こうした状況から、学校安全をめぐっての対応をチームとしての学校が体制を整え、教員の養成から研修まで様々な段階で対応能力を伸ばすことが求められているのである。

まずは、第27章でも紹介した中央教育審議会答申を含めて、学校安全をめぐる動向を整理しておこう。

二〇〇八（平成二〇）年一月一七日の中央教育審議会「子どもの心身の健康を守り、安全・安心を確保するために学校全体としての取組を進めるための方策について」は、学校の保健教育や養護教諭の役割、専門家との連携の重要性を強調し食育の推進のために栄養教諭の配置促進や学校安全計画の策定などを強調したものである。これを受けて、学校保健法（昭和三十三年四月十日法律第五十六号）の一部改正（平成二十年六月十八日法律第七十三号）により、名称を**学校保健安全法**と改め、事故や自然災害にも対応した総合的な学校安全の充実が定められた。

こうしたなか、二〇一一（平成二三）年三月一一日の東日本大震災を受けて災害における学校の課題が改めて強調された。前記の二〇〇八（平成二〇）年の中央教育審議会答申を踏まえて、二〇一二（平成二四）年三月二一日に中央教育審議会答申「学校安全の推進に関する計画の策定について」が出された。答申は、学校で子どもに安全に関する知識と行動や助け合いの態度を育み、避難訓練や原子力災害の対応まで含めた**安全教育**により安全文化を構築し、学校の管理下の事故の増大を踏まえて不審者の侵入や交通事故や自然災害までを含めた学校における**安全管理**により事件・事故、災害による被害減少を提言することなど、五年間で取り組む施策を示した。この提言を受けて、文部科学省は学校保健安全法に基づく「**学校安全の推進に関する計画**」を策定して、二〇一二（平成二四）年四月二七日に閣議決定を行って公表した。この学校安全の推進に関する計画は、二〇一二（平成二四）年度から二〇一六（平成二八）年度までの五年間のもので、学校安全を推進するための方策として、第一に安全に関する教育の充実方策（安全教育における主体的に行動する態度や共助・公助の視点、教育手法の改善、安全教育に係る時間の確保、避難訓練のあり方、児童生徒等の状況に応じた安全教育、情報社会への対応、原子力災害への対応）、第二に学校の施設及び設備の整備充実（学校施設の安全性の確保のための整備、学校における非常時の安全に関わる設備の整備充実）、第三に学校における安全に関する組織的取組の推進（学校安全計画の策定と内容の充実、学校における人的体制の整備、学校における安全点検、学校安全に関する教職員の研修等の推進、危険等発生時対処要領の作成と事件・事故災害が生じた場合の対応）、第四に地域社会、家庭との連携を図った学校安全の推進（地域社会との連携推進、家庭との連携強化）を提起した。

この学校安全の推進に関する計画の五年間を踏まえて、二〇一七（平成二九）年二月三日の中央教育審議会答申「第二次学校安全の推進に関する計画の策定について」は、東日本大震災を踏まえた第一次計画に次いで、**第二次学校安全の推進に関する計画**として五年間（二〇一七年度から二〇二一年度まで）における施策の基本的方向を提示したものである。耐震対応のほか、チーム学校での課題、研修や教員養成の課題も提起した。これを踏まえて、第二次学校安全の推進に関する計画が二〇一七（平成二九）年三月二四日に閣議決定された。この計画の実施にあたって三月三一日に教育委員会等に文部科学省から通知（二八文科初第一八七八号）が出されたが、そこで強調された要点は次の五つである。第一に、今後の学校安全の推進の方向性として、目指すべき姿や施策目標に基づき、具体的な取組を推進する。第二に、全ての学校において学校安全計画及び危機管理マニュアルの策定・改善を行う。また管理職のリーダーシップの下、学校安全の中核となる教職員を中心とした組織的な学校安全体制を構築する。第三に、教員の養成・研修の充実による教員の資質向上、学習指導要領の改訂を踏まえたカリキュラム・マネジメントの確立による、系統的・体系的な安全教育を推進する。第四に、外部の専門家や関係機関と連携した安全点検の徹底や、事故等の未然防止や発生後の調査・検証、再発防止のための取組の改善・充実を一連のサイクルとして実施し、学校安全に関するＰＤＣＡサイクルを確立する。第五に、第一次計画策定後の新たな安全上の課題（ＳＮＳ、爆破予告、テロ対策等）への対応や、家庭、地域、関係機関等との連携による安全対策を推進する。

二〇二二（令和四）年二月七日の答申「第三次学校安全の推進に関する計画の策定について」（中教審第二三三号）は二〇二二年度から五年度間の計画を提起して、**第三次学校安全の推進に関する計画**として同年三月二五日に閣議決定された。コロナ禍のなかで出された計画であるが、内容は学校安全に関する組織的取組の推進や、家庭・地域・関係機関等との連携・協働による学校安全の推進など、従来の方針を推進するものであり、子どもの自主的な能力を伸張することなどが強調されている。

ここで各学校が定めることになっている**学校安全計画**とは、学校保健安全法第二十七条に次のように定める、包括的な計画である。

学校保健安全法（昭和三十三年四月十日法律第五十六号）

（学校安全計画の策定等）

第二十七条　学校においては、児童生徒等の安全の確保を図るため、当該学校の施設及び設備の安全点検、児童生徒等に対する通学を含めた学校生活その他の日常生活における安全に関する指導、職員の研修その他学校における安全に関する事項について計画を策定し、これを実施しなければならない。

さらに学校が定める**危機管理マニュアル**は、学校保健安全法第二十九条の**危険等発生時対処要領**にあたるもので、問題が起きたときに実際に教職員がとる行動や手順を明確にしたものである。

（危険等発生時対処要領の作成等）

第二十九条　学校においては、児童生徒等の安全の確保を図るため、当該学校の実情に応じて、危険等発生時において当該学校の職員がとるべき措置の具体的内容及び手順を定めた対処要領（次項において「危険等発生時対処要領」という。）を作成するものとする。

2　校長は、危険等発生時対処要領の職員に対する周知、訓練の実施その他の危険等発生時において職員が適切に対処するために必要な措置を講ずるものとする。

3　学校においては、事故等により児童生徒等に危害が生じた場合において、当該児童生徒等及び当該事故等により心理的外傷その他の心身の健康に対する影響を受けた児童生徒等その他の関係者の心身の健康を回復させるため、これらの者に対して必要な支援を行うものとする。この場合においては、第十条の規定を準用する。

学校安全には、非常事変のほか、授業や課外活動や登下校で発生する学校の管理下で起こる**学校事故**として、具体的に対応することが必要である。文部科学省は二〇一六（平成二八）年三月三一日に「学校事故対応に関する指針」を公表して、未然防止の体制と、事故発生の速やかな報告、各段階の調査や見直しなどを強調した。

子どもの**自殺**が発生したときには、学校事故として扱うか躊躇《ちゅうちょ》されるケースもでるが、必ず学校が迅速に基本調査を実施して、教育委員会が学校との関係や保護者の要望を踏まえて第三者の専門家を含む詳細調査へと移行するといった手順が、二〇一四（平成二六）年七月一日の「子供の自殺が起きたときの背景調査の指針」の改定でも強調された。**いじめ防止対策推進法**（平成二十五年六月二十八日法律第七十一号）でも、いじめの防止や早期発見などのほか、被害者の生命等にかかわる事態を第二十八条で**重大事態**と呼んで、学校とともに設置者による調査などを規定している。

こうした学校安全について学生が学んだり、教員が情報を収集したいときは、文部科学省のポータルサイト「文部科学省×学校安全」に教育委員会や学校のマニュアルや事例が掲載されていて便利である。また、独立行政法人日本スポーツ振興センターの「学校事故事例検索データベース」が実際の事例と対応を載せており、参考になる。ともにインターネット上で公開されているので、参考にされたい。

学校保健安全法とは異なるテーマではあるが、**情報セキュリティ**についても、学校の喫緊の課題となっている。各教科でも情報通信技術を活用した教材はもちろん、学校によってはタブレット端末の普及が進み、子どもたちの情報リテラシーの教育が課題となる。教員の校務においては、学校情報の公開のためのインターネット活用が普及し、各種書類の往復もインターネット経由が多数を占めるようになった。その一方で、ＵＳＢメモリの紛失をはじめとした情報管理の事故が服務事故の多数を占める時代となった。**個人情報保護法**と略称される「個人情報の保護に関する法律」（平成十五年五月三十日法律第五十七号）が社会の常識として定着し、学校における厳密な個人情報の管理が求められている。

第二節　学校保健

現在の**学校保健安全法**（昭和三十三年四月十日法律第五十六号）が二〇〇八（平成二〇）年までは学校保健法と呼ばれ

ていたように、**学校保健**は日常的にも、緊急の事態でも、重要な課題である。

次に、今日の学校経営において重要な学校保健についての法令を簡単に説明しておきたい。学校教育法は次のように定める。

学校教育法（昭和二十二年三月三十一日法律第二十六号）

第十二条　学校においては、別に法律で定めるところにより、幼児、児童、生徒及び学生並びに職員の健康の保持増進を図るため、健康診断を行い、その他その保健に必要な措置を講じなければならない。

健康診断の実施は、一条校全体にわたる義務である。幼児、児童、生徒、学生はもちろん、職員についても行う。また第28章で見たとおり、学校には養護をつかさどる養護教諭という学校保健の専門家が常勤で置かれ、さらに多くは非常勤であるが、学校保健安全法が必置とする**学校医**、**学校歯科医**、**学校薬剤師**が任用される。また校長の下での校務分掌として学校保健の体制が整えられ、学校教育法施行規則（昭和二十二年五月二十三日文部省令第十一号）第四十五条により教諭などを**保健主事**に充てる。こうした教員や専門家によって、**学校保健委員会**や保健部といった組織を校長の下に置いて組織的な対応を行う。

健康診断をはじめとした学校における保健管理は、学校保健安全法に定められており、学校の設置者、つまり教育委員会や学校法人などが健康の保持増進のために必要な措置を行い、学校で**学校保健計画**の策定などを行い、文部科学省も**学校環境衛生基準**を定めることになる。現在は二〇〇九（平成二一）年に告示された学校環境衛生基準（平成二十一年三月三十一日文部科学省告示第六十号）が適用されている。

学校保健安全法では、第28章で見た学校に必ず置く**保健室**や、第20章で見た市町村教育委員会が行う**就学時健康診**

断、毎学年必ず行う児童生徒や職員の健康診断なども定めている。検査の項目は、学校保健安全法施行規則（昭和三十三年六月十三日文部省令第十八号）第六条に定められている。

例年、インフルエンザなどの**感染症**で学校の臨時休業などが報道されることが多い。こうした感染症の対応も、次のようにこの学校保健安全法が定めている。

学校保健安全法（昭和三十三年四月十日法律第五十六号）

（出席停止）

第十九条　校長は、感染症にかかつており、かかつている疑いがあり、又はかかるおそれのある児童生徒等があるときは、政令で定めるところにより、出席を停止させることができる。

児童生徒など個人ごとの**出席停止**は、校長の判断で行う。この出席停止にあたっては、「政令で定めるところ」とあるとおり、学校保健安全法施行令（昭和三十三年六月十日政令第百七十四号）第六条に基づいて校長が出席停止の理由及び期間を保護者や本人に指示することになる。出席停止を行った場合は同第七条により校長は学校の設置者に報告を行う。出席停止の期間は、感染症の種類等に応じて学校保健安全法施行規則第十八条や第十九条で定められている。これらの規定を実施する主体は校長であるが、言うまでもなく学校に常勤する養護教諭や学校に責任を持つ学校医らがその専門性に基づいて関与していく。なお、ここで校長が行う出席停止とは、次節で説明する出席停止とは、法的根拠も目的も異なるものであるから注意したい。

（臨時休業）

第二十条　学校の設置者は、感染症の予防上必要があるときは、臨時に、学校の全部又は一部の休業を行うことができる。

学校保健安全法第二十条の規定する**臨時休業**とは、学校教育法施行規則第六十三条で見た天災などに対して校長が判断する臨時休業とは異なり、公立では教育委員会、私立では学校法人という学校の設置者が感染症予防のため行うものである。二〇二〇（令和二）年以降の新型コロナウイルス感染症の対策は、学校安全の課題をクローズアップした。同年二月二七日に内閣総理大臣が三月二日から全国すべての小学校などが春休みに入るまで臨時に休校するように要請を発したが、この要請に基づく臨時休業も学校保健安全法の規定によって教育委員会などが臨時休業として実施したものである。

食物アレルギーについても、給食等で学校事故に至る可能性があるので、注意する必要がある。死亡事故なども発生するなか、文部科学省は、二〇一二（平成二四）年十二月二六日に「学校給食における食物アレルギー等を有する児童生徒等への対応等について」（事務連絡、文部科学省スポーツ・青少年局学校健康教育課）を出して保護者や主治医との連携を強調している。

学校における保健管理は高度な専門性が求められる校務であるが、同時に教員が日頃から取り組まなければならないものである。高度の専門性が必要であるから、教員としての対応は養護教諭などと連携する慎重さが求められるが、その場でなければできない対応もあり、救命法などの研修も学校では励行されている。

第三節　懲戒の意味と体罰の禁止

子どもたちは権利として学校で学んでいるわけであるが、他の子どもたちの権利を侵害したり、学校教育で目指されているものと矛盾が発生したりすることがある。そのため学校は、子どもたちに問題がある場合にはそれを正すことが必要になる。こうしたルールを伝えるのが**生活指導**（児童指導、生徒指導とも呼ぶ）であるが、子どもの立場から学校生活を左右する校則は、法令に直接の根拠があるものではなく、教育のために制定されたルールである。この校則の内容をめぐっては、子どもの権利の見地からも大いに見直しが進み、文部科学省著作のマニュアルである『**生徒指導提要**』も二〇一〇（平成二二）年三月版から二〇二二（令和四）年一二月版に改訂されるときに、児童生徒自身が自ら解決するプロセスが重視され、校則の見直しがテーマになった。

学校教育法（昭和二十二年三月三十一日法律第二十六号）
第十一条　校長及び教員は、教育上必要があると認めるときは、文部科学大臣の定めるところにより、児童、生徒及び学生に懲戒を加えることができる。ただし、体罰を加えることはできない。

これが**懲戒**の規定である。体罰の禁止と併せて規定してある意義については後半に述べる。一般に懲戒は、懲らしめ戒める、つまり叱ることである。これを行うことが校長と教員に認められている。ただし応報的な罰としてではなく、「教育上必要があると認めるとき」つまり教育のために行うものである。対象は「児童、生徒及び学生」であるから、広く学校の学習者である。ただし幼稚園の学習者である幼児は含まれていない。言うまでもなく幼稚園教諭も幼児を叱ることで育てることが少なくないのだが、それは広義の懲戒であって、「文部科学大臣の定めるところ」で手続きを定めた狭義の、つまりこの条項に基づく厳密な意味での懲戒としては想定されていない。この文部科学大臣の定める規定は次のとおりである。

学校教育法施行規則（昭和二十二年五月二十三日文部省令第十一号）

第二十六条　校長及び教員が児童等に懲戒を加えるに当つては、児童等の心身の発達に応ずる等教育上必要な配慮をしなければならない。

2　懲戒のうち、退学、停学及び訓告の処分は、校長（大学にあつては、学長の委任を受けた学部長を含む。）が行う。

3　前項の退学は、公立の小学校、中学校（学校教育法第七十一条の規定により高等学校における教育と一貫した教育を施すもの（以下「併設型中学校」という。）を除く。）、義務教育学校又は特別支援学校に在学する学齢児童又は学齢生徒を除き、次の各号のいずれかに該当する児童等に対して行うことができる。

一　性行不良で改善の見込がないと認められる者

二　学力劣等で成業の見込がないと認められる者

三　正当の理由がなくて出席常でない者

四　学校の秩序を乱し、その他学生又は生徒としての本分に反した者

4　第二項の停学は、学齢児童又は学齢生徒に対しては、行うことができない。

重要な条項であるから、逐条的に説明する。まず第一項は、学校教育の目的や学校教育法第十一条の「教育上必要があると認めるとき」を受けて、校長や教員が児童等に懲戒を加えるときに、「児童等の心身の発達に応ずる等教育上必要な配慮をしなければならない。」と定めている。単純に口頭で叱るという行為のほか、例えば教員が授業の一環として行う成績評価などのペナルティーなども広義の懲戒であろう。

例えばどの大学でも講義では出席がおろそかになりがちである。大学が文書で学生に示す出席時間や回数の基準は通学課程にも通信教育課程にもあるのだが、とくに通学課程ではルーズになる傾向がある。自己の責任で学習している学生に出席の大切さを言っても聞き流されるだけだから、私は毎回、感想文か小テストの課題を出して、それを点数にする。欠席が続くと点数がなくなり、期末試験でいくらがんばっても単位がもらえなくなる。これは事実上のペナルティーだと学生はわかるので、それを回避するためには出席して講義に臨むことである。授業で説明するルールだから公正であり、「心身の発達に応ずる等教育上必要な配慮」だと思う。二〇二二年度後期も教育原理Ⅱの感想文と小テストを集計しつつ、改めてそう思っているところである。

第二項は厳密な意味の懲戒である。この種類が、「退学、停学及び訓告」と三つ記される。**退学**は学校の所属を失わせること、**停学**は期間を定めて学校に出席する権利を停止すること、**訓告**は処分する内容を文書などで訓《おし》え告げることである。生徒や学生が自己の都合で学校を辞めることを同じく退学と言うが、自己都合などで一定の期間の学校の出席を見合わせることは休学と言うので混乱しやすい。さて、この処分は、口頭での注意や成績のペナルティーではなく、児童などの教育を受ける権利に影響を与えるものであるから、教育の現場で起きたことでも、教員ではなく、校長が、大学なら学長か学部長が、行うことになる。

第三項は退学を行う場合の理由を定める。事実の認定と処分の実施は校長にゆだねられるが、その理由はここに記した全四号のどれか一つ以上に該当する必要がある。第一号の「性行不良で改善の見込がないと認められる者」は問題行動などの改善に対して教育の効果がない場合である。第二号の「学力劣等で成業の見込がないと認められる者」は成績の問題で卒業などが見込めない場合である。第三号の「正当の理由がなくて出席常でない者」は教育課程上の必要な出席を満たしていない場合である。第四号の「学校の秩序を乱し、その他学生又は生徒としての本分に反した者」は、学校内外において法令などに反する行為やそれに相当する学生・生徒としてのあり方に反した場合である。

この各号に該当して退学が必要だと判断したときに校長が退学の懲戒を行うのである。刑事事件の処分のような話ではないから、その学校教育の目的や目標に照らして判断する。だから、第二号のような学業成績や第三号のような欠席も懲戒としての退学に相当することになる。

「公立の小学校、中学校（学校教育法第七十一条の規定により高等学校における教育と一貫した教育を施すもの（以下「併設型中学校」という。）を除く。）、義務教育学校又は特別支援学校に在学する学齢児童又は学齢生徒を除き」という説明はわかりにくいが、学齢児童や学齢生徒の教育を受ける権利として理解するとわかる。公立の小学校と中学校と特別支援学校にいる学齢児童や学齢生徒は、権利として学校の教育を受けているので、この四号に該当しても退学させることができないのである。仮に退学したら義務教育を受ける場が失われる。併設型中学校つまり中高一貫教育の類型としての特別な中学校は、「除く」と、「除く」が二回も重なっているから、含まれることになる。つまり退学させることができる。併設型中学校は本人が希望して、本来の公立中学校ではないところに就学しているからである。私立や国立の小中学校や特別支援学校、国公私立の中等教育学校も退学させることができる。これらは、退学させても当初行くはずであった公立の小学校や中学校や義務教育学校や特別支援学校で就学する権利が保障されるからである。

第四項は停学について、「学齢児童又は学齢生徒」全般について対象外とした。国公私立を通してすべての場合に、停学はあくまでも出席する権利の停止であるから、退学のように他の学校に入学する権利が保障されず、学習権の喪失だけが発生するから、停学にはできないのである。

くりかえすと、学校教育法第十一条に定める懲戒はあくまでも教育のためのものである。従って懲戒の効果によって学齢児童や学齢生徒の義務教育を受ける権利が侵害されないように定められているのである。

学齢児童や学齢生徒でも、成績や出席といった問題ではなく、学校教育法施行規則第二十六条第三項第一号や第四号に該当するような、他の児童生徒や教員、あるいは学校の財産等に支障を与える場合は深刻な問題が生じる。暴力や窃盗などの深刻な事案は少年法に基づく手続きが必要であるから、学校は警察に相談をして事実を報告し、その対応に協力することになるだろう。しかし、そういうケースではなくても周囲の児童生徒の学習権などを侵害して、教育上の対応ができないというケースもある。

この場合は、学齢児童や学齢生徒に対して第一義的な教育の責任は父母など親権を有する保護者にあるのだから、そのための規定として**出席停止**が定められている。小学校の学齢児童に関する規定だが、学齢生徒にも準用される。

学校教育法（昭和二十二年三月三十一日法律第二十六号）

第三十五条　市町村の教育委員会は、次に掲げる行為の一又は二以上を繰り返し行う等性行不良であつて他の児童の教育に妨げがあると認める児童があるときは、その保護者に対して、児童の出席停止を命ずることができる。

一　他の児童に傷害、心身の苦痛又は財産上の損失を与える行為
二　職員に傷害又は心身の苦痛を与える行為
三　施設又は設備を損壊する行為
四　授業その他の教育活動の実施を妨げる行為

2　市町村の教育委員会は、前項の規定により出席停止を命ずる場合には、あらかじめ保護者の意見を聴取するとともに、理由及び期間を記載した文書を交付しなければならない。

3　前項に規定するもののほか、出席停止の命令の手続に関し必要な事項は、教育委員会規則で定めるものとする。

4　市町村の教育委員会は、出席停止の命令に係る児童の出席停止の期間における学習に対する支援その他の教育上必要な措置を講ずるものとする。

学齢児童や学齢生徒について、その就学の権利を実現するための業務を行うのは市町村教育委員会である。第一項ではその市町村の教育委員会が、全四号の一つ以上に該当して「繰り返し行う等性行不良」があり、「他の児童の教育に妨げがある」と言うときに、その市町村教育委員会が保護者に対して、児童の出席停止を命じるのである。これは出席停止の保護者への命令であって、児童への懲戒ではない。具体的には学校教育における成績不良や欠席といった退学の理由ではなく、第一号は他の児童への危害、第二号は職員への危害、第三号は施設設備の損壊、第四号は教育活動の妨害という権利侵害に対する防止策としてこの出席停止を行うことになる。

この出席停止は、教育委員会が保護者に対して義務教育としての就学を制限させるものであるから、厳密な手続きが定められている。第二項では事前の保護者の意見聴取と、出席停止の理由と期間が明示された文書の交付が求められている。第三項では、出席停止の命令の手続きを教育委員会が規則として制定することが定められている。第四項は出席停止の期間も子どもの学習権の保障のために、教育委員会が「学習に対する支援その他の教育上必要な措置」を講じることを定めている。このことによって、被害を受けている他の子どもたちの学習権を守りながら、出席停止となる保護者と子どもの権利の保護にも留意しているのである。

続いては学校教育法第十一条の但し書きで定められた体罰の禁止についてである。第十一条に定める懲戒はあくまでも教育のために行うものであるから、刑事事件などで執行される刑罰の応報性とは異なるものである。刑罰についても日本国憲法第三十一条で「何人も、法律の定める手続によらなければ、その生命若しくは自由を奪はれ、又はその他の刑罰を科せられない。」と定めている。人権として法律によらずに刑罰を加えられることはあり得ないのである。

体罰の問題が深刻な背景を有することは、第3章や第4章で見たとおり、生殺与奪を含む親の権限が認められ子殺し等が行われていた歴史や、鞭《むち》などを用いた体罰が家庭や学校において広く見られた歴史から理解できる。こうしたことが、子どもの権利を侵害するものだという理解は、近代になって徐々に進んでいった。

西洋でも体罰が一般的でありながらも、体罰を禁止する声が出されていく。こうしたなかで、日本では一八七九（明治一二）年の教育令、いわゆる自由教育令において、体罰の禁止が明示された。

教育令（明治十二年九月二十九日太政官布告第四十号）
第四十六条　凡学校ニ於テハ生徒ニ体罰〈殴チ或ハ縛スルノ類〉ヲ加フヘカラス

明確な体罰の禁止の規定である。しかし、このときの〈　〉で示した割注は、殴ったり縛ったりするような残酷な体罰のみが禁止されているという解釈も成り立ちうる。改正教育令と言われる教育令（明治十三年十二月二十八日太政官布告第五十九号）の第四十六条もこの文言と同じである。これに対して、一八九〇（明治二三）年の小学校令では現在の学校教育法第十一条但書き「ただし、体罰を加えることはできない。」とほぼ同じ文言がある。

小学校令（明治二十三年十月七日勅令第二百十五号）
第六十三条　小学校長及教員ハ児童ニ体罰ヲ加フルコトヲ得ス

このように考えると明治期から日本は**体罰禁止**の国であった。しかしながら、戦前も戦後も体罰を行う例が多く見られた。こうして、学校教育法の施行にともない、今日の内閣法制局に相当する官庁で、政府としての有権解釈を示す立場である法務庁が、一九四八（昭和二三）年に示した見解が、明確な体罰についての規定として、現在に至る多くの体罰に関する通知などに引用されている。

「児童懲戒権の限界について」（昭和二十三年十二月二十二日法務庁調査二発十八号、国家地方警察本部長官、厚生省社会局長、文部省学校教育局長あて法務調査意見長官回答）

学校教育法第十一条にいう「体罰」とは、懲戒の内容が身体的性質のものである場合を意味する。すなわち・身体に対する侵害を内容とする懲戒―なぐる・けるの類―がこれに該当することはいうまでもないが、さらに・被罰者に肉体的苦痛を与えるような懲戒もまたこれに該当する。たとえば、端座・直立等、特定の姿勢を長時間にわたつて保持させるというような懲戒は体罰の一種と解されなければならない。

この回答文書はさらにいくつかの解釈例を示しており、なぐる、けるという暴行や傷害のほか、「被罰者に肉体的苦痛を与えるような懲戒」も体罰であるとした。また一九四九（昭和二四）年八月二日に改めて法務府が発表した「生徒に対する体罰禁止に関する教師の心得」でも、体罰禁止の解釈を普及させた。この「心得」の要点は次のとおりである。

（1）用便に行かせなかつたり食事時間が過ぎても教室に留め置くことは肉体的苦痛を伴うから体罰となり、学校教育法に違反する。

（2）遅刻した生徒を教室に入れず、授業を受けさせないことはたとえ短時間でも義務教育では許されない。

（3） 授業時間中怠けた、騒いだからといつて生徒を教室外に出すことは許されない。教室内に立たせることは体罰にならない限り懲戒権内として認めてよい。

（4） 人の物を盗んだり、こわしたりした場合など、こらしめる意味で、体罰にならない程度に、放課後残してもさしつかえない。

（5） 盗みの場合などその生徒や証人を放課後訊問することはよいが自白や供述を強要してはならない。

（6） 遅刻や怠けたことによつて掃除当番などの回数を多くすることは差支えないが、不当な差別待遇や酷使はいけない。

（7） 遅刻防止のための合同登校は構わないが軍事教練的色彩を帯びないよう注意すること。

第二項や第三項は義務教育における学習権の解釈であるし、第七項の合同登校の軍事教練などのことで少し話題がそれている気もするが、当時の状況から考えれば理解できる。本題に戻ると、すでに一九四八（昭和二三）年に法務庁が示したように暴行や傷害に該当するものだけではなく、被罰者に**肉体的苦痛**を与えるような懲戒が禁止されているのは明確である。起立や居残りや作業のペナルティーは問題がないが、用便や食事の禁止も肉体的苦痛を与える体罰になるのである。肉体についての状況は年齢や健康状態など児童生徒で様々であるから、身体を使ったペナルティーは容易に体罰になりうる危険性がある。

近年ではこれらの解釈を再解釈して、**有形力の行使**という概念で身体に及ぶ行為の可能な範囲を定めようとする流れがある。しかし、こうした議論が従来から禁止されている体罰を緩和しようという意図がある場合は、人権の視点から注意しなければならない。実際には教師が警察官のような有形力の行使をすることは技術的に困難であり、結局は体罰の危険性を増大する議論とみなされていった。

日本国は明治期から体罰禁止の国であったが、現実には体罰が容認されてきた事実がある。私が神戸市の小学生や中学生だった頃は、堂々と教員が校庭や教室で体罰を行っていた。「グーはダメだけどパーはよい」（握り拳でなく平手打ちはよい）とか「おしりは叩いてよい」といった不思議な解釈が児童生徒の間で言われていた。もちろんすべて体罰である。私は中学生の頃にやっと教師が行っているのが違法行為であると理解できたが、現実には体罰がよいことだ、子どものために先生は法まで曲げて叩いてくれたと思う人がいることも事実である。体罰という犯罪が残る背景には、こうした容認論が体罰体験を通じて児童生徒や保護者にまで形成され、教師の犯罪が隠蔽されやすく、被害者が救済されないという問題がある。

子どもの権利の原点は、子どもも大人もすべて同じ人間であるという点である。大人で禁止されていることが子どもに自由にできるわけがない。さらに言えば、権利の保護が必要な子どもにはそうした体罰がふるわれないように大人が監視する必要がある。学校が荒れているから体罰が必要だという理屈があるが、一番荒れているのは体罰をふるう教師であり、教育の名をかりて法と秩序を破壊して子どもの人権を侵害する重大な罪を犯していることになる。体罰で成績が向上するという理屈も、体育や体育に関する課外活動で言われることがあるが、日本国憲法や教育基本法や学校教育法に記された権利や義務、教育の目的や目標とかけはなれた話である。もはや学校教育でも体育でもなく、大会優賞のための犯罪行為と言える。

なお、体罰の禁止と関連して、「でもナイフを持った生徒がとびかかってきたらどうするの」「いじめられている生徒をたすけてはいけないの」という疑問があるが、答えは簡単で、危険があれば対応してよいのである。刑法第三十六条は「急迫不正の侵害に対して、自己又は他人の権利を防衛するため、やむを得ずにした行為は、罰しない。」と**正当防衛**を認めている。刑法第三十七条は危難を避けるための**緊急避難**を認めている。法律論で言えば、とっさの判断でナイフを持った子どもを取り押さえてよいし、いじめを止めてよいのである。教員として最も正しい判断は、危険な場合は「逃げろ」と周囲の子どもの注意を喚起し、大声で他の教員を呼んで可能な限り安全な形で対応することである。これは人権として認められた正当防衛や緊急避難の行使であって体罰ではない。なお、正当防衛は法廷で過剰防衛であるかどうかが問われるように、正当防衛を論拠として過剰な有形力の行使をすることは注意するべきである。

ここまでは、学校安全、学校保健、懲戒などについて述べた。この章は、教育学の基礎・基本としての本書から、すこし現実の学校現場に進むための知識として述べてみたところである。現実の学校で起こる事件や問題に向き合うと、歴史と教育の理念を踏まえて考える重要性を感じる。

第30章　学習指導要領と教科書と表簿

学校は文字が常に焦点になる。教育行政の計画性や総合性もなかった江戸時代に、町々村々に手習塾が広がっていった背景には、生きていくために文書を読み取り作成する能力が、町民にも農民にも求められていたからである。江戸幕府は文字による支配、あるいは文書による支配を行うことで自発的な学校教育を促したと言える。

現在では**知識基盤社会**という言い方が教育界でよく使われる。これは二〇〇五（平成一七）年一月二八日の中央教育審議会答申「我が国の高等教育の将来像」において、「二一世紀は、新しい知識・情報・技術が政治・経済・文化をはじめ社会のあらゆる領域での活動の基盤として飛躍的に重要性を増す、いわゆる「知識基盤社会」（knowledge-based society）の時代であると言われている。」と強調されたことで定着したものである。第27章で高等教育の答申は紹介しなかったが、この知識基盤社会という言葉は他の中央教育審議会の答申や教育行政関連の文書にも多く出てくる。ただし、二〇〇五年の答申が登場したときから私には違和感がある。高度情報化社会という用語がすでに定着しているなか、知識基盤社会と言う新しさはどこにあるのか。学校の有無にかかわらず大昔から「知ること」は教育であって、「知ること」で形成された能力が社会を支えていたのだから、当たり前のことになる。そうでないならば、高度情報化社会の言い換えになってしまう。もっともこの言葉のおかげで大学が生涯学習のなかで重要な位置づけを持つ教育機関として、教育行政上に改めて明確にされたこともまた確かである。

さてこの章では、学校にかかわる文書や図書を説明する。学校の教員は日々の実践のために文書を読みこなし、かつ、文書をつくっていく。最終章となるここでは、今まで言及しながら詳しく触れなかった学習指導要領、教科書、学校の表簿を説明する。

第一節　学習指導要領の変遷と法的拘束力

学習指導要領の内容や位置づけは、どの大学の教職課程でも、教育方法や教科教育法など多くの授業科目で教育内容の中心となる。教育の法令は、日本の公教育のあり方全体を規定しているが、実際の教育現場で教員が意識することは少ないかもしれない。それに対して、学習指導要領は、その総則編が各学校の教育目標を考えるときの前提になるし、各教科編が教科ごとの年間指導計画や単元や個々の授業の学習指導案を作成するときの前提になる。このために校長も教諭も教員全員が学習指導要領を手元に置いて、みずから作成する計画などに引用して活用していくことになる。

近代の教育課程を規定する法令は、学校種別ごとに文部省が省令として示した。第13章で一八九九（明治三二）年のいわゆる訓令十二号により法令で学科課程に定めのある学校については、宗教系の私立学校も含めて宗教教育が原則として禁止されたことを説明した。この場合の法令とは小学校令や中学校令などの勅令ではなく、これに対応して文部省令として出される小学校令施行規則や中学校令施行規則などを指す。訓令十二号は、大日本帝国憲法第二十八条に定めた信教の自由による宗教系私立学校の自由な教育よりも、省令による学科課程の規定以外の教育を排除するという形で作用した典型例と言える。

もちろん、大正自由教育をはじめとして、法令や国定教科書を超えた豊かな教育の改革が多様な分野で進んでいった。戦後に教育の法令の原則が、勅令主義から法律主義へと代わるなかで、地域や学校の特色を生かして個性豊かな教育が進められることになった。このため法令に定める範囲と、地域や学校にゆだねる範囲とが見直され、全国に示される規範が文部省令ではない形態となった。アメリカのバージニア州などのコース・オブ・スタディー course of study のスタイルを踏まえて、文部省著作の冊子として『学習指導要領　一般編（試案）』が一九四七（昭和二二）年三月に刊行された。

主要な変遷を表14に示した。学習指導要領が個別の領域や教科ごとに示された時期もあり、部分改正や実施と施行の時期と特例などを勘案すると、大変な情報量になる。ある程度内容が整理された現在の学習指導要領でも、移行処置の通知を読むだけでも大変な作業になる。このため、目安となる主要な情報のみを記した。

まず重要なことは、学習指導要領は、当初は法令などではなく、文部省著作の著作物として発表されていたことである。つまり本だったのだ。さらに「**試案**」と付することによって地域や学校の教育課程を計画するための教育の参考であり、内容も未確定であることが明確になっていた。

この「試案」表示は一九五五（昭和三〇）年以降はなくなる。そして、一九五八（昭和三三）年からは著作ではなく**告示**として発表される。告示とは行政などが広く一般に通知することであり、政府機関が明治政府以来の政府刊行物である『官報』に、法令と同様に掲載することである。告示自体には法律のような力はないが、憲法、法律、政令、省令、通知といった法令の段階の下位にありながらも公式の文書としての意義を持つ。たとえば、地方議会や首長の投票日は選挙管理委員会によって告示されるが、この投票日には誰も文句を言わないようなものである。この著作から告示への移行が、法的拘束力の有無をめぐって戦後の教育に関する裁判などの争点となった。

一度定着した慣行は言葉として、日常言語として残りやすい。法令を改めることは**改正**と言い、告示も本来は改正と言うべきであるが、学習指導要領は**改訂**や**改定**と現在も言われ続けている。文部省著作の書籍だったから、版を改めることで書籍として改訂するのだが、当初用いられた改訂という用語が教育現場や行政現場で言葉として今も生きている。もちろん、現在は告示となったので、法令的には改正と言うべきである。

表14　学習指導要領の主要な変遷

発行・告示年月	校種やタイトルなど	実施・施行	主要な特徴
1947（昭和22）年3月 その後逐次1950（昭和25）年まで発行。	『学習指導要領一般編（試案）』 各教科編（試案） 小学校 中学校 高等学校	 1947年4月 同 1948年4月	「試案」として最初の発行。科目ごとに逐次発行。社会科、自由研究を新設。
1951（昭和26）年7月 その後逐次1953（昭和28）年まで発行。	小学校 中学校 高等学校	逐次実施	「試案」としての全面改定。科目ごとに逐次発行。「自由研究」を廃止。
1955（昭和30）年 その後逐次1957（昭和32）年まで発行。 1956（昭和31）年2月 1957（昭和32）年3月 同	小学校 中学校 高等学校 幼稚園教育要領 盲学校 聾学校	逐次実施	一部改訂。「試案」の表現がなくなる。高校の「時事問題」がなくなる。
1958（昭和33）年10月 同 1960（昭和35）年10月 1960（昭和35）年～ 同 1962（昭和37）年～ 1964（昭和39）年3月	小学校 中学校 高等学校 盲学校（高等部一般編）以下逐次 聾学校（高等部一般編）以下逐次 養護学校（小学部）以下逐次 幼稚園教育要領	1961年4月 1962年4月 1963年4月 逐次実施 同 同 1964年4月	文部省告示として『官報』に掲載し、養護学校分のみは文部次官通達。科学技術教育と教科の系統性を強調。道徳の時間の特設と国旗掲揚と君が代斉唱を記述。
1968（昭和43）年7月 1969（昭和44）年4月 1970（昭和45）年10月 1970（昭和45）年～	小学校 中学校 高等学校 盲学校、聾学校、養護学校各部ごとに逐次	1971年4月 1972年4月 1973年4月 1971年4月より逐次実施	教育内容の現代化として科学教育を強調して教育内容が増加。神話や国家を強調する記述。
1977（昭和52）年7月 同 1978（昭和53）年8月 1979（昭和54）年7月 同 同 同	小学校 中学校 高等学校 盲学校、聾学校及び養護学校 小学部 中学部 高等部	1980年4月 1981年4月 1982年4月 1980年4月 1981年4月 1982年4月	「ゆとり」「精選」を強調。中学校の選択教科を導入。君が代を国歌とした記述。
1989（平成元）年3月 同 同 同 同10月	幼稚園教育要領 小学校 中学校 高等学校 盲学校・聾学校及び養護学校	1990年4月 1992年4月 1993年4月 1994年4月	新しい学力観の登場として個性を強調。小学校低学年の生活科の登場。高校社会科を地歴科と公民科

同 10 月 同 同	幼稚部教育要領 小学部・中学部 高等部	1990 年 4 月 小 1992 年 4 月 中 1993 年 4 月 1994 年 4 月	に編成。中学校保健体育の格技を武道に変更。
1998（平成 10）年 12 月 同 同 1999（平成 11）年 3 月 同 同 同	幼稚園教育要領 小学校 中学校 高等学校 盲学校、聾学校及び養護学校 幼稚部教育要領 小学部・中学部 高等部	2000 年 4 月 2002 年 4 月 同 2003 年 4 月 2000 年 4 月 2002 年 4 月 2003 年 4 月	「生きる力」と「ゆとり」の強調。完全学校週五日制による授業時間と教育内容の削減。総合的な学習の時間を新設。
2003（平成 15）年 12 月 同 同 同 同 同	小学校　（一部改正） 中学校　（一部改正） 高等学校　（一部改正） 盲学校、聾学校及び養護学校 小学部・中学部 高等部	2004 年 4 月 同 同 同 同	学力低下問題から一部改正（幼稚園を除く）。学習指導要領の最低基準としての基準性の明確化と総合的な学習の時間の計画性を強調。
2008（平成 20）年 3 月 同 同 2009（平成 21）年 3 月 同 同 同	幼稚園教育要領 小学校 中学校 高等学校 特別支援学校幼稚部教育要領 特別支援学校小学部・中学部 特別支援学校高等部	2009 年 4 月 2011 年 4 月 2012 年 4 月 2013 年 4 月 2009 年 4 月 小 2011 年 4 月 中 2012 年 4 月 2013 年 4 月	教育基本法全部改正に対応。思考力、判断力、表現力を強調。授業時間数の増加と小学校の外国語活動の導入と中学校選択科目の廃止。はどめ規定を原則削除。
2014（平成 26）年 4 月	幼保連携型認定こども園教育・保育要領	2017 年 4 月	子ども・子育て支援法制定と認定こども園法一部改正により施行。
2015（平成 27）年 3 月 同 同	小学校 中学校 特別支援学校小学部・中学部	2018 年 4 月 2019 年 4 月 小2018年 4 月 中2018年 4 月	特別の教科である道徳の新設による一部改正。
2017（平成 29）年 3 月 同 同 同 同 2017（平成 29）年 4 月 2018（平成 30）年 3 月 2019（平成 31）年 2 月	幼稚園教育要領 幼保連携型認定こども園教育・保育要領 小学校 中学校 特別支援学校幼稚部教育要領 特別支援学校小学部・中学部 高等学校 特別支援学校高等部	2018 年 4 月 2018 年 4 月 2020 年 4 月 2021 年 4 月 2018 年 4 月 小2020 年4 月 中2021 年4 月 2022 年 4 月 2022 年 4 月	チーム学校のもとのカリキュラム・マネジメント、資質・能力の三つの柱、主体的・対話的で深い学び(アクティブ・ラーニング)などを強調。

内容としては、当初から学力論と政治をめぐる問題が、学習指導要領の争点として教育界や社会一般で議論されてきた。戦後教育改革の当初は、地域や学校で教育課程をつくる可能性を重視して、学習指導要領でも自由研究が位置づけられた。地域の課題に向き合って中心になる課題を設定し、合科教授スタイルで教科を横断した指導計画を作り上げて、**コア・カリキュラム**などの教育実践が盛んになった。ところがこれに学力低下との批判が出ると自由研究が一九五一（昭和二六）年の改訂では廃止となり、科学技術や教科の系統性が強調され、一九六八（昭和四三）年の改正には**教育内容の現代化**として、最新の科学知識を教育内容に盛り込むようになる。これが第15章でも見たアメリカのブルーナーらの世界的な提起にも連動していた。ところが教育内容が多くなると、詰め込み教育、落ちこぼれといった言葉で、学校教育への批判が起こってくる。そこで一九七七（昭和五二）年の改正では「ゆとり」や「精選」が主張される。一九八九（平成元）年の改正で広まる新しい学力観もその延長線上にある。さらに完全学校週五日制を前にして「**生きる力**」や「**ゆとり**」、基礎・基本を強調して一九九八（平成一〇）年の改正で授業時間の削減と教育内容の厳選が進められる。こうした流れが再び**学力低下論**により危惧を高めて、二〇〇三（平成一五）年の部分改正、そして二〇〇八（平成二〇）年と翌年の学習指導要領へと至る。二〇一七（平成二九）年と二〇一八（平成三〇）年に告示された現在の学習指導要領では、**資質・能力の三つの柱**と**主体的・対話的で深い学び**という学力論が打ち出された。さらに本章第三節で説明する指導要録に各教科で児童生徒の評価を記載するときは、この資質・能力の三つの柱の表現を整理して**三観点**として、**知識・技能**、**思考・判断・表現**、**主体的に学習に取り組む態度**という表現が確定した。学習指導要領の変遷は、戦後の学力問題の歴史でもある。

広く社会的関心を集めてきたのは、学習指導要領をめぐる政治的な問題である。戦後の民主化を教育の分野で主導したのも学習指導要領の存在だが、地域や社会の課題を教育内容とする性格が薄れていき、一九五八（昭和三三）年には道徳の時間が特設されて、国旗や君が代の記述が現れる。念のために言うと道徳の時間の特設や授業時間数の設定などは学習指導要領という告示では不可能であり、これは省令である学校教育法施行規則の改正で行う。二〇〇八（平成二〇）年の学習指導要領で小中学校の授業時間数が増えたのも、学習指導要領が増やしたのではなく、上位にある学校教育法施行規則の改正で増えたのである。二〇一五（平成二七）年の特別の教科である道徳も、学校教育法施行規則の改正である。

告示をめぐる**法的拘束力**の問題について、説明しておく。法令はその有効性に上下関係があり憲法、法律、政令、省令といった順になるが、この上位の法令が下位の法令に具体的な事項をゆだねるための、法令作成の技術がある。「別に定める」という文言である。別に定めたものは、上位の法令であらかじめ規定したものだから、その法令と同等の効力があるという解釈が成り立つ。小学校を例として学習指導要領をめぐる「別に定める」構造は、次のようになる。まずは法律としての学校教育法である。

学校教育法（昭和二十二年三月三十一日法律第二十六号）

第三十三条　小学校の教育課程に関する事項は、第二十九条及び第三十条の規定に従い、文部科学大臣が定める。

第三十三条では小学校の教育課程は、文部科学大臣が定めることになる。第17章で見たとおり、第二十九条は小学校教育の目的、第三十条は小学校教育の目標である。当然、教育課程はその教育の目的と目標に従って規定される。それは法律で定めずに、文部科学大臣が定めることができる。内閣総理大臣が定めれば政令であるが、文部科学大臣が定める最上位の法令は文部科学省令である。「別に定める」という法令作成の技術では誰がどこで定めるか明記しないための混乱や行方不明のようなトラブルが発生しやすいが、ここでは文部科学大臣への権限委譲が明示されている。

学校教育法施行規則（昭和二十二年五月二十三日文部省令第十一号）

第五十二条　小学校の教育課程については、この節に定めるもののほか、教育課程の基準として文部科学大臣が別に公示する小学校学習指導要領によるものとする。

学校教育法施行規則は省令で定めるべき小学校の教育課程として、「この節」つまり「第二節　教育課程」の第五十条から第五十八条までに教科や授業時間数、卒業証書の授与に至る事項を定めている。そして、それ以外の教育課程の基準は、「文部科学大臣が別に公示する小学校学習指導要領」となる。ここでも文部科学大臣が行うこと、公示として告示の形式を取ること、さらにその告示名は小学校学習指導要領であることが明記されているから、何を指すかが確定している。

これを受けて出された現行の小学校学習指導要領である。

文部科学省告示第六十三号

学校教育法施行規則（昭和二十二年文部省令第十一号）第五十二条の規定に基づき、小学校学習指導要領（平成二十年文部科学省告示第二十七号）の全部を次のように改正し、平成三十二年四月一日から施行する。平成三十年四月一日から平成三十二年三月三十一日までの間における小学校学習指導要領の必要な特例については、別に定める。

平成二十九年三月三十一日

文部科学大臣　松野　博一

省略したがこのあとに小学校学習指導要領の目次と本文が続く。学校教育法施行規則第五十二条に基づく告示であることが明示されており、また従来の告示を全部改正することも明示されている。最後にある特例とは、平成二十九年七月七日文部科学省告示第九十三号として公示された実施時期などの特例である。

中学校、高等学校、特別支援学校の学習指導要領も同様の構造である。このように法令を確認すると、学習指導要領の法令上の位置づけは明確であり、学校教育法が法律として有効であるのだから、この学習指導要領もまた有効であり、法的拘束力があることになる。

もちろん法律をめぐる解釈論は、ここで説明した法令作成技術を踏まえて法的拘束力の有効性が検証できるという立場もあるし、この説明では参照しない日本国憲法第二十三条の学問の自由などの規定から論じることも可能である。また、学習指導要領の持つ法的拘束力という一般論だけでなく、具体的にどこまで拘束されるのかという議論もできる。確かに告示の学習指導要領の本文には「行うものとする」「配慮しなければならない」という義務的な文言が並ぶが、刑法や民法の規定と同様の法的拘束力があるとは理解しにくい。

解釈論はここまでとして、学校教育に携わる教員も、それを目指す学生も、学習指導要領を理解して教育課程を計画し、実際の年間指導計画や学習指導案などを構想することが必要となる。なお、誤解があるといけないので断っておくが、ここで明確にした法的拘束力のある学習指導要領とは、告示の内容である。私も「来週は学習指導要領の高校の総則編を持ってきて」と学生に言って『高等学校学習指導要領解説総則編』を持ってこさせることがある。しかし学校種別、教科や分野別に刊行されている**学習指導要領解説**は、文部科学省著作の図書であって、告示ではない。この区別は教育や研修の場における持参物のトラブルの原因になるが、それよりも法的拘束力の範囲の問題として重要である。学習指導要領解説は所管官庁が解釈として刊行したものであるから、他の者が説明した図書とは異なる権限に基づく解釈の重さ、つまり**有権解釈**という重みがある。しかし、この図書にまで法的拘束力があると思って教育実践をしようとすると、マニュアル依存のお粗末な教育になってしまうので、あくまでも法的拘束力のある学習指導要領についての有権解釈として、自らの解釈と実践を踏まえながら活用していく必要がある。なお、図書と書いたが、二〇一五（平成二七）年の特別の教科である道徳の学習指導要領についてはインターネット版のみが公開された。二〇一七（平成二九）年三月の学習指導要領についても学習指導要領解説が同年夏にはインターネット版で公開されたが、図書の刊行はその翌年となった。インターネットなしには教育行政も学校教育もできない時代を象徴している。

第二節　教科書について

教科書は、その教科の教育のために使用する教育内容を記載した図書である。現在の法令では「教科用図書」の略称が教科書である。教科や教科を細分した科目という考え方が定着する前に学校教育で用いるものも教科書と言える。日本では養老令の学令《がくりょう》に列記された経典や注釈も教科書である。『周易』の魏の王弼《おうひつ》の注も教科書だということになる。ただこれだと古典がすべて教科書になって違和感がある。古典そのものではなく初学者が学びやすいように工夫されたものは、中国でも唐の李瀚《りかん》の『蒙求《もうぎゅう》』や梁《りょう》の周興嗣《しゅうこうし》（四七〇頃〜五二一）の『千字文《せんじもん》』が作られ、日本でも活用された。第10章で見た近世の往来物は手習塾の子どもたちの教科書であると言ってよい。

第11章で見たように、明治維新は文明開化として西洋化の時代であり、外国の教科書を翻訳した**翻訳教科書**が学制期を席巻《せっけん》する。その後も教科書の編纂は文部省でも民間でも盛んに行われていく。この教科書を文部省が監督するために制度が整備され、一八八一（明治一四）年五月には府県で使用する教科書の書名や著者名などを文部省に届け出る**開申制**がとられた。そして一八八三（明治一六）年七月には小学校や中学校、師範学校も含めて府県から文部省に使用する教科書を伺い出てから認可を受ける必要があるものとした。この**認可制**によって文部省の認可なしには教科書が使えなくなる。しかし、それでは認可を待つための時間のむだが生じるので、一八八六（明治一九）年五月にはあらかじめ教科書に用いる図書を伺い出て、事前に検定を受けて検定済教科書としておく方式がとられた。この**検定制**であれば、検定済教科書から選ぶ限りは支障が起きない。この検定制がその後も維持されたのだが、発行部数の多い小学校教科書をめぐって教科書出版社と採択の権限を持つ府県の委員との間で贈収賄事件が起こり、一九〇二（明治三五）年一二月に全国で摘発されて、**教科書疑獄事件**と言われた。

これを契機として、一九〇三（明治三六）年には小学校の教科書は**国定制**となり、修身、国語をはじめとして順次、**国定教科書**が用いられていく。教科書の改訂も教科や学年ごとに順次行われる。全国の小学生が同一の教科書を用いることになるのだから、教師にとっては現在の学習指導要領以上に教科書改訂は関心事だし、子どもたちの記憶にも鮮明に残る。一番記憶に残る読本の教科書を基準として全五期に分けて、第一期を一九〇四（明治三七）年度から、第二期を一九一〇（明治四三）年度から、第三期を一九一八（大正七）年度から、第四期を一九三三（昭和八）年度から、第五期を一九四一（昭和一六）年度からという区分が一般的である。もちろん教科ごとに違うし、途中に改正が行われることもあった。なお中学校などは検定制が維持されている。

また、小学校の教科書は、子どもが持つ**児童用教科書**と、教員が活用する**教師用教科書**と、教室に掲示する掛図《かけず》などの**教授用教科書**の三つに区分することが一般的である。学制期の難しい翻訳教科書は児童が購入する経済的余裕もなく、教師用教科書として用いられていた。絵画や五十音などの掛図は教授用として一斉教授に威力を発揮した。国定教科書の時期でも児童に教科書を渡さずに教師用教科書のみで授業をする場合もあった。現在でも大半の検定教科書には、教員が授業準備に活用する教師用書が刊行されており、今も便利なツールになっている。現在の「教師用書」は検定済教科用図書の解説書であるが、それ自体は教科書ではない。最近では掛図や地図のほか、現在の教師用書に添付されている教材用のCDやDVDなどは教授用教科書の復活かもしれない。

戦後の教育改革は、国定教科書の削除箇所を抹消する墨塗り教科書で始まることになる。一九四七（昭和二二）年度には文部省著作の教科書が使用されたが、検定制が復活して一九四九（昭和二四）年度からは新しい検定済教科書が用いられていく。人は歴史に学ぶものだから、明治の検定制が復活したのはわかりやすい。ただ、明治の検定制が文部省による教育の統制として機能したように、教科書検定制度もそうした側面が存在する。

教科書の根拠は次の学校教育法の規定で、中学校、高等学校、中等教育学校、特別支援学校でも準用される。

学校教育法（昭和二十二年三月三十一日法律第二十六号）

第三十四条　小学校においては、文部科学大臣の検定を経た教科用図書又は文部科学省が著作の名義を有する教科用図書を使用しなければならない。

2　前項の教科用図書以外の図書その他の教材で、有益適切なものは、これを使用することができる。

3　第一項の検定の申請に係る教科用図書に関し調査審議させるための審議会等（国家行政組織法（昭和二十三年法律第百二十号）第八条に規定する機関をいう。以下同じ。）については、政令で定める。

第一項は学校における教科用図書の使用義務と、使用する教科書が**文部科学省検定済教科用図書**か**文部科学省著作教科用図書**でなければならないことを定めている。教科用図書は教科書と呼んでもよく、法律にも両方が出てくる。「教科書の発行に関する臨時措置法」（昭和二十三年七月十日法律第百三十二号）では法律名でも教科書と呼んでいる。この第二条第一項で「この法律において「教科書」とは、小学校、中学校、高等学校、中等教育学校及びこれらに準ずる学校において、教育課程の構成に応じて組織排列された教科の主たる教材として、教授の用に供せられる児童又は生徒用図書であつて、文部科学大臣の検定を経たもの又は文部科学省が著作の名義を有するものをいう。」と、教科書が定義されている。この法律の**教科書**と学校教育法の**教科用図書**は、同じものである。「文部科学大臣の検定を経た教科用図書」つまり文部科学省検定済教科用図書は、学校教育法第三十四条第三項に定める機関の検定を経たものとなる。「文部科学省が著作の名義を有する教科用図書」つまり文部科学省著作教科書は、現在は民間の教科書出版が見込めない限られた科目しか発行されていないが、「文部科学省著作教科書の出版権等に関する法律」（昭和二十四年五月三十一日法律第百四十九号）によって、その管理が定められている。なお、この法律も教科書と呼んでいる。

教科用図書の**使用義務**とは、この二つの教科書のうちから手続きを経て採択された教科書を学校の授業で使用する義務があるというものである。ただし、実際には戦後初期にはまだ教科書がそろっていないこともあるし、今日でも高等学校の専門教育に関するものは、教科書がそろっているわけではない。また、特別支援教育では検定を経た教科書が使用にはなじまないことが多い。このために学校教育法附則第九条では、「高等学校、中等教育学校の後期課程及び特別支援学校並びに特別支援学級においては、当分の間、第三十四条第一項（第四十九条、第六十二条、第七十条第一項及び第八十二条において準用する場合を含む。）の規定にかかわらず、文部科学大臣の定めるところにより、第三十四条第一項に規定する教科用図書以外の教科用図書を使用することができる。」と定めている。文中の「第三十四条第一項」はこの教科用図書の使用義務の規定であり、「第四十九条、第六十二条、第七十条第一項及び第八十二条」は中学校、高等学校、中等教育学校、特別支援学校における準用を定めた条項である。この規定で「教科用図書以外の教科用図書」という矛盾のような文言が書かれるが、特別な事情や特別支援教育における必要を意味することは明らかであろう。

第二項は、「教科用図書以外の図書その他の教材」の使用が可能であることを規定する。**副読本**、補助教材などの図書や、掛図、紙芝居、映画、ワークシートなどいくらでも列記できる。これらも「有益適切なもの」であれば、教育のために使用できるのは当然である。もちろんこれらは自由に活用できる一方で、第一項の教科書のような経済的な支援の対象とされにくいものなので、まさに学校経営や学級経営で悩むことが多い。なお、その他の教材について法律の規定はないが、教育委員会や学校において届け出などの適正を期するためのルールを定めている場合が少なくない。なお、道徳の時間のテキストは副読本であったが、特別の教科である道徳では教科用図書になる。

第三項は、**教科書検定**を行うために、法律上の根拠を明確にしたもので、国家行政組織法（昭和二十三年七月十日法律第百二十号）第八条に規定する有識者の審議会を置くことを規定したものである。それは、学校教育法施行令（昭和二十八年十月三十一日政令第三百四十号）第四十一条（法第三十四条第三項の審議会等）において教科用図書検定調査審議会として定められる。さらに、文部科学省組織令（平成十二年六月七日政令第二百五十一号）第八十五条により文部科学省に置かれ、教科用図書検定調査審議会令（昭和二十五年五月十九日政令第百四十号）によって教科用図書検定調査審議会は委員三〇人以内で組織することなどが定められている。教科書検定は、教科用図書検定規則（平成元年四月四日文部省令第二十号）の手続きにより、義務教育諸学校教科用図書検定基準（平成二十一年三月四日文部科学省告示第三十三号）や高等学校教科用図書検定基準（平成二十一年九月九日文部科学省告示第百六十六号）を基準として行われ、ここで法令や学習指導要領との関係が示されている。

ここまでが学校教育法における教科書の規定である。公立学校の教科書については、**地教行法**と略称される「地方教育行政の組織及び運営に関する法律」（昭和三十一年六月三十日法律第百六十二号）第二十一条に定める教育委員会の職務権限として、第六号「教科書その他の教材の取扱いに関すること。」が定められ、教育委員会が役割を果たすことになる。

義務教育における**教科用図書無償**に関連して、法律によって教科書の採択や配付について定められている。「義務教育諸学校の教科用図書の無償に関する法律」（昭和三十七年三月三十一日法律第六十号）は第一条に「義務教育諸学校の教科用図書は、無償とする。」と定めた第一条と第二条の調査会だけの法律である。これに基づいて、「義務教育諸学校の教科用図書の無償措置に関する法律」（昭和三十八年十二月二十一日法律第百八十二号）が定められる。その第三条では、国が、採択された義務教育諸学校の教科用図書を購入して、学校設置者に無償で給付することが規定される。第五条では、教育委員会などの義務教育諸学校の設置者が、国から給付された教科用図書を校長を通じて児童生徒に給与することが定められている。さらに、転学した児童生徒も、転学前後で同じ教科書なら二重には渡さず、違う教科書なら渡すといった規定まである。教科書の採択に当たっては、都道府県教育委員会が、市などの**採択地区**を設定して、その市町村教育委員会が義務教育諸学校の教科書を採択することを定める。複数の市町村が同じ採択地区になっても採択できる教科書は一つとなる。

特別支援学校では障害による特別なニーズに対応した教科書が必要になる。視覚障害のある児童及び生徒の学習のために文字や図形等を拡大して教科書を複製した**拡大教科書**や、点字により教科書を複製した**点字教科書**、その他障害のある児童及び生徒の学習の用に供するため作成した教材であって教科書に代えて使用し得るものを**教科用特定図書等**と呼ぶ。この普及促進を図るため**教科書バリアフリー法**と略称される「障害のある児童及び生徒のための教科用特定図書等の普及の促進等に関する法律」（平成二十年六月十八日法律第八十一号）が二〇〇八（平成二〇）年に公布されて同年九月から施行された。教員や関係者の努力に頼っていた教科書の加工が法律上も明確になり、特別支援教育の促進が期待される。

また教育の**ICT活用**のためにも、教科書の電子メディア化が進んでいる。各種法令と実態が整備され、二〇一九（平成三一）年度からは学習者用の**デジタル教科書**を紙の教科書に代えて使用可能となった。**GIGAスクール構想**による一人一台端末環境が公立小中学校で本格的に整備され、デジタル教科書と印刷された教科書の活用法が模索されている。

教科書については、「教科書の発行に関する臨時措置法」（昭和二十三年七月十日法律第百三十二号）で、都道府県の教育委員会による教科書展示会の開催や、文部科学大臣による教科書発行者への需要数などの指示、さらには定価の認可を定めている。教科書の価格は自由競争ではなく、認可制なのである。

明治の教科書疑獄事件ではないが、戦後も教科書をめぐっては、様々な次元の問題が現在に至るまで起き続けている。教科書の内容を与党が一九五五（昭和三〇）年に『うれうべき教科書の問題』と題したパンレットで批判して検定の強化を求めた動きや、検定で不合格となった高等学校日本史教科書について執筆者の家永三郎（一九一三〜二〇〇二）が一九六五（昭和四〇）年より三次にわたる裁判を起こした教科書裁判は、教育史上、有名である。その後も、教科書の記述をめぐる検定や採択をめぐって議論は続いている。

第三節　表簿について

文字が大切な社会では、文書に記載されることで人間の存在が確認されることになる。生物としての人間が最初に存在するのだから、転倒した話かもしれないが、文書によって主張される権利や義務では基本となる。子どもたちの義務教育の権利保障のために、市町村教育委員会が学齢簿を作成することは第20章で確認した。学校も子どもたちが入学し卒業していくまでを文書として残すことで、その子どもが学校に在籍し、あるいは過去に在籍していたことが確定する。こうした学校の多様な文書を一括して**表簿**と呼ぶ。

学校の表簿のなかで最も重要なものが**指導要録**である。指導要録は明治期には**学籍簿**と呼ばれて、一九四九（昭和二四）年まではその名称が主流だった。指導要録は学習指導要領と何文字も重なるので間違えやすい。今でも大学などでは学籍簿と呼ぶのが普通である。

学校教育法施行令（昭和二十八年十月三十一日政令第三百四十号）

（学校廃止後の書類の保存）

第三十一条　公立又は私立の学校（私立の大学及び高等専門学校を除く。）が廃止されたときは、市町村又は都道府県の設置する学校（大学を除く。）については当該学校を設置していた市町村又は都道府県の教育委員会が、市町村又は都道府県の設置する大学については当該大学を設置していた市町村又は都道府県の長が、公立大学法人の設置する大学又は高等専門学校については当該大学又は高等専門学校を設置していた公立大学法人の設立団体（地方独立行政法人法第六条第三項に規定する設立団体をいう。）の長が、私立の学校については当該学校の所在していた都道府県の知事が、文部科学省令で定めるところにより、それぞれ当該学校に在学し、又はこれを卒業した者の学習及び健康の状況を記録した書類を保存しなければならない。

学校の廃止という縁起でもない話で始まって申し訳ない。しかし、指導要録についての法令上の規定は、学校教育法施行令の学校廃止後の書類の保存の規定にある。学校が廃止されても、公立なら設置者たる教育委員会が、私立ならば都道府県知事が、在学した者や卒業した者すべての「学習及び健康の状況を記録した書類」を保存しなければならないという規定である。この規定に基づいて、たとえ学校がなくなっても、学校の在籍や卒業の事実の記録が残るのである。

この書類が指導要録であり、学校教育法施行規則の規定により、学校で次のように文書管理がなされる。

学校教育法施行規則（昭和二十二年五月二十三日文部省令第十一号）

第二十四条　校長は、その学校に在学する児童等の指導要録（学校教育法施行令第三十一条に規定する児童等の学習及び健康の状況を記録した書類の原本をいう。以下同じ。）を作成しなければならない。

2　校長は、児童等が進学した場合においては、その作成に係る当該児童等の指導要録の抄本又は写しを作成し、これを進学先の校長に送付しなければならない。

3　校長は、児童等が転学した場合においては、その作成に係る当該児童等の指導要録の写しを作成し、その写し（転学してきた児童等については転学により送付を受けた指導要録の写しを含む。）及び前項の抄本又は写しを転学先の校長に送付しなければならない。

第一項は校長による指導要録の作成を定める。第二項は進学先の学校へ、第三項は転学先の学校へ、それぞれ**抄本**又は**写し**の送付を定めている。指導要録は一つの学校の記録であるとともに、転学や進学する学校へ本人の指導の記録を伝える意義がある。

この指導要録の記載内容は、文部科学省の示した書式で学籍と指導のそれぞれに分けて記載される。主な記載事項について、「小学校、中学校、高等学校及び特別支援学校等における児童生徒の学習評価及び指導要録の改善等について（通知）」（平成三十一年三月二十九日、文部科学省初等中等教育局長通知）で提示された。この通知は、各教育委員会が実際に使用する様式の見本を示す趣旨である。二〇一七（平成二九）年と二〇一八（平成三〇）年に告示された現在の学習指導要領に示された資質・能力の三つの柱に基づいて、各教科で児童生徒の評価をするための**三観点**として、**知識・技能**、**思考・判断・表現**、**主体的に学習に取り組む態度**という表現を明示した。表1と表2に、中学校の指導要録のひな形を示す。

表1　中学校生徒指導要録参考様式（学籍に関する記録）

区分＼学年	1	2	3
学　級			
整理番号			

学　籍　の　記　録

生徒	ふりがな		性別	
	氏　名			
	生年月日	年　月　日生		
	現住所			
保護者	ふりがな			
	氏　名			
	現住所			
入学前の経歴				

入学・編入学等	年　月　日　第1学年　入学 第　学年編入学
転　入　等	年　月　日　第　学年転入学
転学・退学等	（　年　月　日） 年　月　日
卒　　業	年　月　日
進学先 就職先等	

学校名 及び 所在地 （分校名・所在地等）	

年　度	年度	年度	年度
区分＼学年	1	2	3
校長氏名印			
学級担任者 氏名印			

表２　中学校生徒指導要録参考様式（指導に関する記録）

生徒氏名	学校名	区分＼学年	1	2	3
		学級			
		整理番号			

各教科の学習の記録

教科	観点＼学年	1	2	3
国語	知識・技能			
	思考・判断・表現			
	主体的に学習に取り組む態度			
	評定			
社会	知識・技能			
	思考・判断・表現			
	主体的に学習に取り組む態度			
	評定			
数学	知識・技能			
	思考・判断・表現			
	主体的に学習に取り組む態度			
	評定			
理科	知識・技能			
	思考・判断・表現			
	主体的に学習に取り組む態度			
	評定			
音楽	知識・技能			
	思考・判断・表現			
	主体的に学習に取り組む態度			
	評定			
美術	知識・技能			
	思考・判断・表現			
	主体的に学習に取り組む態度			
	評定			
保険体育	知識・技能			
	思考・判断・表現			
	主体的に学習に取り組む態度			
	評定			
技術・家庭	知識・技能			
	思考・判断・表現			
	主体的に学習に取り組む態度			
	評定			
外国語	知識・技能			
	思考・判断・表現			
	主体的に学習に取り組む態度			
	評定			

教科	観点＼学年	1	2	3
	知識・技能			
	思考・判断・表現			
	主体的に学習に取り組む態度			
	評定			

特別の教科　道徳

学年	学習状況及び道徳性に係る成長の様子
1	
2	
3	

総合的な学習の時間の記録

学年	学習活動	観点	評価
1			
2			
3			

特別活動の記録

内容	観点＼学年	1	2	3
学級活動				
生徒会活動				
学校行事				

生徒氏名

行動の記録							
項目＼学年	1	2	3	項目＼学年	1	2	3
基本的な生活習慣				思いやり・協力			
健康・体力の向上				生命尊重・自然愛護			
自主・自律				勤労・奉仕			
責任感				公正・公平			
創意工夫				公共心・公徳心			

総合所見及び指導上参考となる諸事項	
第1学年	
第2学年	
第3学年	

出欠の記録						
区分＼学年	授業日数	出席停止・忌引等の日数	出席しなければならない日数	欠席日数	出席日数	備考
1						
2						
3						

このほか、小学校なども含めて様式例が示されている。この指導要録の記載が保護者に渡される通信簿や、進学にあたって志望校に渡される調査書と連動する。

通信簿は、学校の教員と家庭の保護者の教育記録に関する通信であり、明治期から多くの実例があるが、法令についての定めはない。現実には、この指導要録の記載内容を開示するものとなっている。指導要録を年度ごとの記載とする場合は、学期ごとの通信簿のほうが詳しい記載内容となる。なお指導要録自体の公開を求める裁判もあるが、公開か非公開かの判例は様々である。

調査書は、第24章で説明した一九二七（昭和二）年に登場した中等学校の入試緩和のための内申書を起源とするものである。学校教育法施行規則では中学校に関して規定されている。

学校教育法施行規則（昭和二十二年五月二十三日文部省令第十一号）

第七十八条　校長は、中学校卒業後、高等学校、高等専門学校その他の学校に進学しようとする生徒のある場合には、調査書その他必要な書類をその生徒の進学しようとする学校の校長に送付しなければならない。ただし、第九十条第三項（第百三十五条第五項において準用する場合を含む。）及び同条第四項の規定に基づき、調査書を入学者の選抜のための資料としない場合は、調査書の送付を要しない。

調査書は原則として生徒が進学を希望する学校へ送付されることになる。但書きで「第九十条第三項（第百三十五条第五項において準用する場合を含む。）及び同条第四項」とあるのは、同条項に基づいて調査書を学力検査の資料としない高等学校や、それを準用する特別支援学校高等部や、中高一貫教育としての連携型高等学校の場合である。

出席簿は、第20章で見たとおり、学校教育法施行令第十九条に定められ、学齢児童生徒が引き続き七日間出席しなかった場合には市町村教育委員会に通知して就学を保障するための手立てを取るために重要な表簿である。次のとおり校長が作成することを学校教育法施行規則に定めている。

第二十五条　校長（学長を除く。）は、当該学校に在学する児童等について出席簿を作成しなければならない。

学長を除くので大学には適用されないこととなるが、別に文部科学省令で学生に欠席をあおっているのではない。大学では教員が出席管理をして、学校としての出席管理は行わない実態に合わせてあるだけである。それに対して、他の学校では教員による出席管理を校長が統括して出席簿とすることで教育のために活用するほか、学齢児童や学齢生徒についてその権利の保護のためにも活用されている。

最後にこれ以外の表簿も含めての学校教育法施行規則の規定がある。学校種別によっては該当しない項目があるので「概《おおむ》ね」という書き方になる。

第二十八条　学校において備えなければならない表簿は、概ね次のとおりとする。
一　学校に関係のある法令
二　学則、日課表、教科用図書配当表、学校医執務記録簿、学校歯科医執務記録簿、学校薬剤師執務記録簿及び学校日誌
三　職員の名簿、履歴書、出勤簿並びに担任学級、担任の教科又は科目及び時間表
四　指導要録、その写し及び抄本並びに出席簿及び健康診断に関する表簿
五　入学者の選抜及び成績考査に関する表簿

六　資産原簿、出納簿及び経費の予算決算についての帳簿並びに図書機械器具、標本、模型等の教具の目録

七　往復文書処理簿

2　前項の表簿（第二十四条第二項の抄本又は写しを除く。）は、別に定めるもののほか、五年間保存しなければならない。ただし、指導要録及びその写しのうち入学、卒業等の学籍に関する記録については、その保存期間は、二十年間とする。

3　学校教育法施行令第三十一条の規定により指導要録及びその写しを保存しなければならない期間は、前項のこれらの書類の保存期間から当該学校においてこれらの書類を保存していた期間を控除した期間とする。

第一項第一号は、法令を遵守した運営のためにも必要な「学校に関係のある法令」である。法令集は種類が多いが、学校では『文部科学法令要覧』（ぎょうせい）各年度版が普及している。公立学校では教育委員会例規集なども必要である。

第二号は、学則を制定する学校では「学則」、学校ごとに違う言い方の多い「日課表」、義務教育諸学校では児童生徒に教科書を配当するために必要となる「教科用図書配当表」、学校保健安全法により必ず学校で置かなければならない学校医による「執務記録簿」、大学以外では置かなければならない学校歯科医と学校薬剤師による「執務記録簿」、毎日の日誌として記録される「学校日誌」である。

第三号は職員の「名簿」「履歴書」「出勤簿」という教職員の人事書類である。さらに教員が担任する学級、教科・科目、時間が記された表も必要となる。

第四号は、学校教育法施行令第三十一条や学校教育法施行規則第二十四条に根拠があるもので、「指導要録」には、転入学者の場合は以前の学校からの「その写し及び抄本」が添付される。校長が管理する出席簿、そして学校保健安

全法による「健康診断に関する表簿」である。

第五号は、公立の小中学校では該当しないが「入学者の選抜及び成績考査に関する表簿」である。入学記録はこの規定で保管されることになる。

第六号は、学校の施設設備についての「資産原簿」、経費管理のための「出納簿及び経費の予算決算についての帳簿」、教材類のリストとして「図書機械器具、標本、模型等の教具の目録」である。

第七号は、官庁やその他学外の団体等からの文書のやりとりを記録する「往復文書処理簿」である。本書でも多くの法令改正や文部科学省の通知類を説明したが、こうした動きがあると文部科学省は教育委員会に文書を送り、さらに教育委員会が学校に文書を送ることになる。これまでたびたび引用した学校数や児童生徒数も、明治から現在に至るまでの間、日本中のすべての学校が文部省そして文部科学省に統計調査の情報を送ることで成立した統計である。

第二項は、これらの表簿について五年間の**保存期間**を定めた。保存対象でない「第二十四条第二項の抄本又は写し」とは進学にあたって出身校から提出されるものであるから、原本の情報が出身校にある。「指導要録及びその写しのうち入学、卒業等の学籍に関する記録」だけが二〇年間の保存である。そうすると指導要録のうち「学籍に関する記録」は二〇年間保管されるが「学習に関する記録」や「健康の状況を記録した書類」は五年間保管となる。

第三項では、学校廃止等の場合の保管についても、保管期間を控除して長くならないように定めている。

指導要録の「学習に関する記録」は一九九一（平成三）年の変更で、二〇年間が五年間保管となったものである。

行政文書の保管の適正性や、行政文書の**情報公開**、さらに**個人情報**の管理の適正を期するためには文書管理は確かに負担が多い。「個人情報の保護に関する法律」（平成十五年五月三十日法律第五十七号）や「行政機関の保有する個人情報の保護に関する法律」（平成十五年五月三十日法律第五十八号）や「独立行政法人等の保有する個人情報の保護に関する法律」（平成十五年五月三十日法律第五十九号）は、それぞれの法令や施策の重要な目的は当然のことであるが、波及効果として学校の有する学習者の情報の焼却や抹消が促進される傾向がある。

この章では、学習指導要領、教科書、表簿など、学校教育に関係する文書や図書などを見てきた。学校が社会や地域の文化の中心として役割を発揮していくためには、文化の継承やその発信という側面が重要である。法令をそのまま読むと、学校日誌も五年で消えてしまうが、実際にはそのような非文化的な行為をすると日本には地域文化も学校文化も伝わらなくなる。たとえば学校日誌があるおかげで、他の記録に残らない昔の地域の状況が判明したり、一〇〇年以上も伝統のある学校の創立時の姿を歴史文化として伝えることができるのである。学校管理期間後の文化財としての行政文書の保管は、個人情報保護に留意したうえで、各学校の設置者の大切な仕事になっている。

おわりに

教育の世界はつねに変化する。チーム学校、アクティブ・ラーニング、資質・能力の三つの柱という新語は、この二、三年で急速に定着して、あっという間に教員や教育行政家たちの常套句《じょうとうく》になった。

二〇一三（平成二五）年の前著『教育通義』を執筆するにあたっては、武蔵野美術大学造形学部の通信教育課程の学生からは二〇〇六（平成一八）年の教育基本法全部改正や新しい学習指導要領の動向を盛り込んだ最新の教科書が必要だとの要望を聞いた。通学課程の学生からも一冊で教員になるための教養がカバーできる教科書がほしいという声を聞いた。前著を活用している五年間に、約一〇年に一度の学習指導要領の全部改正がやってきて、二〇一七（平成二九）年三月に幼稚園、小学校、中学校について告示され、さらに二〇一九（平成三一）年度からの教員養成の新課程の方針も文部科学省から打ち出された。五年のうちに『教育通義』は、「この箇所は法律が変わりました」、「新しくこの言葉を覚えてください」と追加説明の必要な、古い本になってしまったのである。

新しい教育基本法と新しい学習指導要領、それに基づく法令と現場で強調される学力観などの最新の動向を強調し、同時に古代からの教育の歩みや教育の基本的な概念を述べるという内容は、そうした学生からの意見や話し合いによって前著は構想された。そして、『新しい教育通義』は、古今東西の教育の歩みを基礎・基本である知識として伝えて、そのうえで教育実践の場で試される応用的な思考力・判断力・表現力などを培っていく方向を見定め、学校教育を豊かにする人間性にも資するものをめざした。教師は結局、教育現場の臨機応変な対応と人間性で子どもたちから評価され、保護者や地域の人々に受け入れられる。しかし、その基礎・基本となる法律と歴史の知識は大学で意識的に学ぶしかない。これがあって初めて現場での実践力と人間力を試すことができる。

尊敬する先生方から、教育の広がりを論じるための多くのご教示を受けた。とりわけ前著には、お茶の水女子大学教授の米田俊彦氏と大阪市立大学教授の柏木敦氏から誤記訂正や意見をいただくことができた。また前著を学んだ五年間の学生は、幅広い年齢層の通信教育課程の学生と、高等学校授業料無償化や十八歳選挙権などの教育改革を当事者として経験した通学課程の学生たちである。その膨大な質問と意見は、『新しい教育通義』として全面改訂する原動力になった。

本書の作成に当たっては、武蔵野美術大学造形学部通信教育課程で共同して「教育原理」を担当する田中千賀子講師にご協力をいただいた。このほか、教職課程全体の入門科目としての本書の位置づけから、武蔵野美術大学の通学と通信の教職課程をともにささえる方々に感謝したい。全員の名前は挙げられないが、本書執筆の時間確保を配慮していただいた小井土滿教授、大坪圭輔教授、伊東毅教授、三澤一実教授、本書校正に協力して下さった教職課程資料閲覧室の元スタッフの赤羽麻希氏、高田正美氏、新スタッフの寄野治子氏のお名前は記しておきたい。また本書刊行までの期間に教育原理を分担した渡辺典子講師、桑田直子講師、重栖啓子元講師、坂本紀子元講師にも感謝したい。

編集は遠藤卓哉氏に辛抱強く対応してもらった。これは誇張表現ではなく、前著を含む一連の教科書の構想が始まった一五年前から相談をして、新たに本書が刊行できたのは遠藤氏や武蔵野美術大学出版局の木村公子編集長の忍耐力のおかげである。

本書で得られた知識が、学校や社会での実践を通じて、子どもたちをはじめ教育の機会を必要とするすべての人々に役立てられることを期待したい。

二〇一八年一月三一日　　高橋　陽一

（二〇二三年増補改訂版の追記）改訂にあたっては十八歳成人など大きな法令改正のほか、主要動向、各種データ更新を行った。担当された木村公子編集長に感謝する。

二〇二三年一月三一日　　高橋　陽一

資料編——学校系統図

本書の学校の制度や歴史の説明のために多くの章で言及している学校系統図を掲載する。

学校系統図は、学校の接続や年齢と対象などを示すためのものだが、実際には完全な制度と実態を示すことには制約がある。このため現在最も普及して、多くの教育学の図書で引用されている文部省『学制百年史』（帝国地方行政学会、1972 年）と、最新の文部科学省『諸外国の教育動向 2021 年度版』（明石書店、2022 年）から転載する形で掲載する。

図中の太枠、グレーの部分は、義務教育やそれに相当する教育を表している。

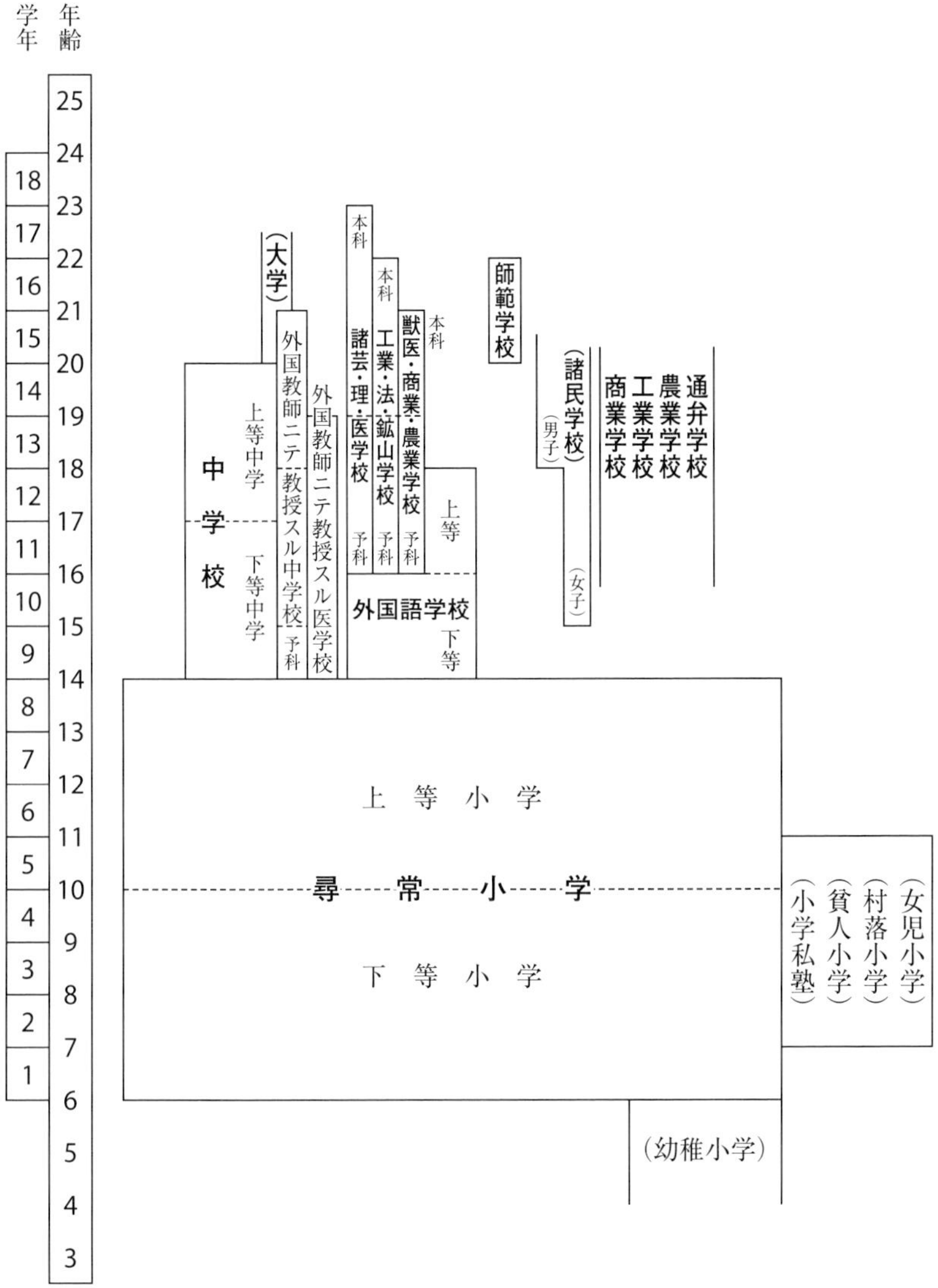

学校系統図 1　1873（明治 6）年
1872（明治 5）年の学制による
『学制百年史　資料編』368 頁

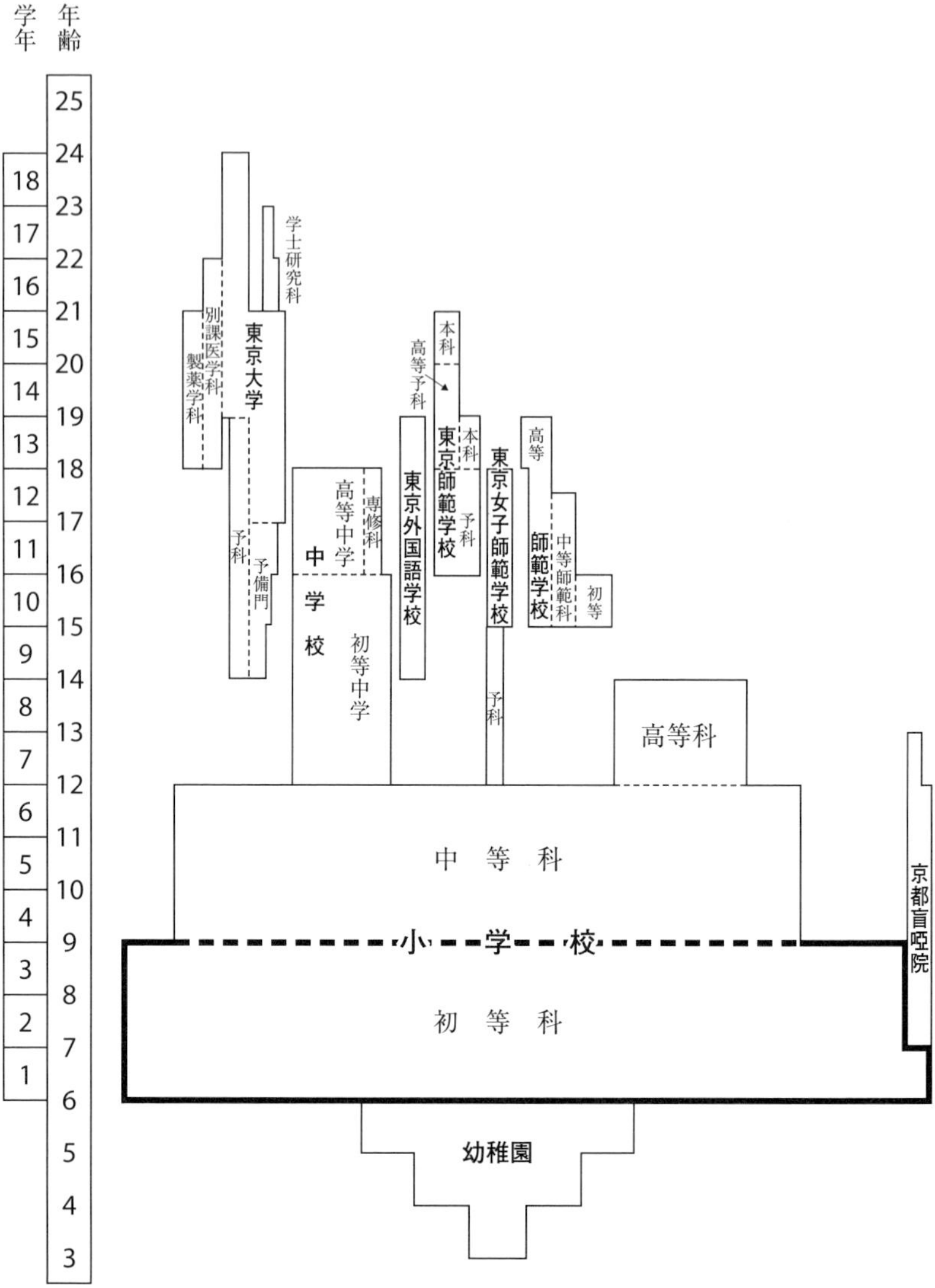

学校系統図 2　1881（明治 14）年
1880（明治 13）年の教育令（改正教育令）による
『学制百年史　資料編』369 頁

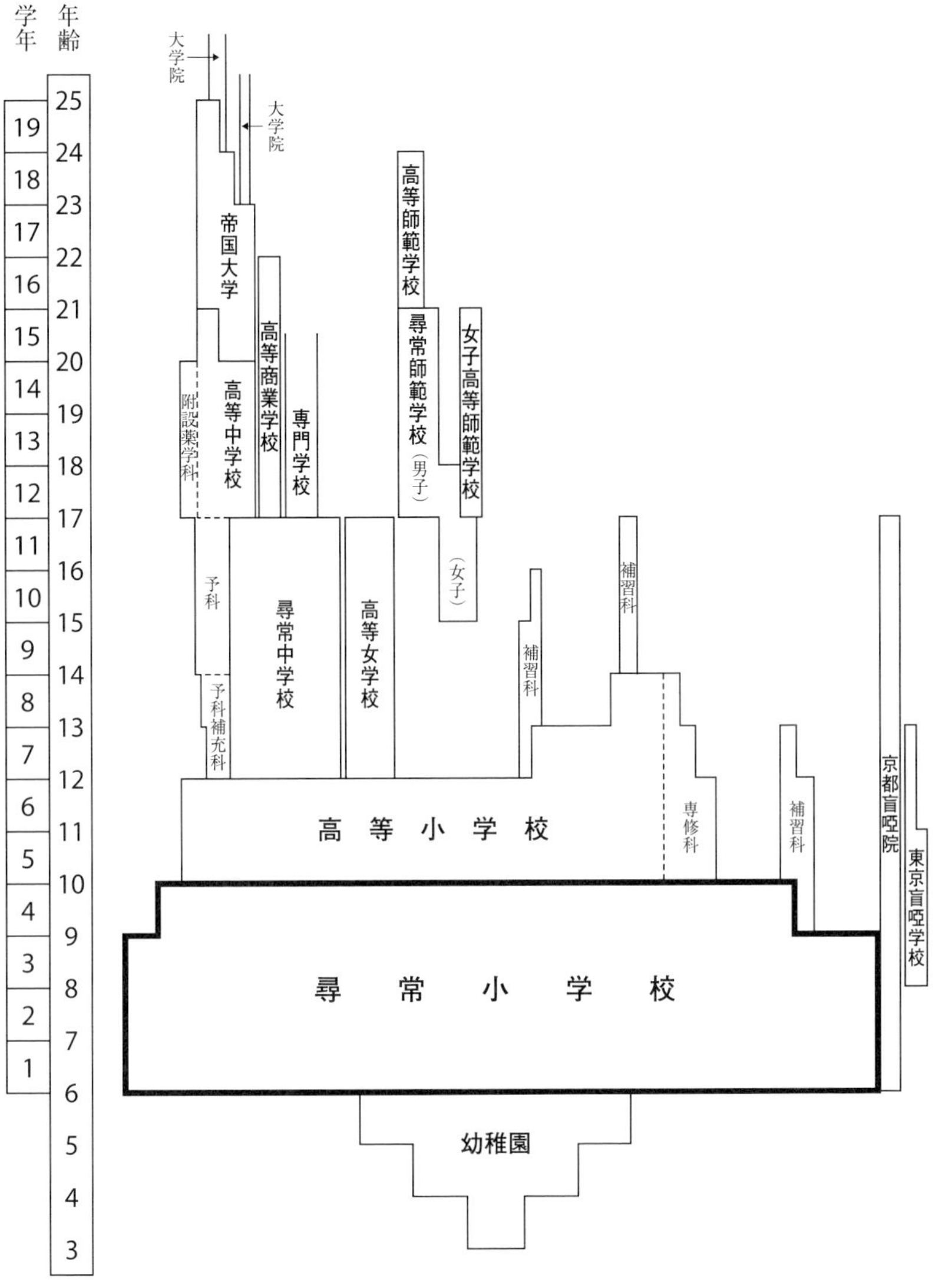

学校系統図 3　1892（明治 25）年
1890（明治 23）年の小学校令などによる
『学制百年史　資料編』370 頁

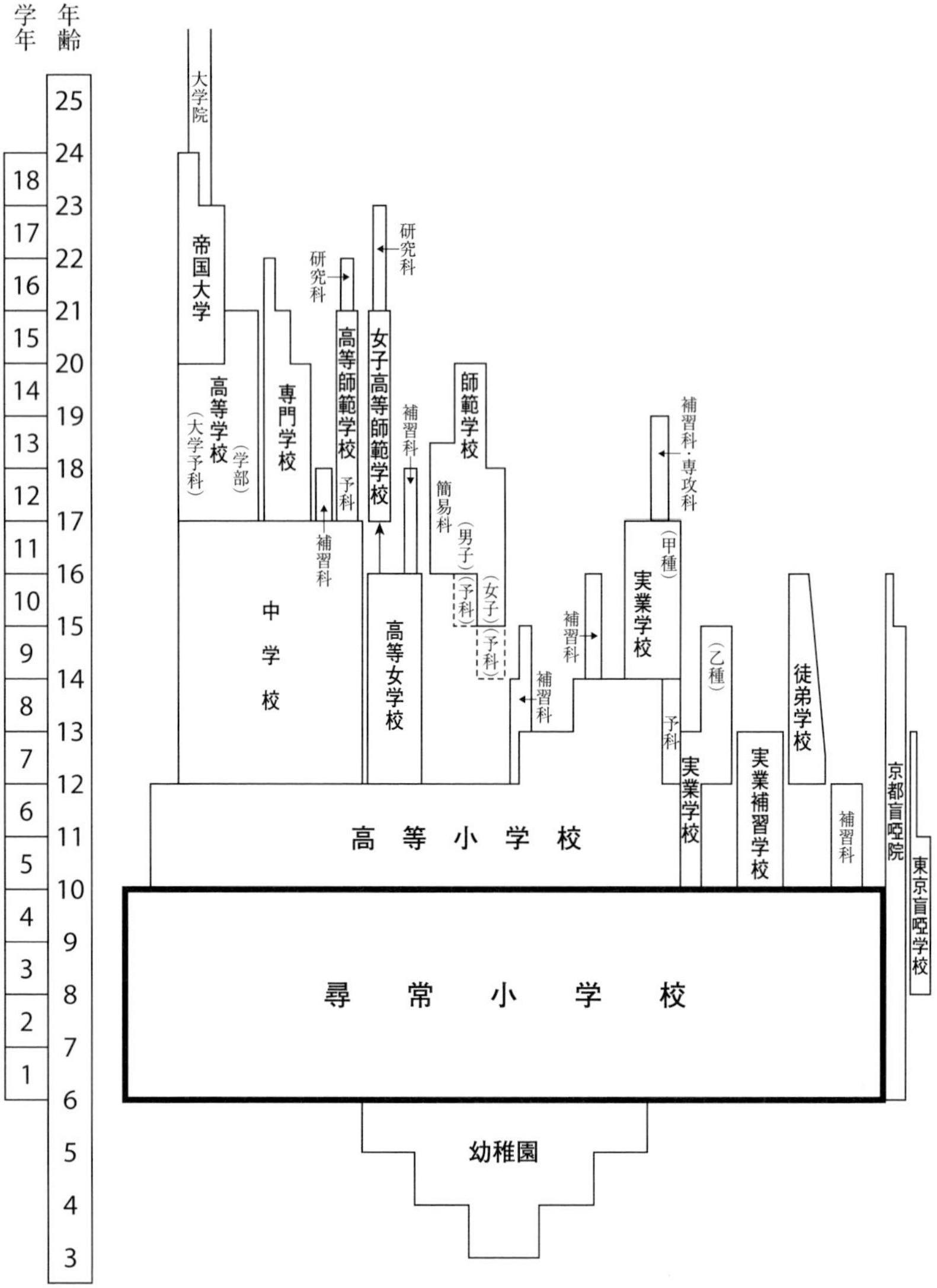

学校系統図４　1900（明治 33）年

1900（明治 33）年の小学校令などによる

『学制百年史　資料編』371 頁

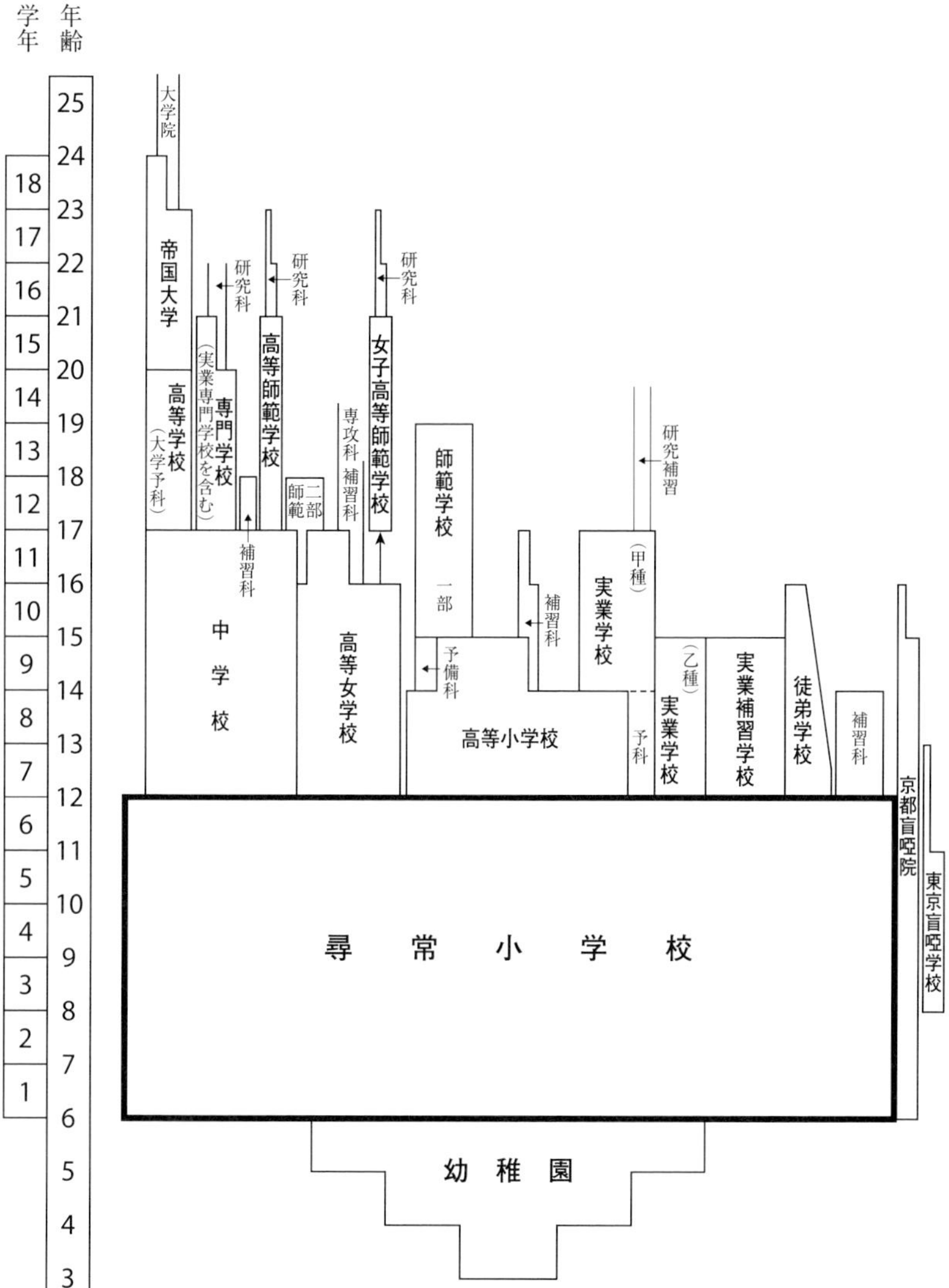

学校系統図 5　1908（明治 41）年
1907（明治 40）年の小学校令などによる
『学制百年史　資料編』372 頁

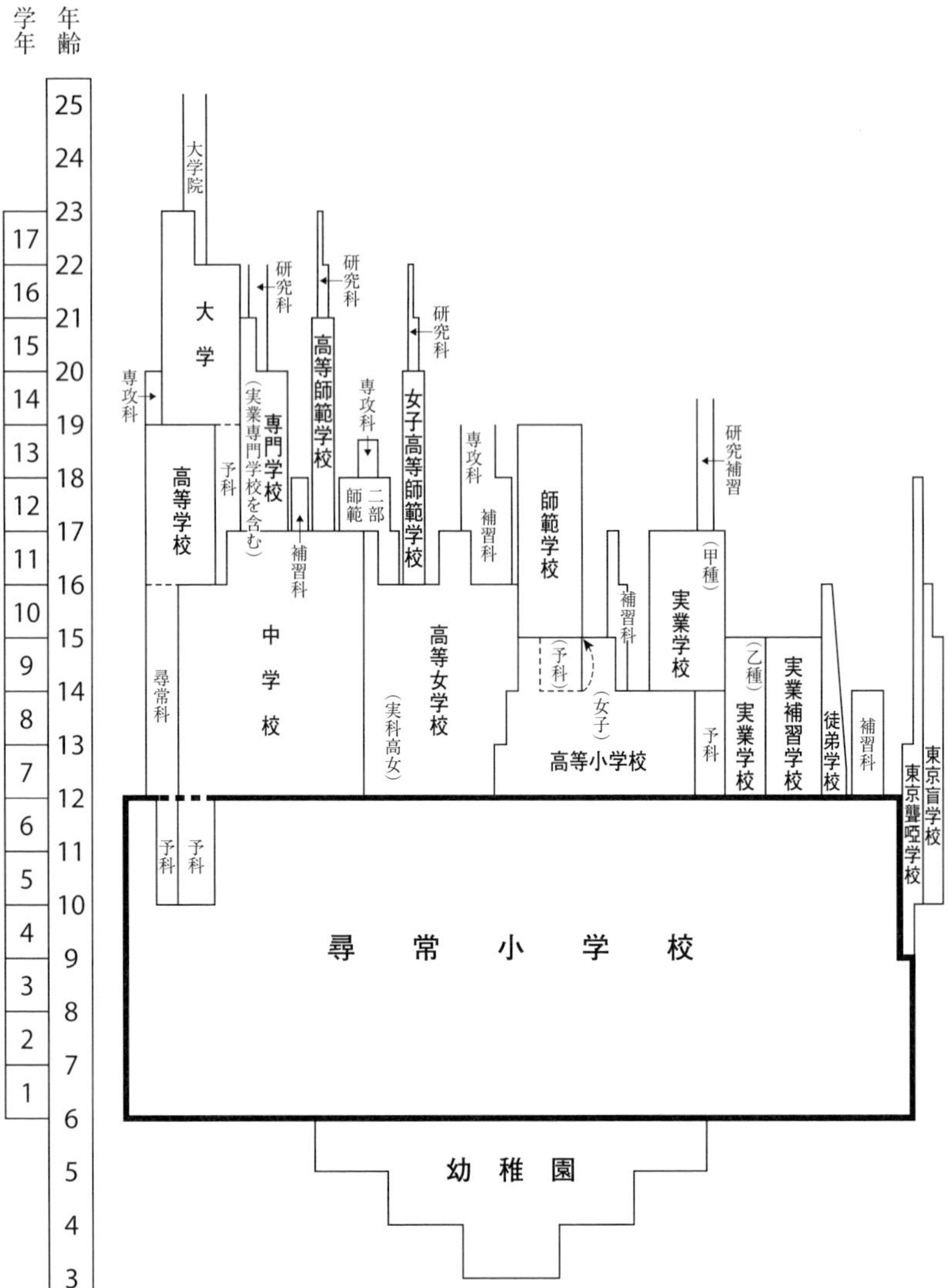

学校系統図 6　1919（大正 8）年
1918（大正 7）年の大学令などによる
『学制百年史　資料編』373 頁

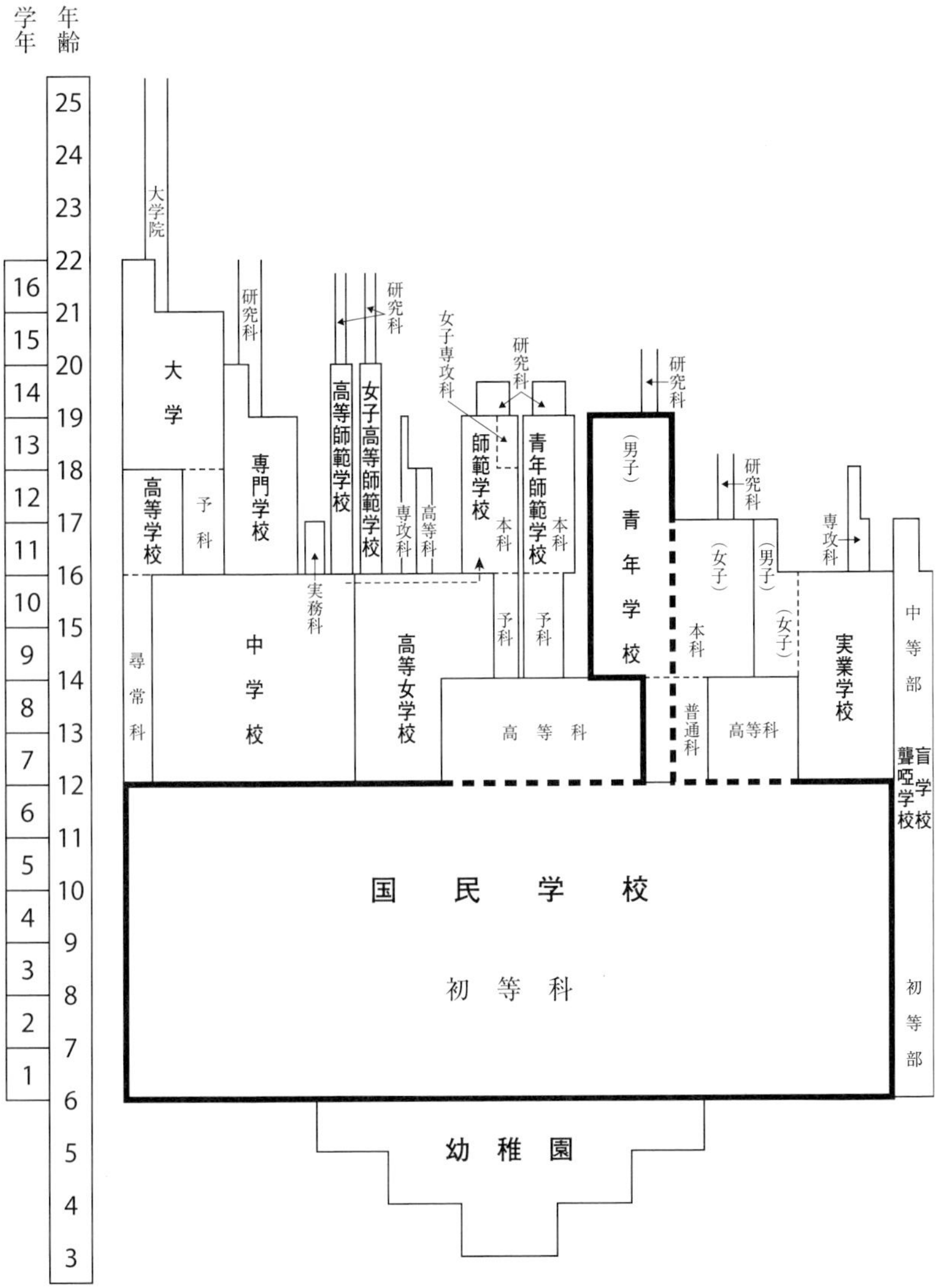

学校系統図7　1944(昭和19)年

1941(昭和16)年の国民学校令などによる

『学制百年史　資料編』374頁

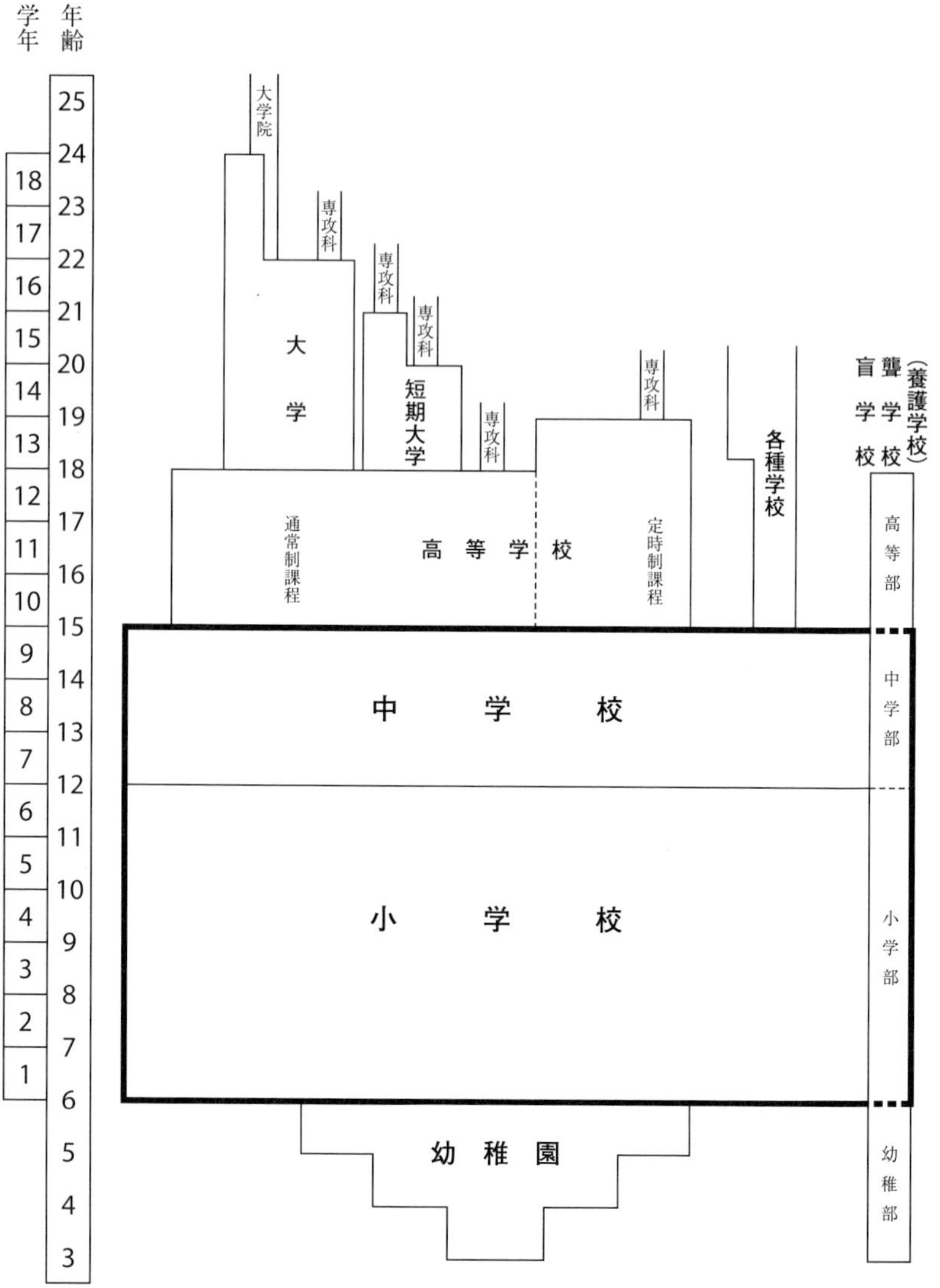

学校系統図 8　1949（昭和 24）年
1947（昭和 22）年の学校教育法による
『学制百年史　資料編』375 頁

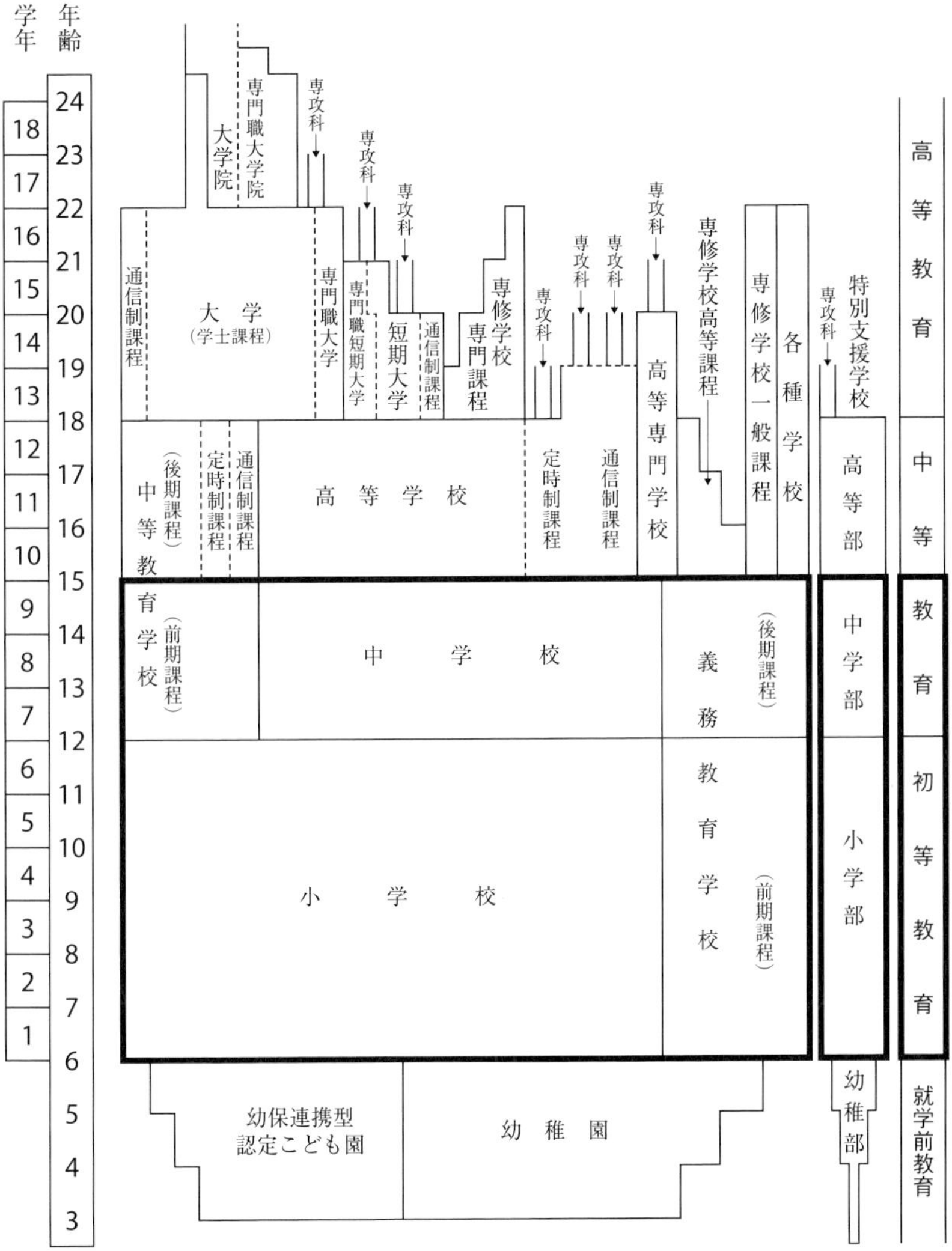

学校系統図 9

『諸外国の教育動向 2021 年度版』326 頁

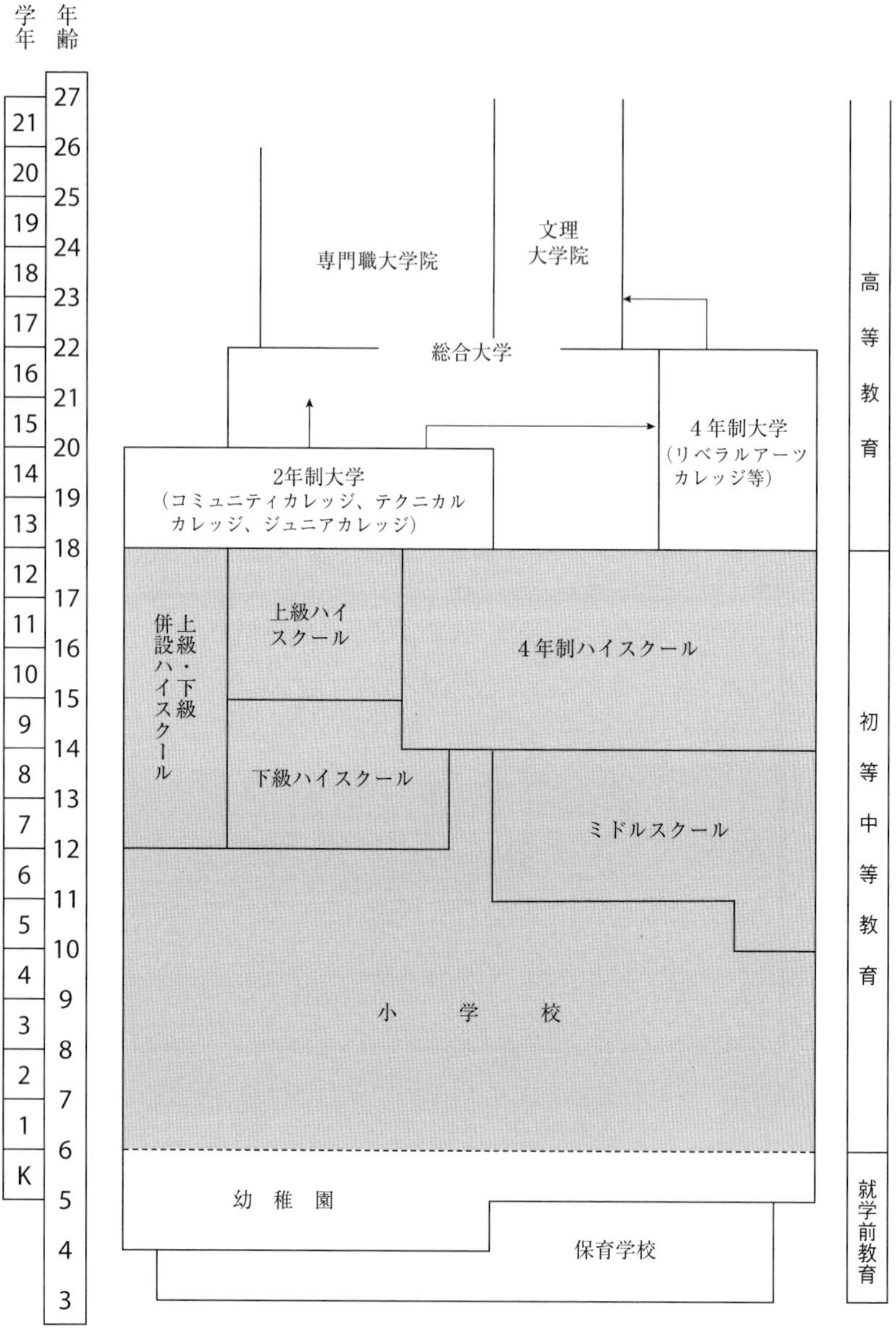

学校系統図 10　アメリカ合衆国
『諸外国の教育動向 2021 年度版』320 頁

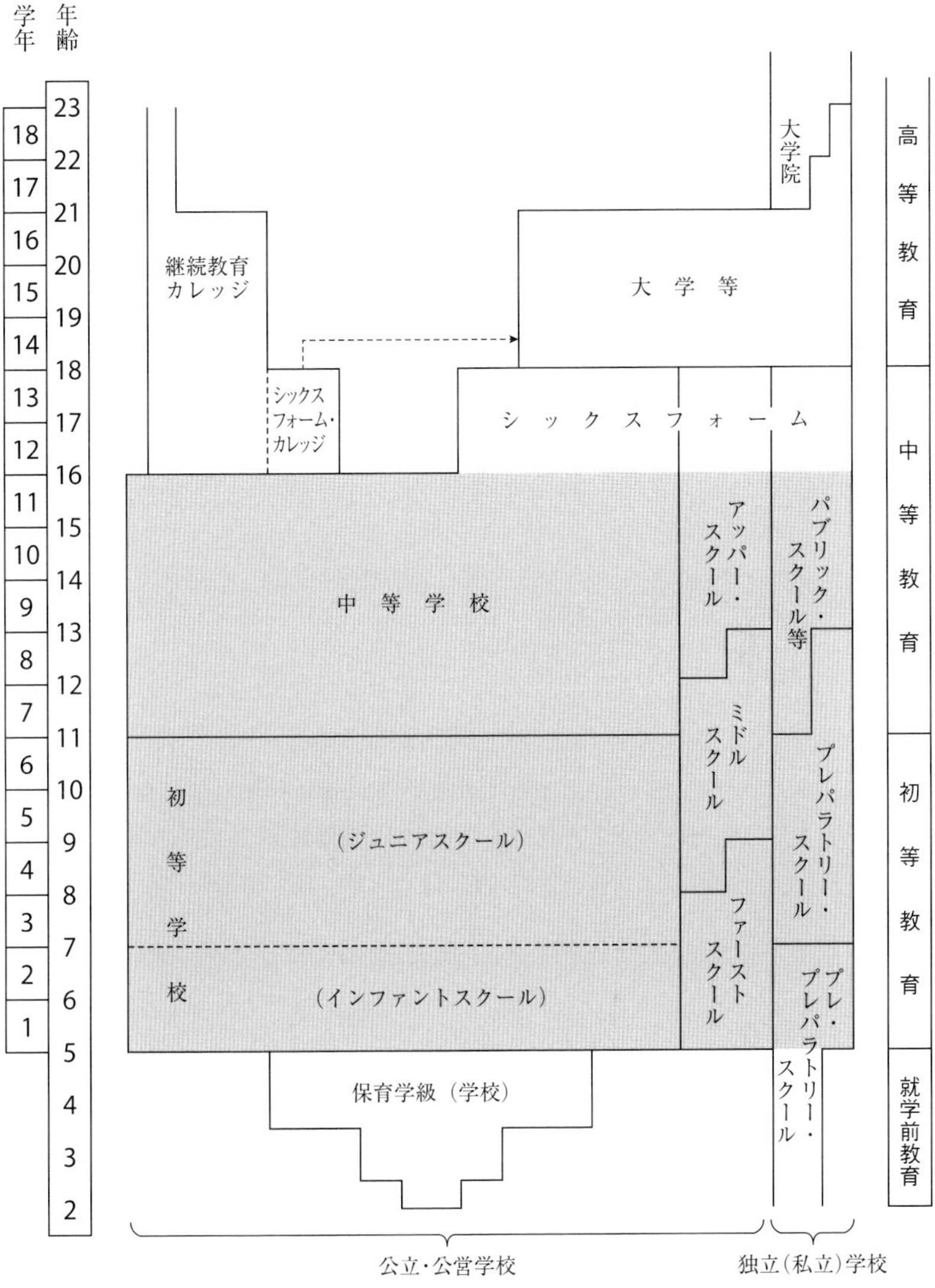

学校系統図 11　イギリス
『諸外国の教育動向 2021 年度版』321 頁

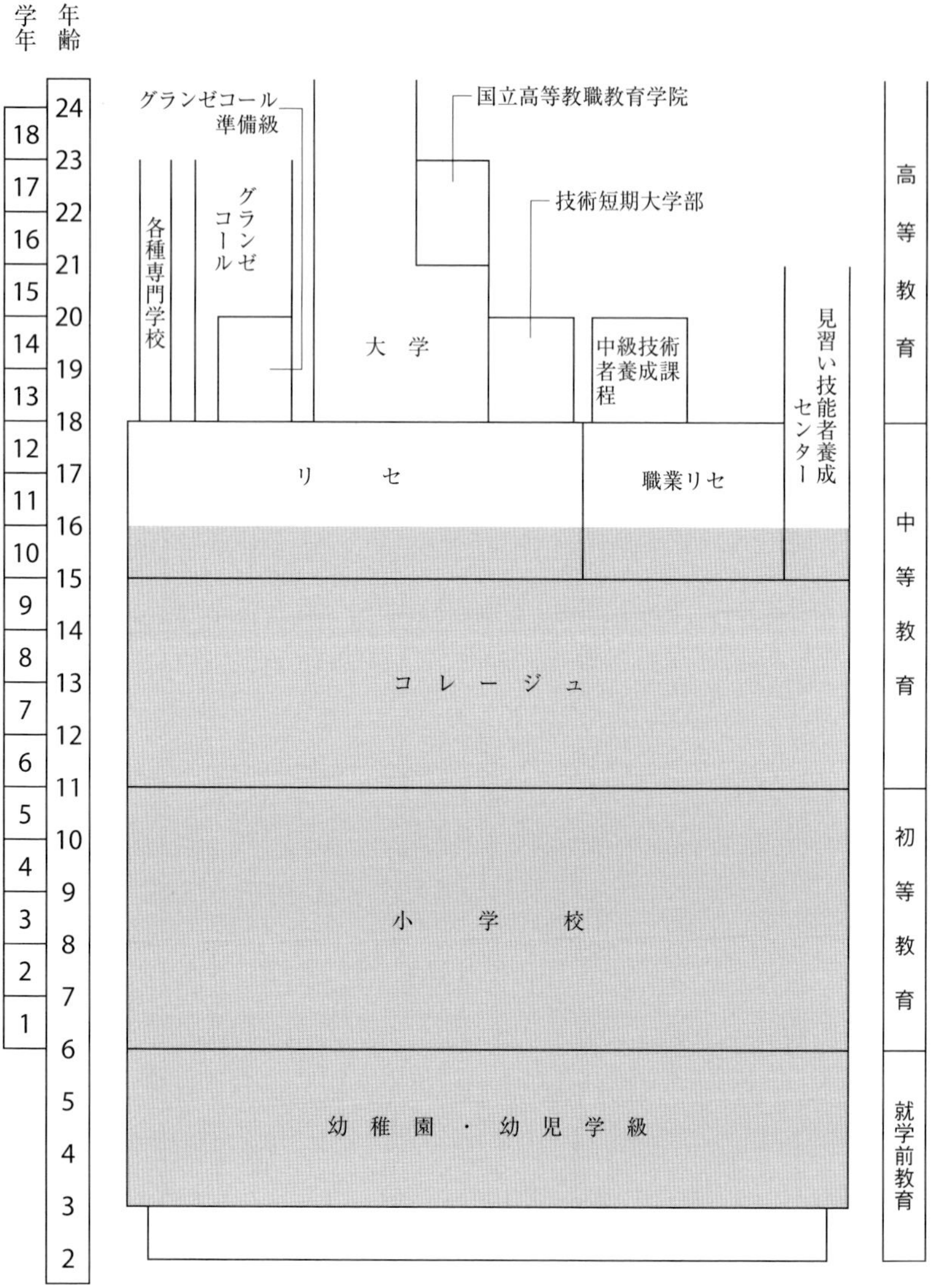

学校系統図12　フランス
『諸外国の教育動向 2021 年度版』322 頁

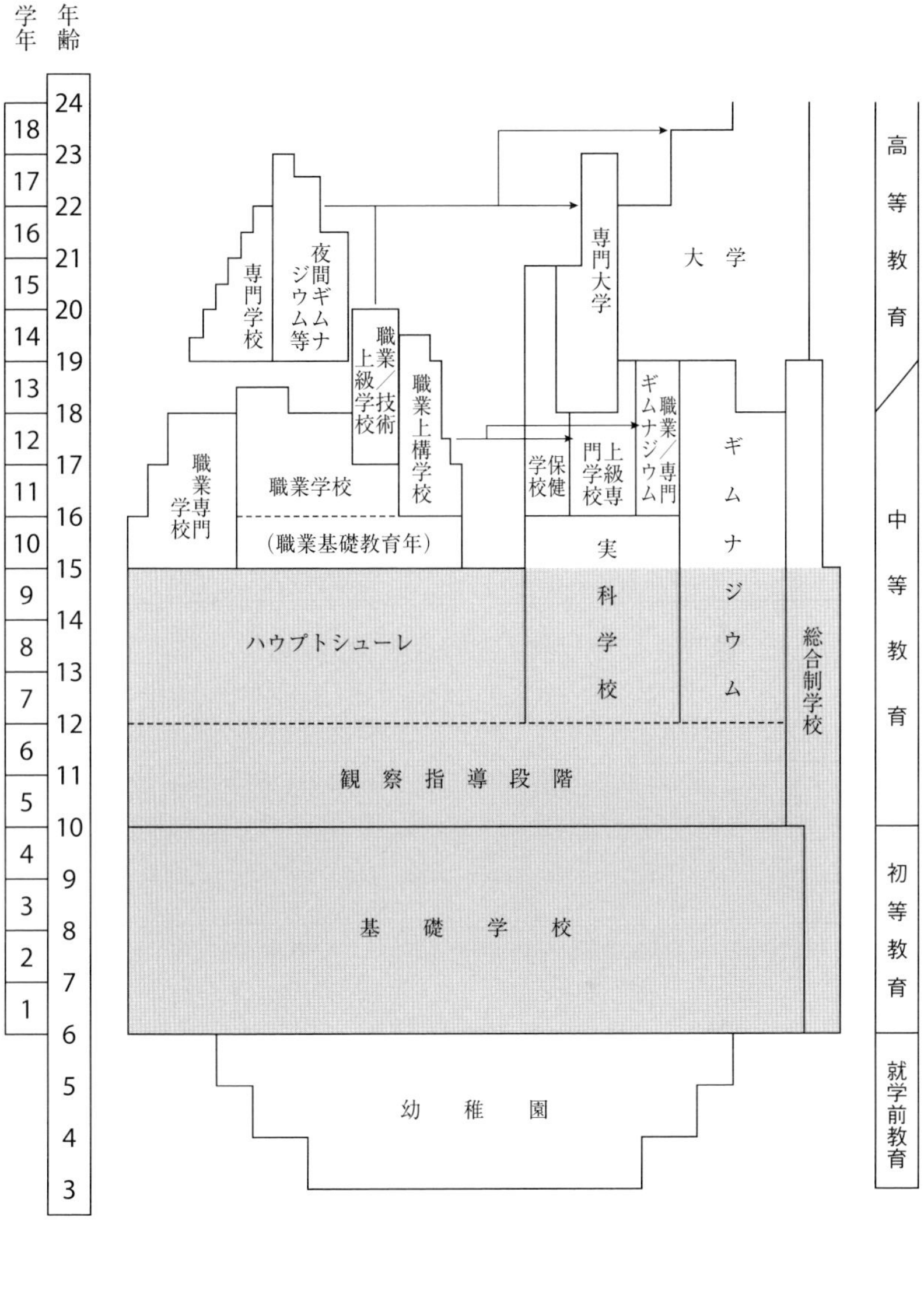

学校系統図 13　**ドイツ**
『諸外国の教育動向 2021 年度版』323 頁

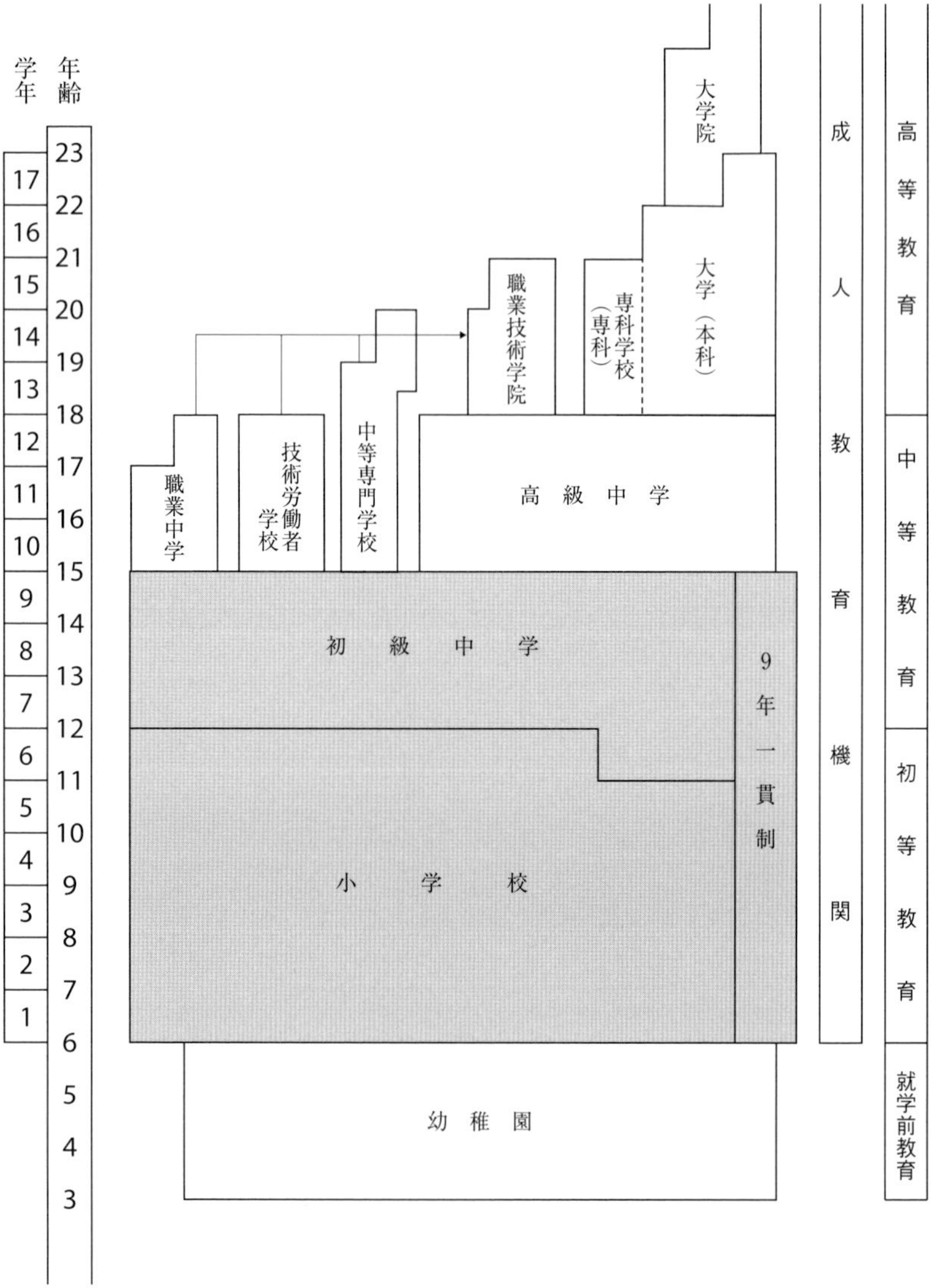

学校系統図 14　中国
『諸外国の教育動向 2021 年度版』324 頁

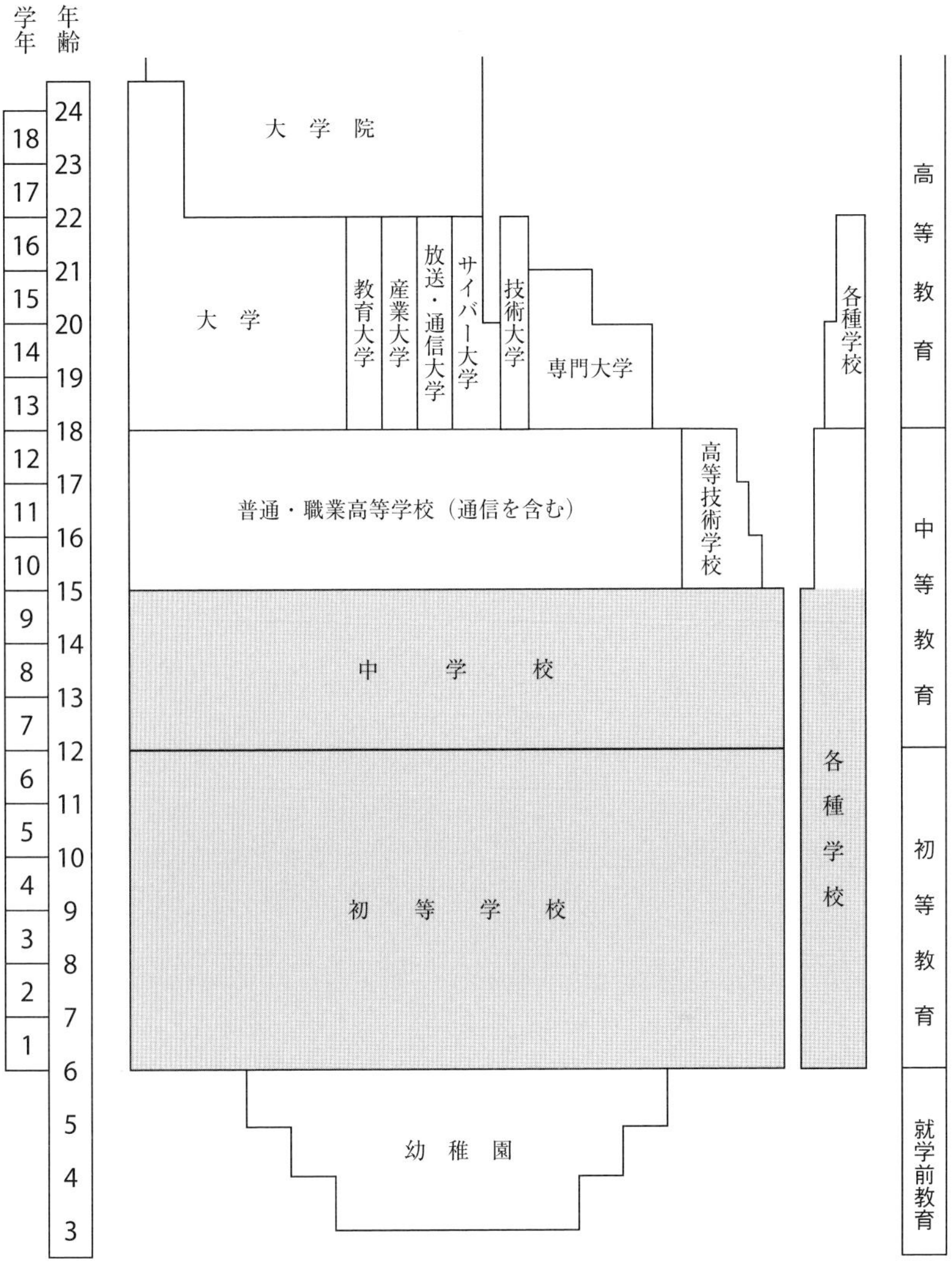

学校系統図 15　韓国
『諸外国の教育動向 2021 年度版』325 頁

人名索引

【ひ】

【ふ】

【へ】

【ほ】

【ま】

【み】

【む】

【め】

【も】

【や】

【ゆ】

【よ】

【ら】

【り】

【る】

【れ】

【ろ】

【わ】

重要語句索引

本文に太字で示した重要語句の掲載頁を記した。

【き】

【く】

【さ】

【し】

【す】

【せ】

【つ】

【て】

【と】

【な】

【に】

【ね】

【の】

【は】

【ひ】

【ふ】

【へ】

【ほ】

【ま】

【み】

著者紹介

高橋陽一（たかはし・よういち）

一九六三年生まれ。東京大学大学院教育学研究科博士課程満期退学。武蔵野美術大学造形学部教授。日本教育史（国学・宗教教育）を専攻。単著に『チーム学校の教師論』『ファシリテーションの技法』『美術と福祉とワークショップ』（いずれも武蔵野美術大学出版局）、『くわしすぎる教育勅語』（太郎次郎社エディタス、二〇一九年）、『共通教化と教育勅語』（東京大学出版会、二〇一九年）。監修に『ワークショップ実践研究』、共編著に『これからの生活指導と進路指導』『総合学習とアート』『特別支援教育とアート』『道徳科教育講義』『新しい教育相談論』『造形ワークショップ入門』『造形ワークショップの広がり』（いずれも武蔵野美術大学出版局）、共著に岩波書店編集部編『教育勅語と日本社会』（岩波書店、二〇一七年）、教育史学会編『教育勅語の何が問題か』（同、二〇一七年）、駒込武／奈須恵子／川村肇編『戦時下学問の統制と動員 日本諸学振興委員会の研究』（東京大学出版会、二〇一一年）、東京大学史史料室編『東京大学の学徒動員・学徒出陣』（同、一九九八年）、寺﨑昌男／編集委員会編『近代日本における知の配分と国民統合』（第一法規出版、一九九三年）ほか。

表紙デザイン　白尾デザイン事務所

新しい教育通義　増補改訂版

二〇二三年四月一日　初版第一刷発行

著者　高橋陽一

発行者　白賀洋平

発行所　武蔵野美術大学出版局
〒一八〇-八五六六
東京都武蔵野市吉祥寺東町三-三-七
電話　〇四二二-二三-〇八一〇（営業）
〇四二二-二二-八五八〇（編集）

印刷　株式会社精興社
製本　誠製本株式会社

定価は表紙に表記しています
乱丁・落丁本はお取り替えいたします

ISBN978-4-86463-155-6 C3037 Printed in Japan

道徳科教育講義

高橋陽一＋伊東毅 著

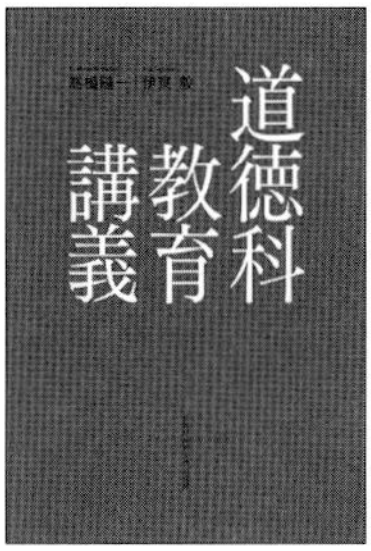

A5判　312頁
定価 2,090 円（本体 1,900 円）
978-4-86463-059-7 C3037［'17.04］

新しい道徳科、特別の教科である道徳が、2018年から小学校で、19年から中学校で始まった。従来の「道徳の時間」の弊害を乗り越え、チーム学校によるアクティブ・ラーニングとして道徳科の教育を実践するには？　道徳の理論や歴史から授業のプランまで、教師に必要なノウハウと教養を伝授。

チーム学校の教師論

高橋陽一 著

A5判　352頁
定価 2,750 円（本体 2,500 円）
978-4-86463-125-9 C3037［'21.04］

教師の在り方、その世論や実態は、この20年で大きく変化した。教職課程で「教師論」が必修となったのは2000年度。現在では教員の働き方改革が進み、教員の役割について保護者も地域住民も冷静に考え、チーム学校という概念が浸透しつつある。教職の意義、教員の役割・職務内容を法令本文の引証により逐条で解説。

特別支援教育とアート

高橋陽一 編

執筆者：
高橋陽一
葉山登
田中千賀子
有福一昭
杉山貴洋
川本雅子

A5判　272頁
定価 2,200 円（本体 2,000 円）
978-4-86463-072-6 C3037［'18.03］

専門家の領域であった障害児教育は、今やすべての教師がかかわる特別支援教育へと変化をみせている。子どもたちを中心に、教師が、保護者が、地域の人々も含めてチーム学校として一緒に悩み､取り組むことで、障害のある人もない人も平等に参加する共生社会に近づいてゆく。